週数別
妊婦健診
マニュアル

第2版

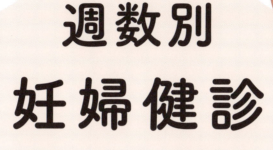

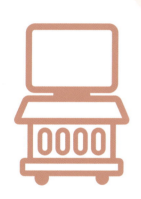

編集

藤井 知行

医療法人財団順和会山王病院 病院長
国際医療福祉大学大学院・医学部 教授

医学書院

週数別 妊婦健診マニュアル			
発　行	2018年5月1日	第1版第1刷	
	2019年8月1日	第1版第3刷	
	2021年11月1日	第2版第1刷©	
	2024年4月1日	第2版第3刷	
編集者	藤井知行（ふじいともゆき）		
発行者	株式会社　医学書院		
	代表取締役　金原　俊		
	〒113-8719　東京都文京区本郷 1-28-23		
	電話　03-3817-5600（社内案内）		
印刷・製本	リーブルテック		

本書の複製権・翻訳権・上映権・譲渡権・貸与権・公衆送信権（送信可能化権を含む）は株式会社医学書院が保有します．

ISBN978-4-260-04794-4

本書を無断で複製する行為（複写，スキャン，デジタルデータ化など）は，「私的使用のための複製」など著作権法上の限られた例外を除き禁じられています．大学，病院，診療所，企業などにおいて，業務上使用する目的（診療，研究活動を含む）で上記の行為を行うことは，その使用範囲が内部的であっても，私的使用には該当せず，違法です．また私的使用に該当する場合であっても，代行業者等の第三者に依頼して上記の行為を行うことは違法となります．

JCOPY　〈出版者著作権管理機構　委託出版物〉

本書の無断複製は著作権法上での例外を除き禁じられています．複製される場合は，そのつど事前に，出版者著作権管理機構（電話 03-5244-5088, FAX 03-5244-5089, info@jcopy.or.jp）の許諾を得てください．

第2版　序

　2018年4月に発行された本書「週数別 妊婦健診マニュアル」はお陰様で好評を博し，このたび，第2版として改訂版を発行する運びとなりました．多くの先生方にお読みいただき，改訂版の発行に至ったことは望外の喜びです．産褥期も含め，「週数別」に妊婦健診時のチェックポイントがまとめられ，ハイリスク妊婦の管理方法についても詳述されていたという本書の特徴が，産科臨床に携わる多くの先生方のご要望に応えることになったのではないかと考えています．

　今回の改訂では，初版発行以降の各種情報のアップデートはもちろんのこと，2020年に改訂された日本産科婦人科学会および日本産婦人科医会による「産婦人科診療ガイドライン 産科編2020」への対応も行っています．また，産科臨床における近年のトピックとして，母体血を用いた無侵襲的出生前遺伝学的検査(NIPT)，ジノプロストン腟内留置用製剤を用いた分娩誘発，無痛分娩に関する項目を追加し，妊婦健診以外の情報もフォローできるようにいたしました．また，初版に引き続き，各項目の冒頭には「DATA」として各種周産期疾患，胎児異常，あるいは出生児障害の頻度などをまとめて掲載していますので，健診時の参考としていただければと思います．

　2020年1月以降の新型コロナウイルス感染症の世界的なまん延は，産科臨床にも甚大な影響を及ぼしています．新型コロナウイルスが妊婦や胎児・出生児にどのような影響を与えるのかについては，時間をかけて慎重に明らかにすべきですが，この1年数か月の間で少しずつわかってきたこともあります．本書においても，妊婦健診にかかわりのある内容として，新型コロナウイルス検査の概要，ワクチン接種について，2021年8月時点で判明している情報をもとに記載しています．なお，今後，新たな知見を得て変更される可能性もありますので，その点，ご留意いただければと思います．

　本書発行にご尽力いただきました執筆者の先生方にはあらためて御礼申し上げます．初版に引き続き，第2版が産科臨床に携わる先生方におおいに活用され，日常診療の一助となれば幸いです．

2021年9月

藤井　知行

初版　序

　本書は，『臨床婦人科産科』誌（医学書院）の2015年増刊号として発行された「妊婦健診のすべて　週数別・大事なことを見逃さないためのチェックポイント」を基に企画，作成いたしました．産科医に向けて，妊婦健診に関する情報を網羅的にまとめた書籍は，これまでほとんどなかったため，同増刊号は発行直後から好評を博し，早々に品切れとなってしまっていました．産褥期も含め，「週数別」に健診時のチェックポイントをまとめたこと，ハイリスク妊婦の管理方法についても詳述されていたことといった特長が，産科臨床に携わる多くの先生方のご要望に応えることになったのではないかと考えています．

　2015年の増刊号発行後，妊産婦健診にまつわるさまざまな動きがありました．日本産科婦人科学会および日本産婦人科医会による「産婦人科診療ガイドライン　産科編」が2017年に改訂されたことをはじめとし，「妊娠中の糖代謝異常と診断基準」ならびに「妊娠高血圧症候群の定義・臨床分類」など，妊婦管理にとって非常に重要な基準，定義の改訂が続きました．さらに，2017年4月より「産婦健康診査事業」がスタートしたことも大きなトピックでした．産褥健診に金銭面で支援が行われるようになり，経済的理由により産褥健診を受けられなかった女性も健診を受けやすくなりました．また，従来，一般的に行われてきた産後1か月の健診に加え，産後2週間での健診も推進し，妊娠期から子育て期にわたる切れ目ない支援体制を整えることによって，産後のメンタルケアと新生児への虐待予防を行い，それらへ早期介入することが主な目的の事業です．

　こうした動きに対応するため，このたび，上記増刊号をベースとして本書「週数別　妊婦健診マニュアル」を企画しました．上記増刊号発行後の各種情報のアップデートはもちろん，「産婦人科診療ガイドライン　産科編2017」をはじめとするガイドライン・診断基準などの改訂に対応し，また，あらたに「保健指導・情報提供」の章を新設し，妊産婦への各種指導，新生児健診および乳幼児の予防接種に関する内容をまとめて掲載しました．また，「産婦人科診療ガイドライン　産科編2017」での推奨度はまだ高くはないものの，新たな知見が集積している現状を踏まえ，トキソプラズマおよびサイトメガロウイルス感染に関する項目を追加しています．「DATA」として各種周産期疾患，胎児異常，あるいは出生児障害の頻度などを各項目の冒頭にまとめて掲載し，健診時の参考としていただけるよう工夫を施したことも臨床現場での使い勝手向上に役立つものと考えています．

　書籍として装いもあらたにした本書が産科臨床に携わる先生方におおいに活用され，日常診療の一助となれば幸いです．

2018年2月

藤井　知行

執筆者一覧

編集

藤井　知行　　医療法人財団順和会山王病院 病院長／国際医療福祉大学大学院・医学部 教授

執筆（執筆順）

永松　健	東京大学医学部附属病院女性診療科・産科 准教授
藤井　知行	医療法人財団順和会山王病院 病院長／国際医療福祉大学大学院・医学部 教授
佐山　晴亮	東京大学医学部附属病院女性診療科・産科 助教
入山　高行	東京大学医学部附属病院女性診療科・産科 講師
南　佐和子	和歌山県立医科大学附属病院総合周産期母子医療センター 病院教授
森實真由美	美ら海ハシイ産婦人科 院長
川名　敬	日本大学医学部産婦人科学系産婦人科学分野 主任教授
川名　尚	東京大学 名誉教授
髙橋健太郎	滋賀医科大学産科学婦人科学講座 客員教授
寺田佳世子	日本医科大学多摩永山病院女性診療科・産科
中井　章人	日本医科大学多摩永山病院 院長
三宅　貴仁	三宅医院 院長
下屋浩一郎	川崎医科大学産婦人科学 教授
福嶋恒太郎	福嶋クリニック 副院長
米田　哲	富山大学産科婦人科 准教授
稲坂　淳	新横浜母と子の病院 理事長
齋藤　滋	富山大学 学長
竹下　俊行	日本医科大学 名誉教授
吉田　幸洋	順天堂大学医学部産婦人科学 特任教授
小島　崇史	医療法人社団明誠会こじま産婦人科 副院長
田中　良道	大阪医科薬科大学産婦人科学教室 講師
田中　宏和	香川大学医学部周産期学婦人科学 准教授
亀井　良政	埼玉医科大学病院産婦人科 運営責任者
澤井　英明	兵庫医科大学病院遺伝子医療部 教授
藤田　太輔	大阪医科薬科大学産婦人科学教室 講師
大道　正英	大阪医科薬科大学産婦人科学教室 教授
大戸　斉	福島県立医科大学 総括副学長
安田　広康	福島県立医科大学輸血・移植免疫学
山下　有加	昭和大学江東豊洲病院産婦人科 助教
大槻　克文	昭和大学江東豊洲病院周産期センター 教授／周産期センター長
島岡　昌生	大阪府済生会富田林病院産婦人科 部長
葉　宜慧	近畿大学医学部産科婦人科学
松村　謙臣	近畿大学医学部産科婦人科学 教授
船越　徹	兵庫県立こども病院周産期医療センター長／産科部長
尾本　暁子	千葉大学医学部附属病院周産期母性科
生水真紀夫	千葉大学医学部附属病院周産期母性科 教授
中山　敏男	医療法人財団順和会山王病院女性医療センター産科・婦人科部門 部長
山下　亜紀	前 東京大学医学部附属病院女性診療科・産科
和田　誠司	国立成育医療研究センター周産期・母性医療センター胎児診療科 診療部長
杉林　里佳	国立成育医療研究センター周産期・母性医療センター胎児診療科
小澤　克典	国立成育医療研究センター周産期・母性医療センター胎児診療科 医長
左合　治彦	国立成育医療研究センター周産期・母性医療センター センター長
塩﨑　有宏	富山大学附属病院周産母子センター 副センター長
印出　佑介	日本医科大学多摩永山病院 女性診療科・産科
村山　敬彦	地域医療振興協会練馬光が丘病院産婦人科 部長

石井 桂介	大阪府立病院機構 大阪母子医療センター産科 主任部長
大口 昭英	自治医科大学産科婦人科学講座 教授
工藤 美樹	広島大学産婦人科学 教授
村上 法子	大阪府済生会吹田病院産婦人科 医長
亀谷 英輝	大阪府済生会吹田病院周産期センター センター長
戸田 薫	鹿児島市立病院産婦人科
松本 純	鹿児島市立病院産婦人科 医長
上塘 正人	鹿児島市立病院産婦人科 部長
橘 大介	大阪公立大学大学院医学研究科女性生涯医学 教授
三杦 卓也	大阪公立大学大学院医学研究科女性生涯医学 准教授
田原 三枝	大阪公立大学大学院医学研究科女性生涯医学 講師
松田 義雄	東京医療保健大学 臨床教授
石本 人士	東海大学医学部専門診療学系産婦人科学領域 教授
金子 政時	宮崎大学大学院看護学研究科 教授
増山 寿	岡山大学大学院医歯薬学総合研究科産科・婦人科学 教授
福岡 操	長崎医療センター産婦人科
板倉 敦夫	順天堂大学医学部附属順天堂医院産科・婦人科 教授
中島 義之	東京女子医科大学附属八千代医療センター母体胎児科・婦人科 講師
正岡 直樹	東京女子医科大学附属八千代医療センター母体胎児科・婦人科 特任教授
小松 篤史	日本大学医学部産婦人科学教室 准教授
永田 愛	長崎大学産婦人科 講師
吉田 敦	佐世保市総合医療センター産婦人科 部長／周産期部門長
増﨑 英明	長崎大学 名誉教授
村林 奈緒	浜松医科大学生殖周産期医学講座 特任准教授
池田 智明	三重大学医学部産科婦人科学 教授
相澤 利奈	昭和大学江東豊洲病院産婦人科 助教
牧野 郁子	府中市民病院婦人科 医長
牧野 康男	庄原赤十字病院産婦人科 部長
馬場 洋介	自治医科大学産科婦人科学 講師
設楽理恵子	JCHO 東京新宿メディカルセンター産婦人科 医長
小山田瑞紀	聖路加国際病院女性総合診療部
兵藤 博信	東京都立墨東病院産婦人科 部長
佐藤 昌司	大分県立病院 院長
鈴木 一有	浜松医科大学産婦人科地域医療学講座 特任准教授
伊東 宏晃	浜松医科大学産婦人科学講座 教授
大野 泰正	大野レディスクリニック 院長
吉松 淳	国立循環器病研究センター病院産婦人科 部長
大柴 葉子	医療法人財団順和会山王病院 副院長
金子佳代子	国立成育医療研究センター周産期・母性診療センター母性内科 医長
大場 隆	熊本大学大学院生命科学研究部産科婦人科学講座 准教授
大浦 訓章	南流山レディスクリニック 院長
瀬山 貴博	東京大学医学部附属病院女性診療科・産科 助教
喜多 伸幸	滋賀医科大学医学部看護学科 臨床看護学講座（母性看護学・助産学） 教授
村上 節	滋賀医科大学産科学婦人科学講座 教授
西村 真唯	がん研有明病院婦人科
荻田 和秀	りんくう総合医療センター産婦人科 部長
二井 理文	三重大学医学部産科婦人科学 助教
坊垣 昌彦	東京大学医学部附属病院総合周産期母子医療センター／麻酔科・痛みセンター 講師
涌井 菜央	厚生労働省子ども家庭局母子保健課 課長補佐
髙橋 尚人	東京大学医学部附属病院小児・新生児集中治療部 教授
廣畑 晃司	東京大学医学部附属病院小児科

目次

I 妊娠週数ごとの健診の実際　　1

　　健診スケジュールの組み立て方　2

妊娠 11 週まで　　8

検査の実施法　　8
初診時に行う検査　8
妊娠反応　10
妊娠初期の超音波検査と分娩予定日の推定　12
感染症検査の評価　18

診断と外来対応　　29
母子感染（トキソプラズマ，サイトメガロウイルス）　29
妊娠悪阻　37
多胎妊娠の診断　42
異所性妊娠　48
胞状奇胎　53
切迫早期流産・絨毛膜下血腫・早期流産　58
不育症　66
卵巣腫瘍　71
出血性びらん・子宮頸管部のポリープ　79
妊娠中の子宮頸部細胞診異常の取り扱い　83

妊娠 12 から 21 週まで　　87

検査の実施法　　87
妊娠 12〜21 週に行う検査　87
胎盤の位置決定　89

胎児の形態評価①　92
母体血を用いた出生前遺伝学的検査（NIPT）　101
遺伝カウンセリング　107

診断と外来対応 ……………………………………………………………… 113
妊婦貧血　113
血液型不適合妊娠　118
切迫後期流産・後期流産・子宮頸管無力症　122
細菌性腟症　132
妊娠糖尿病の診断　136
子宮筋腫　140

妊娠 22 から 36 週まで ……………………………………………………… 144

検査の実施法 ……………………………………………………………… 144
妊娠 22〜36 週に行う検査　144
胎児の発育評価　147
胎児の形態評価②　152

診断と外来対応 ……………………………………………………………… 160
切迫早産・絨毛膜羊膜炎　160
B 群レンサ球菌（GBS）　167
前置胎盤　172
多胎妊娠の管理　177
妊娠高血圧症候群　184
常位胎盤早期剥離　192
羊水過多・過少　195
胎児発育不全（FGR）　201
胎児の位置異常　208
preterm PROM　211
胎児死亡　215
母体の静脈瘤・下肢静脈血栓症　221
妊娠糖尿病の管理　227
既往子宮手術　232
妊婦のマイナートラブル　237

妊娠 37 週以降 … 243

検査の実施法 … 243
妊娠 37 週以降に行う検査　243
頸管の成熟度の評価　245
胎盤機能の評価　250
妊娠 37 週以降の胎児 well-being の評価　259

診断と外来対応 … 264
胎児機能不全・胎盤機能不全　264
児頭骨盤不均衡（CPD）　270
過期妊娠　275

産褥期 … 280

検査の実施法 … 280
産後健診で行う検査　280

診断と外来対応 … 284
乳汁分泌不全　284
乳頭異常・乳腺炎　289
子宮復古不全　292
避妊指導　296
周産期うつとその他の精神疾患　300

II ハイリスク妊婦の管理　307

やせ・肥満　308
高血圧　312
糖尿病　318
腎疾患　323
心疾患　328
甲状腺機能亢進症・低下症　333
全身性エリテマトーデス，シェーグレン症候群　337
特発性血小板減少性紫斑病　343
気管支喘息　348
てんかん　352
精神疾患（妊娠中）　359

III 保健指導・情報提供

食事・嗜好品の指導　368
運動の指導　374
予防接種の指導　378
妊娠中・授乳中の薬についての指導　384
分娩誘発―ジノプロストン腟内留置用製剤の使用法　391
無痛分娩　397
産後健診制度　402
新生児健診（乳児1か月健診含む）　408
乳幼児の予防接種スケジュール　414

索引　421

I

妊娠週数ごとの健診の実際

健診スケジュールの組み立て方

POINT
- 特定の病気を発見することを目的とする「検診」とは趣旨が異なり，妊婦健康診査は母体，胎児の健康状態について全般的な確認を行うことを目的とする．
- 国が示している妊婦健診の実施基準を基本として，各自治体における公費負担の状況に応じて健診スケジュールを設定する．
- 妊婦健診での各種スクリーニング検査は各検査の目的を考えたうえで，適切な時期に行われるようにする．

DATA
- 2018年人口動態統計によると，日本における妊産婦死亡率，周産期死亡率は，それぞれ3.4人（対出産10万），3.3人（対出産1,000）．

妊婦健診の目的と意義

　最近半世紀の間に日本の妊産婦死亡率，周産期死亡率は大きく改善し，2018年の人口動態統計ではそれぞれ，3.4人（対出産10万），3.3人（対出産1,000）（図1）となっている．これはいずれも世界トップクラスの状態を維持しており，日本の周産期医療の誇るべき点といえる．日本の周産期医療システムの特徴として，母子保健法の精神に基づいて妊婦健診（正式名称：妊婦健康診査）が国民に浸透しており大多数の妊婦が医療機関での妊娠期間中の定期健診を受けていることが挙げられる．

　歴史を振り返ると，戦時中の1942年に妊産婦手帳（現在の母子健康手帳の前身）が旧厚生省の主導のもと作成された．その後，1965年に母子保健法が制定され，その目的として第1条に「母性並びに乳児及び幼児の健康の保持及び増進を図るため，母子保健に関する原理を明らかにするとともに，母性並びに乳児及び幼児に対する保健指導，健康診査，医務その他の措置を講じ，もつて国民保健の向上に寄与すること」が明記された．そしてこの法律に基づいて推奨される検査項目の拡充や公費負担が開始されて，体系的な妊婦健康診査の整備が進むことになった．その後，社会情勢，医療環境の変化に伴い母子健康手帳の記載内容や妊婦健康診査への公費負担が改正されてきた[1]．

　妊婦健康診査は母体，胎児の双方の健康状態について全般的な確認を行うことを目的としている．特定の病気を発見することを目的とする「検診」とは趣旨が異なることを理解する必要がある．各妊娠時期において周産期疾患の発症の予知・予防や安全な分娩を迎えるために必要な事項の確認に主眼を置いた問診，スクリーニング検査を進めていくことが重要である．一方で妊婦健診において母児に何らかの疾患の可能性が見いだされた場合には，妊婦健診とは別の医療システムに切り替わり，保険診療の枠組みのなかでその疾患の診断，治療を進めていくことになる．

　また，2017年以降に厚生労働省による産婦健康診査事業の取り組みが開始されている．これは，産後うつの予防や新生児への虐待予防などを図る観点から，産後の母体の医療機関への受

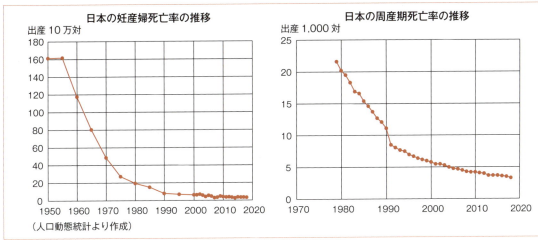

図1　日本の妊産婦死亡率および周産期死亡率の推移

診を促進して，妊娠中だけでなく産後も切れ目ない母子へのサポートを継続することを目的としている．

　海外に目を向けると，周産期医療システムが未発達の地域では現時点においても妊産婦死亡が100人に1人，新生児死亡が20人に1人程度であると報告されている[2,3]．日本では妊婦健診システムの普及，分娩場所が自宅から医療機関に移行したこと，妊婦のリスクレベルに応じた高次施設への搬送システムの整備などの要因が妊産婦死亡率の低下に大きく影響してきたと考えられている（図1）．こうした事実から，妊娠期間中から継続的な医療機関への受診を妊婦が行うことが母児の安全に大きく貢献することに疑問の余地はない．

　一方で，妊娠を自覚していない，経済的事情，家庭的な事情などの理由から妊婦健診を受けていないまま，分娩開始後に突然医療機関を受診する未受診妊婦の存在が社会的問題として指摘されている[4]．

国が示している妊婦健診の実施基準について

　厚生労働省から，妊婦健診の実施基準（平成21年2月27日付　厚生労働省雇用均等・児童家庭局母子保健課長通知第0227001号）において，公費負担にあたって望ましい健診回数，実施時期，各回に実施する基本的な妊婦健康診査の項目が示されている（表1）．また，妊娠期間中の健診の回数は14回程度とされており，平成25年度以降には恒常的に地方自治体の財源によって，厚生労働省が推奨する妊婦健診の実施基準に沿った公費助成が毎回の妊婦健診において行われるシステムの確立が全国的に進められている．

　また，近年では産褥期の母児の健診について，産後うつの予防や新生児への虐待予防などを図る目的で，産後1か月健診に加えて産後2週間での健診を推進する動きが広がっている．さらにそれを後押しする形で母子保健医療対策等総合支援事業の一環として妊産婦の心身のケアを目的とした支援の充実が進められており，地方自治体ごとに違いはあるが，産褥健診（産婦健診）への公費助成の導入が広がりつつある．

表1 国が示している妊婦健診の実施基準

1. 望ましい健診回数

妊娠時期	健診間隔
妊娠初期より妊娠23週まで	4週間に1回
妊娠24週より妊娠35週まで	2週間に1回
妊娠36週以降分娩まで	1週間に1回

合計14回程度

2. 検査項目
○各回実施する基本的な項目
　1) 健康状態の把握(妊娠時期に応じた問診,診査)
　2) 検査計測
　3) 保健指導を実施するとともに,妊娠期間中の適時に必要に応じた医学的検査
○上記以外の各種医学的検査

①血液検査	妊娠初期に1回:血液型(ABO, Rh, 不規則抗体),血算,血糖,B型肝炎抗原,C型肝炎抗体,HIV抗体,梅毒血清反応,風疹ウイルス抗体
	妊娠24週から35週までの間に1回:血算,血糖
	妊娠36週以降に1回:血算
	妊娠30週頃までにHTLV-1抗体検査
②子宮頸がん検診(細胞診)	妊娠初期に1回実施
③超音波検査	妊娠23週までの間に2回,妊娠24週から35週までの間に1回,36週以降に1回実施
④B群溶血性連鎖球菌(GBS)	妊娠24週から35週までの間に1回実施
⑤性器クラミジア	妊娠30週頃までに1回実施

健診スケジュール作成の留意点

健診時期,回数

　基本的には国が示す実施基準に沿った回数(合計14回程度)を行うことが原則となる.ただし,妊娠11週頃までの妊娠初期の時期には異所性妊娠,流産,重症悪阻といった緊急的な対応を要する異常の発生頻度が低くはない.そのため妊娠初期より妊娠23週までの4週間に1回という基準をこの時期に当てはめることは,妊娠の安全な管理という点からは不十分となる可能性がある.したがって,実際には妊娠反応が出てから子宮内の胎嚢の出現,胎児心拍の出現,妊娠9週前後における妊娠週数の確認と予定日の決定というステップを2〜3週に1回の受診頻度で行うことが望ましい.つまり,妊娠反応陽性を主訴に訪れた妊婦については妊娠11週頃までに3〜4回程度の受診が必要になると考えられる.

　また,40週以降は週数の進行とともに児の罹病率,死亡率が週数とともに増加することが知られている.そのため,予定日以降の時期には妊婦健診の頻度を週1回ではなく週2回に増やして胎児心拍モニタリング,超音波検査によるwell-beingの評価を行うことも考慮する.また41週以降は頸管熟化度が良好であれば分娩誘発が選択肢となり,42週以降の過期妊娠においては陣痛発来の待機ではなく積極的な分娩誘発を考慮する必要がある.

表2 産婦人科診療ガイドライン 産科編 2020における妊婦健診スクリーニング検査に関する推奨

検査などの内容	施行の時期	推奨レベル
問診票を用いた情報収集(飲酒，喫煙，アレルギー，感染症，ワクチン接種，精神疾患，合併症，周産期合併症既往など)	初診時／なるべく早期	B
身長，体重，BMI，血圧，尿中蛋白・糖半定量の情報収集あるいは計測	妊娠初期(初診時)	B
体重測定，血圧測定，子宮底長(16週以降)，尿中蛋白・糖半定量，血圧，浮腫評価，胎児心拍確認	健診ごと	B
子宮頸がん細胞診	妊娠初期	C
血液型，不規則抗体，風疹抗体(HI)，HBs抗原，HCV抗体，HIV抗体，梅毒検査	妊娠初期	A
HTLV-1抗体	妊娠初期が望ましいが遅くとも30週頃までに	A
トキソプラズマ抗体	妊娠初期	C
血算	妊娠初期，30週，37週	A
耐糖能検査	初期に随時血糖，24週から28週に随時血糖もしくは50gGCT	B
妊娠確認・予定日決定(通常超音波検査)	CRL 14〜41mmの時期	B
子宮頸管長確認(通常超音波検査)	18週から24週頃	C
胎児well-being確認	妊娠41週以降	B
細菌性腟症	20週未満	C
性器クラミジア	30週頃までに	B
B群溶連菌(GBS)	35週から37週	B
トキソプラズマ・サイトメガロウイルスの感染予防についての情報提供	なるべく早期	C
常位胎盤早期剥離初発症状についての情報提供	30週頃までに	C

〔日本産科婦人科学会，日本産婦人科医会(編)：CQ001．産婦人科診療ガイドライン 産科編 2020．pp1-2，日本産科婦人科学会，2020より作成〕

スクリーニング検査について

　妊婦健診スケジュールを構築するにあたっては，国が示している実施基準に含まれる検査項目(表1)および『産婦人科診療ガイドライン 産科編 2020』(以下，産科ガイドライン)のCQ001にリスクのない妊婦に対するスクリーニングとして記載されている検査項目と推奨レベル(表2)を参考にしてスクリーニング検査項目と実施時期を決定する．

　また，各自治体の公費補助の状況が一律ではないので，地域の公費助成の状況，妊婦の経済的状態もスクリーニング検査の内容を決定するにあたって考慮すべき要素となる．一般的に推奨されている項目以外の検査をスクリーニングとして行う場合は，妊婦の経済的負担と検査によって疾患を検出することによるメリットの両面から十分に検討したうえで導入する．

　毎回の健診で行う検査としては，体重，子宮底長，血圧の測定，尿検査での糖・蛋白半定量，浮腫，児心拍の確認を行う．超音波検査で胎児発育，羊水量の評価を行う場合には子宮底長は省略可能である．腹囲の項目は母子健康手帳に記入欄があるが，母体ごとの個人差が大きく，

表3 産婦人科診療ガイドライン 産科編2020における通常超音波検査に関する推奨

確認項目内容	施行の時期	推奨レベル
子宮,付属器の異常の有無	妊娠初期	B
胎数の確認,多胎の場合の膜性診断	妊娠初期	B
異所性妊娠,稽留流産,絨毛性疾患などの異常妊娠の有無	妊娠初期	B
妊娠確認・予定日決定	CRL14〜41 mmの時期	B
子宮頸管長確認	16週から24週頃	C
胎児発育	20週頃,30週頃,37週頃	B
胎盤位置・羊水量	妊娠中期,末期(胎盤位置は31週末までに)	B
胎位,胎向	妊娠中期,末期	B

〔日本産科婦人科学会,日本産婦人科医会(編):CQ001.産婦人科診療ガイドライン 産科編2020.pp1-2,日本産科婦人科学会,2020より作成〕

胎児発育の指標としては有用性の根拠が乏しいので省略可能であるとの意見もある.ただし,羊水過多の場合には羊水量の変化の推移を知る手がかりとなることもある.

● 超音波検査

　超音波検査については妊娠11週頃までに妊娠の確認,予定日の決定を経腟超音波(もしくは経腹超音波)で行い,妊娠20週頃に頸管長測定による早産リスクの評価,また胎盤位置の確認,胎児発育,羊水量異常の評価を行い,妊娠30週頃,妊娠37週頃に胎盤位置,胎児発育,羊水量について評価を繰り返すことで,妊娠期間中4回程度の検査の施行が国の実施基準および産科ガイドライン2020において想定されている.

　重要な事項として,産科ガイドラインのなかでは超音波検査の目的によって通常超音波検査と胎児超音波検査の2種類の概念を区別している点がある.一般的な妊婦健診として行われるものは通常超音波検査であり,これは妊娠経過の正常・異常の鑑別を目的としている.つまり,妊娠初期には異所性妊娠,流産などの妊娠異常の有無,妊娠週数の決定が行われ,中期・後期には胎児発育,胎位・胎向,胎盤位置・羊水量,子宮頸管長の評価が行われる(表3).それに対して,胎児超音波検査は出生前診断の1つであり胎児形態異常の診断を目的としており,全妊婦を対象とした標準検査ではないとされている.

保健指導・情報提供について

　スクリーニング検査による異常の発見以外に,妊婦の自立的な健康管理のために必要な保健指導を行うこと,また出産・育児に関するさまざまな情報提供を行うことも妊婦健診の重要な要素である.特に,適切な栄養・食事内容に関する指導や体重管理,早産・胎盤早期剝離に関する徴候についての説明,サイトメガロウイルス感染,トキソプラズマ感染を含めた母児感染予防に関する情報提供などは疾患予防の観点から重要と考えられる.また,分娩時や母体の疲労度が強い産褥早期には十分な時間をとることが難しい場合もあるので,出産後の授乳・育児について妊娠中から指導を開始しておくことも大切である.

　保健指導や情報提供の内容について現時点では明確な基準はないが,妊婦健診における重要

な側面として認識し，そこでは医師のみならず助産師の職能を活用して各施設の状況に応じたスケジュールを組む必要がある．保健指導に際してのコミュニケーションのなかで妊婦・褥婦が抱くさまざまな疑問や不安に対して答えていくことは妊婦の満足度の上昇に貢献し，医療者側との信頼関係の構築につながる．

◆ 文献
1) 松田義雄：妊産婦健診の目的と意義．母子保健情報 58：2-5, 2008
2) WHO. Trends in Maternal Mortality：1990 to 2013, Estimates by WHO, UNICEF, UNFPA, The World Bank and the United Nations Population Division Executive 2014
3) Saleem S, et al：A prospective study of maternal, fetal and neonatal deaths in low- and middle-income countries. Bull World Health Organ 92：605-612, 2014
4) 前田津紀夫：未受診妊婦の実態とその問題点．母子保健情報 58：33-40, 2008

(永松　健・藤井　知行)

検査の実施法

妊娠11週まで

初診時に行う検査

POINT
- 最初の妊婦健診においては，合併症，リスク分類の把握が最も重要であり，そのためには詳細な問診が大切である．
- 問診，内診および経腟超音波検査で流産，異所性妊娠，子宮内妊娠の鑑別を行い，分娩予定日を決定する．

はじめに

　無月経や自宅での妊娠反応検査の陽性により女性が産婦人科を受診した場合に，内診，（経腟）超音波検査によって正常な妊娠であるのかどうかを確認することは必須のことである．一方で，生来健康である女性にとって初めて産婦人科，もしくは医療機関を受診するのが妊婦健診であることも多い．そのため，妊娠の状態だけに目を向けるのではなく，子宮，卵巣などに存在する婦人科疾患や，さらには産婦人科以外の領域の合併症，既往歴の存在の発見に努めることが重要である．そのためには問診票の活用や詳細な病歴聴取による合併症の把握が重要である．

　妊娠時には胎児の成長に伴い子宮が増大するだけでなく，妊娠経過とともに種々の臓器の機能も妊娠に適応すべく変化をする．そのためにはもともとの臓器の予備力が必要となるため，基礎疾患が存在すると妊娠経過中に同器官・臓器の機能が妊娠に適応することができず，種々の続発症や臓器不全に発展する危険性がある．そのため，確認された合併症の病状が妊娠進行とともにどのように変化するのか，また逆に合併症によって妊娠が受ける影響を考慮したうえで，その後の妊娠管理の計画を立てることが大切である．

初診時の問診について

　妊娠初診の際には母体合併症，既往疾患の把握および周産期管理をするうえで必要となる情報の把握が肝要であり，それには詳細な問診が必要である．繁忙な日常診療のなかで効率的に情報を収集するためには，詳細な問診票を準備しておくことが望ましい[1]．

　問診により確認した内容に基づいて妊婦のリスク状態を把握することは，その後の妊娠管理に有用である．そして，因子を点数化してリスクを評価する方法として，妊娠リスクスコア（表1, 2）[2]も提案されている．リスク状態に応じて，妊娠継続の可否，高次施設での管理の必要性を判断することも，初診時の問診における目的となる．

超音波検査

　最初の問診で，最終月経や性交渉の日付，不妊治療のスケジュール内容に基づいて妊娠週数

表1　妊娠初期における妊娠リスクスコア

			リスクスコア		リスクスコア
1. 基本情報	40歳以上 体重100 kg以上	(5) (5)	15歳以下，35～39歳 身長150 cm未満 BMI 25以上 初産婦	(1) (1) (1) (1)
2. 既往歴 （内科疾患合併）	高血圧；投薬中 DM：薬物療法中 抗リン脂質抗体症候群	(5) (5) (5)	慢性腎炎 気管支喘息 SLE	(2) (2) (2)
3. 産婦人科既往歴	重症PIH既往 早剝既往	(5) (5)	早産既往 死産・新生児死亡既往 IUGR既往 帝切既往	(2) (2) (2) (2)

低リスク群（0～1点），中等度リスク群（2～3点），ハイリスク群（4点以上）
（中林正雄：日産婦会誌 59巻9号：N257-260, 2007 より改変転載）

表2　妊娠リスクスコア別の周産期予後

周産期予後 \ リスクスコア	低リスク群 （0～1点）	中等度リスク群 （2～3点）	ハイリスク群 （4点以上）
帝王切開率	4.3%	15.7%**	43.6%**
分娩時出血多量（1 L以上）	3.3%	9.4%*	21.6%**
早産率（37週未満）	2.3%	8.2%**	25.3%**
NICU入院率	2.8%	7.4%**	21.6%**

＊$p<0.01$　＊＊$p<0.001$
（中林正雄：日産婦会誌 59巻9号：N257-260, 2007 より改変転載）

を推定したうえで超音波検査を行う．推定された週数と超音波所見で確認される妊娠進行の状態が一致しない場合には，その原因について検討が必要となる．流産，異所性妊娠と正常妊娠の鑑別を進める必要がある．また，子宮内に1つの胎嚢あるいは胎児を認める場合でも異所性妊娠や多胎の可能性を常に念頭に置いて付属器の状態や子宮の全体を確認することが大切である．また，子宮筋腫や腺筋症，卵巣腫瘍などの器質的疾患の合併がないかも把握しておく必要がある．正常な妊娠が確認された場合には，その後は3～4週程度の間隔での受診でもよい．ただし妊娠初期には比較的流産の発生頻度が高く，母体の年齢が高いとその確率が上昇することを念頭に置いた管理が必要である．また，妊娠8～9週頃のタイミングに合わせて受診して胎児の頭殿長を確認しておくことは正確な分娩予定日を決定するために大切である．

◆文献

1）日本産科婦人科学会，日本産婦人科医会（編）：CQ002 妊娠初期に得ておくべき情報は？　産婦人科診療ガイドライン　産科編 2020．pp3-5, 日本産科婦人科学会，2020
2）中林正雄：ハイリスク妊婦の評価と周産期医療システム．日産婦会誌59：N257-260, 2007

（佐山　晴亮・入山　高行）

検査の実施法

妊娠11週まで

妊娠反応

POINT
- 尿中 hCG の測定により，予定月経頃には生化学的な妊娠の診断が可能である．低値を示す場合には異所性妊娠や流産の可能性があるが，超音波検査なども含めて総合的に判断をすることが大切である．

DATA
- 妊娠反応キットは妊娠 4 週でほぼ 100% の陽性率を示す．

絨毛性ゴナドトロピン（hCG）

妊娠を生化学的に判定するためには，体内に絨毛性ゴナドトロピン（human chorionic gonadotropin：hCG）が存在していることを示す必要がある．hCG は受精卵から分化した絨毛の syncytiotrophoblast から産生され，妊娠以外では陽性とはならない．hCG は LH サージの 7〜9 日後には測定可能となる．絨毛細胞の増殖に伴い hCG の濃度は指数的に増加し，妊娠 8〜10 週頃にピーク値を示す．その後は減少に転じ，妊娠 16 週には底値をとり妊娠終了までその値が持続する（図 1）．

hCG は α および β の 2 つのサブユニットからなるヘテロダイマーで，分子量が約 38,000 の糖蛋白ホルモンである．下垂体から分泌される LH，FSH，TSH と類似の構造をもつ．α-サブユニットは共通であるが，β-サブユニットはそれぞれに個別の構造をもつ．β-サブユニットは特に LH との類似性が高いが，stop codon の変異消失により frame shift が生じアミノ酸が 24 個多くなっている．

検査法

妊娠の判定には通常，随時尿が検体として用いられる（図 2）．一般的にはイムノクロマト法が用いられている．hCG β-サブユニットに対するモノクローナル抗体を用いているため，相同性をもつほかの糖蛋白ホルモンとは交差しない．医家向けの妊娠反応キットは尿中 hCG が 25 IU/L から，一般用検査薬では 50 IU/L から検出が可能であり，妊娠 4 週でほぼ 100% の陽性率を示す．

一方，血中の hCG の測定には酵素免疫測定法（EIA）および化学発光酵素免疫測定法（CLEIA）が用いられている．いずれも高感度（1.0 IU/L）であるが，CLEIA 法は迅速であるため主に使用されている．

結果の評価

妊娠経過が順調であるか否かは最終月経および月経周期と内診所見，超音波検査所見が一致すれば判断は容易であるが，一致しない場合には判断に苦慮する．

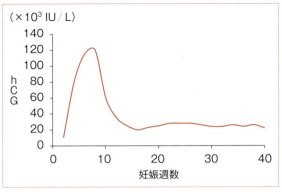

図1　血中のhCG濃度の推移

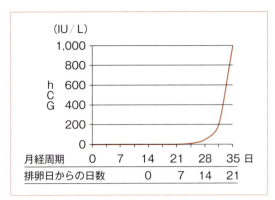

図2　hCGの尿中排出量

　正常妊娠の場合，血中hCGのdoubling timeは1.4〜2日とされており，異所性妊娠や不全流産の際にはhCGは低値をとるため参考となろう．ただし，異所性妊娠でも胎児が生存しているような場合には正常範囲を呈するため，総合的に判断することが大切である．また，胞状奇胎で異常高値を示す場合には，プロゾーン現象により陰性を示すことがあるため注意を要する．

（南　佐和子）

検査の実施法

妊娠11週まで

妊娠初期の超音波検査と分娩予定日の推定

POINT
- 分娩予定日は最終月経や月経周期から推測するが，妊娠8〜10週の経腟超音波検査にて胎児の頭殿長を測定し，修正を行う．

● 検査の目的

　無月経で受診する方の妊娠の診断には超音波検査が用いられる．妊娠が確定した場合，正常な経過をたどっているのかが重要なポイントであるが，その鑑別診断にも超音波検査は有用である．さらに，受診日の妊娠週数および分娩予定日の決定は胎児の発育を観察するうえでの基礎になる．基礎体温を測定中で排卵日の特定が可能な場合，あるいは生殖補助医療（ART）で胚移植の日が特定できる場合は，それのみで予定日の確定が可能であるが，通常は最終月経と月経周期から受診日の妊娠週数が推定される．診察所見と経腟超音波の所見から，予測された妊娠週数を修正していく作業が必要になる．

● 正常妊娠の推移と経腟超音波所見

胎囊（gestational sac：GS）

　排卵日を2週0日とした場合，妊娠4週では多くの症例で子宮内膜の肥厚が認められるのみで胎囊がみられるのは少数である．全例に胎囊が確認されるのが妊娠5週である．胎囊は白いリング状の構造をとり，壁脱落膜と被包脱落膜あるいは着床側では床脱落膜と絨毛膜の二重の白いリングが見え，double decidual signと呼ばれる（図1）．これが見えれば子宮内の妊娠であることが確定される[1]．胎囊の大きさは3方向から測定され，その平均値（mean sac diameter：MSD）が初期の妊娠予後の予測に有用である．

卵黄囊（yolk sac）

　次いで胎囊内に卵黄囊がみられるようになる（妊娠5〜5.5週）．卵黄囊の大きさは3〜6 mmであるが，大きいものや継時的に観察しても卵黄囊がみられないものは流産に至ることが知られている．

胎芽（embryo）・胎児（fetus）

　妊娠8週未満の胎児を胎芽というが，胎芽の存在がみられるようになるのは妊娠6週であり，卵黄囊に接するように存在する．次いで胎芽の心拍動を確認する必要があるが，心拍動はMモードで表示することが可能である（fetal ultrasound cardiogram，図2）．妊娠6週では120 bpm前後であるが，その後は急速に増加し，妊娠8〜10週で170〜180 bpmとピークを示

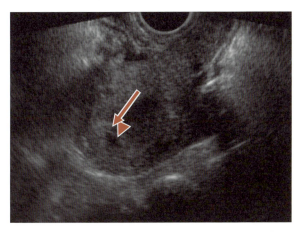

図1 double decidual sign
最終月経より妊娠5週3日．壁脱落膜（矢印）と被包脱落膜（矢頭）からなる二重の白いリングが見える．

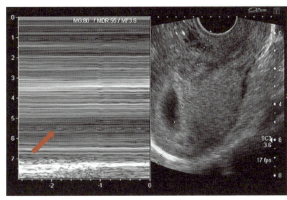

図2 fetal ultrasound cardiogram (UCG)
妊娠6週6日の胎児（胎芽）．心拍動をMモードで示す（矢印）．

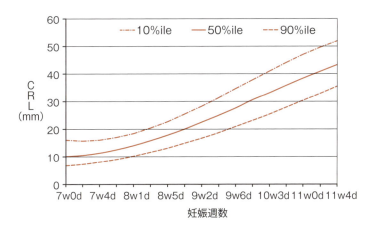

図3 CRLの基準値
（日本超音波医学会 用語・診断基準委員会：超音波医学 30：J415-J440, 2003 より作成）

し，その後は徐々に減少し14週頃には160 bpmに低下していく[2]．妊娠初期に心拍動数が100 bpm以下と遅い場合には流産に至る可能性が指摘されている．
　妊娠7週には胎芽の頭殿長（crown-rump length：CRL）が測定可能となる．「超音波胎児計測の標準化と日本人の基準値」（日本超音波医学会）では妊娠8週1日～妊娠11週2日の間で計測するのが，誤差が少なく妊娠週数の推定には適しているとされている（図3）[3]．最終月経開

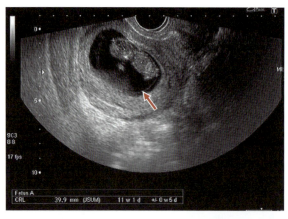

図 4　羊膜（amniotic membrane）
最終月経より妊娠 11 週 0 日．胎児を取り囲むように羊膜（矢印）が観察される．

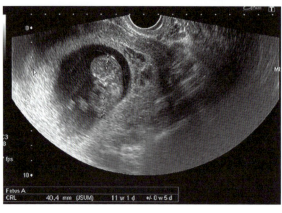

図 5　CRL の測定
最終月経より妊娠 12 週 1 日，基礎体温からは妊娠 11 週 1 日である．
CRL では妊娠 11 週 1 日相当であったため，検査日を妊娠 11 週 1 日とした．

始日からの予定日と正確に測定された CRL からの予定日との間に 7 日以上のずれがある場合には，CRL からの予定日を採用する[4]．それ以降に初診した場合には，超音波計測上は大横径をもって妊娠週数を推定することになる．

羊膜（amniotic membrane）

妊娠 7 週には羊膜が見えるようになる（図 4）．羊膜は妊娠 14〜16 週で絨毛膜と癒合する．

週数別のチェックポイント

妊娠 4 週

子宮内膜の肥厚を確認する．症例によっては妊娠 4 週後半に小さな GS がみられることもある．子宮筋腫や腺筋症の有無，子宮奇形の有無についても初診時に検索しておくべきことである．卵巣を観察し，卵巣腫瘍の有無についても評価しておく．また，妊娠黄体がどちらに存在するかを確認しておくことも後の参考になる．

妊娠 5 週

全例で子宮内に GS が観察される．GS の大きさや変形がないかを観察する．GS 内の卵黄囊の有無やその大きさにも注意を払う．

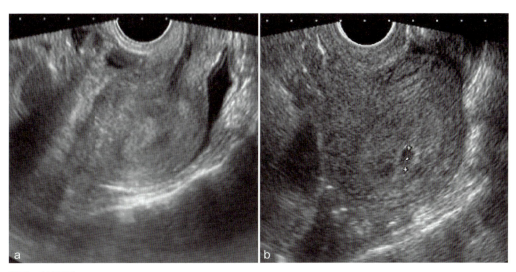

図6 枯死卵
a：基礎体温より妊娠4週2日で初診した．子宮内膜の肥厚を認めていた．
b：基礎体温より妊娠6週2日．胎嚢はみられるが小さく，リング状陰影も薄い．経過観察するも枯死卵との診断に至った．

妊娠6週

　GSが大きくなり，全例で胎芽の観察が可能である．Mモードで胎芽の心拍動が検出可能である．

　胎芽の心拍動が確認できれば，子宮内妊娠の確定が可能であるが，異所性妊娠を否定するものではないので注意する（ART時などに子宮内外同時妊娠がみられることもある）．

妊娠7週

　胎児（胎芽）心拍動の確認を行う．CRLが測定可能となる．

妊娠9週～10週

　胎児心拍動の確認，CRL（図5）を測定し，妊娠週数の修正を行う．

異常妊娠の検出

　妊娠の初期の異常には流産と異所性妊娠，胞状奇胎が挙げられる．詳細は他稿を参照していただきたいが，正常妊娠との鑑別について記載する．

稽留流産

　胎児（胎芽）は死亡しているが，出血や腹痛などの症状がない状態で，超音波検査でのみ診断可能である．胎児（芽）が確認できるが心拍動が認められないことが診断基準となる．CRLが7mm以上で心拍動が認められない場合は稽留流産と診断される．子宮内容の排出を自然待機する場合もあるが，子宮内容除去術の対象となることも多い．

枯死卵

子宮内に GS はみられるが，胎芽が確認できない状態である(図 6)．MSD が 25 mm 以上で胎芽がみられない場合に確定される．子宮内容除去術の対象となる．

不全流産

子宮内容の排出が始まっているが，一部が子宮内に残存している状態である．出血により受診するが，子宮内に胎嚢および死亡した胎児の残存が超音波検査によって確認される．子宮内容除去術の対象となる．

完全流産

子宮内容物がすべて自然に排出されてしまった状態で，出血や腹痛は治まってきていることも多く，子宮収縮薬の投与のみで経過観察可能であることも少なくない．大量の出血があるようであれば子宮内容除去術の対象となる．

切迫流産

胎児が子宮内に残っており，流産しかけている状態である．時に子宮内に血腫がみられることがあり，妊娠継続のためには安静が必要である．

異所性妊娠

子宮内膜以外の場所に受精卵が着床した状態である．超音波検査では子宮内に GS を認めず，内膜の肥厚のみが検出される．出血が持続しているときには内膜は薄いこともある．時に偽胎嚢(pseudo GS)が存在することもあり，判断には注意を要する．子宮周囲臓器(多くは卵管であるが)に胎嚢が確認されたり，凝血塊を含み腫大した卵管が観察できることもある．腹腔内出血がある場合にはダグラス窩に液体貯留がみられる．

胞状奇胎

妊娠週数に比較して子宮は大きく，出血がみられるときもある．超音波検査では子宮内に充満するように囊胞状の陰影がみられる．部分胞状奇胎では胎児成分もみられるため，注意を要する．

注意点

正常妊娠の診断は案外難しいものである．最終月経を含め月経周期の詳細な問診，超音波検査，hCG の推移などで総合的に判断する必要がある．また，継時的に変化を観察して診断に至る場合も少なくはない．その期間，妊婦は不安を抱えることになるが，十分な説明を行うことで，対応は可能と考える．

◆ 文献

1) Murugan VA, et al : Role of ultrasound in the evaluation of first-trimester pregnancies in the acute setting. Ultrasonography **39** : 178-189, 2020
2) Hanprasertpong T, et al : First trimester embryonic/fetal heart rate in normal pregnant women. Arch Gynecol Obstet **274** : 257-260, 2006
3) 日本超音波医学会 用語・診断基準委員会:「超音波胎児計測の標準化と日本人の基準値」の公示について．超

音波医学 30：J415-J440, 2003
4）ACOG Committee Opinion No.700：Method for estimating the due date. Obstet Gynecol **129**：e150-e154, 2017

（南　佐和子）

妊娠11週まで　感染症検査の評価

検査の実施法

DATA
- B型肝炎の母子感染は通常，分娩時に起こるとされるが，5％以下ではあるが胎内感染が成立する場合もある．
- HTLV-1スクリーニング陽性者のうち10％がラインブロット法でも診断がつかない判定保留例となる．
- HTLV-1の長期母乳栄養哺育児への感染率は15～40％．
- HIVスクリーニング検査が陽性でも約95％は感染していないことが確認検査によって確認されている．
- 妊娠中から適切な感染予防対策を実施することで，HIVの母子感染率を1％以下にまで抑制可能．

　妊婦健診における感染症検査は感染の早期発見，早期治療，そして母子感染の予防の観点から非常に重要であり，適切なルーチン検査を適切な妊娠時期に行うことが肝要である．
　『産婦人科診療ガイドライン　産科編2020』では，妊娠初期の感染症のルーチン検査として，HBs抗原，HCV抗体，風疹抗体（HI），梅毒スクリーニング，HTLV-1抗体，HIVスクリーニングを推奨レベルAの検査として挙げている[1]．
　妊娠初期の血液検査で行う項目で，検査群と非検査群の妊娠転帰を比較検討したエビデンスレベルの高い研究は存在しない．しかし，梅毒のように陽性者に治療介入すると明らかに周産期予後が改善するといった研究[2]や，正常群と異常群で明らかに予後が異なることを示す研究がある．これらのルーチン検査で異常結果が得られた場合には，迅速かつ適切に対応する必要がある．
　以下，上記の各検査項目，および新型コロナウイルスの検査について説明する．

● HBs抗原

POINT
- HBs抗原陽性妊婦からの出生児はすべてB型肝炎母子感染防止対策の対象である．
- 母子感染予防方法が2013年10月より変更となった．
- HBs抗原陽性であればHBe抗原・肝機能検査を行い，肝臓専門医を紹介し受診を勧める．
- 母乳栄養を禁止する必要はない．
- 家族への水平感染はB型肝炎ワクチン接種で防げることを説明する．

解説

　妊婦健診において，妊娠8週前後にHBs抗原検査を行う．HBs抗原陽性と判定された人のほとんどはHBVキャリアである．HBVキャリアの母から出生した児がHBVキャリアとなるか否かには妊婦のHBe抗原の有無が関連している[3]ため，HBs抗原が陽性であった場合，母子感染リスク評価のためHBe抗原の検査を行う．母子感染は通常，分娩時に起こるとされている．しかし，5％以下ではあるが胎内感染が成立する場合もある．

HBe抗原はHBVに感染した肝細胞の中でウイルスが増殖する際に過剰に作られる蛋白であり，HBe抗原が陽性の場合は血中のウイルス量が多く，感染力が強いことを示す．また，HBVキャリアの多くは自覚症状がないため，肝機能検査を行い，肝臓専門医を紹介し，受診を勧める．家族への説明は本人の意思に従うが，HBVは血液や性行為を介して感染するものの，ワクチン接種により感染が防げることを十分に説明する．

　HBs抗原陽性妊婦からの出生児はすべてB型肝炎母子感染防止対策の対象である．感染予防プロトコールが2013年10月より変更されているので注意が必要である．以前のものは投与方法が煩雑で不徹底によるキャリア化児が報告された．新しいプロトコールはコンプライアンスに優れ，完遂度が高くなることが期待されている．

　HBVにはAからHまでの8タイプがある．これまでわが国のHBVの遺伝子型の多くはBまたはCであったため，成人の急性肝炎のほとんどが一過性感染となり，HBVキャリアのほとんどは母子感染または3歳以下の水平感染からであった．しかし，国際交流が盛んになった現在，性行為などの水平感染による遺伝子型AのHBV感染が増加している．

HCV抗体

POINT
- HCV抗体陽性ではHCV-RNA定量と肝機能検査を行う．
- HCV持続感染者には母子感染のリスクを説明し，肝臓専門医を紹介し受診を勧める．
- HCV持続感染妊婦からの出生児は生後3～4か月後に肝機能検査とHCV-RNA定量検査を行う．
- HCV既往感染妊婦からの出生児は生後18か月以降にHCV抗体が陰性であることを確認する．
- 母子感染予防目的のために授乳を制限する必要はない．

解説

　HCV抗体が陽性の場合，HCV既往感染とHCV持続感染（キャリア）があり，両者を鑑別するためにHCV-RNA定量を行う．HCV-RNAが検出された場合，HCV持続感染者とし，母子感染のリスクを説明する．またHCVによる肝炎は肝硬変，肝癌への移行率が高く，HCV持続感染者の予後改善のためには長期間の内科管理が必要であるため，HCV-RNAが検出された場合は，自覚症状がなくとも肝臓専門医を紹介し受診を勧める．

　HCV持続感染妊婦からの母子感染率は約10％であり[4]，HIV重複感染と血中HCV-RNA高値（10^6 copy/mL以上）が母子感染の危険因子である．ただし，HCV-RNA量高値でも非感染例が少なくないことを知っておく必要がある．帝王切開による分娩が母子感染を予防するかどうかには一定の見解がない．そのため，HCV-RNA量高値の場合，HCV-RNA量高値の妊婦では予定帝王切開が母子感染を減少させる可能性があること，帝王切開，経腟分娩いずれにも長所と短所があること，もし母子感染したとしても母子感染時の3割は3歳頃までに陰転化し，陽性児の半数はインターフェロン療法でHCVを排除できること，HCVは数十年という長い経過を経て臨床的に問題となるため，母子感染から持続感染となっても今後新しい治療法が開発されている可能性があることなどの母子感染の現状や帝王切開分娩に関する情報を，患者，家族，医療者で共有することが重要である．

　HCV持続感染者からの出生児に対して，母乳は原則として禁止しない．児は出生後3～4か月にAST，ALTとHCV-RNA定量検査を行う．HCV抗体陽性かつHCV-RNAが検出されなかった妊婦（HCV既往感染）からの出生児は生後18か月以降にHCV抗体を検査し，これが陰性であることを確認する．以後の管理は『産婦人科診療ガイドライン　産科編2020』を参考にしていただきたい．

風疹抗体（HI）

POINT
- 妊娠のなるべく早い時期に風疹抗体価（HI）を測定する．
- 風疹抗体価（HI）が16倍以下の妊婦には風疹感染予防の生活指導と産褥早期の風疹ワクチン接種を勧める．
- 風疹様症状がある場合，風疹患者との明らかな接触がある場合，妊娠初期の（HI）抗体価が256倍以上の場合，問診とともに風疹感染診断を行う．
- 風疹罹患（疑いを含む）妊婦の対応診療指針として，2次施設への紹介が研究班より提言されている．

解説

　本邦では2012～2013年に風疹の大流行があり，2014年10月8日現在の国立感染症研究所からの報告によると2013年に32例，2014年は9例と多数例の先天性風疹症候群患者が出ている[5]．2018～2019年にも風疹が流行し，2020年に5例の先天性風疹症候群が報告された．2019年の感染症流行予測調査では30歳台男性の10％，40歳台男性の20％が風疹抗体を保有しておらず，2019～2020年の風疹患者報告の中心はこの年齢層の成人であった[6]．また若年妊婦における高未感作率が問題となっていることから[7]，妊娠のなるべく早い時期に風疹抗体価（HI）を測定し，抗体価（HI）が16倍以下の妊婦には同居家族へのワクチン接種や，人ごみや子どもの多い場所を避けるなどの生活指導を行うことにより妊娠中の風疹感染の予防に努める．

　また分娩後の風疹ワクチン接種は，個人的防御として次回妊娠前に風疹抗体を獲得するうえでも，社会的防御策として風疹の流行を制御し，他の妊婦がウイルスにさらされないためにも産褥早期のワクチン接種を勧めることが重要である．

　妊娠の早い時期の抗体価はウイルス量に最も影響を受けやすい妊娠初期での感染の診断や否定のための有用な情報となり，追加検査が必要な妊婦の抽出に役立つ．その際には風疹患者との接触の有無，発疹，発熱，頸部リンパ節の腫脹の有無，子どもとの接触が多い仕事への就労についての問診が重要である．『産婦人科診療ガイドライン 産科編2020』CQ605ではHI抗体価が256倍以上の時には風疹疑いとし，風疹感染診断検査を行う（C）とされているが，HI抗体価には個人差があり，感染後，早期でなくとも高値を示すことがあることに注意が必要であることも明記されている．

　問診から風疹の感染を疑う妊婦には，HI抗体とともにIgM抗体の検査を行い，1～2週後に再検査（可能なら両時期の血清を同時に測定するペア血清）し，HI抗体価が4倍以上上昇し，IgM抗体が陽性化した場合は風疹罹患の可能性が高い．ただし，妊婦感染が胎児感染を意味するわけではないので注意が必要である．風疹罹患（疑いを含む）妊婦の対応診療指針として，2次施設への紹介が研究班より提言されている[8]．各地区ブロックの相談窓口は2018年に**表1**のように更新されている．

　なお風疹抗体検査にはHI値の他にEIA法によるIgG抗体検査がある．IgGとHI抗体の読み替えについて国立感染症研究所による検討結果がホームページに示されているが[9]，HI価16倍以下はIgG価8.0未満，HI価256倍以上はIgG価45.0以上，ならびにHI価4倍以上の上昇はIgG価2倍以上の上昇を目安とすると結論づけられている．

表1 各地区ブロック相談窓口（2次施設）

地域	医療施設	地域	医療施設
北海道	北海道大学病院 産科	関東	神奈川県立こども医療センター 産婦人科
東北	東北公済病院 産科・母子センター	東海	名古屋市立大学病院 産婦人科
東北	宮城県立こども病院 産科	北陸	石川県立中央病院 産婦人科・総合母子医療センター
関東	青山会 ミューズレディスクリニック	近畿	国立循環器病研究センター 周産期・婦人科
関東	帝京大学医学部附属溝口病院 産婦人科	近畿	大阪母子医療センター 産科
関東	横浜市立大学附属病院 産婦人科	中国	川崎医科大学附属病院 産婦人科
関東	国立成育医療研究センター 周産期・母性診療センター	四国	国立病院機構四国こどもとおとなの医療センター 産科
関東	杏林大学医学部付属病院 産婦人科	九州	宮崎大学医学部附属病院 産科・婦人科
関東	国立病院機構横浜医療センター 産婦人科	九州	九州大学病院 総合周産期母子医療センター

2018年1月22日更新

梅毒スクリーニング

POINT
- 早期の治療開始が母子垂直感染予防に寄与するので、妊娠初期、8週前後に梅毒スクリーニングを行う．
- STS (RPR) と梅毒トレポネーマ抗体の同時検査が推奨されている．
- 未治療の場合、妊娠中の初期梅毒では70％に胎内感染が起こり、40％が胎児死亡、周産期死亡に至るとされるが、適切に治療が行われればほぼ完全に胎内感染を防止できる．
- 陳旧性梅毒以外の感染症例には速やかにペニシリンを中心とした抗菌薬治療を始め、妊娠28〜32週と分娩時にSTS (RPR) を用いて治療効果判定を行う．
- 陽性妊婦では妊娠中期に超音波で胎児肝腫大、胎児腹水、胎児水腫、胎盤の肥厚の有無を確認する．
- 初期の梅毒検査が陰性であっても、妊娠中に問診や症状から感染を疑う場合、ほかの性感染症にかかった場合、胎児感染を疑う所見がみられた場合は梅毒検査を再度行う．

解説

　梅毒は胎児感染を引き起こし、先天梅毒や子宮内胎児死亡の原因となる．しかし、妊娠中に適切に診断、治療されればほとんどが予防できる[2]．*Treponema pallidum* は経胎盤感染するため、14週くらいから胎内感染のリスクがあり、妊娠週数とともに感染のリスクが増加する[10]．そのため妊娠初期に梅毒スクリーニングを行い、陽性者には胎盤形成期より前に治療を開始することが母子垂直感染の予防に重要である．

　また日本では、妊婦健診の未受診や不定期受診症例、検査結果の見逃し症例、初期検査の陰性確認後に感染した症例から先天梅毒が発生していることから[11]、妊娠中の感染や再燃を分娩までに見つけ、遅くとも分娩の4週前までに十分な治療を行うように努めたい．梅毒の症状は多彩であり、痛みもなく自然に軽快するため患者自身も気がつきにくく、見逃されやすい．初感染後からまったく症状を呈さない場合もあるので注意が必要であり、血清学的な診断が重要である．カルジオリピンを抗原とする脂質抗体検査〔非特異的検査 (serological test for syphilis : STS, rapid plasma regain card test : RPR カードテスト)〕と *T. pallidum* を抗原とするトレポ

表2 梅毒の検査結果の解釈と対応

RPR	TP抗体	結果の解釈と対応(全例に治療歴と感染機会の有無,梅毒病変の有無を確認する)
−	−	・非梅毒 ・梅毒感染のごく初期の可能性＊(梅毒を疑う病変がある,または感染機会や治療歴の問診から感染の疑いが強い)→ 2～4週後に再検査し,RPR,TP抗体どちらかが陽転化すれば,活動性梅毒と考える
−	＋	・梅毒治癒後抗体保有者(治療歴あり) ・梅毒初期の可能性がある＊→ 2～4週後に再検査し,RPRの陽転化,TP抗体の上昇があれば活動性梅毒と考える ・TPが著明に高値の場合,前地帯現象の可能性＊→ 希釈検体でRPRを再検査 ・TPHA偽陽性の可能性(稀)
＋	−	・梅毒初期の可能性がある＊→ 2～4週後に再検査し,RPRの上昇,TP抗体の陽転化があれば活動性梅毒と考える ・RPR偽陽性(生物学的偽陽性 → 膠原病,抗リン脂質抗体検査を考慮)
＋	＋	・現在の感染 　①活動性梅毒 　②症状なし,かつRPR低値＊ 　　ⅰ．感染の機会が3か月以内にあり,治療歴なし → 2～4週後に再検査 　　ⅱ．感染の機会が3か月以上なし → 4週後に再検査 ・梅毒治癒後の抗体保有者

＊先天感染予防の治療タイミングを逃さないために,梅毒を疑う病変があるか感染機会や治療歴の問診から感染の疑いが強い場合は暫定的に治療を開始し,RPRとTP抗体を再検査する.
〔森實真由美：周産期医学 50：1479-1482, 2020 より改変〕

ネーマ抗体(TP抗体)検査〔特異的検査(TPHA法,TPLA法,FTA-ABS法)〕を組み合わせてスクリーニングをすることが推奨されている.2018年に改訂された日本性感染症学会の『梅毒診療ガイド』[12]に沿って検査結果の解釈と対応を表2に示す.

　STSは感染3～4週後から陽性となり,その2～3週後よりTP抗体が陽転化するとされてきたが,検査法の変化に伴いSTS陰性でTP抗体のみ陽性の早期梅毒が最近報告されるようになっているので注意が必要である.これは,凝集法では主にTP抗体のうちIgG抗体を検出していたが,自動化法によりTP抗体検出感度が上昇し,試薬によってはIgM抗体を検出するため,陽性化時期が早まったことによるといわれている.STS陰性,TP抗体陽性の場合でも既往感染としてフォローを終了せず,感染のリスクがあると考えられる症例については,期間をあけての再検査が必要である.

　STSは非特異的反応であるため,TP抗体が陰性の場合,生物学的偽陽性(BFP)と感染初期の鑑別が必要であるが,BFPの場合,STSが8を超えることは稀である.STS,TP抗体ともに陰性の場合にも,稀に感染初期が含まれていることがあり,感染の可能性が経過で疑われる場合には再検査を行うことが望ましい.

　具体的な治療法と効果判定については,同ガイドを参考にしていただきたいが,少なくとも妊娠28～32週と分娩時には効果判定を行う.治療前から一貫して同じ検査方法を用いることが重要である.STSが自動化法で治療前の1/2まで,倍数希釈法で1/4まで低下,かつTP抗体が減少していれば治療成功と考えてよいが,STSの低下が十分でない場合は,怠薬がなかったか,性的パートナーの治療が完了しているか,性的接触がなかったかなど再燃や感染の機会についてきちんと問診をし,病変の有無を確認する.治療後の梅毒患者8人に1人はRPRが十分に低下せず,低値で持続する場合があるとされ[13],serological failure や serological non-response と呼ばれている.治療の失敗や再感染なのか否かはっきりせず,治療を継続するか

どうかの判断が難しい．RPR や TP 抗体の低減が思わしくない場合，漫然と抗菌薬の投与を継続するのではなく，治療経験の豊富な医師に相談することも必要である．

陽性妊婦では妊娠中期に超音波で胎児肝腫大，胎児腹水，胎児水腫，胎盤の肥厚の有無を確認する．先天梅毒の確定診断は，母体の STS の抗体価に比して児の抗体価が 4 倍以上高い場合，児の FTA-ABS-IgM 抗体（保険未収載）が陽性の場合，児の STS の抗体価が移行抗体の消失する 6 か月を超えてもなお持続する場合，などでなされる[14]．

梅毒は終生免疫を獲得できない感染症のため，再感染リスクが高く，パートナーの治療と治療後の血清学的検査による長期フォローが必要である．妊娠中の感染や再燃を見つけるためには，妊娠中に他の性感染症にかかったら梅毒も再検査する．治療後の妊娠であっても，再燃や再感染を示唆する STS の上昇がある場合は治療を考慮する．初期検査で梅毒が陰性であっても，胎児水腫，胎児発育遅延，胎児肝脾腫などの胎児感染を疑う所見がみられた場合，サイトメガロウイルスやトキソプラズマだけでなく，梅毒の可能性も考える．

HTLV-1 抗体

POINT
- HTLV-1 は主に母乳感染するので HTLV-1 抗体は初期または中期にスクリーニングする．
- スクリーニングには偽陽性があり，ラインブロット法による確認検査で診断する．
- HTLV-1 キャリアの場合，経母乳感染率を下げるためには原則として完全人工栄養を勧める．
- HTLV-1 キャリア妊婦には妊娠中のみならず出産後も継続した支援が必要である．

解説

HTLV-1 は成人 T 細胞白血病（ATL）や HTLV-1 関連脊髄症などの原因ウイルスであり，キャリアからの ATL 生涯発症率は 3～7% といわれている[1]．ATL に有効な治療法はまだ開発されていない．

HTLV-1 のスクリーニング検査でよく用いられるキットでは非特異的反応による偽陽性が少なからずあるため，陽性の場合はラインブロット（LIA）法による確認検査に進む．また妊婦をいたずらに不安にさせないよう，偽陽性が多く，必ずしも感染を意味しないことを説明することが大事である．LIA 法で陽性となった場合は HTLV-1 感染キャリアと診断し，HTLV-1 に関する正しい知識，母子感染予防についての情報を提供し，不安をかきたてないよう配慮することが必要である．

HTLV-1 スクリーニング陽性者のうち 10% が LIA 法でも診断がつかない判定保留例となることが知られており，PCR 法の結果が参考になる．PCR 法は LIA 法で判定保留となった妊婦を対象として行った場合は算定できる．PCR 法で陽性となった場合はキャリアと判断し，母子感染予防対策を講じる．また判定保留例で PCR が陰性の場合，理論的には母子感染の可能性は低いと考えられるが，現時点でエビデンスはなく，長期母乳投与の安全性については厚生労働省研究班（板橋班）で検討されている．

HTLV-1 の長期母乳栄養哺育児への感染率は 15～40% といわれている．母乳以外の経路で約 3% に母子感染が起こりうるが，母子感染率を下げるためには原則として完全人工栄養を勧める．母乳による感染のリスクを十分説明しても，母親が母乳を与えることを強く望む場合は凍結母乳栄養，短期間の母乳栄養という選択肢もあるが，いずれも母子感染予防効果のエビデンスが確立されていないことを十分説明する．また，キャリアと診断された妊婦は育児，乳房管理，自身の健康などについて悩みや不安を抱えているので，妊娠中のみならず出産後も継続した支援が必要である．詳細は HTLV-1 母子感染予防研究班の『HTLV-1 母子感染予防対

HIVスクリーニング

POINT
- 適切な感染予防対策を実施することで母子感染を回避できることから妊娠初期にHIV抗原抗体同時検査でスクリーニングをする.
- スクリーニング検査の陽性的中率がきわめて低いため確認検査が必須であり，陽性妊婦への説明には配慮が必要である.
- 妊娠中から抗HIV薬を投与することで母子感染率が減少する.

解説

HIV感染症は新薬開発や治療法の進歩によってコントロール可能となり，長期にわたりAIDS（後天性免疫不全症候群）の発症を抑制できるようになってきた．またHIVの母子感染に関しても，妊娠中から適切な感染予防対策を実施することで，感染率を1%以下にまで抑制することができるようになっている．したがって，妊娠前からHIV感染が判明している妊婦に対する母子感染予防対策はもちろんのこと，妊娠初期にHIV検査を行い，感染者を同定して，対策を行うことも非常に重要である．

HIVスクリーニング検査は，HIV抗原抗体同時検査を原則とする．一次検査が陽性であった場合には，HIV-1抗体のウエスタンブロット法とPCRによるHIV-1ウイルスRNAの定量検査による確認検査が必要であり，両者を同時に実施する．わが国ではHIV陽性妊婦がきわめて少ないため一次検査の陽性的中率はきわめて低く（平成24年度調査では6.5%），陽性となっても真の感染者は数%にすぎないため，一次検査が陽性であった妊婦に対しては，過度の不安を抱かせないためにも「確認検査をするまでは感染しているかどうか確定できない」「スクリーニング検査が陽性でも約95%の方は感染していないことが確認検査によって確認されている」ことを伝える．確認検査でも陽性が確認されれば，妊娠中の抗ウイルス薬投与を行い，ウイルス量の減量を図る．また選択的帝王切開術での分娩，人工栄養，新生児への抗ウイルス薬投与のすべてを母子感染予防目的で行う．詳細は，「HIV感染妊娠と母子感染予防」ウェブサイトの『HIV感染妊娠に関する診療ガイドライン 第2版』や各マニュアルを参考にしていただきたい．

新型コロナウイルス

POINT
- 核酸検出検査では，有症状者で発症から9日以内または無症状者で唾液検体が使用できる．
- 抗原定性検査の感度は低いが，有症状者で発症から9日以内の患者に対してであれば確定検査として用いることができる．
- 抗原定量検査では，有症状者で発症から9日以内または無症状者で唾液検体が使用できる．
- 唾液検体採取は，飲食，歯磨き，うがいから最低でも10分以上あけて行う．
- 検査結果が陰性でも必ずしも感染を否定できないため，標準予防策は必要である．
- インフルエンザ流行期には季節性インフルエンザと新型コロナウイルスの両方の検査を行うことが推奨される．

解説

新型コロナウイルス（severe acute respiratory syndrome coronavirus 2：SARS-CoV-2）は，

coronavirus disease 2019(COVID-19)を引き起こすウイルスである．2021年8月時点では，このウイルスに感染した妊婦（特に妊娠後期）や産褥期の女性は非妊娠女性と比較し重症化のリスクが高く，高齢，肥満，喫煙者，高血圧・喘息・糖尿病などの合併症をもつ妊婦では特に注意が必要であるといわれている．また感染妊婦は非感染妊婦と比較し，妊娠合併症の罹患率，死亡率，新生児合併症発生率が高いことが報告されている[15]．加えて，妊婦に対するワクチン接種に関する海外の調査では，ワクチン接種による母子の重篤な合併症が発生したという報告はない[16]ことから，ワクチン接種のメリットがデメリットを上回ると考えられている．2021年8月14日には妊産婦に向けて，①妊婦には時期を問わずワクチンを接種することを勧める，②妊婦の感染源の8割が夫やパートナーであることから，妊婦の夫またはパートナーにも接種をお願いする，というメッセージが日本産科婦人科学会，日本産婦人科医会，日本産婦人科感染症学会から連名で発表されている[17]．

新型コロナウイルス感染症には特異的な症状はなく，臨床症状だけではそれ以外の感染症と新型コロナウイルス感染症を区別することは難しい．また，状況に応じて適切な検査方法を選択する必要がある．2021年8月時点で，新型コロナウイルスの検出に最も信頼性の高い検査はリアルタイムRT-PCR検査であり，ついでほかの核酸検出検査，抗原定量検査が実用的な検査方法である．有症状者に対しては，抗原定性検査も確定診断として活用可能である．なお，検査結果が陰性であっても，後日に陽性化することがあるため，検査を非感染の診断に用いることはできず，適切な感染予防策を続けることが重要である．

鼻汁，悪寒などの風邪症状や，37.5℃以上の発熱，倦怠感や呼吸困難がある場合は，核酸検出検査，抗原定性検査または抗原定量検査を行う．濃厚接触者で無症状の場合は核酸検出検査または抗原定量検査を行う．

インフルエンザ流行期には，可及的に季節性インフルエンザと新型コロナウイルスの両方の検査を行うことが推奨されている．季節性インフルエンザの抗原定性検査では，鼻咽頭ぬぐい液，鼻腔ぬぐい液，鼻かみ液を使用できる．自己採取した鼻腔ぬぐい液を用いて両者の抗原定性検査を行えば，医療者の曝露は限定的であり，場所を選ばず，短時間で結果を確認することができる．自己採取した鼻かみ液と唾液を用いて，それぞれ季節性インフルエンザの抗原定性検査と新型コロナウイルスの抗原定量または核酸検出検査を行えば，医療者の曝露リスクはそのままに検出感度を上げることができる．

2021年6月4日に『新型コロナウイルス感染症(COVID-19)病原体検査の指針 第4版』[18]が発行されており，本稿はそれに準拠している．今後の知見によって内容が更新される可能性があるので，厚生労働省，国立感染症研究所などのホームページから最新の情報を得ることをお勧めする．

各検査方法の特徴，現在使用が認められている検体の種類を表3に示す．

検査方法の特徴

● 核酸検出検査

検体は鼻咽頭ぬぐい液，有症状者の鼻腔ぬぐい液，発症9日目以内または無症状者の唾液検体の使用が可能．ウイルス遺伝子の定量検査が可能なリアルタイムRT-PCR法，簡便，短時間で結果判定ができるLAMP(loop-mediated isothermal amplification)法，TMA(transcription mediated amplification)法，等温核酸増幅法がある．リアルタイムRT-PCR法は定量法のため，ウイルス量の比較や推移を評価することができることから信頼性が高い．しかしながら，PCRの実施が困難な施設においては，その場で検査結果を得ることができない．

表3 新型コロナウイルス検査の特徴

	核酸検出検査			抗原定量検査			抗原定性検査		
検出するもの	ウイルスに特徴的な遺伝子配列			ウイルスに特徴的な蛋白質			ウイルスに特徴的な蛋白質		
精度	抗原定性検査より少量のウイルスでも検出可能			抗原定性検査より少量のウイルスでも検出可能			検出には一定量のウイルスが必要		
検体と検査対象者	鼻咽頭	鼻腔	唾液	鼻咽頭	鼻腔	唾液	鼻咽頭	鼻腔	唾液
有症状 発症から9日目以内	○	○	○	○	○	○	○	○	×（研究中）
有症状 発症から10日目以降	○	○	×	○	○	×	△（陰性なら核酸検出または抗原定量検査が必要)		
無症状	○	×	○	○	×	○	×（確定診断としての使用は不可，感染拡大地域でのスクリーニングとしての使用は可．陰性：感染予防は継続，陽性：核酸検出または抗原定量検査を考慮）		×（研究予定）
検査実施場所	検査機関 医療機関の検査室			検査機関 医療機関の検査室			検体採取場所		
判定時間	搬送時間＋数時間（簡易法では約1時間）			搬送時間＋30〜40分			30〜40分		

2021年8月現在
〔国立感染症研究所：新型コロナウイルス感染症（COVID-19）病原体検査の指針 第4版をもとに作成〕

● 抗原定性検査

　検体は鼻咽頭ぬぐい液，鼻腔ぬぐい液．検体中に含まれる新型コロナウイルス抗原を検出する．簡便かつ約30分で結果を得ることができるが，感度が低いため有症状者にのみ用いるのが望ましい．外来やベッドサイドにおけるスクリーニング検査として利用でき，インフルエンザ流行期の発熱患者などへの検査に有効である．発症9日目以内の症例では確定検査として用いることができる．有症状者で発症から10日目以降に検査し陰性の場合，臨床像から必要に応じて核酸検出検査や抗原定量検査が必要である．

　核酸検出検査や抗原定量検査と比較し，検出に一定以上のウイルス量が必要であり，無症状者に対しては感度が低いため確定診断として用いることは推奨されない．しかし，感染拡大地域の医療施設職員や入院患者に対して幅広く検査を実施する必要が生じた場合，頻回にリアルタイムRT-PCR検査を行うことは難しいが，抗原定性検査を頻回に実施可能であれば，頻度および結果の迅速性の観点からは有用な検査法であると考えられる．ただし無症状者に使用する際は，感度が低いことを考慮し，検査結果が陰性であっても感染予防策を継続する必要があること，また無症状者の結果が陽性の場合，核酸検出法や抗原定量検査での確定検査を考慮する．

　酵素免疫反応を測定原理としたイムノクロマト法を用いた簡易キットは，特別な機器を要さず検査結果を得ることができる．検体を含む液をカセットに滴下し，カセット上の判定ラインの有無を確認することにより，陽性または陰性を判断する．測定機器が必要な化学発光酵素免疫測定法による定性検査は，イムノクロマト法よりも感度が優れている．

- **抗原定量検査**

　検体は鼻咽頭ぬぐい液，有症状者の鼻腔ぬぐい液，発症9日目以内または無症状者の唾液検体の使用が可能．専用の機器を用いてウイルス抗原の量を定量できる．特異度が高く，感度も簡易な核酸検出検査と同程度といわれている．

- **抗体検査**

　検体は血液．ウイルスを検出するのではなく，ウイルスに対する抗体の有無を調べる検査である．抗体は感染早期には陽性にならず，症状発現後1〜3週間かけてから陽性となることが知られている．陽性だからといってウイルスを排出していることを意味しないこと，また感染に抵抗性があるとはいえないことに注意が必要である．

　WHOは，診断目的での抗体検査の単独使用は推奨しないとしているが，感染歴の指標として疫学調査に使用される可能性がある．

検体の採取方法と輸送方法

　検体採取時にくしゃみなどを伴うことがあるので，医療従事者は飛沫などに曝露しないように，個人防護具の着用を含め，適切な感染防護策が必要である．自己採取の場合も，医療従事者は飛沫などに曝露しない位置で採取などの管理，指示を与える．また検体容器の外側が汚染されていることがあるので容器の取り扱いに注意が必要である．検体の輸送は同一施設であれば，二次容器に入れて輸送，他施設に輸送する場合は三重梱包が推奨される．検体は速やかに検査に回すべきであるが，事情により保管する場合は4℃で2日程度に留めることが推奨されている．

- **鼻咽頭ぬぐい液**

　医療者による採取が必要．飛沫に曝露するリスクが高く，採取時は手袋，ガウン，N95マスク，フェイスシールドが望ましい．

　被検者にマスクを下げてもらい，鼻孔のみ露出する．患者の正面に立たないようにし，鼻腔底に沿って綿棒を押し進める．綿棒は鼻腔から耳孔を結ぶ線に平行となる向きに挿入する．上咽頭に当たったら抵抗を感じるので（鼻孔から7〜10 cm程度，個人差あり），その位置で綿棒を10秒静置し鼻汁を浸透させ，ゆっくり数回回転させながら引き抜く．検体を採取したら被検者にはすぐにマスクを上げてもらう．

　綿棒の先を検体保管スピッツの中の溶液につけ，漏れないように確実に封をする．二次容器として，密閉できるプラスチック袋に検体を入れる．検体採取者は袋に触れないようにする．

- **鼻腔ぬぐい液**

　医療従事者の管理下で被検者による自己採取が可能．鼻孔の方向で鼻腔に沿って2 cm程度スワブを挿入し，挿入後スワブを5回回転，5秒程度静置し湿らせる．鼻咽頭ぬぐい液と比較すると検出感度がやや低いとされ，引き続き検討が必要ではあるが，医療者の感染予防の面から有用な検体である．

- **唾液**

　原則として，被検者自身による適切な採取を医療者が確認する．飛沫を発しにくいため，周囲への感染拡散のリスクが低く，採取手技に左右されにくい利点がある．検出感度は鼻咽頭ぬぐい液と同程度と考えられている．

　被検者自身に，唾液1〜2 mLを滅菌チューブに溜めてもらう．適切に採取できているかを医療従事者が確認する．飲食，歯磨き，うがい直後の唾液採取はウイルスの検出に影響を与える可能性がある．目安として，最低10分，できれば30分ほどあけて採取するのが望ましい．

　被検者自身に採取してもらう場合は，唾液採取時に容器の外側が汚染される可能性がある．

タピオカドリンク用の太いストローを用いて滅菌スピッツに唾液を採取するなど，外側が汚染されない採取方法や容器外側の適切な消毒の工夫が必要である．

● その他

鼻かみ鼻汁液を検体とした検査の有用性についても研究されている〔厚生労働科学研究「新型コロナウイルス感染症（COVID-19）およびインフルエンザの診断における鼻咽頭ぬぐい液・鼻かみ鼻汁液・唾液検体を用いた迅速抗原検査の有用性の検証のための研究」研究代表者：倭　正也（りんくう総合医療センター感染症センター長）〕．

◆ 文献

1) 日本産科婦人科学会，日本産婦人科医会（編）：産婦人科診療ガイドライン 産科編2020．日本産科婦人科学会，2020
2) Alexander JM, et al：Efficacy of treatment for syphilis in pregnancy. Obstet Gynecol 93：5-8, 1999
3) Okada K, et al：e antigen and anti-e in the serum of asymptomatic carrier mothers as indicators of positive and negative transmission of hepatitis B virus to their infants. N Engl J Med 294：746-749, 1976
4) 厚生労働科学研究費補助金「肝炎等克服緊急対策研究事業」C型肝炎ウイルス等の母子感染防止に関する研究班，C型肝炎ウイルス（HCV）キャリア妊婦とその出生児の管理指導指針（平成16年12月）．日本小児科学会雑誌 109：78-79(Guideline), 2005
5) 国立感染症研究所：先天性風しん症候群（CRS）の報告；2014年10月8日現在．http://www.niid.go.jp/niid/ja/rubella-m-111/rubella-top/700-idsc/5072-rubella-crs-20141008.html（2021年9月アクセス）
6) 国立感染症研究所感染症疫学センター：風疹に関する疫学情報；2021年2月17日現在．https://www.niid.go.jp/niid/images/epi/rubella/2021/rubella210217.pdf（2021年9月アクセス）
7) Yamada T, et al：Immune status among Japanese during nationwide rubella outbreak in Japan 2012-2013. J Infect 68：300-302, 2014
8) 厚生労働科学研究費補助金新興・再興感染症研究事業分担研究班：風疹流行および先天性風疹症候群の発生抑制に関する緊急提言．http://idsc.nih.go.jp/disease/rubella/rec200408rev3.pdf（2021年9月アクセス）
9) 国立感染症研究所：HI価とEIA価の相関性および抗体価の読み替えに関する検討．http://www.niid.go.jp/niid/images/idsc/disease/rubella/RubellaHI-EIAtiter_Ver4.pdf（2021年9月アクセス）
10) Walker GJ, et al：Congenital syphilis：a continuing but neglected problem. Semin Fetal Neonatal Med 12：198-206, 2007
11) 国立感染症研究所：先天梅毒児の臨床像および母親の背景情報（暫定報告）．IASR 38：61-62, 2017
12) 日本性感染症学会梅毒委員会梅毒診療ガイド作成小委員会：梅毒診療ガイド．2018．http://jssti.umin.jp/pdf/syphilis-medical_guide.pdf（2021年9月アクセス）
13) Seña AC, et al：A systematic review of syphilis serological treatment outcomes in HIV-infected and HIV-uninfected persons：rethinking the significance of serological non-responsiveness and the serofast state after therapy. BMC Infect Dis 15：479, 2015
14) 日本性感染症学会（編）：性感染症診断・治療ガイドライン2020．診断と治療社，2020
15) Villar J, et al：Maternal and neonatal morbidity and mortality among pregnant women with and without COVID-19 infection；The INTERCOVID multinational cohort study. JAMA Pediatr 175：817-826, 2021
16) Shimabukuro TT, et al：Preliminary findings of mRNA Covid-19 vaccine safety in pregnant persons. N Engl J Med 384：2273-2282, 2021
17) 日本産科婦人科学会，日本産婦人科医会，日本産科婦人科感染症学会：新型コロナウイルス（メッセンジャーRNA）ワクチンについて（第2報）．http://www.jsog.or.jp/news/pdf/20210814_COVID19_02.pdf（2021年9月アクセス）
18) 国立感染症研究所：新型コロナウイルス感染症（COVID-19）病原体検査の指針 第4版．2021．https://www.mhlw.go.jp/content/000790468.pdf（2021年9月アクセス）

（森實　真由美）

診断と外来対応

妊娠 11 週まで

母子感染（トキソプラズマ，サイトメガロウイルス）

POINT
- 妊娠初期のトキソプラズマとサイトメガロウイルスの感染は出生児障害のリスクがある．感染の有無を妊娠初期に IgG 抗体で判断する．
- 陰性の場合は，感染予防のための教育と啓発を行う．
- 陽性の場合は，初感染か既往の感染か判断する．感染の時期を IgM 抗体と avidity index を用いて推定し，妊娠の時期との関連で胎児感染とその出生児障害のリスクを検討する．

DATA
- トキソプラズマ抗体陽性者は全妊婦の 5〜10％（90％ は陰性）．地域差がみられる．
- 初感染妊婦における胎内感染率は，妊娠初期は 10％ 台であるが胎児障害は重症である．後期では 65％ と上昇するが胎児障害は軽い，もしくはない．
- サイトメガロウイルス感染者は 70〜80％（20〜30％ は陰性）．最近増加の傾向にある．
- 妊娠中のサイトメガロウイルス初感染の胎内感染率は約 40％ で，その 20％ が症候性であるのに対し，慢性感染における再活性化では胎内感染率は 0.2〜2％ と低く，0.5〜1％ が症候性となる．

はじめに

　トキソプラズマ，サイトメガロウイルス感染については，外国ではすでに 30〜50 年以上前からこれらの感染症の母子感染に関する研究が行われていた．わが国では，約 20 年前頃からサイトメガロウイルスの母子感染の研究が重要な課題となった[1]．2008 年に始まる厚生労働省の母子感染に関する一連の研究班の活動により大きく発展し，これらが日常の産婦人科臨床に登場することになった．

　妊娠初期の初感染により出生児障害リスクとなることが知られている感染症として，風疹，サイトメガロウイルス，トキソプラズマが重要である．しかし初感染の大部分が無症候であるサイトメガロウイルス，トキソプラズマ感染では，感染の時期を特定することは困難であり，このことがこれらの感染症の母子感染研究の大きなバリアになってきた．

　感染していることは血清抗体を検査すれば簡単にわかるが，その感染時期が大切である．つまり妊娠する以前の感染であれば，児への影響はほとんどないと考えてよいが，妊娠中，特に初期の感染では，児への影響が大きいと考えられる．実際の臨床では，妊娠がわかってから産婦人科を訪れ，そこで抗体検査により感染していることが判明する場合が多く，この場合，いつ感染したかが問題となってくる．

感染時期の推定法

　妊娠初期の検査で感染が確認された場合，その感染時期を判断するために，感染後の一般的な血清抗体値の推移が参考として用いられる（図 1）．実際は IgM 抗体検出と avidity index（AI）検査によって行われる．

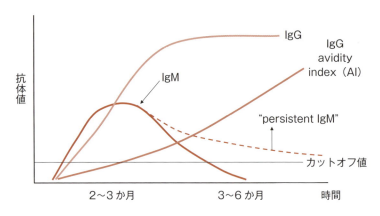

図1　感染後の血清抗体値の推移のシェーマ

IgM 分画の抗体の検出による方法

　IgM 抗体は感染後1～2週くらいから出現し，ピークを形成したのち3～6か月くらいで消退し検出されなくなるといわれている．IgG 分画の抗体（以下，IgG 抗体と略）は上昇を続け年余にわたって陽性を続ける．このことを利用して，もし IgM 抗体が検出されれば3か月以内に感染した可能性が考えられ，当該妊婦が妊娠3～4か月であれば，妊娠初期に感染した可能性が高く，出生児障害の可能性がでてくる．逆に IgG 抗体が陽性でも，IgM 抗体が陰性ならば，感染は3～6か月以上前の既往の感染と考えられ，もし当該妊婦が妊娠3か月とすると妊娠前の感染と考えられ児への影響はないと判断される．

IgM 抗体評価の注意点

　ELISA 法による IgM 抗体の定性検査では，測定値がカットオフ値より高ければ，それが低くても高くても同じように陽性と表現されるので，陽性の期間がかなり長期にわたる．さらに，ELISA 法は感度がよく，低い値が長期にわたり検出される（"persistent IgM"といわれている）こともあり，陽性の期間が6か月以上，時に1～2年にもなってしまい，感染時期の推定が困難となる．一方，定量検査では，感染直後は低いが急上昇してピークを形成したのち低下し，その後はカットオフ値より少し高い値を長期にわたって示す．そこでカットオフ値よりも高いある一定値を決め，それ以下は感染時期の推定に用いないようにすれば，より正確に感染時期の推定に用いることができる．以上のように IgM 抗体測定による感染時期の推定には問題がある．

avidity Index（AI）を用いる方法

　AI とは IgG 抗体の抗原との結合力（avidity）の強さの1つの指標として用いられる係数である．感染して間もなく出現する IgG 抗体は抗原との結合力が弱いが，時を経るにしたがい強くなっていくことがわかっており，これを利用して感染時期の推定を行うものである．感染初期の抗体は結合力が弱く，この抗原抗体反応を解離させる操作によって，大部分が解離するため残った抗体が少なく AI 値は低い値が，感染後時間が経つと強く結合する抗体に成熟するのでほとんど解離せず大部分が残るので高い値となる（図1）．AI 値は，検査したときの妊娠の時期との関連で評価しなければならない．

表1 母体のトキソプラズマ感染とその児への影響

感染時期	胎内感染率	胎内感染児の症状		
		重症	軽症	無症状
妊娠初期	17%	60%	20%	20%
妊娠中期	25%	30%	25%	45%
妊娠末期	65%	0%	8%	92%

〔Desmonts G, et al：N Engl J Med 290：1110-1116, 1974〕

　以上から，妊娠11週までに行うべきことは，トキソプラズマやサイトメガロウイルスのIgG抗体をまず確認することである．そしてIgG抗体が陽性の場合はIgM抗体を確認する．さらに，IgM抗体が陽性の場合はAI値を測定し，より正確に感染時期を推定することである．問題は，AIの測定が特定の機関しかできず，しかもlow, intermediate, highを分ける基準もそれぞれの方法で異なっているため，臨床現場で混乱を生じかねない点である．そこで，厚生労働省の研究班で測定法と判定基準の標準化を行っている．

トキソプラズマ

　トキソプラズマ（*Toxoplasma gondii*）はネコを最終宿主とし，ヒトを含む哺乳動物や鳥類などを中間宿主とする人畜共通感染寄生虫病の1つである．多くは無症候に経過し，その後，慢性感染状態に移行する．トキソプラズマの胎児感染による重篤な障害は妊娠初期の感染に多く，免疫力が十分発達してくる妊娠後期は無症候が多く，発症しても軽症である．

　妊婦におけるトキソプラズマ感染率は，地域によりかなり差がある．例えば関東地方の3～5％に対し，宮崎県では10.3％と高い[2]．トキソプラズマは経口感染により感染するので，生肉を摂取するなどの食習慣の違いが影響していると考えられている．

　妊娠中のトキソプラズマの初感染は胎内感染し，先天性トキソプラズマ症を発症することがある．最近の疫学的研究によれば，妊婦抗体スクリーニングと治療を行った場合，先天性トキソプラズマの発生は10,000出生あたり1.26と推定されている[3]．

　トキソプラズマは中枢神経系，眼，筋肉などに感染する．重症な先天性トキソプラズマ症では，水頭症，脳内石灰化，小頭症，肝脾腫などを発症する．これらは妊娠中の超音波断層法により発見できることがある．さらに脈絡網膜炎を発症するが，これは出生後でないとわからない．重要なことは，出生後年余を経て発症し視力障害をもたらすこともある点である．

　先天性トキソプラズマ症は重症と軽症に分けられているが，妊娠初期に感染すると重症になりやすく，後期の感染は軽度か無症候に終わることが多いとされている（表1）[4]．特に20週以前の感染例に重症例が多いと報告されている[5]．

トキソプラズマ感染の検査と管理（図2）[6]

- 妊娠初期にトキソプラズマIgG抗体を測定する
- ・IgG抗体陰性の場合：感染のリスクがあるので，感染予防のための教育と管理を行う（推奨C）．感染予防策の啓発内容は『産婦人科診療ガイドライン 産科編2020』に掲載されている[6,7]．生肉は海外でも摂取することがあるので，妊娠中の海外旅行では特に注意が必要である．妊娠中にトキソプラズマに感染する可能性があった場合などでは，妊娠後期にもう1回IgG抗体を測定することが望ましい．もし陽転していたらスピラマイシンを投与する．

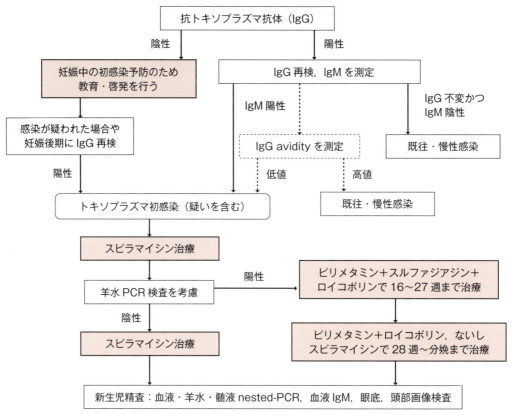

図2 トキソプラズマの検査と管理
〔藤井知行(研究代表者):トキソプラズマ妊娠管理マニュアル(第4版),p18,2020〕

- IgG抗体陽性の場合,トキソプラズマIgM抗体を測定する
- IgM抗体陰性の場合:既往の感染が考えられ胎児感染は否定的である.
- IgM抗体陽性の場合:問診などにより妊娠後の初感染が疑われたら,AI値測定を行いつつ,結果を待たずにスピラマイシンを速やかに投与する(推奨B)ように『産婦人科診療ガイドライン 産科編2020』では記載されている.胎児感染予防の目的で,2018年に保険適用となったことを受けて,ガイドラインの記載が変更された[7].AI値の結果が出た段階で投与の継続,中断を判断する.
- AI値測定の結果の解釈
- AI値が低値(40%以下)の場合:6〜12か月以内の感染が疑われ,低ければ低いほど感染からの時間は短い.妊娠後の感染が否定できないため,スピラマイシンを継続する.
- AI値が高値の場合:おそらく6か月以上前(妊娠する前)の感染と考えられるので,妊娠初期の検査ならば胎児感染の可能性は低く,スピラマイシンを中止する.ただし,妊娠中期にAI値測定された場合は,妊娠後の感染か否かの判断が難しいので,妊婦と相談のうえスピラマイシンの継続を決める.
- 胎児感染の診断としての羊水中のトキソプラズマDNA検査
  妊娠してからの感染が疑わしい場合,胎児感染の有無を検討するべくPCR法による羊水中のトキソプラズマDNAの検査を妊娠18週以降に行うことが考慮される(推奨C).なお,検査はガイドラインに記載の施設と相談する.もしPCR法陽性の場合は胎児感染が疑われるので,ガイドラインに記載されているようなより強力な治療として,ピリメタミンとスルファジアジ

ンに変更して治療を行う（推奨C）．陰性の場合はスピラマイシン治療のままでよい．

『産婦人科診療ガイドライン　産科編2020』のCQ003「妊娠初期の血液検査項目は？」ではトキソプラズマ抗体は推奨Cとなっている．治療薬スピラマイシンが国内でも保険適用となったが，AI値などの検査結果の解釈が確立していないためと記載されている．妊娠中の妊婦治療により胎児感染を50％減少させることができること，感染胎児の症状の重症化を抑制できることもわかってきたこと[8]，さらに抗体陰性妊婦の場合，感染予防の教育・啓発を積極的に行うことができることなどを考慮すると，スクリーニングとして妊婦におけるトキソプラズマ感染について検査する意義があると考える専門家がいることを留意されたい[2]．

サイトメガロウイルス

サイトメガロウイルス（cytomegalovirus：CMV）は，初感染後2〜3週でウイルス血症となる．まずIgM抗体が出現し，その時期は平均40日頃とされている．その後IgG抗体が出現する．そして潜伏感染状態に移行する．ときどき再活性化しウイルスを体液中に排出し感染源となる．CMVはすべての体液に排出され，特にウイルス量の多い唾液，精液，尿，血液，頸管粘液などが感染源となりやすく，これらを介してヒトからヒトへと感染する．胎児・新生児は経胎盤感染，産道感染，母乳感染によって感染する．さらに出生後は体液などを介して水平感染によって感染する．特に1〜3歳児の唾液や尿中には高頻度にCMVを排出するので，幼少児の集まる幼稚園や保育所では高頻度に感染が成立する．2回目以降の妊娠の場合，第一子が保育所でCMVに感染し，そのウイルスに妊娠中の母親が感染し，子宮内の胎児に感染させる．

CMVは広くまん延していて1970年代には妊婦の95％が感染していたが，1998年には83％[9]，2000年以降は70〜80％と減少を続けている．現在日本において妊婦の70〜80％は抗体陽性であり免疫を有しているが，残りの20〜30％は抗体が陰性で免疫がなく，妊娠中の初感染のリスクがある．

免疫能が正常である成人がCMVに初感染した場合，10〜15％程度に発熱，咽頭炎，リンパ節腫脹，多発関節炎などを呈する伝染性単核症様症状を呈し，肝機能異常やリンパ球増多を示すといわれているが，残りの80〜90％は感染しても無症候であることが妊婦管理上大きな問題となる．

国内では，全妊婦の0.31％（300人に1人）でCMVに感染した児が出生している．しかし，その多くは無症候性感染である（図3）[10]．症候性感染である先天性サイトメガロウイルス感染症は，低出生体重，小頭症，脳内石灰化，脈絡網膜炎，発達障害，聴覚障害，肝脾腫，黄疸，溶血性貧血，血小板減少性紫斑などの症状を呈する．また出生時は無症候性でも成長するにしたがって10〜15％は難聴や精神遅滞を発症することも知られている．

一方，妊娠中に初感染する妊婦の頻度は1〜2％といわれているが，これらの妊婦の約40％に胎児感染するといわれている．既感染の妊婦でも，0.5〜1％に胎児感染が成立するといわれている（図3）[10]．再活性もしくは再感染のために胎内感染すると考えられ，その児の予後は，初感染と差がないという報告もある[11]が，症候性になる頻度は不明である．既感染妊婦でも再感染して胎内感染に至る可能性を考えると，抗体検査の結果によらず，すべての妊婦に感染予防の教育・啓発を行うべきであろう．

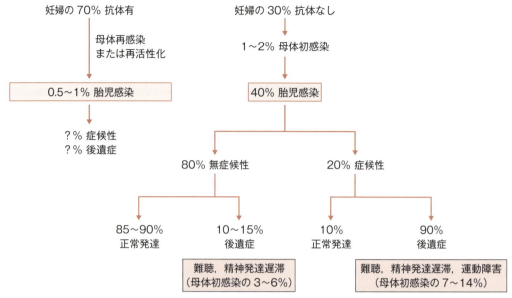

図3 サイトメガロウイルス抗体と母子感染率

〔藤井知行（研究代表者）：サイトメガロウイルス妊娠管理マニュアル（第2版），p8，2018〕

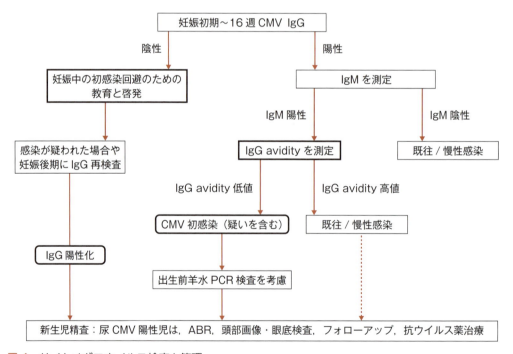

図4 サイトメガロウイルス検査と管理

〔藤井知行（研究代表者）：サイトメガロウイルス妊娠管理マニュアル（第2版），p10，2018〕

サイトメガロウイルス感染の検査と管理（図4）[10]

- **妊娠初期にCMV IgG抗体を測定する**
  - 陰性の場合：未感染なので，感染予防のための教育・啓発を行う．主な感染源として重要なのは乳幼児の唾液と尿なので，これらとの接触による感染をできる限り回避する．幼少児と

表2 先天性サイトメガロウイルス感染症の診断

①症状を有する新生児	②妊娠中にCMV感染が疑われた妊婦からの出生児
【新生児】 　小頭症 　水頭症，脳室拡大 　脳室周囲石灰化 　大脳皮質形成不全 　肝脾腫大，肝機能障害，黄疸 　出血斑，ブルーベリーマフィン斑 　聴力障害(聴性脳幹反応異常) 　網膜脈絡膜炎 　SGA 　など	【妊婦】 　妊娠中の感染徴候(発熱やリンパ節腫脹) 　血中CMV IgM陽性や妊娠中のCMV IgGの陽転化 ③胎児期に異常所見があった新生児 【胎児】 　胎児発育不全 　胎児超音波検査での異常所見 　　脳室拡大，頭蓋内石灰化，小頭症，脳室周囲嚢胞 　　腹水，肝脾腫 　　腸管高輝度 　など

〔藤井知行(研究代表者)：サイトメガロウイルス妊娠管理マニュアル(第2版)，p12，2018〕

接触したときは十分手洗いなどを行う．妊娠経過中に感染した可能性がある場合は，妊娠後期にIgG抗体を再検する．

● IgG抗体陽性の場合は，IgM抗体を測定する
・IgM抗体陰性の場合：既往の感染と考えられ胎児感染のリスクは低い．ただし，再活性もしくは再感染による胎内感染もありうるので注意する．
・IgM抗体陽性の場合：最近(妊娠中)の感染，かなり以前の感染にもかかわらずIgM抗体が持続している(persistent IgM)，測定方法が原因の偽陽性，が考えられる．そこで感染の時期を推測する目的でAIを用いて感染時期を推定する．

● AI値測定の結果の解釈
・AIが低値の場合：感染後間もないと考えられ妊娠中の初感染の可能性がある．妊娠中の初感染では40％が胎児感染するといわれており，これを確認するために出生前に羊水中のCMV PCR検査も考慮される．
・AI値が高値の場合：感染後かなり時間が経っていると考えられるので，妊娠前の感染と考えられ胎児感染のリスクは低い．

● 新生児尿によるCMV核酸検査
　最終的な先天性CMV感染の診断として，生後3週間以内の新生児尿中のCMV核酸検査を行う(最近この方法が保険適用となった)．表2[10]に示すような先天性CMV感染症を疑う児は，この方法が強く推奨されている(推奨A)．また，先天性CMV感染児にバルガンシクロビル(VGCV)を投与することが『産婦人科診療ガイドライン 産科編2020』では推奨Aとなっている．この治療によって聴覚を含む神経学的予後が改善されることが報告されたためである[12]．聴覚機能，発達障害などの長期的フォローアップが不可欠である．

おわりに

　妊婦のトキソプラズマとサイトメガロウイルス感染の検査は，世界的には母体の感染や胎児の症状などから，母子感染のリスクの高い状況では行うことが推奨されているが，全妊婦を対象としたスクリーニング検査は推奨されていない．『産婦人科診療ガイドライン 産科編2020』においても同様である．しかし，未感染妊婦にはこれらの感染の予防のための教育や啓発が提案され，それなりの効果が報告されるようになり，感染予防策をより確実に実施するべき妊婦のトリアージとしての意味はある．標準的AI測定と解釈の確立，感染母体の治療，感染児の

管理や治療の研究が進行中であり，それらの結果によっては今後ガイドラインも改訂されていく可能性があるのでご留意いただきたい．

◆ 文献

1) 川名　尚：サイトメガロウイルス母子感染序論—21世紀に向けて．産婦の実際 48：641-647，1999
2) 藤井知行(研究代表者)：母子感染の実態把握及び検査・治療に関する研究．厚生労働科学研究費補助金(成育疾患克服等次世代育成基礎研究事業)総括研究報告書 平成25〜27年度
3) Yamada H, et al : Prospective study of congenital toxoplasmosis screening with use of IgG avidity and multiplex nested PCR methods. J Clin Microbiol 49 : 2552-2556, 2011
4) Desmonts G, et al : Congenital toxoplasmosis. A prospective study of 378 pregnancies. N Engl J Med 290 : 1110-1116, 1974
5) Romand S, et al : Usefulness of quantitative polymerase chain reaction in amniotic fluid as early prognostic marker of fetal infection with *Toxoplasma gondii*. Am J Obstet Gynecol 190 : 797-802, 2004
6) 藤井知行(研究代表者)：トキソプラズマ妊娠管理マニュアル(第4版)．母子感染に対する母子保健体制構築と医療技術開発のための研究．国立研究開発法人日本医療研究開発機構(AMED)成育疾患克服等総合研究事業 平成28〜30年，2020
7) 日本産科婦人科学会，日本産婦人科医会(編)：CQ604 妊婦のトキソプラズマ感染については？　産婦人科診療ガイドライン 産科編2020. pp300-303, 日本産科婦人科学会，2020
8) Remington JS, et al : Toxoplasmosis. Remington J, Klein J(eds) : Infectious diseases of the fetus and newborn infant, 7th ed. pp918-1041, Elsevier Saunders, 2010
9) 竹内育代，他：妊婦のサイトメガロウイルスIgGならびにIgM抗体保有状況に関する研究．日新生児会誌 34：557-564, 1998
10) 藤井知行(研究代表者)：サイトメガロウイルス妊娠管理マニュアル(第2版)．母子感染に対する母子保健体制構築と医療技術開発のための研究班，国立研究開発法人日本医療研究開発機構(AMED)成育疾患克服等総合研究事業 平成28〜30年，2018
11) Ahlfors K, et al : Report on a long-term study of maternal and congenital cytomegalovirus infection in Sweden : Review of prospective studies available in the literature. Scand J Infect Dis 31 : 443-457, 1999
12) Kimberlin DW, et al : Valganciclovir for symptomatic congenital cytomegalovirus disease. N Engl J Med 372 : 933-943, 2015

(川名　敬・川名　尚)

診断と外来対応 妊娠11週まで

妊娠悪阻

POINT
- 妊娠悪阻の診断には尿中ケトン体の測定が有用である.
- 妊娠悪阻の外来管理は少量頻回の食事摂取と水分補給の促しがポイントである.
- 脱水症状に対しての早期の補液が重要である.
- 心身の安静と休養で症状を和らげることがポイントである.
- 重症の悪心・嘔吐の場合は制吐薬の使用を検討する.

DATA
- 妊娠悪阻は妊娠5〜6週頃から発症し,妊娠12〜16週頃には自然治癒するものが多く,全妊婦の50〜80%にみられる.
- 医療介入が必要となる妊娠悪阻は全妊婦の0.5〜2%程度.初産婦に多いが重症化するのは経産婦に多い.

病態の概要と新しい知見

「つわり,妊娠悪阻」の定義は日本産科婦人科学会の用語解説集[1]によると"妊娠第1三半期(三分期)にみられる悪心・嘔吐を中心とした消化器症状.気分や嗜好の変化,唾液分泌亢進を伴うこともある.朝の空腹時に症状が増悪することが多いため,morning sickness ともいう.妊娠第2三半期(三分期)までに改善することが多い.つわりが重症化し,体重減少,脱水,アシドーシスや電解質異常を呈する病態を妊娠悪阻(hyperemesis gravidarum)という"と記されている.つまり,「つわり」は母体に合併症を引き起こすことはなく,原則的に医療介入の必要はない.しかし,その症状が悪化して,水分や栄養摂取不足から代謝異常を起こし全身状態が障害される場合には,妊娠悪阻として医療介入が必要である.妊娠悪阻は全妊婦の0.5〜2%に発症し[2],初産婦に多いが重症化するのは経産婦に多い.発症のリスクファクターとしては若年妊娠,胞状奇胎,多胎妊娠,遺伝的素因,多産,女児妊娠,ヘリコバクター・ピロリ感染などが考えられている[3].放置すれば脱水やウェルニッケ脳症を発症し,生命の危険を及ぼす状態になることもある.

「つわり」の原因は明確ではないが,妊娠という病態により身体に起こる免疫反応との関与や,妊娠性ホルモンの急激な変化との関連が考えられている.すなわち,「つわり」は,妊娠の成立に伴い増加するエストロゲン,プロゲステロン,ヒト絨毛性ゴナドトロピンが第4脳室底にある嘔吐中枢を刺激することにより発症すると考えられている.また,プロゲステロンの増加は消化管の蠕動運動を低下させるため,ガスが貯留しやすくなり,悪心・嘔吐の原因となる.妊娠悪阻では嘔吐による電解質,酸塩基平衡の異常,ビタミンB_1,ビタミンK不足や脱水のみならず,エネルギー源である糖質の摂取が損なわれ,肝臓,筋肉,皮下組織に蓄積されている糖質や脂肪が分解されエネルギーとして動員される.この分解の過程で肝臓からケトン体が産生され血中に入る.さらに飢餓状態が進めばケトン体は過剰に産生され,尿中にも出現す

る．この代謝障害の状態が妊娠悪阻の主たる病態と考えられている．さらに代謝障害が増悪し，血中や尿中のケトン体が高濃度になると代謝性アシドーシスを引き起こし，肝機能障害を中心とした多臓器不全から，最終的には脳障害も発生し死に至る場合もある[4]．

夫婦，家族間の問題，妊娠や分娩への不安など，患者の背景にある心理的な要因も本症を誘引，増悪させる．

診断の手順

つわりと妊娠悪阻の明白な線引きはないが，ほぼ毎日嘔吐し，水分や栄養を経口摂取できない場合や，持続的に体重が減少し体重減少が元の体重の5%に達した場合，および尿中ケトン体陽性の場合には妊娠悪阻と診断し，医療介入を積極的に行う．この診断過程で，松原[5]も述べているように，妊娠初期の嘔気・嘔吐を即「つわり」だと決めつけないことが肝要である．なぜならば，消化管疾患（胃がん，胃・十二指腸潰瘍，逆流性食道炎，急性虫垂炎，腸閉塞），肝機能障害，中枢神経疾患（脳腫瘍，髄膜炎），精神疾患（ヒステリー，うつ病），食中毒，回虫症などとの鑑別診断が必要であり，16週以降に症状が初発した場合や20週以降まで症状が持続する場合，前回の妊娠時には「つわり」はなかったが，今回は強固な悪心・嘔吐がある場合などは特に注意を要し，他疾患の可能性を考慮する．

妊娠悪阻が外来で管理可能なのは悪心・嘔吐を主徴とする時期までであり，入院管理となる前に早期診断を心がけ，外来管理の可能な時期に医療介入に入れるようにすることが妊婦健診の役割である．代謝障害による全身症状（尿量が減少するほどの脱水症状，発熱，電解質異常など）が現れれば，入院管理を余儀なくされ，ウェルニッケ脳症などの重篤な意識障害をはじめとする脳症状，神経症状をきたし，胎児死亡や多臓器不全による母体死亡に至る場合もある．

早期診断には妊婦健診時に妊婦の声に耳を傾けることが重要で，妊婦の訴え，症状の変化に注意をし，上述した妊娠悪阻の診断時期を遅らせないことが肝要である．飲食物がとれない以外に何となく体がだるいという訴え，嘔気，嘔吐，頭痛，下痢などの症状にも注意して健診を行うことも大切である．食事摂取不能の訴えがあれば，まず，栄養状態の評価に簡便で最も役立つ指標である尿中ケトン体の測定が必要であり，陽性であれば医療介入が必要である．強陽性（2+以上）の場合は即座に入院管理が必要になる場合もある．また，固形物に加え水分摂取の有無を聞くことが重要である．なぜならば，水分摂取が不能になれば，急速に脱水症状や代謝障害が出現するので，早急な対応が必要となるためである．妊婦自身が頻回に体重を測定することはあまりないため，「つわり」がひどくなれば1回/1週間の体重測定を指示することは重要であり，持続的な体重減少や妊娠前の体重と比べ5%以上の減少を診断するのに役立つ．血液一般，血液生化学検査も重要であるが，外来管理を行っていても症状が改善しない場合，入院管理の移行の目安として用いられることが多い．

入院の判断

入院治療を要するものは全妊婦の1～2%[6]であるが，前述したようにウェルニッケ脳症などの重篤な脳症状・神経症状が出現する前での入院管理が絶対的であり，妊娠悪阻として外来治療を行っても，症状の改善がなく，全身状態が悪化する場合は入院管理の目安である．具体的には妊婦健診時の尿中ケトン体が強陽性（2+以上）の場合で，外来点滴などにより治療しても症状が改善しない場合，また，脱水症状が持続する場合，肝機能検査や腎機能検査により異常

値が出現した場合，ビタミン B_1 が低値をきたした場合などである．

重症妊娠悪阻の入院治療中は妊産婦死亡と関連する肺塞栓症とウェルニッケ脳症に細心の注意を払うことも重要である．なぜならば，妊婦はエストロゲンによる血液凝固因子の増加や妊娠初期からのプロテインS（PS）活性の低下により血栓傾向であるところ，重症妊娠悪阻による脱水と安静臥床により強い血栓形成傾向となり，肺塞栓をきたしやすい状態であるためである[7]．

● 外来での管理法

「つわり」の時期での管理

妊婦健診では妊娠悪阻までの「つわり」の時期での対策が必要である．まず，軽度の「つわり」なら治療は不要であるが，程度がひどくなるようならば食事のとり方を指導する．「食べられるときに，食べられるものを，食べられる量だけ」食べることが「つわり」のときの食事の基本である．食事が摂取できないことは必要以上に心配しなくてもよく，時期がくれば自然軽快する．「つわり」のトリガーとなる食物を聞き出し，それを避けるように指示することで「つわり」を予防することも試みる．環境では香水・タバコなどの臭いや人ごみを避けるように指示する．また，妊娠初期に胎児が必要とする栄養はごくわずかであるので，栄養のバランスや食事の量はあまり神経質にならず，好きなものや消化のよいものを少量ずつ，1日5～6回に分けて摂取し，この時期だけなら多少偏食になっても構わないと告げ，妊婦の精神的負担を軽減することも重要である．妊娠悪阻でほとんど食べられない場合でも胎児への目立った悪影響は報告されていない．1日2L以上の水分摂取，空腹を避けるように少量頻回の食事，刺激が強いものや味が濃いもの，脂肪分の多い食事は避けるように指導する．ウェルニッケ脳症の予防のためにもビタミン B_1 が多く含まれる強化米，小麦胚芽，乾燥酵母，豚肉，米ぬかなどを可能な限りとらせる．「つわり」中は臭いと湯気，湿気に敏感なことが多いので，炊き立てのご飯やみそ汁，焼き魚などはいったん冷ましたあとで食べるほうがよく，冷たい状態で食べられるものを摂取するようにすることも重要である．香辛料の多い刺激臭の強い食べ物は避けるようにする．妊婦に代わって調理を家族に行ってもらうのも1つの対策法である．その効果はまだ確定していないが，ショウガ粉末は欧米では広く使われている[8]．便秘をしないように，適度な運動（約1時間のウォーキング）を指示するのもよい．摂取カロリーが少ない場合には，消費カロリーを少なくするように安静を指示する．心理的・精神的ストレスを解消するため，里帰りが有効なこともある．

軽度妊娠悪阻の時期での管理

『産婦人科診療ガイドライン 産科編2020』[2]にも記されているように，妊娠悪阻の治療（表1）は基本的には心身を安静にして休養を取り，ストレスを減らし，症状が治まるのを待つことであるが，脱水が一番の問題になるため，食事がとれなくても，ジュースや冷たいスープあるいは水分だけでも十分に補給しておくように指示する．水分補給とカロリー確保のため市販されているスポーツドリンクの積極的な使用を促す．

家族のサポートも重要である．治療には家族，特に夫の日常生活や精神的な支援が不可欠となる．また，治療に家族の協力が得られない場合があり，妊娠悪阻は「つわり」と異なり病的な状態であり，胎児のみならず母体予後にかかわる疾患であることを理解してもらうことも重要である．

表1 妊娠悪阻の治療(ガイドライン CQ201 妊娠悪阻の治療は?)

1. 心身の安静のために休養を取ることが症状緩和につながることなどを説明し，少量頻回の食事摂取と水分補給を促す．(A)
2. 脱水に対して十分な輸液を，ビタミン B_1(thiamine)を添加し行う．(A)
3. 悪心の緩和に，ビタミン B_6(pyridoxine)を投与する．(C)
4. 悪心嘔吐のために日常生活が著しく制限される場合に，制吐薬について尋ねられたら，明らかな催奇形性や胎児毒性は報告されておらず使用可能であることを説明し，使用を検討する．(C)
5. 十分な飲水や補液で，深部静脈血栓症の発症予防に努める(CQ004-1＊参照)．(C)

＊CQ004-1：妊娠中の静脈血栓塞栓症(VTE)の予防は？
〔日本産科婦人科学会，日本産科婦人科医会(編)：産婦人科診療ガイドライン 産科編 2020. p108, 日本産科婦人科学会，2020 より改変転載〕

　「つわり」の緩和にピリドキシン(ビタミン B_6)経口投与(ピリドキシン 30 mg 分 3, 5 日間投与)の有効性を示した RCT が報告されている[9]．また，ビタミン B_6 はタバコや飲酒，蛋白質を多くとると消費が早まるので，妊娠直後からのこれらの制限やビタミン B_6 を多く含む食品(ニンニク，ゴマ，レバー，マグロ，カツオ，サンマ，サバ)の摂取も一考である．

　前述した妊婦への家庭での指示に加え，5％以上の体重減少があり，尿中ケトン体が陽性の場合，外来での輸液療法の適応となる．外来では 1 日 500 mL の糖液をメインに水溶性ビタミン剤(ビタミン B_1，ビタミン B_6，ビタミン C)，肝庇護薬，制吐薬(ドパミン受容体拮抗薬)などを点滴静注する．具体的にはヴィーン 3G 輸液 500 mL＋ビタメジン 1 V＋ビタシミン注射液 500 mg＋タチオン注射用 200 mg(＋プリンペラン 10 mg)を投与する．2〜3 回の外来点滴で改善傾向がない場合や症状が悪化した場合，脱水症状が強くなった場合には即座に入院管理することが重要である．輸液でのビタミン B_1 添加はガイドライン[2]でも推奨 A であるが，ビタミン B_6 の添加は推奨 C である．

　妊娠悪阻は静脈血栓塞栓症のリスク因子であるので，妊娠悪阻により脱水傾向にある場合は十分な飲水と補液を心がけるとともに，高齢妊婦，肥満妊婦，静脈血栓症の既往者や家族歴を有する妊婦には特に注意を要する．

　妊娠悪阻の症状発現時期は胎児の器官形成期に一致しているため，安易な薬物使用は当然避けるべきであるが，嘔吐が著明な場合は，中枢性制吐薬としてメトクロプラミド(プリンペラン)やジメンヒドリナート(ドラマミン)を用いる場合がある．しかも欧米においては，これらの制吐薬(ドパミン受容体拮抗薬，ヒスタミン H_1 受容体拮抗薬，セロトニン 5-HT_3 受容体拮抗薬など)は RCT をもとに妊婦に対して積極的に使用されており，現在までに妊娠中の使用に関連した明らかな催奇形性や胎児毒性は認められていない[10]．また，漢方薬では保険適用がある小半夏加茯苓湯，半夏厚朴湯，人参湯，五苓散，茯苓飲合半夏厚朴湯，半夏瀉心湯，安中散などが用いられる．

◆ 文献

1) 日本産科婦人科学会(編)：産科婦人科用語集・用語解説集 改訂第4版．日本産科婦人科学会，2018
2) 日本産科婦人科学会，日本産科婦人科医会(編)：産婦人科診療ガイドライン 産科編 2020．日本産科婦人科学会，2020
3) 東島 愛，他：妊娠悪阻．産婦の実際 60：1645-1653, 2011
4) 中井章人：周産期看護マニュアル よくわかるリスクサインと病態生理．東京医学社，2008
5) 松原茂樹：妊娠悪阻．周産期医 42：325-330, 2012

6）日本産科婦人科学会（編）：産婦人科研修の必須知識 2016-2018．日本産科婦人科学会，2016
7）小林隆夫：重症妊娠悪阻に対する肺塞栓症とウェルニッケ脳症の予防．日産婦会誌 65：N244-N247, 2013
8）Viljoen E, et al：A systematic review and meta-analysis of the effect and safety of ginger in the treatment of pregnancy-associated nausea and vomiting. Nutr J 13：20, 2014
9）Vutyavanich T, et al：Pyridoxine for nausea and vomiting of pregnancy：a randomized, double-blind, placebo-controlled trial. Am J Obstet Gynecol 173：881-884, 1995
10）ACOG Practice Bulletin No. 189：Nausea and vomiting of pregnancy. Obstet Gynecol 131：e15-e30, 2018

〔髙橋　健太郎〕

診断と外来対応

妊娠11週まで

多胎妊娠の診断

POINT
- 双胎妊娠は膜性診断により予後と合併症が異なり，双胎管理を行う場合は妊娠10週前後で膜性診断を行うことが重要である．
- 一絨毛膜性双胎は合併症が多く，原則，高次施設で妊娠管理することが望ましい．

DATA
- 多胎妊娠（母体数）は108万分娩のうち，双胎10,966例（1％），三胎157例（0.01％），四胎4例，五胎と六胎が各1例（2009年）．
- 平均分娩週数は単胎妊娠が38.1週であるのに対し，双胎妊娠は35.0週，三胎妊娠では32.1週．
- 周産期死亡はDD双胎が1.8％であるのに対し，MD双胎は4.3％，MM双胎では11.7％と一絨毛膜双胎で高率．

近年の動向

　厚生労働省の人口動態統計によれば，多胎妊娠の割合（母体数）は生殖補助医療の普及により大きく変化している．1970年代まで0.6％程度で推移していた双胎妊娠の割合（母体数）は，生殖補助医療の普及に伴い次第に増加し，2005年に1.1％に到達した．その後は減少に転じ，2009年には108万分娩のうち，双胎は10,966例（1％），三胎は157例（0.01％），四胎4例，五胎と六胎が各1例となっている．

　日本産科婦人科学会周産期委員会報告によれば，双胎の32.4％，三胎の80.4％，四胎以上の100％が生殖補助医療によるとされ[1]，2007年日本生殖医学会倫理委員会では，多胎妊娠防止のため35歳未満の初回治療周期では，移植胚数を原則として1個にする（single embryo transfer：SET）などの制限を提唱した．

　日本産科婦人科学会周産期登録データベースで2001〜2010年の双胎を検討すると（図1），自然妊娠か体外受精妊娠かによりその膜性診断は大きく異なる[2]．周産期登録の2001〜2005年の双胎妊娠をみると，自然妊娠では二絨毛膜二羊膜双胎（dichorionic diamniotic：DD双胎）と一絨毛膜二羊膜双胎（monochorionic diamniotic：MD双胎）がほぼ半数ずつであったのに対し，体外受精妊娠ではDD双胎が96％を占めていたが，SET提唱により今後体外受精妊娠によるDD双胎は減少すると推察される．

多胎のリスク

　多胎妊娠は単胎妊娠に比べて明らかに母児ともに合併症を伴いやすい．母体合併症に関しては，双胎妊娠は単胎妊娠に比して切迫早産，妊娠高血圧症候群，妊娠糖尿病，HELLP症候群などのリスクが高い．

　なかでも早産は多胎妊娠の抱える大きな問題である．日本産科婦人科学会周産期登録データ

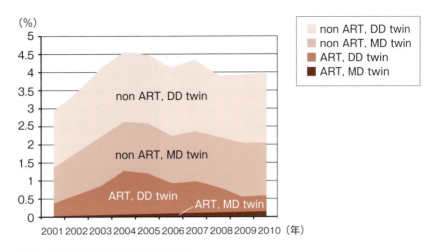

図1 10年間の双胎の頻度の推移
non ART：自然妊娠，ART：体外受精妊娠．

ベースでは，平均分娩週数は単胎妊娠が38.1週であるのに対し，双胎妊娠は35.0週，三胎妊娠では32.1週である．胎数が増加することで分娩週数が早まっていることがわかる．さらに，切迫早産例に関しては妊娠22週双胎が1週以内に分娩となる確率は，同時期単胎に比して約6倍以上高く，この比は34週まで上昇し続け，34週双胎が1週以内に分娩となる確率は，同時期単胎に比して約13倍高くなるという報告がある[3]．また，妊娠高血圧症候群に関しても，双胎妊娠のHELLP症候群の発症リスクは単胎妊娠の約10倍以上である可能性が指摘されている．したがって，多胎妊娠の外来管理においては，頻回の頸管長の測定など切迫早産の予知と妊娠高血圧症候群の早期発見に留意しなければならない．

児の合併症に関しては，膜性診断により予後と合併症が異なる．一絨毛膜双胎における児に関する主な合併症は，双胎間輸血症候群と一児発育遅延が挙げられ，その頻度はそれぞれ5～15％，5～10％である．また日本産科婦人科学会周産期登録データベースから周産期死亡をみると，DD双胎で1.8％であるのに対し，MD双胎では4.3％，一絨毛膜一羊膜双胎（monochorionic monoamniotic：MM双胎）では11.7％と一絨毛膜双胎で高率である．

頻度は低いものの，一絨毛膜双胎では結合双胎や無心体も起こりうる合併症で，DD双胎に比べて予後不良となる．また，神経学的後遺症に関しても一絨毛膜双胎は明らかに頻度が高くハイリスクである．

診断の手順

以上の観点から，双胎の診断において，正確に膜性診断を行うことはきわめて重要といえる．超音波検査による膜性診断は通常，妊娠初期（第1三半期），特に妊娠8～10週頃に行うことが勧められる．

卵性と膜性

二卵性双胎はすべて二絨毛膜双胎となる一方で，一卵性双胎では以下のように受精卵の分割が起こる時期により膜性が異なっている．さらに胚盤形成以降の分離では結合双胎が生じる．

・受精後1～3日：DD双胎

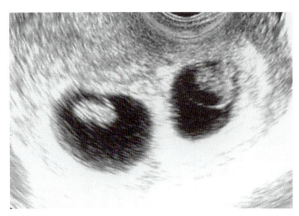

図2　妊娠7週DD双胎

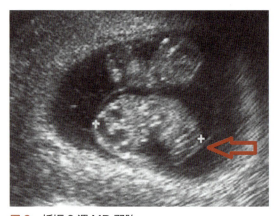

図3　妊娠9週MD双胎
羊膜が描出されている(矢印).

・受精後4～7日：MD双胎
・受精後8～13日：MM双胎

　一絨毛膜双胎はすべて一卵性双胎であり，二絨毛膜双胎は一卵性と二卵性の場合がある．前述のごとく，双胎において膜性の違いは卵性の違いよりも児の予後を大きく左右する．

膜性診断の時期と指標

　妊娠8週以前では羊膜が薄く描出できないことがあり，妊娠14週以降では羊膜と絨毛膜が癒合し膜性診断が不正確となる．そのため膜性診断は妊娠8～10週頃が適している．
　膜性診断は，①胎嚢の数，②羊膜の数，③隔壁の有無・厚さを指標に判別することができる．

● 胎嚢の数

　絨毛膜と胎嚢の数は等しいため，胎嚢を確認できる時期では胎嚢を2つ確認できれば二絨毛膜双胎と診断できる(図2)．胎芽が確認できる時期では1つの胎嚢に2つの胎芽が確認できれば一絨毛膜双胎と診断できる．

● 羊膜の数

　一絨毛膜双胎のうち，それぞれの胎児に独立した羊膜が確認できればMD双胎で，両児を包む同一の羊膜が確認できればMM双胎と診断できる．羊膜は絨毛膜に比較して薄い膜様の構造であり，絨毛膜の内側に細い線様のエコー像として描出できる(図3)．通常画面で羊膜が確認しづらいときは，ゲイン(gain)やダイナミックレンジ(dynamic range)を調節することで描出可能になることもある．さらに膜の描出が困難な場合は，妊娠8～10週の期間に繰り返し検査することが必要である．また，臍帯相互巻絡を認める場合は，MM双胎と診断される．
　一般に，卵黄嚢数と羊膜数は一致していると考えられていたが，一絨毛膜双胎の15％程度に卵黄嚢数と羊膜数が一致しない症例があることが報告されている．また，卵黄嚢が2個存在するMM双胎の報告もあり，卵黄嚢数のみで膜性診断を行うことはできない[4]．

● 隔壁の有無・厚さ

　DD双胎では隔壁内に胎盤組織が円錐状に突出しており，両児の卵膜が接している子宮壁側に三角の部分であるlambda sign(two peak sign)という特有な所見が描出されることがある(図4)．また，MD双胎では隔壁の起始部は平坦で，T-shapeが認められる(図5)．
　隔壁の厚さについて，DD双胎では2mm以上，MD双胎では2mm未満であることが多い．図6のように妊娠17週の二絨毛膜双胎と一絨毛膜双胎の隔壁を比較すると二絨毛膜双胎の隔

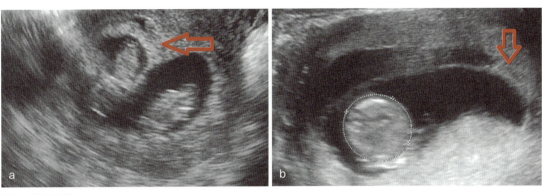

図4 DD双胎
a：妊娠10週 lambda sign
b：妊娠12週 lambda sign

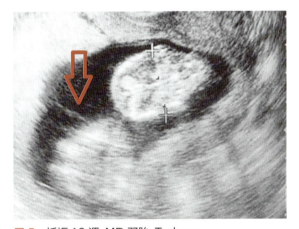

図5 妊娠13週 MD双胎 T-shape

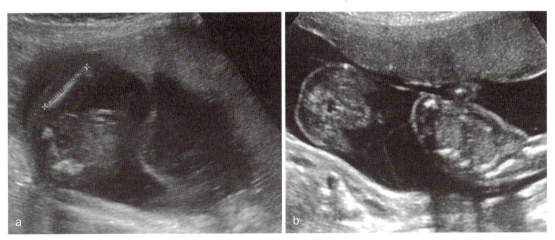

図6 妊娠17週
a：DD双胎
b：MD双胎

壁が明らかに厚いことがわかるが，実際には確定診断には困難な場合が多く，参考所見となる．

三胎以上の多胎妊娠においては，双胎の膜性診断の組み合わせを応用する．すなわち，三絨毛膜三羊膜品胎，二絨毛膜三羊膜品胎，二絨毛膜二羊膜品胎，一絨毛膜三羊膜品胎，一絨毛膜二羊膜品胎，一絨毛膜一羊膜品胎と6パターンある．

分娩予定日

また膜性診断と分娩予定日の決定が同時期であることが多く，多胎妊娠に関しても妊娠初期であれば単胎の基準値を用いて予定日を計算する．排卵日や受精日が特定できる場合は，単胎と同様に排卵日や受精日から起算した予定日を用いる．多胎妊娠の場合，両児間に発育差を認める場合にどちらの児を基準に分娩予定日を決定すればよいか推奨はない．しかし，臨床管理としては，小さい児は妊娠初期からの胎児発育不全である可能性が高いため，大きい児の計測値を基準に分娩予定日の算出を行うことが勧められる．

外来での管理法

一絨毛膜双胎・品胎の管理

一絨毛膜双胎と診断したとき，前述したように双胎間輸血症候群，一児発育遅延，一児死亡，無心体双胎など合併症が起こる確率を合計すると，約20〜25％になる．合併症のために早期児娩出を余儀なくされる場合もあるため，診断した時点で，低出生体重児収容可能施設などに紹介，あるいは高次施設と密な連携をとりながら管理することが勧められる．また，一絨毛膜双胎で起こりうる双胎間輸血症候群や無心体双胎は，胎児治療が必要となる可能性があり，これら疾患のリスクとその際の対応についてあらかじめインフォームド・コンセントしておく必要がある．なお，三胎以上の妊娠の場合は，必ず低出生体重児が収容可能な高次施設に紹介する必要がある．

管理としては，双胎間輸血症候群は妊娠16週頃より発症することがあるため，羊水不均衡や胎児発育に注意し，少なくとも2週間ごとの超音波検査が勧められる．適切な超音波検査間隔のエビデンスはないが，Carverらの研究結果によると25％以上の推定体重差，および65％以上の羊水量差は双胎間輸血症候群発症までの期間が短くなり，これらの差がない場合は2週間ごと，いずれかに差がある場合は1週間ごとの超音波検査が推奨されている[4]．また，MM双胎に関しては，両児の隔膜がないため臍帯相互巻絡による胎児突然死の危険性があり，妊婦や家族に十分に説明しておくことが必要である．

双胎一児死亡

妊娠の初期には双胎一児死亡が起こる頻度も高く，DD双胎のうち胎嚢が1つ消失するものを，特にvanishing twinと呼び，双胎全体の10〜15％に認められる．この場合，生存している児に与える影響はきわめて少なく，生存児の予後は良好である．

一方，妊娠中期以降の双胎一児死亡の場合，死亡児が長時間子宮内に残存していると死胎児症候群を発症することがある．死亡児から母体血中に組織トロンボプラスチンが流入することで母体の血液凝固障害に伴い出血傾向を呈するもので，産科DICの基礎疾患の1つである．胎児死亡後4週間を経過すると約25％で凝固異常症が発症するとされている．また，一絨毛膜双胎では，胎盤ではほぼ100％で両児間血管吻合を認めるため，児死亡と同時に圧勾配によ

る生児から死亡児への急速な血液移動が発生し，生存児に低血圧・貧血・血栓形成が起こる可能性が指摘されている．日本産科婦人科学会の調査では，二絨毛膜双胎一児死亡の場合の生児の予後不良例は約 15% で，一絨毛膜双胎では約 50% が死亡もしくは脳障害を有すると推定されている[4]．しかし，双胎一児死亡確認後の生存児の急速遂娩が予後改善に影響するというエビデンスはなく，一絨毛膜双胎の場合は児の貧血と well-being に注意しながら管理することが大切である．

◆ 文献

1) 日本生殖医学会(編): 生殖医療ガイドライン 2007．金原出版，2007
2) Hayashi M, et al : The effect of single embryo transfer on perinatal outcomes in Japan. Int J Med Sci **12** : 57-62, 2015
3) Minakami H, et al : Risk of premature birth in multifetal pregnancy. Twin Res **3** : 2-6, 2000
4) 日本産科婦人科学会，日本産科婦人科医会(編): 産婦人科診療ガイドライン 産科編 2020．日本産科婦人科学会，2020

（寺田　佳世子・中井　章人）

診断と外来対応

妊娠 11 週まで

異所性妊娠

POINT
- 異所性妊娠の診断には経時的な血清 hCG 値と経腟超音波が有用である．
- 手術療法に加え，メトトレキサートによる薬物療法も行われ良好な成績を収めている．
- 外来で経過管理を行う際には，緊急受診や手術などの対応可能な施設での管理が望ましい．

DATA
- 異所性妊娠は全妊娠の 1〜2％ 程度に発症する．
- 異所性妊娠の大多数(95％ 以上)は卵管妊娠である．
- 卵管妊娠に対する手術療法として卵管切除術と卵管切開術などの温存療法があるが，いずれの術式においても異所性妊娠を反復する確率が 10〜15％ 存在する．
- 全身状態良好な異所性妊娠に対する薬物療法は広く行われ，治療の成功率は 71.2〜94.2％ と良好な成績(保険適用外)．

病態

　異所性妊娠とは受精卵が子宮体部内膜以外の場所に付着する状態と定義され，全妊娠の 1〜2％ 程度に発症する[1]．近年では生殖補助技術(ART)による妊娠数の増加に伴い異所性妊娠症例の増加が示唆されている[2]．異所性妊娠のリスク因子として，卵管手術の既往，IUD の使用，性感染症の既往，複数のパートナー，骨盤内手術の既往，喫煙などが挙げられる．また，母体年齢の上昇に伴ってそのリスクが増加するとされているが，半数にはリスク因子を認めないとの報告もある．リスク因子で最も重要なものは異所性妊娠の既往であり，既往がある女性の 10％ に異所性妊娠が反復するおそれがある[3]．代表的症状は無月経に続く下腹部痛と性器出血であるが，現在は市販妊娠検査薬の高感度化により早期に無症状で発見される症例が増え，異所性妊娠による死亡率は低下している．一方で，米国では依然として妊娠に関連する死亡の 2.7％ が異所性妊娠の破裂による[4]と報告されており，その診断は重要である．異所性妊娠の大多数(95％ 以上)は卵管妊娠であり，そのほかに卵巣妊娠，腹膜妊娠，頸管妊娠などが挙げられるがいずれも 1％ 未満と稀である．また，精査によっても着床部位が不明であるもの(着床部位不明異所性妊娠)も報告されている．

診断

　妊娠反応陽性で経腟超音波にて子宮腔内に胎嚢が確認できない場合，正常妊娠(妊娠早期)，異所性妊娠，流産を鑑別する必要がある．一般的に 28 日周期の女性の場合では，妊娠 5 週前半で子宮腔内に胎嚢をほぼ 100％ で確認することができる．妊娠 6 週以降で胎嚢を確認できない場合には異所性妊娠を疑うが，月経が 35 日周期の女性の場合では見かけの妊娠週数とのずれを生じている可能性があるために，月経周期や基礎体温の確認は異所性妊娠の診断に有用で

ある．胎嚢が確認できなくとも卵巣と別の付属器腫瘤を認めた場合には，異所性妊娠を念頭に置いて精査もしくは経過管理をする必要がある．また，子宮内膜の脱落膜様変化により異所性妊娠であっても子宮内腔に胎嚢様の低エコー域（偽胎嚢）を呈する症例も報告されている[5]．通常，血清 hCG 値が 10,800 mIU/mL 以上であれば，胎嚢内に胎児心拍を確認できるとされており[6]，血清 hCG 値が高値にもかかわらず胎児心拍を認めない場合には異所性妊娠の鑑別が必要となる．

症状を有する症例の診断

妊娠反応陽性であり下腹部痛などの症状を有する場合には，腹腔内出血や卵管血腫の存在を念頭に診断する必要がある．血圧，脈拍数，意識状態，貧血などの全身状態を確認した後に経腟超音波で腹腔内の状態を診察する．腹腔内出血を示すエコーフリースペースや付属器領域の腫瘤像の有無を検索する．血腫や腫瘤内に胎児心拍を認めれば異所性妊娠の確定診断となるが，すでに流産していることも多くその場合には胎児心拍は認めない．

腹腔内出血が少量で経時的変化が少ない場合には未破裂の卵管流産の可能性がある．一方で，ショック状態や貧血の進行，超音波上出血の増量を認めた場合には卵管破裂の可能性が高い．卵管破裂や卵管流産で腹腔内出血が疑われた際には手術療法の適応となる．

無症状な症例の診断

市販妊娠検査薬の高感度化により，下腹部痛などの症状を有さない状態で受診する症例が増加している．妊娠反応陽性であるが子宮内に胎嚢を認めない場合，子宮腔外に胎嚢様構造物を認める，ダグラス窩に多量の貯留液を認める，循環血液量減少が想定される場合などには異所性妊娠を念頭に置き，血清 hCG の測定や経腟超音波の再検などを適宜行う．

従来の報告では血清 hCG が 2,000 mIU/mL 以上で子宮内に胎嚢が認められない場合には異所性妊娠を疑い治療が行われていたが，最近では血清 hCG が 2,000～3,000 mIU/mL の症例の約 2％，3,000 mIU/mL 以上の約 0.5％ に正常妊娠を認めたと報告されている[7]．これは近年の ART に伴い増加している多胎妊娠によると考えられており，異所性妊娠の診断には注意する必要がある．

このように血清 hCG が高値を示し子宮内に胎嚢を認めない症例でも正常妊娠の可能性があり，また異常妊娠であった場合の大半が子宮内流産であり異所性妊娠の占める割合が低いことから，症状を有さない症例に対しては血清 hCG の再検を行い経時的に評価することが勧められている[1]．正常妊娠であれば 48 時間後に血清 hCG は倍増するため，血清 hCG の増加が少ない場合，もしくは減少する場合には異所性妊娠もしくは流産と診断する[8]．

また，ART による妊娠数の増加に伴い，子宮内および子宮外に妊娠を認める子宮内外同時妊娠も増加傾向にあり，ART の妊娠では子宮内外同時妊娠を約 1％ に認めるとした報告もある[9]．このように，症状を有さない異所性妊娠の診断は難しいが，患者の症状に注意しながら経時的に評価していくことが重要である．さらに妊娠週数および血清 hCG 値から正常妊娠（早期の妊娠）の可能性が排除できていて流産か異所性妊娠のいずれであるか判断できない場合には，子宮内容除去術を施行して術後の血清 hCG が減少しなければ異所性妊娠と診断することも行われる．

外来および入院での管理

症状を有する症例では，可及的速やかに入院とし，精査および治療を進めることが必要とな

表1 MTX療法の禁忌

絶対的禁忌	授乳中 免疫不全状態 アルコール依存症，アルコール性肝炎，慢性肝疾患 骨髄低形成，白血球減少症，血小板減少症，重症貧血 MTXへの過敏症 急性肺疾患 消化性潰瘍 肝不全，腎不全，血液病 破裂した子宮外妊娠 血行動態が安定していない 治療後の追跡調査が不可能
相対的禁忌	4 cm以上の胎囊 胎児心拍の存在 血清hCG高値 輸血を拒否

(Practice Committee of American Society for Reproductive Medicine. : Medical treatment of ectopic pregnancy : a committee opinion. Fertil Steril 100 : 638-644, 2013 より改変)

る．一方，無症状の症例で超音波上腹腔内所見を認めない場合は外来での管理が可能と考えられる．必要に応じて血清hCGを測定し，血清hCG値2,000 mIU/mL未満の症例では1週間後の来院を指示し，超音波検査や必要に応じて血清hCGの再検を行う．血清hCG 2,000 mIU/mL以上の症例では2日後の受診を指示し再度血清hCGを測定する．いずれの場合も外来で管理する際には，卵管破裂や腹腔内出血の可能性があることを十分に説明し，突然の腹痛などが出現した際にはすぐに受診するよう説明することが必要である．また，血清hCGが非常に高値であり，子宮内に胎囊を確認できない場合には，腹腔内出血などの所見を認めない場合にも入院での精査が必要となる場合がある．

治療

異所性妊娠に対する治療としては卵管切除術や卵管切開術などの手術療法や薬物療法が挙げられる．全身状態良好な異所性妊娠に対しメトトレキサート（MTX）を用いた薬物療法の有用性が報告されており[10]，表1に示す禁忌に該当しない場合には考慮することも可能である．

手術療法

卵管妊娠に対する手術療法として卵管切除術と卵管切開術などの温存療法がある．その選択は着床部位，大きさ，血清hCG測定値，本人の希望などの諸因子によるが，対側卵管に異常を認めない場合にはいずれの術式でも以後の妊娠率に差を認めないという報告もあり，全身状態が良好であればいずれを選択してもよい[11]．また，いずれの術式においても異所性妊娠を反復する確率が10～15%存在するため注意が必要である．従来は開腹手術が広く行われていたが，近年は低侵襲や美容上の利点から腹腔鏡手術が広く行われており良好な成績を示している．異所性妊娠（卵管妊娠）における開腹手術と腹腔鏡手術を比較した試験では，術後の卵管疎通性に差はなく，挙児希望患者の次回妊娠率にも差を認めなかった．また，腹腔鏡手術において異所性妊娠反復率が低い傾向にあった[12]．腹腔鏡手術の可否については患者の全身状態に加えて，各施設での設備，診療体制などによる．

薬物療法

　全身状態良好な異所性妊娠に対する薬物療法は，わが国では保険適用外であるが広く行われている．治療の成功率は71.2～94.2％と良好な成績を示しているが[13]，治療開始時の血清hCG値が5,000 mIU／mL未満の場合に，より成功率が高いと報告されている[14]．MTXの投与法にはいくつかのプロトコールが用いられているが，一般的に広く用いられているのは単回投与法と二回投与法であり，そのほかに葉酸を併用しての四回投与法もある[15]．単回投与法が最も簡便であり，複数回投与法と比較して同等の効果が得られるとの報告がなされていたが，最近の報告では，妊娠週数の進んでいるものや胎児心拍を認める症例では複数回投与法が成功率において優れているとされている．

● 単回投与法

　単回投与法では治療1日目に体表面積1 m^{2}当たり50 mgのMTXを筋肉内注射する．以後4日目と7日目に血清hCGを測定し治療効果を判定する．7日目の血清hCG値が4日目に比べ15％以上低下していれば治療成功とみなし，血清hCG値が感度以下となるまで毎週測定して経過観察する．15％以上の低下がみられない場合には再度同量のMTXを投与し，同様に4日目と7日目の血清hCG値を測定する．もし経過観察中に血清hCG値の再上昇が認められた場合にはMTXの再投与を考慮する．MTXを2回投与したあとにも血清hCG値の低下が認められない場合には手術療法を考慮する．

● 二回投与法

　二回投与法では治療1日目および4日目に体表面積1 m^{2}当たり50 mgのMTXを筋肉内注射する．以後単回投与法と同様に，4日目と7日目に血清hCG値を測定し，15％以上の低下がみられれば経過観察とする．15％以上の低下が認められない場合には，7日目にMTXを同量投与し11日目に血清hCG値を測定する．11日目の血清hCG値が7日目に比して15％以上の低下を認めた場合には経過観察，認められなかった場合には11日目にMTXを同量投与し14日目に血清hCG値を測定する．4回投与の後に血清hCG値の減少が認められない場合には手術療法を考慮する．

● 治療後の管理

　MTXによる治療を行い血清hCG値の減少が確認できた場合には，以後外来での経過管理が可能である．通常，1週間ごとに血清hCG値を測定し感度以下となるまで経過観察する．もし経過観察中にhCG値が減少しない，もしくは再上昇を認めた際には存続絨毛症の可能性を考え，精査を行う必要がある．また，経過観察中に下腹部痛や性器出血を認める症例もあるため，十分に説明しておくことが必要である．

待機療法

　腹腔内出血を示さず，血清hCG値が1,000 mIU／mL以下の症例で以後の増加が少ない場合には，異所性妊娠の流産もしくは自然流産である可能性が高く，待機的に経過をみることが可能である．この場合も通常，血清hCGが陰性化するまで定期的に外来で経過観察とし，腹痛などの症状が出現した際にはすぐに受診するよう説明しておく．

おわりに

　異所性妊娠では卵管妊娠による卵管破裂などにより，腹腔内出血をきたし救急外来受診となることがある．その一方で，妊娠検査薬の高感度化により症状を有さない時期に受診する患者も増え，その診断に苦慮することも多い．初診の時点で血清hCGや超音波検査から診断を確

定することが困難な症例も多数見受けられるが，異所性妊娠が疑われた症例では経時的に検査を行い診断していき，また症例によっては血清hCGの即日検査や緊急手術が可能な高次医療機関での管理を検討する必要がある．

◆ 文献

1) 日本産科婦人科学会，日本産婦人科医会(編)：産婦人科診療ガイドライン 産科編2020．日本産科婦人科学会，2020
2) 東京慈恵会医科大学産婦人科学講座「Williams OBSTETRICS」翻訳委員会：ウィリアムス産科学 原著24版．pp453-474, 南山堂，2015
3) Barnhart KT, et al：Risk factors for ectopic pregnancy in women with symptomatic first-trimester pregnancies. Fertil Steril **86**：36-43, 2006
4) Creanga AA, et al：Pregnancy-related mortality in the United States, 2011-2013. Obstet Gynecol **130**：366-373, 2017
5) Phelan MB, et al：Pelvic ultrasonography. Emerg Med Clin North Am **15**：789-824, 1997
6) Bree RL, et al：Transvaginal sonography in the evaluation of normal early pregnancy：correlation with HCG level. AJR Am J Roentgenol **153**：75-79, 1989
7) Doubilet PM, et al：Diagnostic criteria for nonviable pregnancy early in the first trimester. N Engl J Med **369**：1443-1451, 2013
8) Bignardi T, et al：The hCG ratio can predict the ultimate viability of the intrauterine pregnancies of uncertain viability in the pregnancy of unknown location population. Hum Reprod **23**：1964-1967, 2008
9) Svare J, et al：Heterotopic pregnancies after in-vitro fertilization and embryo transfer：a Danish survey. Hum Reprod **8**：116-118, 1993
10) Barnhart KT：Clinical practice. Ectopic pregnancy. N Engl J Med **361**：379-387, 2009
11) Mol F, et al：Salpingotomy versus salpingectomy in women with tubal pregnancy(ESEP study)：an open-label, multicentre, randomised controlled trial. Lancet **383**：1483-1489, 2014
12) Diagnosis and Management of Ectopic Pregnancy. BJOG **123**：e15-e55, 2016
13) Barnhart KT, et al：The medical management of ectopic pregnancy：a meta-analysis comparing "single dose" and "multidose" regimens. Obstet Gynecol **101**：778-784, 2003
14) Menon S, et al：Establishing a human chorionic gonadotropin cutoff to guide methotrexate treatment of ectopic pregnancy：a systematic review. Fertil Steril **87**：481-484, 2007
15) ACOG Practice Bulletin No. 193：Tubal ectopic pregnancy. Obstet Gynecol **131**：e91-e103, 2018

(三宅　貴仁・下屋　浩一郎)

診断と外来対応

妊娠 11 週まで

胞状奇胎

POINT
- 診断は hCG 値，超音波断層法を中心に行うが，典型的な画像所見が得られない場合があることに注意する．
- 部分胞状奇胎，共存奇胎，間葉性異形成胎盤の鑑別には核型も有用である．
- 共存奇胎や間葉性異形成胎盤では，方針決定にあたり母児のリスクについて十分な情報を提供する．

DATA
- 本邦での発生頻度は 1.2～2/1,000 妊娠とされる．

病態の概要と新しい知見

全胞状奇胎と部分胞状奇胎

　胞状奇胎は，胎盤を形成する絨毛細胞を発生母地とする疾患である絨毛性疾患の 1 つであると規定されている[1,2]．

　胞状奇胎は，絨毛組織の発育が正常になされず絨毛が囊胞化する異常妊娠であり，本邦での発生頻度は 1.2～2/1,000 妊娠とされる．古典的には，肉眼的に短径が 2 mm を超える囊胞が存在することが必要条件とされてきたが，妊娠診断の早期化に伴い，囊胞が明瞭でない場合が増えたため，現在では組織学的検査ならびに免疫組織化学的検査や遺伝子検査を併用して診断がなされる．

　胞状奇胎は，全胞状奇胎，部分胞状奇胎に分類される．全胞状奇胎は，肉眼的に大部分の絨毛が水腫状腫大を伴い，組織学的に胎児成分が存在しない．細胞遺伝学的には，稀な場合を除き雄核発生による 2 倍体で全染色体が父親由来である．部分胞状奇胎は，肉眼的に正常と水腫状腫大を呈する 2 種類の絨毛からなる病変であり，細胞遺伝学的には 2 精子受精による 3 倍体を原因とし胎児成分が存在することが多い．

　胎児共存奇胎は狭義には全奇胎と正常受精卵からなる二卵性双胎をいう．臨床的には全奇胎として管理する．1 つの受精卵から全奇胎が生じることは稀とされる．広義には部分奇胎を共存奇胎ということもあるが予後や管理がまったく異なることから，本稿では共存奇胎は全奇胎と正常妊娠の双胎のみをいうこととする．

間葉性異形成胎盤

　間葉性異形成胎盤（placental mesenchymal dysplasia：PMD）は，超音波断層法にて胎盤の囊胞状変化を呈するが，組織学的に胞状奇胎とは異なる胎盤の形態異常である．原因は不明であるが，全ゲノム父性片親性ダイソミーモザイクの関与が指摘されている[3]．母体に続発症をきたすことはないが，児には胎児発育不全，子宮内胎児死亡，ベックウィズ-ヴィーデマン

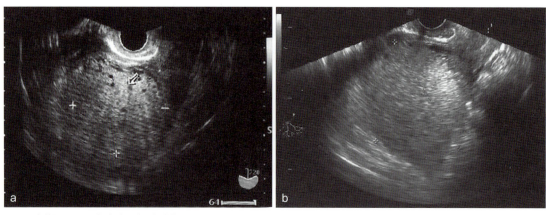

図1 妊娠8週の全奇胎の超音波像
囊胞が明瞭ではない場合(b)があることに注意する．

(Beckwith-Wiedemann)症候群や胎児肝過誤腫の合併があることが知られる．超音波所見では胎盤に小囊胞領域(grape-like vesicle)を認め，部分胞状奇胎などの絨毛性疾患との鑑別が重要である．妊娠中囊胞領域が縮小する症例もある．肉眼的には大型化した胎盤と胎盤表面の絨毛膜血管の瘤状変化を，組織学的には幹絨毛血管の動脈瘤様拡張を特徴とする．

診断の手順

診断は主にhCG値ならびに超音波断層法による画像診断で正常(初期)妊娠，異所性妊娠，流産との鑑別を行う．PMDではhCGの上昇は軽度であることが多い．

超音波像では，全奇胎では正常胎囊が確認できず，子宮内腔の多発囊胞状陰影を認める(図1)．週数が早い場合には囊胞が明瞭ではない症例(図1b)もあることに注意する．最終的には手術後の肉眼ならびに組織学的診断，および「絨毛性疾患取扱い規約」[1]にあるとおり免疫組織化学的検査や遺伝子検査を併用して確定する．部分奇胎では，胎児成分と同一の胎囊内に一部に囊胞状パターンを有する絨毛組織像を認める(図2a)．胎児(図2b)に比し絨毛組織のボリュームが大きい(図2c)ことも1つの特徴である．共存奇胎やPMDは，第1三半期末から第2三半期末，絨毛組織がいわゆる胎盤として認識できる時期に指摘されることが多い．共存奇胎では正常児およびその胎盤と別に囊胞状パターンを有する領域を認める(図3)．PMDでは胎盤の一部に多発する囊胞と大小不整な管腔構造を認める(図4)．PMDの一部の症例は，妊娠経過に伴い囊胞像が消失するとの報告もある．

部分奇胎，共存奇胎，PMDの鑑別は画像のみでは困難な症例があり，羊水染色体検査などにより核型を確認することも有用である．全胞状奇胎，部分胞状奇胎，胎児共存奇胎，PMDの鑑別の要点を表1に示す．

入院の判断

全胞状奇胎，部分胞状奇胎

速やかに妊娠帰結(子宮内容除去術)を行い，組織学的に診断する．その後は定期的にhCG値を観察し一次管理を行い，下降不良の場合には二次管理に移行する．詳細は他稿を参照され

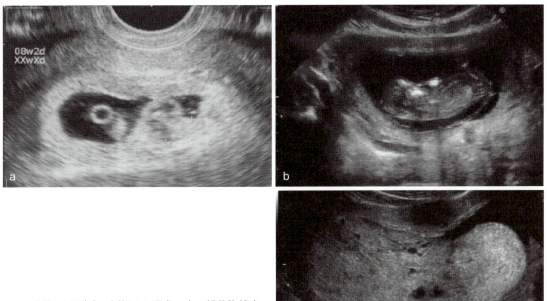

図2 妊娠8週(a), 妊娠11週(b, c)の部分胞状奇胎の超音波像
a：同一胎嚢内に初期より腫瘤像が認められる.
b, c：胎児(心拍停止)(b)に比し, 絨毛組織像が大きく多発嚢胞像を認める(c).

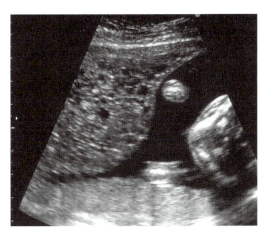

図3 妊娠17週の共存奇胎の超音波像
後壁の正常胎盤像と別に, 前壁に一様に多発嚢胞状パターンを有する胎盤様構造物を認める.

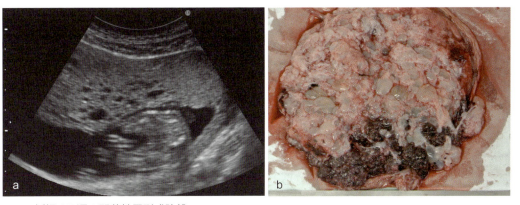

図4 妊娠17週の間葉性異形成胎盤
超音波像(a), 娩出胎盤の肉眼像(b).

表1 胞状奇胎および類似疾患の鑑別のポイント

	全奇胎	部分奇胎	共存奇胎	PMD
核型	雄核発生による2倍体	2精子受精による3倍体	2倍体	2倍体
母体血中hCG値	高値	高値	高値	正常〜軽度高値
超音波像	一様に多発囊胞像	多発囊胞像	妊孕物および正常絨毛領域と境界明瞭な多発囊胞像	多発囊胞像と大小不整な管腔の混合
母体続発症	存続絨毛症／絨毛がん			なし
妊娠合併症	妊娠高血圧症候群，妊娠悪阻，流早産			なし
胎児合併症	―	―	非特異的	FGR, IUFD, BWS 胎児肝過誤腫

PMD：間葉性異形成胎盤，FGR：胎児発育不全，IUFD：子宮内胎児死亡，BWS：ベックウィズ-ヴィーデマン（Beckwith-Wiedemann）症候群

たい[2]．

共存奇胎

共存奇胎妊娠では，母体には妊娠悪阻，妊娠高血圧症候群，流早産など妊娠合併症の増加に加え，全奇胎であることによる侵入奇胎や絨毛がんといった続発症の増加というリスクがある．児については特異的な合併症はなく妊娠帰結時期が予後を規定する．つまり生児を得る可能性は十分にあり，近年その報告が複数なされている．

本邦の報告としては絨毛性疾患研究会の集計で松井ら[4]が18例中10例で合併症を認めたと報告している．続発症のリスクについては，妊娠継続の有無では増加しないが単胎奇胎妊娠よりも高率である可能性があるとされている．したがって，共存奇胎を診断した場合には妊娠中の母児のリスク，そして全奇胎であることによる高頻度の続発症のリスクについて十分に説明して方針を決定することが必要である．

妊娠継続する場合には妊娠中，産褥早期にも肺病変の出現やhCG値の推移に注意して管理する．正常妊娠児については児の形態異常は増加しないが，母体のリスクがあることから，児の形態異常などの偶発的疾病の有無には特に注意して管理する必要がある．分娩後には胎盤ならびに奇胎組織の組織学的検査を行う．

間葉性異形成胎盤

共存奇胎と異なり，続発症や妊娠高血圧症候群の増加はないが，児には胎児発育不全，子宮内胎児死亡，ベックウィズ-ヴィーデマン症候群や胎児肝過誤腫の合併があることに留意して十分な説明と妊娠中の管理を行う必要がある．分娩後には胎盤の組織学的検査を行う．

外来での管理法

外来での管理に特異的なものはなく，それぞれの疾患に起こりやすい合併症に注意して管理する．

謝辞

本稿作成にあたっては，九州大学病院産科婦人科加藤聖子教授，藤田恭之講師のご指導をい

ただいた．

◆文献
1) 日本産科婦人科学会，日本病理学会(編)：絨毛性疾患取扱い規約(第3版)．金原出版，2011
2) 日本産科婦人科学会：絨毛性疾患．産婦人科研修の必修知識2016，pp565-571，日本産科婦人科学会，2016
3) 大場　隆：胞状奇胎診断のup-to-date．日産婦会誌 **61**：321-324, 2009
4) 松井英雄，他：胎児共存奇胎の管理：全国集計の結果と文献的考察．日産婦会誌 **51**：1-8, 1999

（福嶋　恒太郎）

診断と外来対応

妊娠 11 週まで

切迫早期流産・絨毛膜下血腫・早期流産

POINT
- 切迫流産と診断し，かつ絨毛膜下血腫を認める場合には入院管理を考慮する．
- 妊娠初期の出血や絨毛膜下血腫は流早産のリスクが上昇する．
- 精神的ストレスや長時間の労働も切迫流産の原因と考えられる．

DATA
- 自然流産の頻度は約15％，35〜39歳での流産率は約20％，40歳以上では50％を超えるとされている．
- 妊娠初期に週71時間以上の労働の場合，週40時間未満労働に比し，切迫流産リスクは3倍，早産リスクは4.2倍に上昇するなど，労働時間は切迫流産・早産に有意な影響を及ぼしたとする報告がある．
- 妊娠12週未満の切迫流産に対するベッド上安静がその後の流早産を明らかに減少させるエビデンスは現時点ではない．

はじめに

　妊娠反応が陽性であることを確認したうえで産婦人科を受診する時代となり，腹腔内大量出血を伴う出血性ショック状態で搬送されるような異所性妊娠はほとんどみられなくなったが，一方で生化学的妊娠といったごく初期の着床障害，もしくは早期の流産の診断も行えるようになった．妊娠初期の対応として，向上し続ける超音波検査は必須であり，その適切な判断と対応が求められる．本稿では，妊娠反応が陽性であり，子宮内に胎嚢（gestational sac：GS）が確認されたことを前提に，切迫早期流産，絨毛膜下血腫，早期流産につき解説することとし，異所性妊娠，胞状奇胎の診断・チェックポイントに関しては別稿を参照いただきたい．

病態の概要と新しい知見

切迫早期流産

　流産は妊娠22週未満の妊娠の中断と定義され，早期流産とは，妊娠12週未満の流産を，後期流産とは，妊娠12週以降22週未満の流産をいう．頻度は早期流産が約90％を占める．また，流産は自然流産と人工流産に分類され，自然流産の頻度は約15％とされている．自然流産のリスク因子として，母体の加齢と既往流産回数が知られており，35〜39歳での流産率は約20％，40歳以上では50％を超えるとされている．この原因としては，約6〜8割が胎児の染色体異常であるとされ，この確率も年齢が増加するに従って増えていくことが報告されている．早期流産のその他の原因については後述する．

　さて，切迫流産とは，性器出血や同時に下腹部痛を認めるものの，GS は子宮内に確認され，

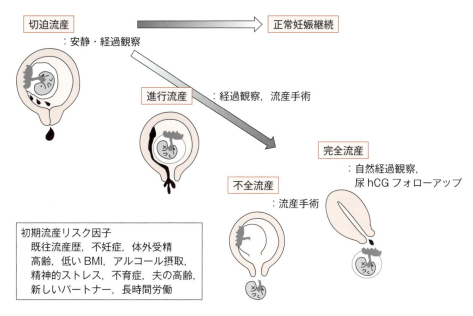

図1 切迫流産診断後の経過とそれぞれの対応

子宮口は閉鎖している状態をいうが，診断された時点では，その後，正常妊娠経過をたどるのか，あるいは結果的に自然流産となるのかまではわからない．また，現在のところ，胎児染色体異常の有無を流産する前に明確に判断する方法はない．染色体異常を伴う切迫流産例では，多くの場合，進行流産，不全流産，完全流産となりやすいが（図1），症状を呈しない稽留流産となることもある．一方，染色体正常妊娠の切迫流産では，多くの場合，性器出血は一時的なものであり，安静のみにて軽快することが多い．

表1に切迫流産に関した報告をまとめた．妊娠初期に出血を認めた場合には，前期破水，早産，胎児発育不全，常位胎盤早期剥離，周産期死亡率，低出生体重児のリスクが有意に増加するといった報告があり，特に生殖補助医療を受けた場合には，胚移植数と初期の出血に相関を認め，また，特に28週未満の早産が有意に多かったとする報告がある[1]．

Maconochieらは，初期流産のリスク因子が，高齢，流産歴，不妊，低BMI（やせ），アルコール摂取，精神的ストレス，夫の高齢，新しいパートナーであった一方で，生児取得歴，悪阻，ビタミン補充，毎日の新鮮な果物・野菜の摂取は，そのリスク減少と関連があったと報告している．妊娠中の精神的ストレスも初期流産のリスク因子とされるため，特に，反復流産歴，死産歴などを有する妊婦にとって十分な配慮が必要であり，慎重に対応したい．また，Takeuchiら[2]は，日本人における妊娠初期の長期間労働が，切迫流産のリスク，早産のリスクをそれぞれ有意に上昇させたと報告しており，労働や精神的なストレスが流早産のリスク因子になりうる可能性についても留意した対応が必要とされる．

切迫流産と診断した際，子宮頸管ポリープを認める場合，切除すべきかどうか迷うケースがある．切除すべきかどうかは不明ではあるが，脱落膜ポリープであること，出血を伴っていること，ポリープ径が大きいこと，妊娠初期に切除するケースなど，これらの場合には流早産のリスクをかえって高める可能性があると注意喚起する報告がある．

絨毛膜下血腫

絨毛膜と子宮壁との間隙に血腫を生じた状態である．表2に絨毛膜下血腫とその後の妊娠

表1 切迫流産に関した報告のまとめ

Fukuta K, et al : BMC Pregnancy Childbirth 20 : 27, 2020	子宮頸管ポリープを合併した妊婦でその頸管ポリープを切除した場合，性器出血を伴っていること，12 mm 以上の頸管ポリープであること，妊娠 10 週までに切除したことの 3 因子が流早産の危険を高める可能性がある．
Kohl Schwartz AS, et al : Fertil Steril 108 : 806-814, 2017	子宮内膜症を有する妊婦の流産率は 35.8% であり，子宮内膜症のない妊婦 (22.0%) に比し有意に高かった (OR 1.97)．特に，軽症子宮内膜症を有する妊婦では 42.0% と高率であった．
Tokunaka M, et al : J Matern Fetal Neonatal Med 28 : 1061-1063, 2015	妊娠中に認められた頸管ポリープを切除した場合，脱落膜ポリープであると流産率 12.2%，早産率 34.2% と有意に上昇するため，切除しないほうがよいのかもしれない．ただし，悪性を疑う場合を除く．
Takeuchi M, et al : BMC Pregnancy Childbirth 14 : 245, 2014	日本人におけるまとめ．妊娠初期の労働時間は，切迫流産，早産に有意な影響を及ぼす．週に 71 時間労働の場合，週に 40 時間未満労働に比し，3 倍の切迫流産リスクが上昇し，早産リスクは 4.2 倍に上昇する．
Saraswat L, et al : BJOG 117 : 245-257, 2010	14 研究のまとめ．切迫流産例では，前置胎盤 (OR 1.62)，原因が不明な分娩前の性器出血 (OR 2.47) が多い．前期破水 (OR 1.78)，早産 (OR 2.05)，胎児発育不全 (OR 1.54)，周産期死亡率 (OR 2.15)，低出生体重児 (OR 1.83) のリスクがそれぞれ有意に高かった．
Bhattacharya S, et al : BJOG 115 : 1623-1629, 2008	初めの妊娠で流産した場合には，次回妊娠時，preeclampsia (OR 3.3)，切迫流産 (OR 1.7)，誘発分娩 (OR 2.2)，介入が必要な分娩 (OR 5.9)，早産 (OR 2.1)，低出生体重児 (OR 1.6)，分娩時出血 (OR 1.4) などのリスクが上昇する．
Maconochie N, et al : BJOG 114 : 170-186, 2007	初期流産のリスク因子は，高齢，流産歴，不妊，低い BMI，アルコール摂取，精神的ストレス，夫の高齢，新パートナーであった．また，生児取得歴，悪阻，ビタミン補充，毎日新鮮な果物・野菜の摂取は，そのリスク減少と関連があった．
De Sutter P, et al : Hum Reprod 21 : 1907-1911, 2006	生殖補助医療における胚移植数と初期の出血の頻度に相関あり．1st trimester における出血は，2nd 3rd trimester での出血のリスクを上昇させ，前期破水 (OR 2.44)，NICU 入院率 (OR 1.75) が有意に増加．また，37 週未満の早産 (OR 1.64)，28 週未満の早産 (OR 3.05) も有意に増加した．

経過中の合併症に関したリスクについてまとめた．絨毛膜下血腫は，特に流早産のリスクを上昇させるとの報告が多いが，新生児の NICU 入院率，慢性肺疾患が有意に上昇するという報告もある．Asato ら[3]は，IVF-ET 妊娠では，特に融解胚移植 (OR 6.18)，経産婦 (OR 3.67) blastocyst 移植 (OR 3.75) は，絨毛膜下血腫のリスク因子であったと報告している．また，妊娠 9 週までに絨毛膜下血腫が認められるような早期発症型がより予後不良因子になるとの報告や，血腫の大きさにかかわらず繰り返す性器出血が流産率を上昇させるとの報告もある[4]．最近の報告では，Yamada ら[5]が，初期の絨毛膜下血腫は，妊婦の 4.2% に認められ，血腫を認める群では腟内細菌叢のうちコアグラーゼ陰性ブドウ球菌，ガードネラの検出率が有意に高く，反対にラクトバチルス属は有意に減少していたと報告しており，細菌性腟症との関連も指摘されている．

これらの報告から，妊娠初期に切迫流産と診断された場合には，特に絨毛膜下血腫の有無についても評価すべきであり，絨毛膜下血腫を形成するタイプでは，場合によっては新生児予後に大きく影響する可能性があることを念頭に置いた対策が必要である．

早期流産

表3 に早期流産の原因についてまとめた．染色体異常を伴うような胎児側因子，子宮形態異常，子宮筋腫，子宮頸管ポリープ，糖尿病，甲状腺機能異常，自己免疫性疾患，血液凝固異常，薬物のほか，精神的ストレスや長時間の労働などの母体側因子が原因として挙げられる．

表2 絨毛膜下血腫に関した報告のまとめ

Aoki S, et al : Arch Gynecol Obstet 289 : 307-311, 2014	消失しない絨毛膜下血腫を確認できていた妊婦では，中央値28週(22〜33週)で早産に至り，SGA児21.1%，慢性肺疾患42.1%と頻度が高かった．
Asato K, et al : Eur J Obstet Gynecol Reprod Bil 181 : 41-44, 2014	IVF-ET妊娠では，絨毛膜下血腫の頻度が有意に高かった．融解胚移植(OR 6.18)，経産婦(OR 3.67)，blastocyst移植(OR 3.75)は，絨毛膜下血腫のリスク因子であった．
Soldo V, et al : Clin Exp Obstet Gynecol 40 : 548-550, 2013	絨毛膜下血腫は，切迫流産の5.2%に認めたが，以前の流産歴とは関連性はなかった．繰り返す出血は，自然流産の頻度を上昇させたが，血腫のサイズとは関連性を認めなかった．
Yamada T, et al : J Obstet Gynaecol Res 38 : 180-184, 2012	初期の絨毛膜下血腫は，妊婦の4.2%に認められた．血腫あり群では，腟内細菌叢のうち，コアグラーゼ陰性ブドウ球菌，ガードネラは有意に検出率が高く，反対に，ラクトバチルス属は有意に減少していた．腟内細菌叢は，絨毛膜下血腫の形成と関連があると思われる．
Tuuli MG, et al : Obstet Gynecol 117 : 1205-1212, 2011	絨毛膜下血腫は，自然流産(OR 2.18)，死産(OR 2.09)，常位胎盤早期剥離(OR 5.71)，早産(OR 1.40)，前期破水(OR 1.64)のリスクを有意に上昇させる．
Tskitishvili E, et al : Ultrasound Obstet Gynecol 33 : 484-486, 2009	初期に絨毛膜下血腫を認め，その後「sludge」が確認できた2症例では，1例は前期破水，常位胎盤早期剥離となり，もう1例は，組織学的絨毛羊膜炎を伴った流産となった．これら2つの超音波所見があれば，予後不良である可能性．
Maso G, et al : Obstet Gynecol 105 : 339-344, 2005	子宮内に血腫を認めた場合には，早期流産，胎児発育不全，早産のリスクが上昇していたが，早期に認める症例ほどリスクが高い．妊娠9週までに子宮内に血腫を認めた場合，2.4倍の不利益を生じ，特に早産の危険率(OR 14.8)が高くなる．
Nagy S, et al : Obstet Gynecol 102 : 94-100, 2003	初期の絨毛膜下血腫を含む子宮内血腫を認めた群では，preeclampsia，常位胎盤早期剥離，早産，胎児発育不全，胎児機能不全などのリスクが有意に高く，帝王切開率，NICU入院率が有意に増加していた．

表3 早期流産の原因

胎児側因子	男性因子
染色体異常	精子異常
胎児の形態学的異常	
	夫婦間因子
母体側因子	免疫異常
子宮奇形，子宮筋腫	血液型不適合
子宮頸管ポリープ	染色体異常(転座など)
甲状腺機能異常	
自己免疫性疾患	原因不明
血液凝固能異常	
糖尿病	
薬物	
精神的ストレス，長時間労働	

　また，夫婦間因子として，免疫異常や転座などの染色体異常などがある．一般に2回以上繰り返す流産歴をもつ場合には，不育症として取り扱っていく．
　結果的に早期流産に至った場合には，一般に染色体異常を伴うケースが多いとされるが，前述のごとく次回妊娠にも影響するリスクを考慮する必要がある．胎児染色体異常の有無に関しては，保険収載がなく現実的にはそれを確認することができないため，その判断は現時点では

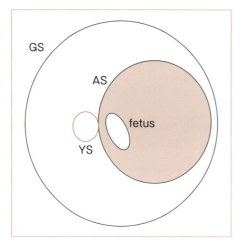

図2 妊娠初期の超音波像の模式図
GS：gestational sac, CRL：crown rump length of embryo, AS：amniotic sac, YS：yolk sac

できないが，流産時の超音波所見のうち，yolk sac が 5 mm 以上の場合には染色体異常を，embryo を認めない場合には染色体は正常であると，おおよその予測が可能であるとの報告がある[6]．繰り返して起こす反復流産例では，その原因が重要であり，不育症に関したスクリーニング検査の1つとして流産胎児の染色体検査も考慮するべきである．また，帝王切開瘢痕部妊娠による早期流産例では，大量出血のリスクを伴うため高次医療機関での対応が望ましい．妊娠 11 週 0 日から 13 週 6 日の間に評価がなされる nuchal translucency は，胎児染色体異常所見の1つであるが，より早期に超音波所見にて，染色体異常パターンを知ることができるような報告は現時点ではない．

診断の手順

切迫流産の診断には超音波検査が必須であるが，まず，妊娠初期の正常な超音波所見につき，図2に示した．子宮内に GS を妊娠5週で確認でき，続いて，卵黄囊(yolk sac：YS)が確認できる．妊娠6週には明らかな胎芽(embryo：妊娠7週0日で，約 10 mm)が確認されるが，同時に胎児心拍(fetal heart beat：FHB)が確認できる場合が正常な妊娠経過である．なお，胎芽の周囲には羊膜腔(amniotic sac：AS, amniotic cavity：AC)が形成され羊水で満たされている．

また，診察の時点で妊娠何週であるのかを推測するために，月経周期が参考にはなるが，28日周期であっても排卵が遅れることもあり確実とはいえない点には注意する．基礎体温表を付けている場合や，ART 妊娠であれば，ほぼ正確な妊娠週数を算出できる．

超音波所見と流産に関する報告を表4にまとめた．早期流産と判断できる超音波参考所見は，平均 13 mm の GS 内に YS が確認できない場合，YS 自体の膨張所見，20 mm の GS 内に胎芽がみえないこと，胎芽が 5 mm 以上の大きさであるにもかかわらず胎児心拍が確認できない場合であり，早期流産を強く示唆する超音波所見である．最近の報告では，3次元超音波による評価もなされており，Oden らは，妊娠7週以降で GS 容積が小さい場合には流産の可能性が高いことや，妊娠 6～12 週に性器出血のある妊婦において，GS 容積－AS 容積が小さいと 20 週未満の流産になりやすいことを報告している．

表4 超音波所見と流産に関した報告のまとめ

Yoneda S, et al : J Ultrasound Med 37 : 1233-1241, 2018	妊娠12週未満の自然流産と診断された時点でyolk sacが5 mm以上である場合には染色体異常（OR 6.2）を，embryoを認めない場合には染色体は正常である（OR 2.5）可能性が高いと推測できる．
Xie YJ, et al : Clin Exp Obstet Gynecol 41 : 186-189, 2014	12週前のyolk sacは，初期に出血を認めない正常妊婦群，正常妊娠経過をたどった切迫流産群の2群では変化がないが，これら2群に比し，自然流産となった切迫流産群では，yolk sac未確認率が有意に高く，また確認ができた場合でも，その直径に有意差が認められた．
Tan S, et al : Med Ultrason 16 : 15-20, 2014	妊娠7週以前の拡張したyolk sacは，自然流産のリスク上昇と有意な相関があり，5 mm以上で流産リスクが有意に上昇した．ただし，yolk sacのエコー輝度，形状は，周産期予後不良因子とはならなかった．
Oden M, et al : J Clin Ultrasound 40 : 389-393, 2012	3次元超音波を用いてGS容積，AS容積を比較．6〜12週に性器出血のある妊婦において，GS容積－AS容積が小さいと20週未満の流産となりやすい．ただし，GS容積，AS容積単独ではその予後評価は不可能であった．
Oden M, et al : J Clin Ultrasound 38 : 367-371, 2010	3次元超音波を用いてGSの容積を評価．7週未満では正常妊娠と自然流産妊娠ではその差はないが，7週以降では，正常妊娠におけるGS容積は，流産妊娠に比し有意に大きい（27.51＋25.25 cm^3 vs. 8.04＋10.54 cm^3，$P<0.001$）．
Papaioannou GI, et al : Fetal Diagn Ther 28 : 207-219, 2010	妊娠6〜10週において，CRL，GS，YSのサイズは妊娠週数と，HR，GS，YSのサイズはCRLのサイズと正の一次相関があり，また，心拍数と妊娠週数は曲線的な相関が認められた．CRLから妊娠週数を正確に予測するときは，10.2〜36.5 mmの大きさまでに限定された．
Yegul NT, et al : J Ultrasound Med 28 : 1331-1335, 2009	羊膜に包まれたembryoで，CRL 5 mm以下であっても，心拍が認められなければ，その時点で自然流産と結論づけることができる．
Perriera L, et al : Semin Reprod Med 26 : 373-382, 2008	初期流産の診断として，超音波所見：平均13 mmのGSがあるのにyolk sacが欠如，20 mmのGS内にembryoがみえないこと，embryoが5 mm以上あるのに心拍が確認できない場合や羊膜の欠如が重要である．

　これらの超音波所見を参考にして，正常な妊娠の可能性がまだ残されているのかどうかを慎重に判断したい．医師の説明が，初期妊婦にとって精神的ストレスになることは少ないと思うが，特に流産の既往，死産の既往，不育症患者など早期流産ハイリスク症例を担当するときには注意したい．

　また，本邦においては妊娠前に産婦人科を受診するようなブライダルチェックに関した習慣はないため，ときおり妊娠初期の診断と同時に，巨大子宮筋腫や卵巣腫瘍を合併しているような症例に出くわす．妊娠初期の超音波検査を実施するにあたっては，同時に子宮筋腫，卵巣腫瘍，子宮奇形などの器質的な問題の有無に関してもチェックできることが求められる．

● 入院の判断

　妊娠12週未満の切迫流産に対するベッド上安静は，その後の流早産を明らかに減少させるエビデンスは現時点ではないため，入院安静を勧めるべき明確な根拠はない．2005年のCochrane Databaseによれば，妊娠23週までの流早産は妊娠の約10〜15％に起こりえ，その1/2〜2/3が染色体異常と関連があるとされているが，ベッド上安静群の流産リスクは，ベッド上安静をしない群に比し，有意なリスク減少には至っていない（RR 1.54, 95％ CI 0.92-2.58）．また，入院管理したベッド上安静群と自宅でのベッド上安静群においても予後に差は認められなかったため，妊娠初期の出血に対するベッド上安静が有効な方法ではなかったとまとめてい

る．しかしながら，これらの報告では，染色体異常の有無別には検討されていない．染色体異常の有無別に，ベッド上安静の有効性を検討した報告はこれまでみられない．

一方で，Ben-Haroush ら[7]は，性器出血を認め，かつ絨毛膜下血腫を認めた症例のうち，自宅安静とした群では，自然流産 9.9％，正期産 89％ であり，安静にせず通常生活を送っていた群（23.3％，70％）に比し，有意な予後改善効果（$P = 0.006$, $P = 0.004$）があったと報告している．この報告は，retrospective な研究であるが，切迫流産と診断され，かつ，絨毛膜下血腫を認めた場合には，ベッド上安静が流産を予防する効果がある可能性をほのめかしている．

また，切迫流産の診断のみであった場合でも，精神的なストレスが強く，入院管理を希望するようなケース，出血量自体が多い場合や体外受精による妊娠である場合にも，その後の流早産リスクが高いことを考慮すると，予後改善のエビデンスはないとはいえ，入院安静管理も考えたい．

外来での管理法

『産婦人科診療ガイドライン 産科編 2020』の CQ206 によると，妊娠 12 週未満の切迫流産への対応として，子宮腔内の GS に胎児心拍を確認できない場合には，1〜2 週間以内の適切な間隔をあけて，ごく初期の妊娠，稽留流産，不全流産，異所性妊娠，絨毛性疾患を念頭に置いて対応するとある．このような際の患者・家族への説明には，共感的態度を基本に対応したい．特に，不育症患者，反復する稽留流産の診断の際には，患者への配慮を十分に行い，状況によっては，時間をあけた対応，複数回の超音波検査や複数人の医療者による確認を行うことが必要である．

胎児心拍確認後の切迫流産では，薬物治療，安静療法などを考慮してもよい．ただし，流産予防効果が確立された薬剤は存在せず，安静に関しても前述のごとく流産予防効果も確認されていない．本邦で切迫流産に対して保険適用がある薬剤は，ピペリドレート塩酸塩（ダクチル），メドロキシプロゲステロン酢酸エステル（プロベラ，ヒスロン），プロゲステロン筋注製剤（プロゲホルモン），human chorionic gonadotrophin（hCG）筋注製剤などである．近年，切迫流産患者に対し黄体ホルモン製剤（ジドロゲステロン）の使用を推奨する報告もあるが，まだ黄体ホルモン製剤の流産予防効果を示す十分なエビデンスはない．トラネキサム酸（トランサミン），カルバゾクロムスルホン酸ナトリウム水和物（アドナ）が投与されることもあるが，これらの薬剤も流産予防効果を支持する根拠は乏しく，切迫流産に対する保険適用もない．

また，抗リン脂質抗体や血栓症素因のある不育症と診断されている妊婦に対する初期対応として低用量アスピリン単独，低用量アスピリンとヘパリンの併用治療が必要なケースがあるが，これらの薬剤投与中には，その副作用として，性器出血が起こりやすい可能性があることをあらかじめ説明しておく．性器出血を認めた場合でも，これらの治療を中止することなく，継続しながらベッド上安静とする．大量の性器出血を伴う場合や絨毛膜下血腫を認める場合には，副作用の少ない低分子ヘパリン治療へ変更し，安静管理することを考慮してもよいかもしれないが，保険適用外であることを説明する．

おわりに

妊娠初期の出血，下腹痛は患者によっては，深刻で不安を抱くケースがある．特に流産を繰り返す場合にはなおさらである．医療者が不安をあおるような対応はぜひとも避けたいが，その時点で必ず妊娠が正常であるとも言い切ることができないため，この点を考慮しつつ慎重な

対応を心がけたい．また，妊娠初期の性器出血や絨毛膜下血腫，子宮頸管ポリープを認める場合には，その後，少なからず感染・炎症が原因となる流早産のリスクがあることを念頭に，流早産予防対策も考慮したい．

◆文献

1) De Sutter P, et al : First-trimester bleeding and pregnancy outcome in singletons after assisted reproduction. Hum Reprod **21** : 1907-1911, 2006
2) Takeuchi M, et al : Long working hours and pregnancy complications : women physicians survey in Japan. BMC Pregnancy Childbirth **14** : 245, 2014
3) Asato K, et al : Subchorionic hematoma occurs more frequently in in vitro fertilization pregnancy. Eur J Obstet Gynecol Reprod Biol **181** : 41-44, 2014
4) Soldo V, et al : Threatened miscarriage in the first trimester and retrochorial hematomas : sonographic evaluation and significance. Clin Exp Obstet Gynecol **40** : 548-550, 2013
5) Yamada T, et al : Characteristics of patients with subchorionic hematomas in the second trimester. J Obstet Gynaecol Res **38** : 180-184, 2012
6) Yoneda S, et al : A yolk sac larger than 5 mm suggests an abnormal fetal karyotype, whereas an absent embryo indicates a normal fetal karyotype. J Ultrasound Med **37** : 1233-1241, 2018
7) Ben-Haroush A, et al : Pregnancy outcome of threatened abortion with subchorionic hematoma : possible benefit of bed-rest？ Isr Med Assoc J **5** : 422-424, 2003

（米田　哲・稲坂　淳・齋藤　滋）

診断と外来対応

妊娠11週まで

不育症

POINT
- 不育症既往がある妊婦は妊娠継続の可否に少なからぬ不安を抱いている．このことを念頭に丁寧なサポート（tender loving care）が必要である．
- 不育症の原因が特定できている場合は，その病態に応じた健診，対応が必要となる．

DATA
- 2回以上の流産歴を有するカップルの頻度は約5％である．

はじめに

不育症は「妊娠はするが流死産を繰り返し生児が得られない状態」と定義される．その原因は多岐にわたり，エビデンスの明らかなものには，抗リン脂質抗体症候群，子宮形態異常，夫婦染色体異常がある．また，諸検査を行っても原因が特定できない症例のなかには，偶発的な胎児（胎芽）の染色体異常を繰り返す症例が多いこともわかってきた[1]．そのほかには，甲状腺機能異常や血液凝固異常などがあり，妊娠中の管理はその原因病態に応じて適切に行っていく必要がある．

一方，不育症既往をもつ妊婦に共通しているのが流産への恐怖心・不安感である．不育症既往妊婦の健診では，このように特殊な状況をよく理解したうえで診療にあたることが肝要である．

tender loving care

流死産の既往がある女性が妊娠すると，多くの場合，今回の妊娠が継続するのか，無事出産できるかに関して少なからぬ不安を抱いている．特に2回以上の流産歴や，妊娠週数が進んだあとの胎内死亡歴がある場合はその傾向が強くなる．tender loving care（TLC）は，不育症既往妊婦がもつ不安や，いわゆるストレスを軽減するために施される心理的サポートで，不育症診療の基本である．

Stray-Pedersenらは，原因不明不育症既往のある妊婦に対しTLC（丁寧な出生前カウンセリング，心理ケア）を行った群では，行わなかった群に比して有意に妊娠成功率が高かったと報告した[2]．TLCが妊娠の継続に真の有効性があるかどうかに関するエビデンスレベルの高い報告はない．しかし，不育症既往妊婦がこのようなサポートを希望していることは明らかである．

具体的には，①妊娠初期にこまめな（1回／週）超音波検査を行う，②不育症原因に応じた状態の説明，③流産リスクの有無についてのエビデンスに基づいた説明，④不安・疑問への対応などを十分な時間をかけて行うことなどが挙げられる．健診の開始時期，診察の頻度に関しては，画一的に行うことは避け，妊婦の背景因子や希望などを取り入れ個別に対応するよう心がける．

表1 抗リン脂質抗体症候群の分類基準(2006)

産科的臨床所見
　①妊娠10週以降の原因不明子宮内胎児死亡(形態学的異常なし)
　②妊娠34週未満の(ⅰ)重症妊娠高血圧腎症・子癇や(ⅱ)胎盤機能不全に起因すると考えられる早産(形態学的異常なし)
　③妊娠10週未満の3回以上連続した原因不明流産(夫婦いずれかの染色体異常,子宮形態異常,内分泌異常を除外)
＊2つ以上の産科的臨床所見を認める場合には,①②③のどれにあてはまるか分類すること

検査所見:12週以上の間隔で陽性
　①血漿中の lupus anticoagulant (LA)陽性:検査方法と基準は国際血栓止血学会(ISTH)ガイドラインに準ずる
　②血清か血漿中の抗カルジオリピン抗体 IgG か IgM が中高力価:標準化された方法で >40 GPL, >40 MPL,あるいは >99 パーセンタイル
　③血清か血漿中の抗β₂GPI 抗体 IgG か IgM 陽性:標準化された方法で >99 パーセンタイル
※Ⅰ:2個以上の検査所見が陽性,Ⅱa:LAのみ陽性,Ⅱb:抗カルジオリピン抗体のみ陽性,Ⅱc:抗β₂GPI 抗体のみ陽性

〔Miyakis S, et al:J Thromb Haemost 4:295-306, 2006〕

抗リン脂質抗体症候群合併妊娠の健診

　表1の基準により診断される抗リン脂質抗体症候群は,不育症の原因としては最も頻度が高く,適切な診療を行うことで妊娠予後が改善する疾患である[3].抗リン脂質抗体症候群合併妊娠では,1990年代後期の小規模な2つのRCTで有効とされた低用量アスピリン・ヘパリン併用療法が行われる[4,5].

低用量アスピリン服用時の留意点

　European Society of Human Reproduction and Embryology(ESHRE)の不育症ガイドラインでは,アスピリンを妊娠前から投与することを推奨している[6].妊娠の初期においては,副作用としての出血傾向をどのように評価するかが問題となる.アスピリンを服用していると絨毛膜下血腫(SCH)が増加することが知られている[7].特に,SCHが増大傾向を示した場合には,アスピリンを継続すべきか中止すべきかの判断に迷うことがある.アスピリン中止の基準はないが,SCHの増大傾向が止まらない場合は併用しているヘパリンのみとして経過を観察することもある.

　わが国のアスピリン添付文書には,出産予定日12週間以内(妊娠28週以降)の妊婦には禁忌とされている.理由としては「妊娠期間の延長,動脈管の早期閉鎖,子宮収縮の抑制,分娩時出血の増加につながるおそれがある」と記載されているが,どれも明確なエビデンスはない.胎児の動脈管の早期閉鎖が低用量のアスピリン服用で起こりやすいという臨床的なエビデンスはなく,わが国の超音波を用いた血流計測でもアスピリン服用で動脈管の血流動態は変化しないと報告されている[8].欧米では分娩直前まで投与されることが多く,28週以降の服用で特にリスクが高まることはないと考えられるが,「禁忌」とされている以上,妊婦へのインフォームド・コンセントを含め慎重な対応が望まれる.また,帝王切開時の麻酔法にも少なからぬ影響を与えるときがあり,院内での対応について整理しておく必要がある.

表2　ヘパリン在宅自己注射療法の適応

以下の（1）～（6）すべてを満足していること
（1）ヘパリンに対してのアレルギーがなく，ヘパリン起因性血小板減少症（HIT）の既往がないこと。
（2）他の代替療法に優る効果が期待できるヘパリン治療の適応患者であること。
（3）在宅自己注射により通院の身体的，時間的，経済的負担，さらに精神的苦痛が軽減され，生活の質が高められること。
（4）以下の①～③のいずれかを満足し，担当医師が治療対象と認めた患者
　①血栓性素因（先天性アンチトロンビン欠乏症，プロテインC欠乏症，プロテインS欠乏症，抗リン脂質抗体症候群など）を有する患者
　②深部静脈血栓症，肺血栓塞栓症既往のある患者
　③巨大血管腫，川崎病や心臓人工弁置換術後などの患者
なお，抗リン脂質抗体症候群の診断における抗リン脂質抗体陽性は国際基準に則るものとし，抗CLβ_2GPI複合体抗体，抗CL IgG，抗CL IgM，ループスアンチコアグラント検査のうち，いずれか1つ以上が陽性で，12週間以上の間隔をあけても陽性である場合をいう。現在のところ抗PE抗体，抗PS抗体陽性者は抗リン脂質抗体陽性者には含めない。
（5）患者ならびに家族（特に未成年者の場合）が，目的，意義，遵守事項などを十分に理解し，希望していること。
（6）医師，医療スタッフとの間に安定した信頼関係が築かれていること。

〔日本産科婦人科学会，他：ヘパリン在宅自己注射療法の適応と指針．2011より作成．www.jsognh.jp/common/files/society/demanding_paper_07.pdf〕

ヘパリン使用時の留意点

　ヘパリンは妊娠が確認され次第ただちに開始する．現在妊婦に使用が認められているヘパリン製剤は未分画ヘパリンのみで，ヘパリンカルシウムの在宅自己注射療法が保険適用として行われている（**表2**）．製薬メーカーから自己注射マニュアルが出されており，ウェブで入手可能である[9,10]．

　ヘパリンの副作用で特に注意すべきは，アナフィラキシーとヘパリン起因性血小板減少症である．幸い，現在のところ抗リン脂質抗体症候群合併妊娠に対する使用で，これらの重篤な副作用は報告されていない．その他，頻度の高いものには，肝酵素上昇，遅延型アレルギー（注射部位の発赤・硬結・瘙痒感），出血傾向などがある．ヘパリン開始初期では，血小板数，血液凝固系検査，肝機能検査を行い副作用の早期発見に努める．

不育症の妊娠管理

子宮形態異常の妊娠管理

　先天性子宮形態異常，特に中隔子宮，双角子宮は流産率が高い．妊娠初期を切り抜けても後期流産・死産，早産が多いことに留意しつつ慎重に妊娠管理を行う．児が健常に発育していても，非妊娠側の脱落膜から剝離出血をきたすことがある．

夫婦染色体転座が明らかになっている場合の妊娠管理

　不育症の原因が夫婦いずれかの染色体転座（構造異常）であることが判明している場合，妊娠10週以降に妊娠が継続すれば正常核型か均衡型転座の可能性が高い．特別な妊娠管理を必要としないが，稀に不均衡型転座の場合があるので希望があれば羊水検査を行う．また，着床前診断（preimplantation genetic testing for structural rearrangement：PGT-SR）で妊娠した場合も同様である．

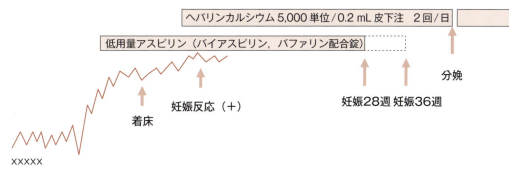

図1 アスピリン・ヘパリン療法の実際
低用量アスピリンは添付文書上，出産予定日12週間前（27週6日）で終了する．ヘパリンは妊娠が確認され次第開始する．分娩後も母体の血栓症予防目的で適宜投与する．

万が一流産した場合は，できる限り流産時胎児絨毛染色体検査を行う．

甲状腺機能異常合併妊娠の管理

甲状腺機能亢進症，顕性甲状腺機能低下症は内分泌専門医との併診で慎重に管理を行う．

最近注目されているのが不育症と潜在性甲状腺機能低下症との関連である．潜在性甲状腺機能低下症は，甲状腺刺激ホルモン（TSH）が上昇しているがfT_4が正常である状態と定義される．De Vivoらや Negroらは，TSHが2.5 mIU/L以上の軽度の上昇であっても流産のリスクが上昇すると報告した[11,12]．その後，TSHの上昇に加えて甲状腺自己抗体の保有が反復流産のリスクを上昇させることが示された．米国甲状腺学会のガイドライン（2017）では，不育症既往などの甲状腺疾患ハイリスク群に相当する女性が妊娠したら，ただちにTSHをチェックし，2.5～10.0 mIU/Lの場合は抗TPO抗体を測定したうえで図1の流れにしたがって治療を行うよう推奨している[13]．

血栓性素因合併妊娠の管理

血栓性素因と不育症の関連に関するエビデンスは不十分であるが，2011年に日本産科婦人科学会などが示したヘパリン在宅自己注射療法の適応には，「血栓性素因（先天性アンチトロンビン欠乏症，プロテインC欠乏症，プロテインS欠乏症，抗リン脂質抗体症候群など）を有する患者」が記載されている（表2）．また，AMED研究班がわが国の不育症データベースを用いて解析した結果，プロテインS欠乏症，第XII因子欠乏症では無治療群に対して，低用量アスピリン群，低用量アスピリン・ヘパリン群で有意に生児獲得率が高かった[14]．以上より，不育症の既往がある血栓性素因合併妊娠では，低用量アスピリン療法やヘパリン療法が行われることが多い．管理法は抗リン脂質抗体症候群合併妊娠の項で記載したとおりである．

流産時胎児絨毛染色体検査

以上のような慎重な管理にもかかわらず流産した際には，できる限り胎児絨毛染色体検査を行う．検査結果を分析することにより，妊娠中の管理法・治療法の妥当性を検証することがで

きる．不育症の原因が不明である場合，不育症女性およびカップルの不安は大きくなる．しかし，流産の原因が胎児の染色体異常であった場合，正常であった場合に比して次回妊娠の予後がよいという報告もあり，染色体異常が判明すれば多くの不安は解消される[15]．

ただ，胎児絨毛染色体検査は現在保険適用になっていないこと，培養が不調に終わると結果が出ないこと，母体細胞の混入により正しい判定ができないことなどの制限があることを情報提供しておく必要がある．

◆ 文献

1) Sugiura-Ogasawara M, et al：Abnormal embryonic karyotype is the most frequent cause of recurrent miscarriage. Hum Reprod **27**：2297-2303, 2012
2) Stray-Pedersen B, et al：Etiological factors and subsequent reproductive performance in 195 couples with a prior history of habitual abortion. Am J Obstet Gynecol **148**：140-146, 1984
3) Miyakis S, et al：International consensus statement on an update of the classification criteria for definite antiphospholipid syndrome（APS）. J Thromb Haemost **4**：295-306, 2006
4) Kutteh WH：Antiphospholipid antibody-associated recurrent pregnancy loss；treatment with heparin and low-dose aspirin is superior to low-dose aspirin alone. Am J Obstet Gynecol **174**：1584-1589, 1996
5) Rai R, et al：Randomised controlled trial of aspirin and aspirin plus heparin in pregnant women with recurrent miscarriage associated with phospholipid antibodies (or antiphospholipid antibodies). BMJ **314**：253-257, 1997
6) ESHRE Early Pregnancy Guideline Development Group：Guideline on the management of recurrent pregnancy loss. 2017
7) Truong A, et al：Subchorionic hematomas are increased in early pregnancy in women taking low-dose aspirin. Fertil Steril **105**：1241-1246, 2016
8) Miyazaki M, et al：Influence of perinatal low-dose acetylsalicylic acid therapy on fetal hemodynamics evaluated by determining the acceleration-time/ejection-time ratio in the ductus arteriosus. J Obstet Gynaecol Res **44**：87-92, 2018
9) 齋藤滋(監)：ヘパリンカルシウム皮下注5千単位/0.2mL シリンジ「モチダ」自己注射法マニュアル．http://www.mochida.co.jp/dis/generic/major/pdf/heparin_calcium/patient_manual.pdf（2021年9月アクセス）
10) 齋藤滋(監)：ヘパリンCa皮下注1万単位/0.4mL「サワイ」自己注射法マニュアル．https://med.sawai.co.jp/request/mate_attachement.php?attachment_file=02dfef5e-9b0d-452b-9fd9-be66eb21619c00000000027E73E5.pdf（2021年9月アクセス）
11) Negro R, et al：Increased pregnancy loss rate in thyroid antibody negative women with TSH levels between 2.5 and 5.0 in the 1st trimester of pregnancy. J Clin Endocrinol Metab **95**：E44-E48, 2010
12) American Thyroid Association Taskforce on Thyroid Disease During Pregnancy and Postpartum：Guidelines of the American Thyroid Association for the diagnosis and management of thyroid disease during pregnancy and postpartum. Thyroid **21**：1081-1125, 2011
13) Alexander EK, et al：2017 Guidelines of the American Thyroid Association for the Diagnosis and Management of Thyroid Disease During Pregnancy and the Postpartum. Thyroid **27**：315-389, 2017
14) Morita K, et al：Risk factors and outcomes of recurrent pregnancy loss in Japan. J Obstet Gynaecol Res **45**：1997-2006, 2019
15) H Carp, et al：Karyotype of the abortus in recurrent miscarriage. Fertil Steril **75**：678-682, 2001

〔竹下　俊行〕

卵巣腫瘍

診断と外来対応 / 妊娠11週まで

POINT
- 妊娠初期の診察においては胎児の観察はもちろんであるが，子宮筋腫や付属器腫瘤の有無についても診断する．
- 付属器腫瘤が発見された場合は，卵巣腫瘍のエコーパターン分類にならって良悪性の可能性について診断する．
- 直径が5 cm以下の囊胞性腫瘤（エコーパターン分類I型）はルテイン囊胞の可能性が高く自然消退が期待できる．
- 直径6 cmを超えるもので真性腫瘍の可能性がある場合は，外科的治療を考慮する．良性腫瘍と診断した場合は腹腔鏡下手術も考慮可能である．

DATA
- 妊娠中の超音波検査の普及により，妊娠中に発見される付属器腫瘤は増加しており，約5～6%であると報告されている．
- 妊娠に合併した付属器腫瘤が悪性である可能性については1～8%とする報告がある．
- ガイドラインでは付属器腫瘤の直径6 cm以下を経過観察可能の目安としている．
- ガイドラインでは直径6 cm以上であっても単房性囊胞性腫瘤は経過観察としているが，保存的に観察することによって茎捻転（0.2～22%），自然破裂（0～9%），分娩障害（2～25%）の可能性がある．

病態の概要と新しい知見

　現在，わが国の産科医療の現場では，妊娠初期の診察において超音波経腟走査法（以下，経腟超音波）がルーチンに用いられていることから，妊娠の診断とともに，それまで無症状であった卵巣囊腫が経腟超音波によって偶然発見される場合がしばしばある．その理由は，現在でも妊娠したことを契機としてはじめて産婦人科を受診したという女性が少なくないために，もともとあった卵巣囊腫が今回の受診によってはじめて発見されたということと，通常の子宮がん検診では，必ずしも経腟超音波が実施されるとは限らないため，内診だけでは卵巣囊腫の存在が見過ごされる場合があることによるものと思われる．さらに，妊娠を原因として卵巣が機能的に腫大する場合もある．

　このように，妊娠初期の診察においては，胎児の観察はもちろんであるが，子宮筋腫の有無や，付属器腫瘤の有無についての情報も得ておくことが重要である．

　妊娠中に付属器腫瘤が発見された場合の問題点として，このまま経過観察でよいのか，妊娠中といえども手術を考慮する必要があるのか，さらに，もし手術を行う場合，いつ行ったらよいのか，方法は腹腔鏡下の手術でよいのか，あるいは，開腹手術とすべきかなどが挙げられる．

　妊娠初期の付属器腫瘤の取り扱いについては，すでに『産婦人科診療ガイドライン 産科編

表1 卵巣腫瘍のエコーパターン分類

パターン			追記が望ましい項目	解説
Ⅰ型		囊胞性パターン（内部エコーなし）	隔壁の有無（二房性～多房性）	1～数個の囊胞性パターン 隔壁の有無は問わない 隔壁がある場合は薄く平滑 内部は無エコー
Ⅱ型		囊胞性パターン（内部エコーあり）	隔壁の有無（二房性～多房性） 内部エコーの状態（点状・線状）（一部～全部）	隔壁の有無は問わない 隔壁がある場合は薄く平滑 内部全体または部分的に点状エコーまたは線状エコーを有する
Ⅲ型		混合パターン	囊胞性部分： 隔壁の有無，内部エコーの状態 充実性部分： 均質性；均質・不均質 辺縁・輪郭	中心充実ないし偏在する辺縁・輪郭平滑な充実エコーを有する 後方エコーの減弱（音響陰影）を有することもある
Ⅳ型		混合パターン（囊胞性優位）	囊胞性部分： 隔壁の有無，内部エコーの状態 充実性部分： 均質性；均質・不均質 辺縁・輪郭	辺縁が粗雑で不整形の（腫瘍壁より隆起した）充実エコーまたは厚く不均一な隔壁を有する
Ⅴ型		混合パターン（充実性優位）	囊胞性部分： 隔壁の有無，内部エコーの状態 充実性部分： 均質性；均質・不均質 辺縁・輪郭	腫瘍内部は充実エコーが優位であるが，一部に囊胞エコーを認める 充実性部分のエコー強度が不均一な場合と均一な場合がある
Ⅵ型		充実性パターン	内部の均質性： 均質・不均質 辺縁・輪郭	腫瘍全体が充実性エコーで満たされる 内部エコー強度が均一な場合と不均一な場合とがある
分類不能			上記全ての項目	Ⅰ～Ⅵ型に分類が困難

（日本超音波医学会 用語・診断基準委員会：超音波医学 27：913, 2000）

2020』（以下，ガイドライン）[1]のCQ504として詳しく述べられているので，本稿では，ガイドラインの記述を補うという観点で記述することとしたい．

診断の手順

妊娠11週までの妊婦に対する診察であるので，内診および経腟超音波による診察を行う．経腟超音波では子宮内の胎児の観察とともに，子宮筋腫の有無や両側付属器の状態のチェックも行う．正常の場合は，正常卵巣とともに妊娠黄体が認められる場合がある．最終月経が不明であったり，月経不順で排卵が遅れている場合など，妊娠週数が明らかでない場合には，月経黄体を子宮外の胎嚢と誤認しないよう注意が必要である．

妊娠中の超音波検査の普及により，妊娠中に発見される付属器腫瘍は増加しており，約5～

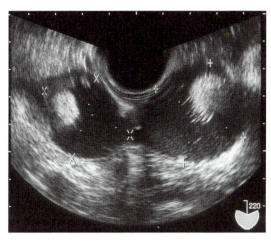

図1 エコーパターン分類 Ⅲ 型を示す成熟嚢胞性奇形腫（両側性）
音響陰影を有する辺縁平滑な充実性部分と高輝度短線状エコーが特徴的である．

6%であると報告されている．発見される例の多くは無症状であり，妊娠初期の超音波検査時に偶然発見される場合がほとんどである．付属器腫瘤が発見された場合に最も重要なことは，妊娠中経過観察でよいのか，外科的な治療を検討すべきかということであり，そのためには，まず付属器腫瘤の良悪性の鑑別が重要である．妊娠に合併した付属器腫瘤が悪性である可能性については1～8%とする報告があり[2]，付属器腫瘤が発見された場合は一応，悪性の可能性も念頭に置き，慎重な対応が必要である．

卵巣腫瘍のエコーパターン分類

超音波による付属器腫瘤の診断には，通常，日本超音波医学会の用語・診断基準委員会が2000年に策定した，卵巣腫瘍のエコーパターン分類が用いられる（表1）．これは，超音波検査で発見された卵巣腫瘍のエコーパターンを，嚢胞性パターン，充実性パターン，そして両者が混在した混合パターンに分類し，さらに，嚢胞性パターンは内部エコーの有無によりⅠ型とⅡ型に分類し，充実性パターンを示すものはⅥ型としている．一方，混合性パターンは，成熟嚢胞性奇形腫に特異的な毛髪塊に由来する嚢胞性部分内部の充実性部分に後方エコーの減弱（音響陰影）を有するものをⅢ型に細分類し（図1），残りの混合パターンは，嚢胞性部分が充実性部分よりも優位であるものをⅣ型に，嚢胞性部分よりも充実性部分が優位であるものをⅤ型に細分類するというものである．

日本超音波医学会による卵巣腫瘍のエコーパターン分類を用いた付属器腫瘤の良悪性の鑑別診断の成績については多くの報告がある．

崔ら[3]は，手術となり術後病理組織診断が得られた付属器腫瘤308例について，術前に施行した超音波断層法によるエコーパターン分類の結果と術後病理組織診断結果を比較検討した．対象腫瘤のエコーパターン分類は表2のとおりであり，Ⅰ～Ⅲ型を良性腫瘍，Ⅳ～Ⅵ型を悪性腫瘍とした場合の診断効率は感度87.8%，特異度77.4%，陽性的中率58.5%および陰性的中率94.6%との結果を得ている．一般に，卵巣充実性腫瘍の90%が悪性腫瘍であることを考慮すれば，超音波断層法による充実性部分の描出により悪性腫瘍の診断感度が88%得られたことは，超音波断層法が肉眼的に認めうる充実性部分そのものを十分正確に捉えられていたと考えられる．一方で，超音波断層法によるエコーパターン分類では偽陽性率（1－特異度）が22.6%と高く，他の診断法の追加も考慮する必要がある．

日本超音波医学会による卵巣腫瘍のエコーパターン分類は，もともと経腹超音波による診断

表2 エコーパターン分類による卵巣腫瘍の診断

病理診断＼エコーパターン	I	II	III	IV	V	VI	計
悪性	4 (8.2)	5 (7.6)	1 (1.4)	56 (59.6)	14 (58.3)	2 (40.0)	82 (%)※
良性	45	61	69	38	10	3	226
計	49	66	70	94	24	5	308

※エコーパターンに占める悪性腫瘍の割合
(崔 華, 他：超音波医学 28：J109-J119, 2001 より一部改変)

表3 エコーパターン分類による卵巣腫瘍の診断（経腟超音波による）

病理診断＼エコーパターン	I	II	III	IV	V	VI	計
悪性	4 (6.6)	6 (3.9)	5 (6.1)	42 (68.9)	16 (47.1)	2 (15.4)	75 (%)※
良性	57	148	77	19	18	11	330
計	61	154	82	61	34	13	405

※エコーパターン分類に占める悪性腫瘍の割合
(Tajima A, et al：J Med Ultrasonics 43：249-255, 2016 より一部改変)

表4 妊娠中に合併する付属器腫瘍の頻度

type of mass	%
Dermoid	25
Corpus luteal cyst, functional cyst, paraovarian	17
Serous cystadenoma	14
Mucinous cystadenoma	11
Endometrioma	8
Carcinoma	2.8
Low malignant potential tumor	3
Leiomyoma	2

(Hoover K, et al：Am J Obstet Gynecol 205：97-102, 2011 より改変)

を想定して作成されたものであり，経腟超音波で得られた所見による評価と異なる可能性がある．そこで，Tajima ら[4]は，405例の付属器腫瘍について，崔らと同様の方法で，術前の経腟超音波による卵巣腫瘍のエコーパターン分類の結果と術後の病理組織診断結果を比較し検討した(表3)．その結果，I〜III型を良性腫瘍，IV〜VI型を悪性腫瘍とした場合の診断効率は感度80.0％，特異度85.5％，陽性的中率55.6％および陰性的中率94.9％であり，偽陽性率は14.5％と低下し，診断感度も若干低下した．そこで，病理診断結果が悪性腫瘍であったにもかかわらず，エコーパターン分類がI〜III型に分類された15例について詳細に検討したところ，比較的腫瘍径が大きい例で充実性部分が見逃される傾向があることが判明した．したがって，腫瘍径が大きい場合には経腹超音波を含む他の診断法の追加を考慮する必要があると考えられた．

妊娠中に多く遭遇する付属器腫瘍の種類とその頻度を表4[5]に示す．

超音波カラードプラ法による卵巣悪性腫瘍の診断

超音波カラードプラによる付属器腫瘍の良悪性の鑑別については，偽陽性率が約50％と高

表5 血流信号の検出部位による卵巣悪性腫瘍の診断成績(n＝117)

検出部位 術後病理診断	隔壁	腫瘍の充実性部分	被膜	計
悪性	28 (56.0)	45 (80.4)	2 (18.2)	75 (%)※
良性	22	11	9	42
計	50	56	11	117

※血流信号検出部位に占める悪性腫瘍の割合
(崔 華,他:超音波医学 28:J109-J119,2001 より一部改変)

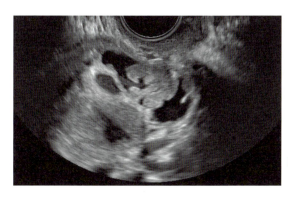

図2 子宮内膜症性嚢胞の脱落膜変化
エコーパターン分類 Ⅳ 型に分類される.

いことから卵巣腫瘍のエコーパターン分類による診断を補完するような有用性はないという報告がある一方,崔ら[3]は,表2で示した付属器腫瘍308例について,カラードプラ法による血流信号の有無と病理診断結果について比較検討している(表5).その結果,付属器腫瘍の充実性部分,隔壁,被膜のいずれかに血流信号が認められたものは117例であり,そのうち75例が悪性卵巣腫瘍であった.さらに,血流情報が充実性部分に認められたものは80.4%が悪性であり,隔壁に認められたものも56.0%が悪性であったことから,カラードプラ法によって得られた血流信号描出の有無や,特に腫瘍内血流検出部位などの所見を組み合わせることで,卵巣腫瘍のエコーパターン分類を補完する情報として有用であると述べている.

その他の方法による悪性卵巣腫瘍の診断

　MRIは,妊娠中にも一般的に安全に使用可能とされている.MRIは超音波と比較して組織分解能(tissue characterization)に優れていることから,腫瘍内容の性状診断に有用である.特に,嚢胞内容が脂肪成分である成熟嚢胞性奇形腫や,古い血液成分からなる内膜症性嚢胞の診断に有用であるとされている.

　一般に,内膜症性嚢胞合併例は不妊の原因となることから,妊娠に合併する例は必ずしも多くはないことに加え,妊娠前から検査や治療を受けている場合が多く,妊娠してはじめて内膜症性嚢胞と診断される例はそれほど多くはない.しかし,内膜症性嚢胞は妊娠した場合,異所性内膜の脱落膜変化によって内腔に結節像を呈し,エコーパターン分類上Ⅳ型やⅤ型に分類される所見を呈することから,悪性腫瘍との鑑別が困難な場合がある(図2).このような場合,MRI診断,特に拡散強調像やADC mapといった撮像法が悪性腫瘍との鑑別に有用である.

　腫瘍マーカーについては,CA-125は妊娠中,特に妊娠第1三半期に上昇するため,良悪性

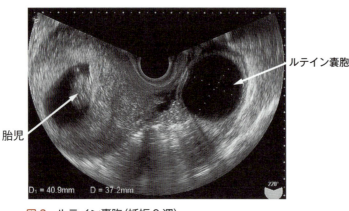

図3 ルテイン囊胞（妊娠9週）
エコーパターン分類はⅠ型で，大きさも5 cm以下である．

の鑑別には使用できない．胚細胞性腫瘍のマーカーとされるAFPやhCGなども妊娠によって増加することから，良悪性の鑑別には使用できない．

管理方法

経過観察

妊娠中に付属器腫瘍が診断された場合，経過観察でよいのか，手術を検討すべきであるのかという点については必ずしも明確な基準はないのが現状である．

ガイドラインでは直径6 cm以下という大きさを経過観察可能の目安としている．

一般に，ルテイン囊胞などの機能性囊胞は，卵巣腫瘍のエコーパターン分類でⅠ型に分類される単房性囊胞性腫瘍であり，大きさが5 cm以下であり，自然消退が期待できる．したがって，妊娠16週頃までに診断された5 cm以下の単房性囊胞性腫瘍については経過観察でよい（図3）．

一方，これよりも大きいものや，卵巣腫瘍のエコーパターン分類で混合型に分類されるような付属器腫瘍は真性腫瘍である可能性が高く，自然消退の可能性は少ない．ガイドラインによれば6 cm以上であっても単房性囊胞性腫瘍は経過観察としているが，保存的に観察することによって茎捻転（0.2～22％），自然破裂（0～9％），分娩障害（2～25％）の可能性があるので，経過観察する際には，これらの可能性についてインフォームド・コンセントを行う必要があると考える．

外科的治療

妊娠中に外科的な治療を行う場合には，母児に対して，外科的な治療に伴うリスクを考慮しなければならない．

● 適応

茎捻転を疑うような臨床症状を伴う場合，および超音波診断による卵巣腫瘍のエコーパターン分類上，Ⅳ型，Ⅴ型，Ⅵ型とされる所見を示す場合は手術を考慮する．

エコーパターン分類上Ⅲ型に分類され，成熟囊胞性奇形腫が疑われる場合の手術適応条件は確立していないが，6 cmを超えるような場合は手術を考慮するのが一般的である．

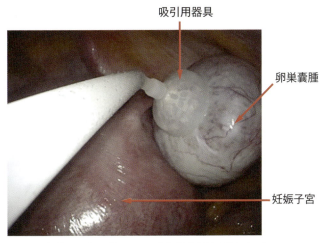

図4 ダグラス窩に落ち込んだ卵巣嚢腫を引き上げる吸引用器具

● 手術の時期

　ガイドラインには，手術を行う場合の時期としては，プロゲステロン分泌が妊娠黄体から胎盤に移行する妊娠12週以降が望ましいとされ，妊娠12週以前に手術を行う場合は，プロゲステロン補充が必要な場合があると述べられている．一方，妊娠12週までは，機能性嚢胞の場合は自然退縮が期待できるということもあり，この点からも，手術を予定するのは妊娠12週以降が望ましいと考える．

● 腹腔鏡下手術か開腹手術か？

　術前診断で悪性の可能性が高いとされる場合は，開腹手術が基本であることはいうまでもないが，近年では，妊娠時であっても，付属器腫瘍の手術はその低侵襲性から腹腔鏡下手術が一般的となっているように思われる．米国内視鏡外科学会(SAGES)のリコメンデーションにおいても，妊娠のいかなる時期であっても腹腔鏡下手術は可能であると述べられている．

　遠藤ら[6]は，自施設で5年間に実施した妊婦に対する腹腔鏡下卵巣嚢腫摘出術30例について検討し報告している．30例の卵巣嚢腫の内訳は，成熟型奇形腫が21例と最も多く，漿液性嚢胞腺腫が4例，粘液性嚢胞腺腫が3例，傍卵巣嚢腫が2例であった．術式は，23例(77％)が体腔外法であり，残り7例(23％)が体腔内法であった．また，体腔外法23例のうち18例がラップディスク・ミニを使用するオープンアプローチを行っている．手術時期の平均妊娠週数は13週であり(9週0日～15週2日)，術後の合併症として1例にイソクスプリンの投与を行った例があった以外には特に異常はなかった．また，妊娠の転帰が確認できた29例中28例が正期産となっている．

　気腹法は，吊り上げ法に比べて視野確保の点で有利であり術後疼痛も少ないとされているが，CO_2ガスによる気腹では，気腹圧が上昇すると母体の$PaCO_2$が上昇し，これに伴って胎児がアシドーシスとなることが懸念されるため，気腹圧は15 mmHg以下とし，気腹時間の短縮を心がけるべきとされている．当科では，妊婦に対する腹腔鏡下手術の気腹圧は8～10 mmHgに設定しているが，視野確保に苦労した例は特にない．ただし，ダグラス窩に卵巣嚢腫が落ち込んでいるような場合には，妊娠子宮ではマニピュレーターが使用できないため，内診指による後腟円蓋からの押し上げや，リトラクターによる子宮の挙上，さらには吸引器による引き上げ(図4)などの工夫が必要である．

摘出術後の病理診断で悪性であった場合の対応については，ガイドラインに譲ることとする．

◆ 文献
1) 日本産科婦人科学会，日本産婦人科医会（編）：CQ504 妊娠中に発見された付属器腫瘤の取り扱いは？ 産婦人科診療ガイドライン 産科編 2020. pp286-287，日本産科婦人科学会，2020
2) Morice P, et al : Gynaecological cancers in pregnancy. Lancet 379 : 558-569, 2012
3) 崔 華，他：超音波断層法ならびに超音波カラードプラ法による卵巣悪性腫瘍の診断．J Med Ultrasonics 28 : J109-J119, 2001
4) Tajima A, et al : Efficacy of the echo pattern classification of ovarian tumors 2000 in conjunction with transvaginal ultrasonography for diagnosis of ovarian masses. J Med Ultrasonics 43 : 249-255, 2016
5) Hoover K, et al : Evaluation and management of adnexal mass in pregnancy. Am J Obstet Gynecol 205 : 97-102, 2011
6) 遠藤周一郎，他：当科の5年間における妊婦に対する腹腔鏡下卵巣嚢腫摘出術の実際．日産婦関東連会誌 47 : 143-147, 2010

（吉田　幸洋）

診断と外来対応
妊娠11週まで

出血性びらん・子宮頸管部のポリープ

POINT
- 妊娠中は出血性びらんを呈しやすいため，診察/検査の際に注意が必要である．
- 子宮頸管部のポリープを取り扱う際には感染，出血に特に注意して慎重に対応すべきである．

はじめに

妊娠初期の妊婦健診においては，経腟超音波断層法などで胎芽・胎児の状態を確認することはもちろん重要であるが，腟鏡診を行い，腟や子宮腟部の状態を正しく観察することも忘れてはならない．本稿では妊娠初期にみられる子宮腟部の出血性びらん，および子宮頸管部のポリープの取り扱いについて解説する．

● 出血性びらん

病態の概要

妊娠が成立すると，頸管腺の肥大と過形成が起こる．それとともに子宮頸部の血流が増加し，頸部全体が浮腫状となった結果，子宮頸部が軟らかく変化する．頸管腺は妊娠末期までに頸部全体のおよそ半分を占めるまでに増殖するが，この正常妊娠による変化により，増殖した円柱内頸管腺は拡大，外反した形となる．こうした組織は軽微な刺激でも出血しやすい状態となり，出血性びらんと呼ばれる状態を呈する[1]．

診断の手順

妊娠初期には標準検査項目の1つとして子宮頸部細胞診が勧められているが，細胞診検体を得るために通常使用されるブラシ状の採取用器具は妊婦全般，あるいは妊娠10週以降の妊婦に対して使用することは禁忌・禁止事項となっているものがほとんどであり，妊娠中の女性に限っては，より侵襲の少ない綿棒を用いることが容認されている．しかし綿棒はブラシと比べて細胞採取量が少なく，病変の見逃しや過小評価につながる懸念がある．妊娠初期の妊婦に対して子宮頸部細胞診を行う際にはその欠点を念頭に置いたうえで慎重に採取を行うことが望ましい．また同様に punch biopsy や円錐切除術を行う際も，この生理的な変化により出血しやすい状態となっていることを認識しておきたい．

● 子宮頸管部のポリープ

疾患の概要

　妊娠中に腟鏡診を行うと子宮頸管部にポリープ状病変が偶然見つかることがある．また出血や，帯下の増量・変化といった症状からポリープに気づかれることもある．子宮頸管部ポリープの原因はいまだ不明な点が多いが，通常，子宮頸管部の円柱上皮から発生する頸管粘膜ポリープ（endocervical polyp）が多い．しかし子宮内膜から連続する脱落膜ポリープ（decidual polyp）も肉眼的には同様にみえることがあり，両者の肉眼的鑑別は容易ではない．ポリープ切除標本の組織学的検索を必要とすることが多い．

原則的な対応

　子宮頸管部のポリープ状病変のほとんどは良性であるが，Berzollaら[2]は妊婦／非妊婦を含む2,100名の女性から切除した2,246例のポリープを組織学的に検討し，0.1％が悪性，0.5％は異形成であったと報告していることから，一部に悪性の可能性があることを念頭に置く必要がある．しかし実際には悪性のポリープを肉眼的形態により診断することは困難なことが多いため，『産婦人科診療ガイドライン 婦人科外来編2020』では「原則的には切除し，組織学的検査を行う．（B）」となっており，原則として組織学的検査を行うことを勧めている[3]．しかしながらMackenzieら[4]の行った1,366例の子宮頸管部ポリープの後方視的検討では，67％は無症候性で，組織診では1例の悪性例も認められなかった．そのためポリープ切除に伴う有害事象を考慮し，出血，帯下などの症状のあるもの，あるいは細胞診で異常が認められた場合に限って切除を行うべきであるとしている．これを受けて同ガイドラインでは「症状がなく，悪性病変の可能性が否定でき，組織学的検査を行わない場合は，経過を観察する．（B）」ことも推奨している[3]．

妊娠中に発見された場合の取り扱い

積極的切除か経過観察か

　妊娠中に発見された頸管部のポリープの取り扱いについては，切除により流早産や破水を誘発するという意見と，ポリープ自体が出血や感染源となりうるので予防的に切除したほうがよいという肯定的な意見とがあり，現在でも統一した見解が得られていない．
　Kanayamaら[5]は妊娠10～20週の子宮頸管部のポリープ合併例の検討において，頸管粘液顆粒球エラスターゼ活性がポリープを合併しない群と比べて有意に高く（$86±44$ U／L vs. $22±13$ U／L，$P=0.01$），ポリープを切除した群では$44±24$ U／Lと有意に低下したことを示している．さらに絨毛膜羊膜炎の発症率は非ポリープ群9％に対してポリープ合併群でポリープ切除を行った群で14％，ポリープ切除を行わず放置した群では40％と有意に高かったことから，頸管部のポリープが炎症のfocusとなって絨毛膜羊膜炎を引き起こす可能性があり，切除あるいは局所の炎症・感染に対する治療が必要であると考察している．
　一方，Tokunakaら[6]は妊娠中にポリープ切除術を施行し病理組織学的診断が行われた頸管部のポリープ99例について検討を行い，そのうち脱落膜ポリープ（decidual polyp）41例と子宮頸管部のポリープ（endocervical polyp）42例について周産期予後について詳細な比較を行っ

た．それによると，母体の背景でみると早産の既往(12.2% vs. 0%，$P=0.026$)，およびポリープ切除前の出血(58.5% vs. 22.0%，$P=0.001$)は脱落膜ポリープ群で有意に多かった．また周産期予後については 22 週未満の自然流産率(12.2% vs. 0%，$P=0.026$)，34 週未満の早産率(24.4% vs. 4.8%，$P=0.013$)，37 週未満の早産率(34.2% vs. 4.8%，$P=0.001$)，ポリープ切除術後の出血(29.3% vs. 2.4%，$P=0.002$)，preterm PROM(14.6% vs. 0%，$P=0.012$)においてそれぞれ脱落膜ポリープ群で有意に高い割合を示し，結果として分娩までの日数も脱落膜ポリープ群で明らかに短かった($247.0±49.8$ 日 vs. $273.7±13.0$ 日，$P=0.002$)と報告している．また 37 週未満の早産のリスクファクターについての多変量解析において，脱落膜ポリープの存在の調整オッズ比が 13.86(95% CI 2.91-105.50)ときわめて高く，これは早産の既往(調整オッズ比 13.64, 95% CI 1.05-265.27)と同等であったと報告している．Tokunaka ら[6]は妊娠中のポリープ切除は，組織型が脱落膜ポリープであった場合に流早産のリスクを高めるうえ，組織型はポリープ切除後にしかわからないことから，悪性が疑われるもの以外は妊娠中のポリープ切除は行わないほうが安全かもしれないと結論づけている．

また Panayotidis ら[7]は以下のアルゴリズムを作成し対応することを提案している．すなわち，無症候性のポリープは原則として保存的治療を行い，急速に増大してくるものにはコルポスコピーを行い分娩時に外科的切除を行うか，その後もポリープが残存しているようならば外科的切除を行う．一方，出血や帯下などを呈する症候性ポリープは肉眼所見，位置，形状や長さをコルポスコピーにより観察することが望ましいとし，そのうえで外科的切除の時期を決定することを推奨している．その際には抗菌薬のカバーを考慮する必要があるとしている．ただし，妊娠中の性器出血の原因がポリープなのか，それ以外の子宮や胎盤などが原因の出血なのか区別することは時に困難であり，経腟超音波断層法がその鑑別に役立つとしている．

薬物療法

『産婦人科診療ガイドライン 婦人科外来編 2020』では「妊娠中で頸管開大や絨毛膜羊膜炎の誘因と疑う場合に，必要に応じて切除や抗菌薬投与を行う．(C)」と記載されており[3]，妊娠中の子宮頸管ポリープ切除術は比較的安全であるが，止血を確実に行い基礎に存在する感染に対する治療を行う必要があるとし，さらに超音波断層法などで子宮内膜から連続する脱落膜ポリープの可能性が低いことを摘出前に確認する必要があるとしている．

外科的切除

子宮頸管部ポリープの治療法は一般的に，①ペアン鉗子などによる捻除術，②メスやハサミを用いた結紮・切除術，③電気メスやレーザーメスなどのパワーソースを用いた焼灼切除術などがあるが，Panayotidis ら[7]は，妊娠中のポリープ切除には捻除術は勧められないとし，良好な止血機能を備えた高周波療法やポリープ基部の外科的結紮をしたうえでの切除が望ましいとしている．いずれの場合にも感染予防としての抗菌薬の投与を行うべきとしている．

まとめ

妊娠中は子宮頸管腺の生理的変化により出血しやすい状態になっていることを認識し，細胞診，その他子宮頸部の侵襲的処置の際には器具の選択や出血の状態に注意を払うことが重要である．また子宮頸管部のポリープ状病変を認めた場合には，本稿で紹介した報告やガイドラインを参考に慎重に対応したい．ポリープ切除術は外来でも可能ではあるが，術後の出血や感染のリスクが高いこと，ポリープ切除術後の子宮収縮や破水などに十分注意して対応することが

重要である.

◆ 文献

1) Cunningham FG, et al : Maternal Physiology. Williams OBSTETRICS, 23rd ed. p109, McGraw-Hill Medical, New York, USA, 2010
2) Berzolla CE, et al : Dysplasia and malignancy in endocervical polyps. J Womens Health (Larchmt) **16** : 1317-1321, 2007
3) 日本産科婦人科学会,日本産婦人科医会(編):CQ206 子宮頸管部のポリープ状病変の取り扱いは? 産婦人科診療ガイドライン 婦人科外来編 2020. pp45-46, 日本産科婦人科学会, 2020
4) MacKenzie IZ, et al : Why remove all cervical polyps and examine them histologically? BJOG **116** : 1127-1129, 2009
5) Kanayama N, et al : [The relation between granulocyte elastase activity in cervical mucus and gestational cervical polyp]. Nihon Sanka Fujinka Gakkai Zasshi **43** : 26-30, 1991
6) Tokunaka M, et al : Decidual polyps are associated with preterm delivery in cases of attempted uterine cervical polypectomy during the first and second trimester. J Matern Fetal Neonatal Med **28** : 1061-1063, 2015
7) Panayotidis C, et al : Cervical polypectomy during pregnancy : The gynaecological perspective. J Genit Syst Disord **2** : 2, 2013

〔小島　崇史〕

妊娠中の子宮頸部細胞診異常の取り扱い

診断と外来対応 / 妊娠11週まで

POINT
- 細胞診単独ではなくコルポスコピー・組織診を併用した管理を行う．
- CIN3 までの症例は，分娩後高率に病変の消失や減弱がみられる．
- 浸潤を疑う所見があれば円錐切除を考慮する．

DATA
- 妊娠に子宮頸がんが合併する頻度は約 0.1% で，子宮頸がんの約 3% が妊娠中に発見される．
- 妊娠中の細胞診異常の頻度は約 1.4% と報告されている．

　近年の女性の晩婚化やそれに伴う出産年齢の高齢化，さらに子宮頸がんの若年化により，今後妊娠に合併した子宮頸部異形成や子宮頸がんに遭遇する機会が増加していくと思われる．妊娠中は，細胞診所見では脱落膜細胞の出現など，またコルポスコピー所見では病変部位の血管所見などの生理的変化のために診断・管理の難しさが指摘されている．そこで，筆者の施設（以下当院）における診断・治療成績を提示しながら，妊娠中の子宮頸部細胞診異常の取り扱いについて述べたい．

妊娠中の細胞診異常の頻度や特徴について

　文献的には妊娠に子宮頸がんが合併する頻度は約 0.1% で，子宮頸がんの約 3% が妊娠中に発見される．子宮頸がん合併妊婦の年齢や組織型，妊娠歴などは非妊婦と同程度とされるが，上皮内癌や IA1 期など比較的早期症例が多い[1, 2]．その発見の契機となるのがスクリーニングとして行われる子宮頸部細胞診であるが，妊娠中の細胞診異常の頻度は約 1.4% と報告されている[3]．細胞診異常がみられれば，コルポスコピー下狙い組織診により診断が下される．妊娠中の細胞診については，脱落膜細胞や異型化生細胞など鑑別を要する細胞がしばしば出現するため overdiagnosis になりやすいといった報告や，採取の際の出血を避けるため十分な細胞採取が行われず，逆に underdiagnosis になりやすいといった報告もある．またコルポスコピー所見については上皮の菲薄化に伴う病変部位の所見の減弱化や血管所見が目立つとされ，妊娠に伴う生理的変化から診断の難しさが指摘されている．さらに狙い組織診に関しては出血への危惧から避けられる傾向にある．

妊娠中の診断

　そこで上記のような妊娠中の変化が診断率に影響を与えるか，当院で検討を行った．図 1 は当院で管理を行った CIN（cervical intraepithelial neoplasia）合併妊婦 98 例のデータである．縦軸に細胞診＋コルポスコピー下の診断を，横軸に狙い組織診の結果を示す．診断一致率は 73.7%（72/98）であった．これを同時期に行った非妊婦 406 例のデータ（図 2）と比較検討した．非妊娠時の診断一致率は 70.4%（286/406）であり妊娠時と同等であった．

コルポ下診断 \ 組織診	CIN1	CIN2	CIN3 severe	CIS
CIN1	35	9	4	0
CIN2	1	9	3	0
severe	1	2	15	5
CIS	0	0	1	13

診断一致率 73.7％（72／98）

図1 妊婦 CIN 症例（n = 98）

コルポ下診断 \ 組織診	none	CIN1	CIN2	CIN3 severe	CIS	invasive
CIN1	14	118	28	5	0	0
CIN2	0	8	36	13	9	2
severe	0	0	8	56	15	0
CIS	0	0	1	4	58	8
invasive	0	0	1	2	2	18

診断一致率 75.1％（286／406）

図2 非妊婦 CIN 症例（n = 406）

　妊婦における診断不一致症例26例についてみると，underdiagnosis が21例と多かった．細胞診で ASC-US や LSIL と判定されている症例から CIN3 が検出されることも多く，注意を要する．以上から，妊娠中であっても診断精度は同等であり，細胞診異常が検出されればコルポスコピー下狙い組織診による診断を下すことが重要である．また妊娠中は経過とともに SCJ の外反が進むため経時的な経過をみる必要がある．当院では妊娠中は2〜3か月ごとに細胞診とコルポスコピー検査を行い，所見の変化がみられた場合には積極的に組織診を行っている．

● CIN 症例の管理について

　妊娠中は上皮内癌が浸潤癌へと進行する頻度は低く，また分娩後には CIN の自然消退が高率にみられるという報告がある[4]．そのため一般的に細胞診，コルポスコピー，組織診でCIN3 までの病変と判断されれば分娩後まで円錐切除を延期することが多い．その際は細胞診，コルポスコピー，組織診による診断および分娩後までの厳重な経過観察が不可欠となる．しかし CIN3 との診断であっても円錐切除後に浸潤癌が判明することもあり，正確な診断のために積極的に円錐切除を行う施設もあり管理は一定していない．

　当院での CIN3 までと診断した98症例の分娩前後の変化を図3に示す．分娩後に病変が消退あるいは減弱した症例は51％（50／98）と高率にみられた．一方で CIN1 から CIN3 への進展例が3例に，CIN2 から CIN3 への進展例が2例にみられた．また CIN3 に限定すると病変の持続率が高いため注意が必要である．今回の検討では浸潤癌に進行した症例はみられなかったものの，症例数が少ないため慎重な判断が必要である．

	分娩後病変			
妊娠時診断	none	CIN1	CIN2	CIN3
CIN1　37	25	8	1	3
CIN2　20	9	4	5	2
CIN3　41	2	2	8	29

病変の減弱あるいは消失率51％（50/98）

図3　分娩前後の変化（n = 98）

微小浸潤癌（疑い）27例
最終診断

CIS	IA1	IA2	IB1
12	12	0	3

IB1期3例は，分娩時に根治術を行った．
3 mm以内浸潤，8 mm広がりのIB1期にリンパ節転移陽性であった．

妊娠週数：10週未満2例
　　　　　10～20週20例
　　　　　20～30週5例

出血量：少量25例，50 mL以上2例（最大100 mL）
切除断端陽性：29.6％
経過：全例再発なし（追跡不能例1例を除く）

図4　妊娠中の円錐切除例

浸潤が疑われる症例の管理について

　細胞診，コルポスコピー，組織診のいずれかにおいて浸潤を疑う所見を認めた場合は妊娠中であっても子宮頸部円錐切除を行う．妊娠中はSCJが外反していること，出血や流早産，子宮内胎児死亡などの合併症を考慮し，浅く切除をするcoin biopsyが推奨されている[5]．
　当院で妊娠中に浸潤癌を疑い円錐切除を施行した27例を図4に示す．手術施行週数は妊娠10週未満2例，妊娠10週以降20週未満20例，妊娠20週以降5例であった．子宮頸部円錐切除後の病理組織検査結果は上皮内癌（CIS）12例，微小浸潤癌（MIC，IA1期）12例，浸潤癌（IB1期）3例であった．断端陽性率は27例中8例であった（29.6％）．円錐切除時の出血量は少量から多いものでも100 mLであった．分娩週数は追跡不能例1例を除くと1例のみ妊娠36週での早産であったが，ほかは正期産であった．1例が術後に流産の経過をたどっている．子宮内容物の病理検査では炎症細胞浸潤が認められ，感染が原因と考えられた．分娩様式では帝王切開が4例に施行されている．1例は胎児適応による緊急帝王切開術，1例は骨盤位による選択的帝王切開術，2例は浸潤癌症例で帝王切開と同時に根治術が施行されている．IB1期2例は十分なインフォームド・コンセントのうえに待機し，妊娠34週，妊娠35週に帝王切開と同時に広汎子宮全摘術を施行した．1例は骨盤リンパ節に転移を認め術後に放射線治療を追加した．3例とも現在再発徴候なく経過している．また追跡不能例1例を除き，分娩後に追加治療した症例を含めると全例再発なく経過している．

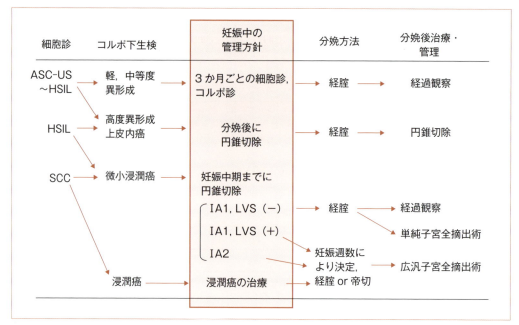

図 5　細胞診異常妊婦の管理指針
LVS：lymph-vascular space involvement

まとめ

　以上から妊娠中に細胞診異常がみられた際の管理指針を図5に示す．細胞診，コルポスコピー，組織診においてCIN3までと診断した症例に関しては2～3か月ごとに細胞診，コルポスコピーで慎重に経過観察を行う．またCIN3に関しては分娩後に再評価を行い円錐切除を検討する．いずれかの検査において浸潤が疑われた場合は妊娠中であっても子宮頸部円錐切除を行う．得られた病理組織結果によりIA1期，脈管侵襲なし，断端陰性であれば経腟分娩を選択する．またIA1期，脈管侵襲あり，あるいはIA2期以上の症例に関してはNICU管理を考慮したうえで分娩時期と根治術の時期を決定する．

　日常臨床を行ううえで妊娠中の子宮頸部細胞診異常に遭遇する機会は稀ではない．妊娠中の特徴や分娩前後の変化など熟知したうえで慎重な対応が望まれる．

◆ 文献

1）Economos K, et al：Abnormal cervical cytology in pregnancy：A 17-year experience. Obstet Gynecol **27**：915-918, 1993
2）Wright TC, et al：2001 Consensus guidelines for the management of woman with cervical intraepithelial neoplasia. Am J Gynecol Oncol **189**：295-304, 2003
3）Van Calsteren K, et al：Cervical neoplasia during pregnancy. Best Pract Res Clin Obstet Gynecol **19**：611-630, 2005
4）Yost NP, et al：Postpartum regression rates of antepartum cervical intraepithelial neoplasia II and III lesions. Obstet Gynecol **93**：359-364, 1999
5）Berman ML, et al：Pelvic malignancies, gestational trophoblastic neoplasia, and nonpelvic malignancies. Maternal-fetal medicine, 3rd ed. pp1112-1134, Saunders, Philadelphia, 1994

〔田中　良道〕

検査の実施法

妊娠12から21週まで

妊娠 12〜21 週に行う検査

POINT
- 初期血液検査で母体の基礎疾患や感染症の把握に努めるが，公費補助の有無も勘案し，その地域，医療機関に適した項目を選択する必要がある．
- 妊娠 20 週前後の時期に内診および経腟超音波検査で頸管無力症や早産のハイリスク症例を抽出する．
- 通常超音波検査では，羊水量，胎盤・臍帯の状態，胎児発育の評価を目的とする．胎児の構造異常を認めた場合にはその精査や説明は夫婦の同意のもとで，胎児の予後，出生後の対応，治療について深い知識に基づいて慎重に行う必要がある．

はじめに

　国の示す基準では，この期間の妊婦健診は 4 週間ごとに行うことが推奨されており，妊娠12 週頃までに採血検査，子宮頸部細胞診検査を行う．また，ほかの期間の妊婦健診と同様に体重および血圧測定，尿検査(蛋白尿，尿糖)，子宮底長の測定を行い，浮腫の程度を評価する[1]．これに加えて，少なくとも 1〜2 回程度は内診，超音波検査を行うが，特に妊娠 20 週前後の時点で頸管長短縮の有無を確認しておくことは流早産の予知の観点からは有用と考えられる．

　この時期に出生前診断に関する検査を夫婦が希望する場合がある．それに関する詳細は他稿に譲るが，出生前診断に関する診療は妊婦健診の本来の趣旨とは異なることを理解しておく必要がある．そうしたニーズへの対応は専門の外来において，遺伝カウンセリングに基づいて進められる必要がある．

初期血液検査

　国が示している実施基準では妊娠初期の採血検査として血液型(ABO 血液型・Rh 血液型，不規則抗体)，感染症(梅毒血清反応，B 型肝炎抗原，C 型肝炎抗体，HIV 抗体，風疹ウイルス抗体)，血算，血糖，子宮頸部細胞診の検査が推奨されている[2]．ただし，地方自治体によっては妊婦健診に対する公的補助の負担額や検査費の補助が行われる妊娠時期が異なるため，その地域の特性に即して適宜検査項目を追加・削除するなどの配慮が必要となる．

　妊娠初期の血液検査項目は母体の基礎疾患の把握や母児感染にかかわる感染症の有無についての確認を目的としたものが含まれる．検査結果によっては妊娠早期からの対応が必要な項目もあるため，採血のタイミングを中期以降に遅らせることは好ましくない．血糖で妊娠初期に明らかな糖尿病を認める場合には網膜症や腎機能など糖尿病合併症の存在にも留意する．また，初期検査を契機に感染症や特発性血小板減少症(ITP)などの血液疾患が確認された場合には，専門科との連携のうえ疾患の精査を開始して妊娠継続の可否，治療の必要性を検討する．

　細菌性腟症，トキソプラズマ，サイトメガロウイルスの母児感染症，腎機能，肝機能を含め

た生化学検査，凝固検査などを初期スクリーニング検査に組み入れることはさらなる合併症の発見につながる可能性がある．しかし，これらの公費補助の対象となっていない項目を施行することは，妊婦への費用負担とメリットとのバランスについて考慮が必要である．

内診，経腟超音波検査

妊娠20週前後の時期に一度内診を経腟超音波とともに行い，子宮口の状態，頸管長を確認することは流早産のハイリスク妊婦の抽出に有効とされている．早産既往や円錐切除既往の妊婦では特に重要性が高い．この時期での頸管長測定により頸管無力症の予知に役立つ可能性がある．妊娠30週頃までに施行することが推奨されている性器クラミジア検査をこの時期の内診時に合わせて行ってもよい．一方で，早産リスクの把握のためこの時期に細菌性腟症のための培養検査を行うことに関しては，いまだ早産予防効果についてのエビデンスが確立されていない．頸管長の測定に際して，胎盤位置の確認も合わせて可能であるが，妊娠20週前後で子宮峡部が開いていない妊婦の場合には前置胎盤であるという確定診断は難しい．その後の子宮峡部の伸展，開大により妊娠20週頃に内子宮口を覆って見えていたものが最終的には胎盤位置が内子宮口から遠く離れた位置へと変化して見える場合もあることを念頭に置く必要がある．

通常超音波

胎児の発育が週数相当であることを確認し，羊水量の過不足がないことを確認する．また，胎盤の位置および臍帯付着部を確認する．妊娠22週未満で偶然胎児の構造異常が確認されることがある．そうした場合には夫婦への説明と同意のもとで，構造異常の精査を進めていく．妊娠22週未満の人工妊娠中絶の選択肢がある段階での胎児構造異常に関する説明は，胎児の予後，出生後の対応，治療について深い知識に基づいて慎重に行う必要がある．

◆文献

1）「妊婦健康診査の実施について」（平成21年2月27日付け雇児母発第0227001号厚生労働省雇用均等・児童家庭局母子保健課長通知）
2）日本産科婦人科学会，日本産婦人科医会（編）：CQ003 妊娠初期の血液検査項目は？ 産婦人科診療ガイドライン 産科編 2020．pp6-7，日本産科婦人科学会，2020

（佐山　晴亮・入山　高行）

検査の実施法

妊娠 12 から 21 週まで

胎盤の位置決定

POINT
- 妊娠 20 週頃に超音波断層法により，胎盤付着部の確認を行う．
- 診断する際には，内子宮口から胎盤辺縁までの距離，胎盤付着の向き（前壁か後壁か）を確認する．
- 前置胎盤および低置胎盤は経腟超音波検査で診断する．
- 前置・低置胎盤と診断した際には，妊娠 30 週頃（妊娠 31 週末まで）に再評価を行う．
- 胎盤の位置確認と同時に，臍帯付着部位の確認を行う．

DATA
- 胎盤付着部の移動（placental migration）により，初期・中期に診断されていた前置・低置胎盤の頻度が妊娠後期に減少することが知られ，前置胎盤の頻度は妊娠 11〜14 週で 42.3％，妊娠 20〜24 週で 3.9％，妊娠後期に 1.9％ であったと報告されている．

はじめに

　胎盤の位置確認は，前置胎盤および低置胎盤の診断を主目的に実施される．これらは，産科危機的出血の主な原因疾患であり，分娩方法や分娩時の出血への対応を事前に考慮する必要があるために，必須の項目である．そのほか，帝王切開が必要となった場合の子宮切開部の決定や，分娩後の胎盤剥離手技が必要となった際にも有用である．妊婦健診時の胎盤付着部位確認は，『産婦人科診療ガイドライン 産科編 2020』[1]において，20 週頃と 30 週頃に実施することが推奨されている．

前置・低置胎盤の分類と診断

　前置胎盤は，開大した内子宮口との位置関係により，全前置胎盤・部分前置胎盤・辺縁前置胎盤に分類されてきた．しかし出血の危険性の観点から，子宮口開大前に判断する必要があり，2008 年に改訂された『産科婦人科用語集・用語解説集 改訂第 2 版』（日本産科婦人科学会 編）において，内子宮口が閉鎖した状態での超音波断層法を用いた前置・低置胎盤の分類が示された（表 1）．

胎盤位置確認の診断

　胎盤付着部位の確認は，妊婦健診時の超音波検査で行う．前置胎盤では，妊娠 28 週以降に性器出血の頻度が徐々に増加することが指摘されており，妊娠 20 週頃に実施する．前置胎盤の超音波診断の方法は，経腹超音波法に比して経腟超音波法が有意に診断精度が高い[1]．そのため，妊婦健診で通常施行される経腹超音波法において，胎盤の位置が低位にあることが観察された場合，経腟超音波法を実施して表 1 の分類に基づいて診断を行う．妊娠中期までに診

表1 前置・低置胎盤の分類

	胎盤と開大した内子宮口の位置関係	超音波断層法による組織学的内子宮口と胎盤辺縁までの最短距離
前置胎盤(total placenta previa)	全部を覆う状態	内子宮口を越えて2 cm以上
部分前置胎盤(partial placenta previa)	一部を覆う状態	内子宮口を越えて2 cm未満
辺縁前置胎盤(marginal placenta previa)	辺縁に達する状態	内子宮口に接する(ほぼ0 cm)
低置胎盤(low lying placenta)	覆っていない状態	内子宮口から最短の胎盤辺縁まで2 cm以内

(日本産科婦人科学会編:産科婦人科用語集・用語解説集 改訂第2版,金原出版,2008より作成)

断された前置・低置胎盤は,その後の子宮下節の伸張に伴い胎盤と子宮口の位置関係が変化すること(placental migration)で診断が変わることがある.そのため妊娠中期の診断は,"前置胎盤疑い""低置胎盤疑い"にとどめ,妊娠30週頃(妊娠31週末まで)に再度前置胎盤の診断を行う必要がある.また,低置胎盤は分娩開始前の内子宮口が閉鎖した状態での超音波検査で判断する必要があるため,妊娠36〜37週頃に経腟超音波検査にて確認する.

placental migration

妊娠中期以降の子宮下節の伸張に伴う胎盤付着部の移動(placental migration)により,初期・中期に診断されていた前置・低置胎盤の頻度が妊娠後期に減少することが知られている.Mustafáら[2]によるランダムに抽出した203例の検討で,前置胎盤の頻度は妊娠11〜14週で42.3%,妊娠20〜24週で3.9%,妊娠後期に1.9%であったと報告されている.migrationの程度は,初期から中期に診断した際の診断時期,子宮口を越えている長さ,前壁・後壁付着の違いにより異なることが指摘されている.妊娠初期・中期の胎盤の位置とmigrationの関係について,"妊娠11〜14週に胎盤が子宮口を23 mm以上越えている場合には,妊娠後期においても高率で前置胎盤である"[2],"妊娠28週で胎盤が内子宮口を越えている場合のmigration率は非常に低い"[3],"妊娠28〜32週に全前置胎盤の症例にはmigrationが認められなかった"[4],と報告されている.

一方,胎盤の前壁付着の低置胎盤に対し,後壁付着の場合にmigrationは起こりにくいことも報告されている[4,5].したがって,妊娠初期から中期における前置胎盤の診断は,内子宮口から胎盤辺縁までの距離と胎盤付着部位(前壁付着か後壁付着か)に留意して行う必要がある.

臍帯付着部位の確認

臍帯卵膜付着や辺縁付着などの臍帯付着部位異常は,胎児発育不全や分娩時の胎児機能不全の発症が危惧される.特に低置胎盤は前置血管・臍帯下垂(破水→臍帯脱出)といった重篤な合併症の危険因子である.胎盤付着部位が子宮後壁の場合,妊娠後期での臍帯付着部位の確認は成長した胎児のためにしばしば困難となる.そのため妊娠中期の胎盤位置と同時に臍帯付着部位の確認を行っておくことが望まれる.

◆ **文献**

1) 日本産科婦人科学会，日本産科婦人科医会（編）：CQ001，CQ106-2，CQ304，CQ305 産婦人科診療ガイドライン 産科編 2020，日本産科婦人科学会，2020
2) Mustafá SA, et al：Transvaginal ultrasonography in predicting placenta previa at delivery：a longitudinal study. Ultrasound Obstet Gynecol **20**：356-359, 2002
3) Predanic M, et al：A sonographic assessment of different patterns of placenta previa "migration" in the third trimester of pregnancy. J Ultrasound Med **24**：773-780, 2005
4) Ghourab S, et al：Placental migration and mode of delivery in placenta previa：transvaginal sonographic assessment during the third trimester. Ann Saudi Med **20**：382-385, 2000
5) Cho JY, et al：Difference in migration of placenta according to the location and type of placenta previa. J Clin Ultrasound **36**：79-84, 2008

（田中　宏和）

検査の実施法

妊娠12から21週まで

胎児の形態評価①

POINT
- 本稿で詳述した検査項目を観察する前提として，初期超音波検査の基本的手技に十分習熟する必要がある．
- スクリーニング検査と精密検査を区別することが重要で，すべての胎児にこれらの項目すべてを評価する必要はない．
- NTの評価は測定条件が非常に厳密なため，不正確な測定により妊婦に不安を与えてはならない．

DATA
- 妊娠11～13週における臍帯ヘルニアの頻度は約0.1％程度であるが，そのほとんどは生理的臍帯ヘルニアでヘルニア嚢の直径は7mm以下であり，妊娠12週以降は消失するとされている．直径が7mmを超えている場合，その60％はトリソミー18である．
- 妊娠11～13週における膀胱の直径は6mm未満．もし最大長径が7～15mmある場合，トリソミー13またはトリソミー18の可能性が約20％存在する．膀胱の最大長径が15mmを超える場合，胎児が染色体異常を有する可能性が10％存在し，残りの正常核型の胎児はほぼ閉塞型腎尿路奇形を合併していると考えてよい．
- 心臓の形態異常は先天奇形のなかで最も多く認められる形態異常であり，約1％に認められる．

● 検査の対象疾患と適応

　妊娠初期の詳細な胎児超音波検査による出生前診断を行うにあたって重要なことは，まず家族歴や既往妊娠分娩歴を詳細に聴取することである．なぜなら，両親あるいはその親族に先天性疾患の家族歴がある場合や，過去の妊娠分娩歴において染色体異常を含めた胎児先天異常の既往がある場合には，明らかに今回の胎児にも先天異常の可能性が高くなるからである．

　筆者は，これまでも何度か，通常の妊娠初期胎児スクリーニングを終了したあとで，妊婦本人から先天異常の家族歴や既往分娩歴があることを初めて聞かされて，あらためて詳細な超音波検査をやり直し，胎児異常を発見した経験がある．

　現在の胎児の形態評価の方法としては，妊娠12週前後と20週前後の2回施行するのが最も有効であると思われる．これら2回の胎児超音波検査にて，発育を含めて胎児に構造異常が存在せず，胎盤や臍帯，羊水量など胎児付属物を含めて問題がなければ，その後の妊婦健診における超音波検査はほとんど不要と考えるのが一般的であると思う．施設によっては，妊娠30週前後に3回目の超音波検査を実施し，胎児の形態異常の見逃しがないこと，胎児発育に問題がないことを確認することも有用であろう．いずれにしても，自分たちで決めた時期にチェックすべき項目をあらかじめリストアップしておき，観察ができなければ次回以降の妊婦健診時に再検査する仕組みを決めておくことが大切である．

　ただし，ここで強調しておきたいのは，以下に述べる超音波検査項目のなかには，非常に微細な変化を検出しなければならない項目も含まれており，現状のわが国の産科外来診療のなか

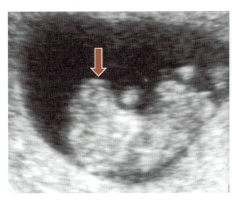 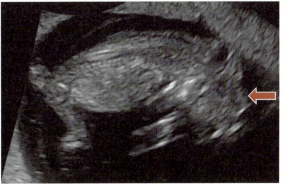

図1 無頭蓋児
頭部表面が平滑でなく露出した脳組織が浮腫状に腫大してカリフラワー様に観察される(矢印).

では決してすべての胎児を対象とできるものではないという点である．項目によっては，時に15〜30分の検査時間を必要としたり，国際ライセンスを保有する必要がある場合もある．したがって，各担当医師は，自らの技量と職場環境に応じて，取捨選択されたい．そのうえで，自らが観察して疑わしい所見が認められた場合には，早急に専門医に紹介していただきたい．

本稿では，以上の立場に基づいて，妊娠12週前後の胎児形態評価について，観察すべき項目と可能であれば観察が望ましい項目に分けて概説する．妊娠18〜20週頃の胎児構造異常の評価ならびに診断については，重複を避けるために他稿に譲ることとする．

妊娠12週前後での胎児の形態評価[1]

基本的観察項目

以下の部分について順次観察する．

● 頭部

無頭蓋児では図1のように，頭部表面が平滑でなく露出した脳組織が浮腫状に腫大してカリフラワー様に観察される．通常妊娠8週後半から同定することが可能である．予後は絶対的不良であること，次回妊娠を希望するためには，無頭蓋をはじめとする神経管閉鎖障害の予防目的で妊娠前4週すなわち妊娠を希望したらただちに葉酸を内服することを指導する．この際の葉酸投与量は，通常のサプリメントに含まれている葉酸(1日400 μg)の10倍量であり，処方としてはフォリアミン(5 mg)の1日1錠の内服となる．また，この内服は妊娠前4週より妊娠12週に至るまで継続投与させる必要がある．フォリアミンの予防的内服により，70％以上の確率で再発を予防できることも伝える必要がある．

● 胸壁ならびに腹壁

頭部同様，胸壁と腹壁が平滑であるかを確認する．特に腹壁については臍帯ヘルニアの有無について観察する．妊娠11〜13週における臍帯ヘルニアの頻度は約0.1％程度であるが，そのほとんどは生理的臍帯ヘルニアである．生理的臍帯ヘルニアであれば，ヘルニア囊の直径は7 mm以下であり，妊娠12週以降は消失するとされている(図2)．直径が7 mmを超えている場合，その60％はトリソミー18である(図3)．また，妊娠12週以降も臍帯ヘルニアが持続して観察される場合には，先天異常の可能性が高く，トリソミー21を含めた染色体異常や多臓器の合併奇形の有無にも注意して精査する必要が出てくる．

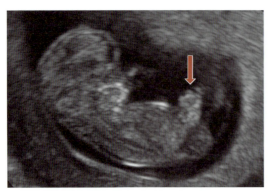

図2　生理的臍帯ヘルニア
妊娠12週未満では，しばしば臍帯ヘルニアが観察される（矢印）が，そのサイズは小さく，12週以降になれば消失する．

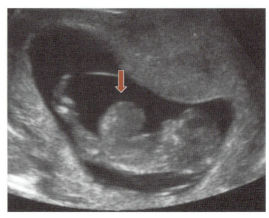

図3　臍帯ヘルニア
この症例では，妊娠13週にてヘルニア囊が10 mmあり（矢印），染色体分析によりトリソミー18であることが判明した．

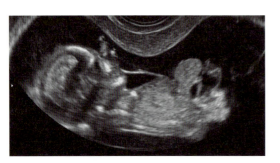

図4　羊膜索症候群
羊膜が浮遊して胎児にまとわりつくように観察され，臍帯ヘルニアも認められる．

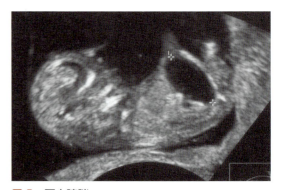

図5　巨大膀胱
本症例では，腹部に直径12 mmの囊胞を認め，染色体分析によりトリソミー18であることが判明した．

● 四肢

　通常のCRLを測定する断面だけでなく，プローブをこまめに動かしながら，四肢が末端まで描出されることを確認する．トリソミー18ではしばしば橈骨欠損に伴う手首の高度な恒常的屈曲や第3，4指の高度屈曲（overlapping fingers）を認め，釣り針様に観察される．通常妊娠12週前後になれば比較的容易に同定することが可能である．

　羊膜索症候群の胎児では，四肢の中途切断が合併していれば12週前後にはその様子が観察され，羊膜が胎児にまとわりつくように認められる（図4）．ただし，この疾患では，妊娠8週頃から胎芽が羊膜腔をまたがるように位置している様子から診断されることもある．

● 胃

　通常妊娠11週になれば，胎児の矢状断または横断面において，胃泡が左腹腔内に存在することを確認できる．先天性横隔膜ヘルニアではこの時期すでに胃泡は胸腔内に観察される．観察開始時に胃泡が同定できない場合には，5〜10分観察を続けている間に必ず描出されるようになる．胃泡が観察されない場合には食道閉鎖を疑う必要がある．

● 膀胱

　胃泡と同様に膀胱も妊娠13週までには必ず観察される．観察開始時に同定できない場合でも，しばらく観察を続ければ比較的短時間で描出できるようになるはずである．約10〜15分

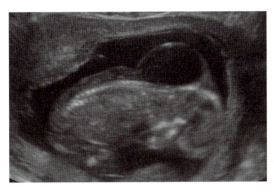

図6 cystic hygroma
後頸部に囊胞が観察される．この症例は，染色体分析によりターナー症候群であることが判明した．

間の観察でも膀胱が観察されない場合には，腎尿路奇形の可能性を考慮して，早期に超音波検査を繰り返し行う必要が出てくる．

逆に，膀胱が異常に目立つ場合には胎児の染色体異常のリスクが上昇する（図5）．妊娠11～13週における膀胱の直径は，6 mm 未満である．もしも最大長径が7～15 mm ある場合には，トリソミー13 またはトリソミー18 の可能性が約20% 存在し，逆に正常核型であれば90% 以上はその後の観察で消失してしまう．また，膀胱の最大長径が15 mm を超える場合には，胎児が染色体異常を有する可能性が10% 存在し，残りの正常核型の胎児はほぼ閉塞型腎尿路奇形を合併していると考えてよい．

- cystic hygroma（図6）

全身性の変化として，cystic hygroma がある．cystic hygroma は30% 以上に染色体異常を合併している可能性があることが知られており，トリソミー21，トリソミー18，トリソミー13，ターナー症候群などが認められる．後述する nuchal translucency（NT）とは異なり，胎児の頸部後方の囊胞性腫瘤として観察され，妊娠週数の増加とともに囊胞は拡大し，全身性浮腫や胸腹水が観察されるようになる．

高度観察項目

- 心臓

妊娠12週前後になれば，胎児胸部横断面で心臓の四腔断面が描出される．これにパワードプラ法を併用すれば3 vessel view の描出も比較的容易である．これら2つの心臓断面を観察することにより，単心室型の先天性心疾患を疑うことが可能である．

また，同時に胸腔内での心臓の位置と，長軸方向を確認しておくことも大切である．

- 胎児心拍数

胎児心拍数は，妊娠11週頃には約170 bpm であり，週数とともに減少し妊娠13週終わりには 155 bpm まで減少する．染色体異常を有する胎児では，ターナー症候群胎児やトリソミー13胎児では頻脈傾向を，トリソミー18や3倍体胎児では徐脈傾向を示す．

- 腎臓

両側の腎臓は，経腹超音波検査では描出が困難なことが多いが，経腟超音波検査では容易に観察が可能である．片側の腎欠損や馬蹄腎は診断が可能であるが，先天性囊胞性異形成腎の診断はこの時期ではまだ困難である．

- 臍帯

妊娠11～13週では，パワードプラ法を用いることにより3本の臍帯血管を比較的容易に描出することができる．観察が困難であれば，膀胱の両側から臍輪部に向けて走行する動脈血流

表 1　nuchal translucency の病態生理

1. 細胞外マトリックスの成分変化
   Trisomy 21, Trisomy 18, Trisomy 13, achondrogenesis typeⅡ, osteogenesis imperfecta typeⅡ, achondroplasia, thanatophoric dysplasia
2. 心不全
   心奇形，TTTS
3. リンパ系の発達遅延
   Turner syndrome
4. 圧迫による頭頸部の静脈うっ滞
   congenital diaphragmatic hernia (CDH)
5. 運動機能低下によるリンパ液還流不全
   myotonic dystrophy, spinal muscular atrophy
6. 貧血
   Fanconi anemia, α-thalassemia（血液型不適合妊娠では NT 肥厚はない）
7. 低蛋白血症
   congenital nephrotic syndrome
8. 感染症
   Parvovirus B19 infection（そのほかの胎内感染では NT 肥厚はない）

表 2　NT の正しい測定法

1. 手技に十分に習熟する必要がある
2. 経腹・経腟の選択は測定者の判断
3. 妊娠 11w0d～13w6d（CRL 45～84 mm，BPD＜25 mm）
4. 正確な矢状断面で測定する
5. 屈曲位や伸展位でない自然な姿勢
6. 十分な拡大画像（胎児が画面全体の 75% 以上）
7. 胎児の皮膚と羊膜を鑑別する
8. 最大の距離を測る
9. キャリパーは線内側上におく（on-to-on）<u>gain を下げる</u>
10. 3 回の測定で最大値をとる

〔Nicolaides KH：The 11-13^{+6} weeks scan. Fetal Medicine Foundation, London, 2004（https://fetalmedicine.com/synced/fmf/FMF-English.pdf）より引用〕

を同定すればよい．詳細は後述する．

● NT

　以上のような構造異常のほかに，最近しばしば話題になっている超音波所見として NT がある．これは，1992 年に Nicolaides らが妊娠初期の胎児の後頸部浮腫（透明帯）の厚さとダウン症の発生頻度に正の相関がみられることを報告して以来，染色体異常児のスクリーニング法として欧米で急速に広まった検査項目である．

　NT 肥厚と染色体異常の関連が明らかとなったあと，これら NT 肥厚のある胎児では，たとえ染色体異常が存在しなくても，その背景にはさまざまな病態が存在し（表 1），先天性心疾患をはじめとして中枢神経疾患，消化器疾患，泌尿生殖器疾患などの構造異常ばかりでなく，神経筋疾患や代謝障害など超音波検査では診断不可能な疾患まで罹患している可能性があることが明らかとなってきた．

　NT の測定法は，現在 London に本部のある Fetal Medicine Foundation（FMF）が提唱している（表 2，図 7，8）．現在 NT 測定は FMF によりライセンス化されており，NT 測定を行った画像を FMF に提出し合格すれば，NT 測定から得られる胎児染色体異常のリスクを算出す

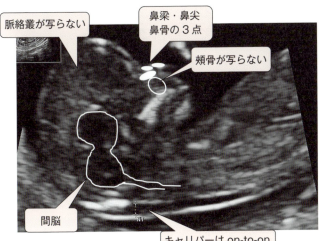

図 7 NT 測定断面
NT の測定に際しては胎児の正中矢状断面を正確に描出し、後頸部の最大の透明部分を測定する必要がある。

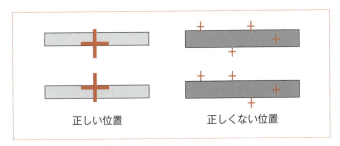

図 8 NT の測定方法
NT の測定に際しては、キャリパーの位置も決められている。

るソフトウェアを利用できる。

　NT 肥厚が存在すればさまざまな胎児異常の可能性が高まるものの、染色体異常も先天異常もない児が依然として数多く存在するという事実をわれわれ産科医は忘れてはならない（表3）。したがって、NT 肥厚を認めた際には、まず第一に妊婦や家族にこの事実をしっかりと伝える必要がある。

　しかしながら、他方で、NT 肥厚の程度が強いほど胎児に染色体異常やさまざまな構造異常が存在するリスクが上昇することも事実である（表4）。特に、偶然に発見される NT 肥厚は通常かなり程度が強く、ほとんどは 3.5 mm 以上すなわち 99th centile 以上である。このような場合には、まず、その測定方法が正しいか、検証する必要があろう。そのうえで、やはり NT 肥厚が著明であることが確認されたならば、やはり妊婦にそのリスクについて説明をせざるをえないであろう。ただし、この際には遺伝カウンセリングの知識と経験を有する専門家に極力診療の依頼をするべきである。

　そのうえで、胎児の染色体異常のリスクと胎児異常のリスクについて具体的に説明しながら、まずは今回の NT 肥厚が今後進行するか否かを見極めることが大切であると話す必要がある。なぜなら、NT の肥厚がその後急速に進行して cystic hygroma や hydrops に進展することがあり、このような場合には胎児の予後は不良であるからである。時間経過とともに NT 肥厚が軽減・消失するならば、まずは早期に子宮内胎児死亡に至る可能性が少なくなり、安心

表3 NT 測定による染色体異常のスクリーニング

fetal karyotype	N	NT>95th centile	risk≥1 in 300
Normal	95,476	4,209 (4.4%)	7,907 (8.3%)
Trisomy 21	326	234 (71.2%)	268 (82.2%)
Trisomy 18	119	89 (74.8%)	97 (81.5%)
Trisomy 13	46	33 (71.7%)	37 (80.4%)
Turner syndrome	54	47 (87.0%)	48 (88.9%)
Triploidy	32	19 (59.4%)	20 (62.5%)
Other*	64	41 (64.1%)	51 (79.7%)
Total	96,127	4,767 (5.0%)	8,428 (8.8%)

＊：Deletions, partial trisomies, unbalanced translocations, sex chromosome aneuploidies
たとえ NT が 95th centile を超えて肥厚していても，その 88%（4,209 例／4,767 例）は染色体異常はないことを肝に銘じておかなければならない．
〔Nicolaides KH：The 11-13+6 weeks scan. p34. Fetal Medicine Foundation, London, 2004（https://fetalmedicine.com/synced/fmf/FMF-English.pdf）より引用〕

表4 NT 肥厚の程度と胎児異常出現率

| nuchal translucency | chromosomal defects | normal karyotype | | alive and well |
		fetal death	major fetal abnormalities	
<95th centile	0.2%	1.3%	1.6%	97%
95th〜99th centiles	3.7%	1.3%	2.5%	93%
3.5〜4.4 mm	21.1%	2.7%	10.0%	70%
4.5〜5.4 mm	33.3%	3.4%	18.5%	50%
5.5〜6.4 mm	50.5%	10.1%	24.2%	30%
≥6.5 mm	64.5%	19.0%	46.2%	15%

99th centile を超える，すなわち CRL にかかわらず 3.5 mm 以上の NT が観察される場合には，染色体異常や胎児の構造異常のリスクが飛躍的に上昇する．
〔Nicolaides KH：The 11-13+6 weeks scan. p72. Fetal Medicine Foundation, London, 2004（https://fetalmedicine.com/synced/fmf/FMF-English.pdf）より引用〕

の材料が増える．
　その後，絨毛染色体検査や羊水染色体検査のような侵襲的出生前検査を受けるか否かについて，十分な時間をかけて話さなければならない．決してその場ですぐに検査を受けるように勧めるようなことはしてはならず，あくまでも本人たちの自主性を尊重する必要がある．ただ，これまでの筆者の 500 例を超える NT 肥厚例のカウンセリング経験からは，多くの妊婦はこれら検査を希望する．
　NT 肥厚を指摘された後に，肥厚が消失し，さらに絨毛または羊水の染色体検査と胎児超音波検査で異常が認められなければ，その胎児は 95% 以上の確率で異常がなく，生後の発達も問題ないと説明すればよい．

● 鼻骨（NB）

　鼻骨は，妊娠 11〜13 週の胎児正中矢状断でほぼすべての胎児に観察される（図7）．染色体正常の胎児では鼻骨欠損の頻度が少ないのに対し，染色体異常胎児ではその頻度が非常に高くなる．鼻骨欠損は，染色体正常核型胎児ではわずか 2.5% しか認められないのに対して，ダウン症胎児では 69%，トリソミー 18 胎児では 50%，トリソミー 13 胎児では 30〜40% に観察される．評価に際して注意すべきことは，妊娠週数と人種である．鼻骨は上記観察期間中も妊娠週数の進行とともに出現頻度が上昇し，鼻骨欠損の頻度は人種差が大きく，白人では少なく黒

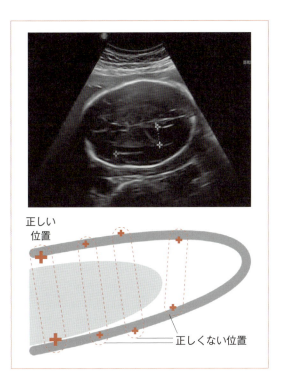

図9 側脳室の評価
10 mm 以上を異常と考える.

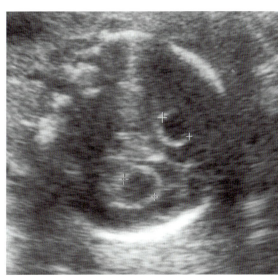

図10 脳室内脈絡叢
他臓器に構造異常が存在しなければ,問題はない.

人では多いことも知られており,染色体正常核型胎児における鼻骨欠損の頻度は,白人では 2.2% であるのに対し東アジア人種では 5.0%,黒人では 9.0% に達する.

妊娠 18～20 週頃の胎児の形態評価

基本的な胎児観察断面

　以下の部分について順次観察する.評価方法は基本的には妊娠 22 週以降と同様であり,詳細は他稿に譲る.

● 頭部[2]

　頭部で観察するべき項目として,側脳室の拡大の有無の確認,脈絡膜嚢胞の有無の確認,小脳ならびに後頭部の観察が挙げられる.

　側脳室の観察には,図9のように,BPD 計測断面よりやや下方で側脳室三角部の幅を測定し,週数に関係なく 10 mm 以上を拡大と考え[2],専門医に紹介する必要がある.

　脳室内の脈絡叢（図10）は 1% に観察され,その存在そのものは病的とは考えない.他臓器に構造異常が認められる場合には,胎児染色体異常,特にトリソミー 18 の可能性が高くなるため,専門医に紹介する.

　測定断面をさらに下方にずらして,小脳ならびに大槽を観察する.小脳横径は（妊娠週数）mm であり,大槽は 10 mm 未満が正常である.小脳横径が小さい場合や大槽が大きい場合には中枢神経構造異常の可能性があるため,専門医に紹介する必要がある.

● 心臓[3]

　心臓の形態異常は先天奇形のなかで最も多く認められる形態異常であり,約 1% に認めら

れ，なかには出生直後から動脈管閉鎖による ductal shock を呈する症例も少なくないため，その出生前診断はきわめて重要であることは論を俟たない．詳細については，日本胎児心臓病学会が作成した『胎児心エコー検査ガイドライン 第2版』[3]を参照されたい．

● 腹腔

胎児計測の腹囲を測定する断面において，胃泡が観察されない，あるいは小さい場合には，注意して経過観察をする必要がある．毎回の妊婦健診で同様に観察されない場合は，上部消化管閉鎖を疑う必要がある．

腹腔内には，胃泡ならびに胆囊以外の管腔構造は認められないため，胃泡以外の囊胞が認められる場合には，下部消化管閉鎖，水腎症，女児の場合には卵巣囊腫など，多岐にわたる構造異常が疑われるため，専門医に紹介する必要がある．

● 四肢長管骨

日常の妊婦健診において，胎児計測を行う際に，FL が −1.5 SD 未満であることはしばしば経験する．この場合の一般的な判断としては，FL が −3 SD より長ければほとんどが FGR を含む正常胎児であり，逆に −5 SD より短ければ多くが骨系統疾患を含む骨の病変である．FL が −4 SD 前後の場合には，診断が困難であるが，FGR と骨系統疾患，特に軟骨無形成症との鑑別には BPD の評価が有用である．すなわち，軟骨無形成症では BPD は正常上限であるのに対して，FGR 胎児ではたとえ asymmetrical FGR であっても BPD が平均値を超えることはない．

● 臍帯

染色体異常のない胎児でも 1% の頻度で単一臍帯動脈を認めるが，トリソミー18 では 50% 以上に，トリソミー13 では 10〜50% に，ターナー症候群や3倍体などでは一般よりもやや高率に観察される．ただ，これらの染色体異常胎児では，妊娠初期であっても NT をはじめとしてさまざまな異常症超音波所見が認められることがほとんどであり，染色体異常胎児の同定を目的とした単一臍帯動脈の有無の検索はあまり大きな意味がなく，逆に，単一臍帯動脈のみの異常所見であるならば侵襲的検査を積極的に考慮する根拠とはならない．

おわりに

本稿では，妊娠 22 週未満における胎児形態異常の評価について概説したが，近年は，超音波検査機器の解像度が急速によくなったために，多くの高度形態異常は妊娠 12 週前後で同定できるようになりつつある．今後，妊婦健診を行おうとする若い産婦人科医師には，特にこの時期の胎児超音波検査について研鑽を積んでもらいたい．

◆ 文献

1) Nicolaides KH : The 11-13[+6] weeks scan. Fetal Medicine Foundation, London, 2004(http://www.fetalmedicine.com/synced/fmf/FMF-English.pdf)
2) International Society of Ultra sound in Obstetrics & Gynecology Education Committee : Sonographic examination of the fetal central nervous system : guidelines for performing the 'basic examination' and the 'fetal neurosonogram'. Ultrasound Obstet Gynecol 29 : 109-116, 2007
3) 日本胎児心臓病学会(編) : 胎児心エコー検査ガイドライン 第2版．日小児循環器会誌 37(Suppl.1) : S1.1-S1.57, 2021

(亀井　良政)

検査の実施法

妊娠 12 から 21 週まで

母体血を用いた出生前遺伝学的検査(NIPT)

POINT
- NIPT の実施に際しては，検査の前および後にそれぞれ遺伝カウンセリングを実施することが必須である．
- NIPT の実施体制について，適切な検査環境を確保しながら妊婦のニーズに対応できる新たな枠組みの検討が行われている．
- 3 つのトリソミー疾患以外を NIPT 対象とすることの臨床的意義は確立しておらず，対象疾患の拡大に対しては慎重な態度が求められる．

DATA
- 妊婦の場合には，cell-free DNA(cfDNA)のうち 2〜40% が胎児(胎盤)由来である．
- NIPT によるトリソミー疾患の感度は 90% 以上，特異度は 99% 以上であるが，陽性的中率は母体年齢の影響を強く受けて 20 歳代では 50% 以下となる．
- 先天性疾患の原因のなかで染色体異常の割合は 25% 程度であり，NIPT はさらにその一部の診断に寄与するにすぎない．

● 出生前遺伝学的検査について

　出生前遺伝学的検査は，胎児の染色体，遺伝子の変化に起因した先天性疾患を出生前に診断する検査技術の総称である．なかでも発生頻度が高い染色体異数性疾患に対して，診断技術の開発が進められてきた．1960 年頃より羊水染色体検査，絨毛染色体検査などの直接的に胎児由来細胞や胎盤組織を採取する侵襲的な方法による染色体異数性の診断技術は存在していたが，それらは検査の実施に伴う流産の発生リスクが問題となってきた．それに対して，1990 年代以降，血清マーカー検査，NT 測定に代表される遺伝学的胎児超音波検査，コンバインド検査など胎児の染色体異数性の有無を推定するための，非侵襲的なアプローチが出現してきた．そして，母体血中の胎児由来 cell-free DNA(cfDNA)の存在の発見と次世代型シークエンサーの出現が相まって，2008 年には non-invasive prenatal testing(NIPT)の測定法の技術基盤が確立して，2011 年には大規模な臨床データが発表されて[1]，商業的検査会社での NIPT が開始された．

　検査対象となる疾患に関しては，当初 21 トリソミー，18 トリソミー，13 トリソミーの 3 疾患であったが，性染色体疾患，微小欠失症候群，種々の遺伝性疾患の検出に対しても技術応用が進んでいる．しかし，検査前確率が低い疾患についてスクリーニングとして行うことは陽性的中率の点では問題がある．検査対象疾患を増やせば増やすほど偽陽性が増えることとなり，不必要な侵襲的確定検査の実施を余儀なくされる状況を生み出す結果となることが懸念される．

　現在日本国内で一般的に実施されている遺伝学的出生前検査の一覧を表1 にまとめる．

表1 出生前遺伝学的検査の種類と特徴

	確定検査		非確定検査			
検査の種類	羊水染色体検査	絨毛染色体検査	血清マーカー(クアトロテスト)	genetic sonography	コンバインド検査	NIPT
技術普及時期	1960年～	1970年～	1990年～	2000年～	2003年～	2011年～
対象疾患	染色体異常全般	染色体異常全般	T21, T18, 神経管欠損	T21, T18, T13, 構造異常全般	T21, T18, T13	T21, T18, T13
検査時期	15週以降	11～15週	15～18週	11～13週	11～13週	10週以降
検体採取法	子宮穿刺	子宮穿刺	母体血液	検体採取なし	母体血液	母体血液
感度	ほぼ100%	ほぼ100% 胎盤モザイクの可能性	80%	観察項目と評価者の技術による	83%(NT評価者の技術)	99%
検査に伴う流産リスク	1/300(0.3%)	1/100(1%)	なし	なし	なし	なし
費用	10～20万円	15～25万円	2万円程度	施設による	3万円程度	10～20万円

T21:21トリソミー, T18:18トリソミー, T13:13トリソミー.

NIPTの測定原理について

末梢血の血漿中には血球細胞や全身の臓器の細胞に由来したcfDNAが存在することが知られている．妊婦の場合には，cfDNAのうち2～40%が胎児(胎盤)由来であることが知られている．このcfDNAの配列を抽出・解析して胎児の染色体・遺伝子情報を得るのがNIPTである．

一般的に普及している方法として，次世代型シークエンサーによりcfDNAの配列を網羅的に解析する超並列シークエンス(massively parallel sequencing:MPS)法がある．例えば胎児が21トリソミーの場合，正常核型の児よりも21番染色体由来のcfDNAがより多く母体血中に循環している．母体血中のcfDNA断片に対して網羅的に塩基配列を決定して，個々のcfDNAがどの染色体由来かを同定していく．正常核型の児の場合に比べ多くの21番染色体由来の断片が母体血中に循環しているため，MPS解析後に割り付けられた母体由来と胎児由来を合わせたcfDNA断片の比率において，わずかに21番染色体由来の割合が高くなる．このわずかな変化を検出して判定が行われる(図1)．

NIPTの実施において留意すべきこと

NIPTは採血だけで実施できるという簡便さのため，児の先天異常に対する漠然とした不安を解消したいという妊婦やその家族が，検査に関する適切な知識をもたず，また陽性の結果を受け取る可能性を十分に考慮しないままに検査を受けてしまうということが懸念される．それを踏まえて，以下にNIPTの実施に際して留意すべきことを列挙する．

遺伝カウンセリング

『医療における遺伝学的検査・診断に関するガイドライン』(日本医学会，2011年2月)」において遺伝カウンセリングとは，「疾患の遺伝学的関与について，その医学的影響，心理学的影響

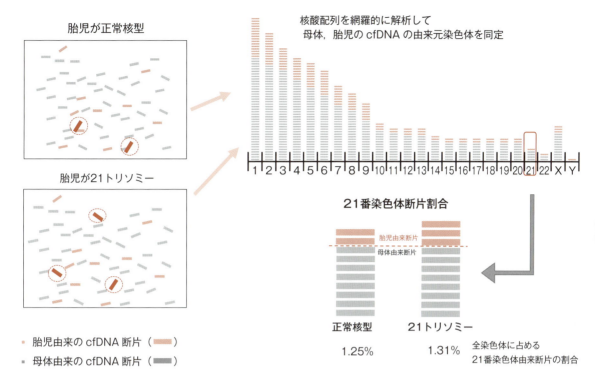

図1 MPS解析による21トリソミーの検出過程
母体末梢血中のcfDNAの核酸配列を網羅的に解析して染色体由来別に振り分けを行う．その結果，胎児が21トリソミーの場合には，全染色体に対して，21番染色体由来のcfDNAの割合がわずかに高いことで判定する．

および家族への影響を人々が理解し，それに適応していくことを助けるプロセスである」とされている[2]．つまり，遺伝学的検査を受けるにあたっての適切な情報提供を行い，検査を受けるかどうかについて偏った方向に誘導することなく，妊婦や家族の自律的な意思決定を支援するということが，出生前遺伝学的検査に際しての遺伝カウンセリングに求められる．その観点から妊婦が正常な妊娠経過をたどっている場合に，あえて出生前遺伝学的検査の実施へ誘導することは適切ではないとされる．

一方で，NIPTを含めた出生前遺伝学的検査に関する情報が氾濫している現状で，必要な妊婦には適切な情報を提供する努力も必要である．血清マーカー検査が臨床導入された際に，厚生科学審議会先端医療技術評価部会・出生前診断に関する専門委員会から「母体血清マーカー検査に関する見解」が出されて，「医師が妊婦に対して，本検査の情報を積極的に知らせる必要はない」とされた．専門的な遺伝カウンセリングの提供体制が乏しい当時の状況ではやむをえない対応であったと考えられる．しかし，現在は医療のさまざまな領域で遺伝学的検査が日常臨床の一部となっており，臨床遺伝専門医や認定遺伝カウンセラーなどの資格認定も広がっている．そのため，一般の産婦人科医においても，そうした資格を保有しないとしても遺伝カウンセリングの概念を理解し，一定のスキルを習得して，出生前遺伝学的検査について妊婦からの質問を受けた場合や，妊婦が検査を希望する場合には，自律的な意思決定を支援できることが望ましい．

また，検査前のみならず検査後の遺伝カウンセリングも重要である．陽性の結果であった場合の確定検査，およびその後の妊娠帰結までを継続的に支援することが必要となる．検査前の遺伝カウンセリングにおいて陽性であった場合の状況を想像していたとしても，染色体異常の結果が確定した場合には妊婦や家族に強い心理的な葛藤が生じる．そして出生前診断では，診

表2 NIPTによる検査感度，特異度

検出内容	感度	特異度
21トリソミー	99.4%	99.9%
18トリソミー	97.7%	99.9%
13トリソミー	90.6%	100%
モノソミーX	92.9%	99.9%
RhDの血液型	99.3%	98.4%
胎児の性別	98.9%	99.6%

〔Mackie FL, et al：BJOG 124：32-46, 2017 より作成〕

断確定後に妊娠継続に関する時間的な猶予が十分ではない状況での妊娠継続に関する決断を迫られることとなる．また，陰性の結果であってもその後にNIPTの対象疾患以外の児の異常が確認されることもあり，そういった状況ではあらためてNIPTの検査結果への解釈や説明が必要となる場合もある．

検査精度，結果の解釈

　NIPTは従来の血清マーカーと比較して，胎児の染色体異数性を検出する検査精度が高いことは間違いのない事実である（表2）[3]．特に，21トリソミーに対しての感度・特異度は99%を超えている．しかし，これに基づいて妊婦に対して「NIPTをするとダウン症かどうかが99%わかります」と説明することは不適切である．それは，NIPTの検査結果をもらってその結果に基づいてその後の判断をする個々の妊婦にとって重要な情報は感度，特異度よりも陽性的中率（PPV），陰性的中率（NPV）であるからである．感度，特異度とは異なり，PPV・NPVは検査前確率（検査を受ける集団のなかでの疾患頻度）により影響を受けることの理解が重要である．染色体異数性の発生頻度は母体年齢の影響を大きく受ける．そして比較的若年齢の妊婦では，疾患頻度が低いことに伴いPPVが大きく低下するということが生じる．このことを21トリソミーを例にして，表3にまとめる．NIPTの特性として，陰性の結果であった場合はその結果の信頼性はきわめて高い．一方で陽性であった場合には偽陽性である場合も十分あるので，侵襲的な確定検査による確認が必須となる．つまり，NIPTの説明では「NIPTの結果が陰性の場合は信頼性が高いですが，陽性の場合は偽陽性の場合もあります」といった説明で正しい理解に導くことが大切である．

　また，数%以下の低頻度であるが判定保留が生じる場合があり，母体が高度肥満で胎児ゲノム率が低い，ヘパリン使用に伴う検査への影響，母体自体に染色体異常を伴う疾患（腫瘍性疾患，モザイク）があるなどが該当する．さらに，双胎の一児死亡や胎盤性モザイクの場合にはNIPTの結果が胎児染色体と不一致となることもある．

出生前診断全体のなかでのNIPTの位置づけと対象疾患

　赤ちゃんが健康であってほしいという願いは妊婦や家族にとって自然な思いである．しかし，一方で児の先天的な異常に対して妊婦が不安をもつということもあり，その漠然とした恐れが出生前遺伝学的検査の動機となっている場合も多い．先天性疾患は全出生の3〜5%程度であり，そのなかで染色体異数性に起因したものは25%程度であり，そしてNIPTの対象となっている3つのトリソミーはその25%中の70%程度である．おおまかにいえば，NIPTで陰性の結果を得てもそれは先天性疾患の2割に満たない部分の原因の有無を確認しているにす

表3 検査前確率に伴う陽性的中率，陰性的中率の違い

検査前確率(母体年齢)	陽性的中率	陰性的中率
1/1,500（25歳程度）	約40%	99.9%
1/1,000（30歳程度）	約50%	99.9%
1/300（35歳程度）	約77%	99.9%
1/100（38歳程度）	約91%	99.9%
1/30（44歳程度）	約97%	99.9%

21トリソミーの感度99.4%，特異度99.9%とした場合．

ぎないということになる．

　NIPTは検査が簡便であるため，しばしば妊婦が不安の解消のために気軽に受けて，陰性の結果を得た場合にはそれが児の先天異常がないという意味に錯覚しやすいということがある．先天異常に対する全般的な不安の軽減を目的とするのであれば，本来NIPTではなく胎児超音波検査を優先するべきであるという考え方もある．特に若年齢の妊婦にとっては，その集団内で生じる先天性疾患のなかで染色体異数性に起因する異常の割合は低く，形態的な異常が中心となるということも念頭に置く必要がある．

　近年，NIPTの技術的な進歩により検査対象疾患を拡大する動きが進んでいる．諸外国では3つのトリソミー以外に微小欠失症候群，性染色体異数性，コピー数変化についても含めた検査パッケージの商品化も生じている．しかし，そうした検査をスクリーニング的に行った場合には，個々の疾患に関する妊婦に対する十分な情報提供の難しさ，性染色体異数性を検査対象に含めることの生命倫理的な観点からの問題や男女の産み分けにつながることへの懸念，病的意義が不明の染色体変化まで捉えてしまう可能性，個々の疾患の検出精度の評価が不十分といったことが問題となる．また，先に述べたように発生頻度がきわめて低い疾患を多数対象とすると偽陽性の結果を生じる可能性が高まるということが懸念され，そうした場合には不必要な侵襲的確定検査を受ける妊婦が増えることになり，本来のNIPTのメリットが損なわれることになる．

国内における実施体制の課題

　近年，出生前遺伝学的検査への社会的な関心は高まっている．これは妊婦の高年齢化，ウェブ上での情報へのアクセスが容易であることなど，さまざまな要因が影響している．特に，3つのトリソミーについて，高齢妊娠として区分される35歳を超えると急激に頻度が上昇することが多くのメディアに広く紹介されている現状がある．そうしたなかで，NIPTは羊水染色体検査や絨毛染色体検査という侵襲的検査で問題となる流産の心配がなく，従来の血清マーカー検査よりも検査精度が高い，検査可能時期が早いなどのメリットから，妊婦のニーズの高さに結び付いている．

　日本国内では2012年8月にNIPTコンソーシアムが発足，2013年4月には日本産科婦人科学会が「母体血を用いた新しい出生前遺伝学的検査に関する指針」（以下，旧NIPT指針）を示して，実施のための施設基準を設定して，臨床研究としてNIPTを実施する体制が開始された．そこでは施設要件として，遺伝に関する専門外来が設置されており，検査後自施設での分娩までの妊娠経過観察と妊娠中断の処置が可能，ということが求められた．そして人的要件としては，常勤の産婦人科医と小児科医，そのいずれかが臨床遺伝専門医であることが求めら

れ，認定遺伝カウンセラーがいることが望ましい，とされた．この体制のなかで90施設ほどが認可施設として登録を受けてNIPTが実施されてきた．

しかし，この旧NIPT指針のもとでは認可施設数の増加は伸び悩み，妊婦のニーズの広がりに十分に対応することが困難となっている．そして，特別な制約なくNIPTを実施する産婦人科以外の認可外施設が多く出現する事態となっている．そうした認可外施設では，検査を簡便に受けられること，3つのトリソミー以外の検査ができることなどをアピールして受検数を増やそうとする商業的な競争が生じている．そうしたなかで，認可外施設での実施において検査前後の遺伝カウンセリングや検査結果への対応が不十分であることに起因して混乱する妊婦が出ていることの問題点が指摘されている．

本来，妊婦が妊娠管理を受けている産科施設が広くNIPTに対応可能な状態であることが望ましい．そして従来の出生前遺伝学的検査に対しては一般の産科施設が対応してきたことを考えると，NIPTだけを切り離して厳格な施設基準を設定したことが混乱の原因となっている．こうした問題の解決のため，日本産科婦人科学会は関連学会とともに指針改訂を提案しており，現在厚生労働省のなかに設置された委員会において議論が進められている[4]．

◆ 文献

1) Chiu RW, et al : Non-invasive prenatal assessment of trisomy 21 by multiplexed maternal plasma DNA sequencing ; large scale validity study. BMJ **342** : c7401, 2011
2) 日本医学会「医療における遺伝学的検査・診断に関するガイドライン」作成委員：医療における遺伝学的検査・診断に関するガイドライン．2011．https://jams.med.or.jp/guideline/genetics-diagnosis.pdf.（2021年9月アクセス）
3) Mackie FL, et al : The accuracy of cell-free fetal DNA-based non-invasive prenatal testing in singleton pregnancies ; a systematic review and bivariate meta-analysis. BJOG **124** : 32-46, 2017
4) 日本産科婦人科学会：「母体血を用いた出生前遺伝学的検査(NIPT)」指針改訂についての経緯・現状について．http://www.jsog.or.jp/modules/news_m/index.php?content_id=843（2021年9月アクセス）

（永松　健）

検査の実施法

妊娠12から21週まで

遺伝カウンセリング

POINT
- 遺伝カウンセリング：情報提供と意思決定支援によりカップルの判断を導く．
- 出生前診断：検査を受けるかどうかはカップルの判断で行う．

はじめに

妊娠初期～中期にかけての遺伝カウンセリングは，①妊娠に伴う潜在的な胎児の疾患リスクについて理解を求めることや，②診断可能な疾患については出生前診断の実施の可否を決め，③出生前診断を実施した場合にはその後のフォローアップ，という流れになる．特に出生前診断を行った結果，胎児に異常が見つかった場合には妊娠継続の断念につながる可能性があり，妊婦健診の一連の流れとは方向性が異なることになる．遺伝カウンセリングを通常の妊婦健診のなかに組み込んで実施しようとすると，無理が生じることになるので，通常の妊婦健診とは別に遺伝カウンセリング・出生前診断の時間を確保して行う必要がある．

遺伝カウンセリングに関係する指針などについて

新たな医療技術の導入や社会状況の変化により，遺伝カウンセリングや出生前診断を取り巻く状況はここ数年で大きく変化してきた．医療技術的な面では，生殖医学の領域で顕微授精など高度の生殖補助技術による妊娠の増加や分子遺伝学的診断技術の向上，社会的な面では医学的知識の普及，高齢妊娠の増加と少産少子化の進行が挙げられる．これらの結果，個々の妊娠における妊婦の胎児への関心がこれまで以上に高まり，遺伝カウンセリングや出生前診断に対する関心も高まってきた．こうした変化に対応して，日本産科婦人科学会では2013年6月に会告「出生前に行われる遺伝学的検査および診断に関する見解」を示している[1]．また，遺伝学的検査については，日本医学会による「医療における遺伝学的検査・診断に関するガイドライン」を遵守して実施することが定められている．

日産婦の見解に示されるように，遺伝カウンセリングは，妊娠中に胎児が何らかの疾患に罹患していると思われる場合はもちろんであるが，胎児の異常は明らかでないが，何らかの理由で胎児が疾患を有する可能性が高くなっていると考えられる場合（高齢妊娠など）にも行われる．実際には出生前診断を受ける妊婦の適応のほとんどは高齢妊娠であることから，遺伝カウンセリングの対象者もほとんどが高齢妊娠ということになる．高齢妊娠の場合には具体的な胎児の異常がない状態での遺伝カウンセリングとなることから，基本的には適切な妊娠管理（母体が安全に妊娠・出産を経験できることはもちろん，同時に胎児の異常を早期に診断し，児の健康の向上，あるいは児の適切な分娩や養育環境を提供すること）が重要なポイントである．しかし出生前診断を実施して，胎児に異常があると診断されると，例えば出生前診断に伴う人工妊娠中絶の問題，疾患をもつ胎児の生存権の問題など，コンセンサスの得られていない，い

表1　日本産科婦人科学会の見解に示された出生前診断の適応

1. 夫婦のいずれかが，染色体異常の保因者である場合
2. 染色体異常症に罹患した児を妊娠，分娩した既往を有する場合
3. 高齢妊娠の場合
4. 妊婦が新生児期もしくは小児期に発症する重篤なX連鎖遺伝病のヘテロ接合体の場合
5. 夫婦の両者が，新生児期もしくは小児期に発症する重篤な常染色体劣性遺伝病のヘテロ接合体の場合
6. 夫婦の一方もしくは両者が，新生児期もしくは小児期に発症する重篤な常染色体優性遺伝病のヘテロ接合体の場合
7. その他，胎児が重篤な疾患に罹患する可能性のある場合

わゆる生命倫理的な問題にも直面する．医学的にも社会的および倫理的にも留意すべき多くの課題があり，遺伝カウンセリングに際してもこうした留意すべき事項が多いことはあらかじめ説明しておく必要がある．

遺伝カウンセリングと出生前診断の手順

　出生前診断における遺伝カウンセリングの重要性が指摘されても，いまだに産婦人科医師が外来の妊婦健診の診察時間内に簡単な検査説明程度の認識で実施していることもあり，これでは適切な遺伝カウンセリングとはいえない．大学病院などでは産婦人科とは別に遺伝子医療部門で遺伝カウンセリングを実施している施設も多くなっている．しかし，出生前診断の遺伝カウンセリングでは超音波検査が必要な事例がかなりあることから，遺伝子医療部門で産婦人科医による超音波検査が実施できる場合はよいとしても，そのためにあらためて産婦人科を受診する必要があるならば，時間的制約の大きい出生前診断の遺伝カウンセリングとしては望ましくない．産婦人科で実施する場合には出生前診断に特化した遺伝カウンセリングの外来を開くか，遺伝子医療部門で実施する場合には産婦人科との連携が不可欠である．

遺伝カウンセリングの内容

出生前診断の適応

　絨毛検査，羊水検査など，侵襲的な検査（胎児検体，母体血中胎児由来細胞を用いた検査を含む）については，表1のような場合の妊娠について，カップルからの希望があり，検査の意義について十分な遺伝カウンセリングによる理解が得られた場合に行う．

　「高齢妊娠」については分娩時または検査を受ける時点で35歳または36歳以上を基準にすることが多いと思われるが，定められた年齢があるわけではない．これは従来から羊水検査の流産リスク，各年齢での染色体異常の発症率，全妊婦における一定年齢以上の妊婦の占める割合などから各医師・施設が総合的に判断してきたものである．したがって，一定の年齢を基準に線を引くことができるものではなく，またそもそも一定の年齢以上であれば，こうした検査を提示するかどうかについても意見集約されているわけではなく，妊娠・分娩を取り扱う医師と妊婦の考えや信条が反映されてしかるべきである．ただし，妊婦がこうした情報の提供を希望した場合には，正確な情報の提供やそれが可能な施設への紹介を行うことが求められる．年齢に応じた染色体異常の確率を個別に説明することになる（表2）[2]．

表2 ダウン症候群の出生児ならびに胎児の頻度と母体年齢との関係

母体年齢(歳)	出生時	羊水穿刺(16週)	絨毛採取(10週)
15〜19	1/2,434〜1/1,440	—	—
20〜24	1/1,441〜1/1,396	1/1,050〜1/930 未満	1/800〜1/710 未満
25〜29	1/1,383〜1/1,002	1/930〜1/620 未満	1/710〜1/470 未満
30	1/959	1/620	1/470
31	1/837	1/540	1/410
32	1/695	1/460	1/350
33	1/589	1/380	1/290
34	1/430	1/310	1/235
35	1/338	1/245	1/185
36	1/259	1/195	1/150
37	1/201	1/150	1/115
38	1/162	1/115	1/90
39	1/113	1/90	1/65
40	1/84	1/70	1/50
41	1/69	1/50	1/40
42	1/52	1/40	1/30
43	1/37	1/30	1/20
44	1/38	1/20	1/15
45歳以上	1/30	—	—

＊数字は概数でありおおまかなものである.
(McKinlay Gardner RJ, et al : Chromosome abnormalities and genetic counseling 4th ed. Oxford University Press, New York, 2011 より作成)

「その他，胎児が重篤な疾患に罹患する可能性のある場合」とは，ほとんどが超音波検査による胎児の形態的または機能的異常が認められたことがきっかけであった．その場合にはカップルが何らかの遺伝的要因をもつことがわかっており，関連した遺伝性疾患が推定される場合もあるが，ほとんどは明らかな遺伝的要因がないにもかかわらず，胎児に異常が生じていることが多い．このような場合に超音波検査は診断の確定に近づくことができる場合もあるが，診断確定には直接的に胎児の情報を解析する遺伝学的検査を必要とすることも多い．しかし遺伝学的検査で診断が可能な場合は限定されているので，個別の事例に応じて実施を検討する．

また，母体血清マーカー検査や nuchal translucency(NT)肥厚などのスクリーニングを目的とする検査において，胎児異常の可能性が一定の基準よりも高いと診断された場合(スクリーニング陽性)や，通常の妊婦健診に伴う超音波検査で，意図せず偶発的にNTの肥厚が発見された場合などにも，「その他，胎児が重篤な疾患に罹患する可能性のある場合」に該当するものとして実施することがある．なお，胎児のどのような疾患が重篤な疾患に該当するかについては，意見集約がなされていないが，日本産科婦人科学会の倫理委員会では着床前遺伝子診断についての議論のなかで，重篤の基準として「成人に達する以前に日常生活を強く損なう症状が出現したり生存が危ぶまれる疾患」を採用しているので，出生前診断においても1つの指標となりうる．

検査の目的(スクリーニングを目的とする検査と確定診断を目的とする検査)

出生前診断および関連する検査には，スクリーニングを目的とする検査と確定診断を目的とする検査があり，その手法はさまざまであるが，遺伝学的検査を実施する医師はその意義を理解したうえで，妊婦や必要に応じてパートナーや家族にも十分な遺伝カウンセリングを行い，インフォームド・コンセントを得たうえで実施する．なおここでいうスクリーニング検査とい

表3 母体血清マーカー検査の遺伝カウンセリングの要点

1. 染色体異常としては21トリソミー（検査により18トリソミーも）のみが検査対象で，その確率を算出する
2. 染色体異常以外では神経管閉鎖不全が検査対象でその確率を算出する
3. 上記以外の胎児異常は検査対象ではない
4. 結果は確率で示され，スクリーニング検査として実施する場合には，一定の基準値より確率が高いか低いかで，確定診断検査を必要とするかどうかを判断する
5. 診断の確定には羊水検査（疾患によっては超音波検査）を必要とする
6. 本検査は胎児異常の確率が高いとされたとしても，確定診断検査ではないので，異常という診断が確定することはない
7. 本検査は胎児異常の確率が低いとされたとしても，確定診断検査ではないので，正常という診断が確実なわけではない

うのは，胎児が染色体異常に罹患している可能性をみるための遺伝学的検査としてのスクリーニング検査であり，通常の妊婦健診で行われる胎児異常のスクリーニング検査を意味するものではない．

● **スクリーニングを目的とする遺伝学的検査の実施について**

スクリーニングを目的とする検査とは，母体血液中の胎児または胎児付属物に由来する妊娠関連蛋白質の測定による，母体血清マーカー検査と呼ばれる血液生化学的検査が代表的な検査方法である．これに加えてNT肥厚などの超音波検査による所見が用いられることもある．NT肥厚については『産婦人科診療ガイドライン 産科編 2020』のCQ106-3に対応法の記載があるので参考にする[3]．母体血清マーカー検査の遺伝カウンセリングの要点を表3に示す．なおこれらのスクリーニングを目的とする検査の対象妊婦は米国では全妊婦となっているが，日本では明確な検査の対象となる妊婦の要件が定められていない．母体血を用いた新しい出生前遺伝学的検査（NIPT）については別稿を参照されたい（⇨101頁）．

● **確定診断を目的とする遺伝学的検査の実施について**

確定診断を目的とする検査とは，超音波検査に代表される画像診断的検査と羊水検査による染色体検査に代表される遺伝学的検査がある．羊水，絨毛，臍帯血，その他の胎児の細胞や組織を用いて，染色体，遺伝子，酵素活性や病理組織などを調べる細胞遺伝学的，遺伝生化学的，分子遺伝学的，細胞・病理学的方法が該当する．これらの検査は胎児の細胞や組織を直接的に検査し，診断を確定させるために実施されるため，確定診断を目的とする遺伝学的検査と位置づける．

胎児が罹患児である可能性および検査を行う意義，検査法の診断限界，母体・胎児に対する危険性，合併症，検査結果判明後の対応などについて検査前によく説明し，十分な遺伝カウンセリングを行ったうえで，インフォームド・コンセントを得て実施する．遺伝カウンセリングの場では，実施しようとする検査についてあらかじめ，胎児が罹患児である可能性がどの程度あり，検査を行うことでどこまで正確な診断ができるのか，また診断ができた場合にはどのような意義があるのかなどについて，その検査がもつ限界とあわせて説明する．これらの点について，検査の実施手技を含めて，十分に理解しており説明できる者が遺伝カウンセリングを行う．したがって十分な遺伝医学の基礎的・臨床的研修を行い，またカウンセリングの手法を身につけた医師（臨床遺伝専門医など）や医療職（認定遺伝カウンセラーなど）が遺伝カウンセリングに加わることが望ましい．なお，近年は遺伝カウンセリングを重視する流れから，産婦人科に限らず，遺伝子医療部門で実施される場合も増加しており，遺伝カウンセリングの形態や対応するスタッフはさまざまである．ただし実際の検査は産婦人科で実施するので，それらの検

表4 羊水検査の遺伝カウンセリングで説明が必要な点

1. 羊水検査の実施時期は通常は妊娠16週以降である
2. 羊水検査は染色体異常や遺伝子異常，神経管閉鎖不全，酵素欠損症など特定の胎児の疾患について診断を行うもので，結果が正常であっても，これは検査対象疾患については異常がないということであり，検査対象でない疾患の有無は不明であり，よって必ず胎児が健常な状態で出生するという意味ではない
3. 羊水検査にはリスクがあり，母体や胎児に対して必ずしも安全な検査とはいえない．流産リスクは0.3％程度あり，ほかにも前期破水，感染，出血などのリスクがある
4. 羊水が採取できても，細胞増殖不良などの原因で，染色体の分析ができないこともある
5. 羊水検査を実施予定であっても，当日の胎盤位置や胎児の状態により，穿刺が危険であると判断された場合は，延期または中止する可能性があること．また穿刺を行っても羊水採取が不可能で，中止になったり，採取のために後日の再穿刺が必要になったりすることがあること
6. 双胎以上の場合には一児だけしか羊水を採取できない場合がある
7. 羊水検査の限界として，分析結果が胎児の状態を正しく反映していない場合がある
   - 染色体の微細な形態異常や遺伝子異常は診断できないこと
   - 染色体モザイク（正常と異常の両方の細胞が存在する状態）である場合
   - 母体組織が混入している場合
   - 結果が正常と診断されても染色体や検査対象遺伝子以外の異常がある場合

査の実際の手技などについては，検査実施前に詳細を把握している産婦人科医が妊婦と質疑応答のできる機会・体制を整えることが必要である．

　胎児細胞や組織の採取の手法については，日本では羊水検査が標準的な検査法である．羊水検査は妊娠15週以降が標準的な実施時期であるが，妊娠16週以降に行うことが望ましい．また，羊水は経腹的に穿刺して採取する．妊娠15週未満に行う早期羊水検査や経腟的羊水検査は，その手技の困難さや安全性が確認されていないことから標準的な検査方法としては行うべきではない．羊水検査を実施したことによる流産リスクは近年の海外の報告では1/300〜1/500程度とされており，わが国の遺伝カウンセリングでは一般的に1/300程度とされることが多い．検査実施の前には，検査を受ける妊婦は（可能な限りカップルで）遺伝カウンセリングを受けて，出生前診断としての検査の目的と意義，実施方法と，同時にその限界・危険性についても十分に理解してもらう必要がある（表4）．遺伝カウンセリングでは問題となる疾患の診断の精度を検証し，出生前診断の可能性を判断し，医学的な客観的な情報を提供することはもちろんであるが，出生前診断のもつ倫理的葛藤に由来する，妊婦やそのパートナーの精神的な面にも配慮する必要がある．

　安全性と母体への影響は妊婦の関心が高い．羊水検査終了後は基本的に日常生活程度の動作は可能であるが，負荷のかかる動作は避けたほうがよい．羊水検査後の母体の合併症として最も多いのは少量の羊水の腟への流出で，実施例の約2〜3％程度に起こる．これは臨床的には前期破水という訴えで観察されるが，羊水検査終了直後の少量の羊水流出は，実際には子宮口の卵膜の破綻による通常の前期破水とは異なり，穿刺部位から漏出した羊水が卵膜と子宮壁の間に貯留し，これが子宮口から流出するものがほとんどで通常は1週間以内に流出は止まる．また性器出血や子宮収縮もときどき観察されるが，通常は一過性である．これらの合併症の予防には，感染予防としてペニシリン系またはセフェム系の抗菌薬を，子宮収縮抑制のためβ交感神経刺激薬を経口投与されることも多い．これに対して，羊水検査終了後2〜3日経過してから生じる完全破水は感染による卵膜破綻が原因のことが多く，抗菌薬を投与しても流産に結びつきやすい．

母体に対しての重大な合併症は，理論的には穿刺部位からの感染による羊膜炎，血管穿刺による出血，腸管の誤穿刺などがあるが，実際には少ない．羊水検査が胎児に及ぼす影響としては，流早産，穿刺針による胎児の損傷，胎盤を穿刺したことによる出血，羊膜絨毛膜炎，羊水過少症，Rh陰性妊婦での免疫性の胎児溶血性貧血などがある．Rh陰性妊婦については，通常抗D人免疫グロブリンの予防投与が行われるが，その意義は明確ではない．また抗D人免疫グロブリンの予防投与を行った場合は，その後しばらく間接クームスが陽性となるので，このことを必ず主治医に伝える必要がある．

遺伝学的検査の方法について

現在の日本の状況では胎児由来の細胞は培養を行って染色体検査を行うのが通常である．培養を行わずにFISH(fluorescence in situ hybridization)法や，遺伝子検査(QF-PCR法)を実施するケースも増加している．これらの方法では特定の染色体の数的異常を迅速に(検体採取後2〜3日で)検出することができ，遺伝子検査ではさらに早く結果が得られるが，すべての染色体について調べることはできず，モザイクや微細な構造異常では最終的な培養法による検査結果と相違が生じることがあり，あくまでも補助的な位置づけとなる．また先端的な技術としてarray CGH(array comparative genomic hybridization)法も急速に普及し，American College of Obstetrics and Gynecology(ACOG)の2016年12月の委員会報告では従来の培養法とarray CGH法を比較し，胎児異常が疑われる場合は，従来の染色体培養による分染法よりもarray CGH法を勧めており，また高齢妊娠など胎児異常が明らかでない場合には，いずれも同じレベルの推薦をする検査法としてよいとしている[4]．また，すでに海外では全ゲノム解析の指針も提案されているが，日本ではまだ検討段階である[5]．

おわりに

妊娠初期から中期の遺伝カウンセリングは出生前診断と密接に結びついていることから，適切な時期にそれに応じた内容の遺伝カウンセリングが重要である．

◆ 文献

1) 出生前に行われる遺伝学的検査および診断に関する見解．日本産科婦人科学会ホームページ http://www.jsog.or.jp/modules/statement/index.php?content_id=33(2021年3月アクセス)
2) McKinlay Gardner RJ, et al : Chromosome abnormalities and genetic counseling 4th ed. Oxford University Press, New York, 2011
3) 日本産科婦人科学会，日本産婦人科医会(編)：CQ106-3 NT(nuchal translucency)値の計測については？ 産婦人科診療ガイドライン 産科編2020．pp86-88．日本産科婦人科学会，2020
4) ACOG Committee Opinion No.682：Microarrays and next-generation sequencing technology：The use of advanced genetic diagnostic tools in obstetrics and gynecology. 2016
5) Monaghan KG, et al : The use of fetal exome sequencing in prenatal diagnosis: a points to consider document of the American College of Medical Genetics and Genomics (ACMG). Genet Med **22** : 675-680, 2020

〈澤井　英明〉

診断と外来対応

妊娠 12 から 21 週まで

妊婦貧血

POINT
- 世界保健機関（WHO）は，妊婦貧血の定義をヘモグロビン濃度（Hb 値）が 11 g/dL 未満，あるいはヘマトクリット値（Hct 値）が 33% 未満と定義している．
- 妊娠中の貧血で頻度が高いのは鉄欠乏性貧血と葉酸欠乏性貧血であるが，鉄剤や葉酸を補充しても改善しない場合は，それ以外の稀な貧血を鑑別することが重要である．
- 妊婦貧血は母児の有害事象と関連性があるため，特に中等度～高度貧血については治療を開始すべきである．
- 鉄欠乏性貧血の治療は経口鉄剤（OF）が first choice であるが，副作用を認めた場合，治療を急ぐ場合，経口鉄剤の効果不良であれば静注鉄剤を選択する．

DATA
- 妊婦貧血の鉄剤の選択について，静脈注射鉄剤（IV）と OF を比較検討した結果，IV のほうが OF よりも貧血改善率（pooled OR 2.66, 95% CI 1.71-4.15, $p<0.001$），4 週間後の Hb 上昇率（pooled WMD 0.84 g/dL, 95% CI 0.59-1.09, $p<0.001$），Hb 減少の抑制（pooled OR 0.35, 95% CI 0.18-0.67, $p=0.001$）の点で優れていた．
- Hb 値と母児の周産期予後について，妊婦貧血は低出生体重児（OR 1.65, 95% CI 1.45-1.87），早産（OR 2.11, 95% CI 1.76-2.53），周産期死亡率（OR 3.01, 95% CI 1.92-4.73），死産（OR 1.95, 95% CI 1.15-3.31），および妊産婦死亡率（OR 3.20, 95% CI 1.16-8.85）のリスク上昇と関連があった．また postpartum hemorrhage や妊娠高血圧腎症では，Hb 値が 9.0 g/dL を下回ってくると OR が上昇するが，妊娠高血圧症では Hb 値が 9.0～10.0 g/dL のときに OR が最も低下する．

妊娠中の生理的変化

　妊娠中の循環血漿量は，妊娠 6～12 週の時点ですでに非妊娠時より 15～20% 程度増加しており，妊娠 30～34 週まで急速に増加する．妊娠後期では非妊娠時と比較して 40% 程度の増加となる[1]．しかし妊娠中の赤血球の容量は，妊娠後期にかけてゆるやかに増加し，非妊娠時よりも 20% 程度しか増加しない[2]．つまり妊娠中は，血球成分の増加よりも血漿成分の増加が著しいため，生理的な水血症といえる．したがって妊娠中のヘモグロビン濃度（Hb 値）は生理的に低下する[2]．

妊婦貧血の診断と鑑別について

妊婦貧血の定義

　本邦の『産婦人科診療ガイドライン 産科編 2020』[3]の CQ003 では，妊娠初期スクリーニングのなかで血算を行うことは，推奨レベル A としてカテゴライズされている．

妊婦貧血の定義についてはいくつかの報告がある．米国疾患予防管理センター[4]（Centers for Disease Control and Prevention：CDC）による妊婦貧血の定義は，妊娠第1三半期と妊娠第3三半期で，Hb 値が 11 g/dL 未満，あるいはヘマトクリット値（Hct 値）が 33% 未満，妊娠第2三半期で，Hb 値が 10.5 g/dL 未満，あるいは Hct 値が 32% 未満とされている．また世界保健機関[5]（WHO）は，Hb 値が 11 g/dL 未満，あるいは Hct 値が 33% 未満を妊婦貧血と定義し，そのなかで，軽症貧血を Hb 値 10.0～10.9 g/dL，中等度貧血を Hb 値 7.0～9.9 g/dL，重症貧血を Hb 値 7.0 g/dL 未満，さらに心不全を起こすリスクがあり緊急性を要する重篤な貧血を Hb 値 4.0 g/dL 未満とした．

鉄欠乏性貧血と葉酸欠乏性貧血，亜鉛欠乏性貧血

妊娠中の貧血で最も頻度が高いのは鉄欠乏性貧血であり，その次に頻度が高いのは葉酸欠乏性貧血である．鉄欠乏性貧血は，Hb 値の低下と同時に赤血球数と平均赤血球容積（MCV）が低下する小球性貧血（80 fL 以下）であり，血清鉄や血清フェリチンが低下していることで診断が確定する．

一方，葉酸欠乏による貧血は，MCV が増加する大球性貧血（100 fL 以上）である．葉酸欠乏性貧血は，MCV が 100 fL 以上で，血清葉酸値（正常値 3～10 ng/mL）が 3.0 ng/mL 未満であれば診断が確定する．ただし葉酸欠乏は，摂食障害やカルバマゼピン，バルプロ酸などの抗てんかん薬，アルコール摂取の影響でも起こりうる．

その他，亜鉛欠乏による貧血も知られている．赤芽球の分化・増殖には亜鉛が不可欠で，亜鉛欠乏により赤芽球の分化・増殖が障害され貧血を生じる[6]．亜鉛欠乏性貧血の特徴は，赤血球数が減少し，正球性または小球性貧血で，血清総鉄結合能は低下している．鉄欠乏を合併している場合は，小球性貧血になる．妊婦・授乳婦での亜鉛欠乏の原因は，亜鉛必要量に比べて摂取量の不足が考えられる．妊婦・授乳婦では，亜鉛摂取推奨量に付加量が設定されているが，妊婦の国民健康・栄養調査では，平均摂取量は 7.6 mg/日と推奨量 10 mg/日に比べて不足している[7]．

妊婦貧血の治療について

重症貧血（Hb 値 7.0 g/dL 未満）であれば，母児の有害事象を減少させるために早急な治療が必要である．また中等度貧血（Hb 値 7.0～9.9 g/dL）でも重症貧血を予防する意味で治療を開始する必要がある．軽症貧血（Hb 値 10.0～10.9 g/dL）を治療して母児の有害事象が明らかに減少するかどうかについては議論の余地がある．Rahmati ら[8]のメタ解析では，妊娠初期の妊婦貧血が，低出生体重児のリスクを有意に上昇（RR 1.26, 95% CI 1.03-1.55）させ，妊娠中期と妊娠後期の妊婦貧血では，低出生体重児のリスクを上昇させない（妊娠中期：RR 0.97, 95% CI 0.57-1.65，妊娠後期：RR 1.21, 95% CI 0.84-1.76）ことを報告した．このことから妊娠初期の妊婦貧血は治療を開始してもよい．また分娩時の大量出血に備えて妊娠中期から後期における軽症の妊婦貧血を治療することは容認でき，おそらく母児の有害事象を増加させることはないと考えられるため，本邦では多くの施設が軽症貧血を治療しているのが現状である．

妊娠中の貧血のほとんどが鉄欠乏性貧血であるため，まずはクエン酸第一鉄（フェロミア）や硫酸鉄（フェロ・グラデュメット）などの経口鉄剤（OF）を投与して貧血が改善するかどうかを確認する．また，含糖酸化鉄（フェジン）やカルボキシマルトース第二鉄（フェインジェクト）などの静脈注射鉄剤（IV）が，OF と比較して貧血改善効果が優れているかについて，いくつかの報告があるので紹介する．2019 年の Govindappagari ら[9]の systematic review では，妊婦貧血の

治療についてIVとOFを比較検討した結果を報告した．結果はIVのほうがOFよりも貧血改善率(pooled OR 2.66, 95% CI 1.71-4.15, p<0.001)，4週間後のHb上昇率(pooled WMD 0.84 g/dL, 95% CI 0.59-1.09, p<0.001)，Hb減少の抑制(pooled OR 0.35, 95% CI 0.18-0.67, p=0.001)の点で優れていた．また2019年のSultanら[10]の産褥貧血に関するsystematic reviewでの同様の検討では，IVがOFと比較して産褥6週間でのHb値が約1.0 g/dL高いことを報告した．

本邦でのIVは，これまで含糖酸化鉄(フェジン)のみであったが，2020年9月にカルボキシマルトース第二鉄(フェインジェクト)が発売された．この製剤は週1回投与(500 mg製剤)で，既存の含糖酸化鉄40 mg製剤と比較して容量が多く，治療効果および投与回数が少なくできるメリットがあるとされている．本邦でのカルボキシマルトース第二鉄の妊婦への投与は，添付文書上有益性投与であるが，欧米では妊婦への安全性が確認されており，妊婦貧血へのカルボキシマルトース第二鉄投与は含糖酸化鉄よりも貧血改善率が優れているという報告がある[11]．

したがって妊婦の鉄欠乏性貧血の治療は，first choiceはまず鉄剤内服投与を行い，副作用で内服が困難である場合や，消化器疾患や酸化マグネシウム(便秘治療)の内服で鉄吸収が悪い場合，重症貧血の治療の場合，妊娠後期で貧血治療の改善を急ぐ場合であればIVを選択すればよい．OFでは約10～20%に副作用(悪心，嘔気，嘔吐，便秘，下痢などの消化器症状)が起こる．またIVについては，稀に起こるアナフィラキシーや過剰投与に注意が必要である．

葉酸欠乏性貧血であれば市販の葉酸サプリメント(0.4 mg／1～2錠が一般的)の内服を指示するか，フォリアミン錠(1錠中に葉酸5 mgを含有)を処方して貧血の改善を確認する．鉄剤や葉酸を補充しても貧血が改善しない場合は，稀な貧血(亜鉛欠乏性貧血，種々の溶血性貧血やサラセミア，鎌状赤血球など)を鑑別する必要がある．貧血の鑑別診断についての詳細は，内科学の成書を参照してほしい．

妊婦貧血の周産期予後について

妊婦貧血がどの程度であれば母児の周産期予後に影響が出るのかについて，文献を報告する．Brabinら[12]は，妊婦貧血と母体死亡率の関係性について検討した結果，Hb値が4.7 g/dL以下の重症の妊婦貧血では，母体死亡率が有意に上昇(RR 3.51, 95% CI 2.05-6.00)することを報告した．Carlesら[13]は，妊婦貧血の胎児への影響について検討した結果，Hb値が6.0 g/dL未満の妊婦貧血では，羊水量が減少し，胎児中大脳動脈のresistance indexが低下し，胎児心拍異常が出現しやすいことを報告した．またSifakisら[14]のレビューでは，Hb値が6.0 g/dL未満の妊婦貧血では，流産や子宮内胎児発育不全，子宮内胎児死亡，低出生体重児の頻度が上昇するが，軽度～中等度の妊婦貧血に鉄剤を投与しても，母児の有害事象が改善されるかについては，明確なエビデンスがないと報告した．

2019年にJung[15]らは，妊婦のHb値と母児の周産期予後についてsystematic reviewを報告したので解説する．その結果では，妊婦貧血は低出生体重児(OR 1.65, 95% CI 1.45-1.87)，早産(OR 2.11, 95% CI 1.76-2.53)，周産期死亡率(OR 3.01, 95% CI 1.92-4.73)，死産(OR 1.95, 95% CI 1.15-3.31)，および妊産婦死亡率(OR 3.20, 95% CI 1.16-8.85)のリスク上昇と関連があった(図1)．またpostpartum hemorrhageや妊娠高血圧腎症では，Hb値が9.0 g/dLを下回ってくるとORが上昇するが，妊娠高血圧症では，Hb値が9.0～10.0 g/dLのときにORが最も低下する(図2)．

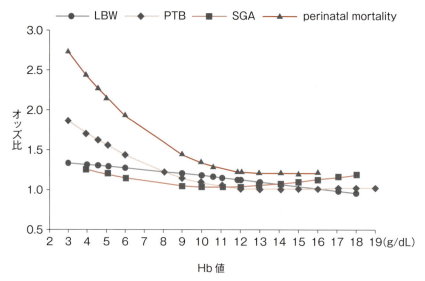

図1 Hb値と児の合併症との関係
LBW：低出生体重児，PTB：早産，SGA：small for gestational age, perinatal mortality：周産期死亡率．
〔Jung J, et al : Ann N Y Acad Sci 1450 : 69-82, 2019 より改変〕

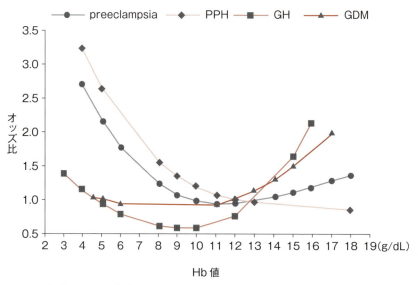

図2 Hb値と母体合併症との関係
preeclampsia：妊娠高血圧腎症，PPH：postpartum hemorrhage，GH：妊娠高血圧症，GDM：妊娠糖尿病．
〔Jung J, et al : Ann N Y Acad Sci 1450 : 69-82, 2019 より改変〕

まとめ

　妊娠中は水血症のために，Hb値は生理的に低下する．WHOは，Hb値が11 g/dL未満，あるいはHct値が33％未満を妊婦貧血と定義した．妊娠中の貧血のなかで頻度が高いのは，鉄欠乏性貧血と葉酸欠乏性貧血であるが，鉄剤や葉酸を補充しても貧血が改善しない場合は，それ以外の稀な貧血を鑑別することが重要である．さまざまな報告をまとめると，妊婦の重度貧

血（Hb 値 7.0 g/dL 未満）は，母児の有害事象と強い関連性があるため治療は早急に開始すべきである．中等度貧血については，重症貧血を予防する目的と周産期予後（低出生体重児や早産など）を改善させる可能性を期待して治療を行うべきである．軽症貧血（Hb 値 10.0～10.9 g/dL）は，治療すべきか議論が分かれるが，筆者は妊娠初期に MCV が 80～85 fL を下回るようであれば，将来的に貧血が進行する可能性があり，周産期予後の改善を期待して鉄剤の投与を行っている．

◆ 文献

1）Pritchard JA : Changes in the blood volume during pregnancy and delivery. Anesthesiology **26** : 393-399, 1965
2）Shnider SM, et al : Anesthesia for Obstetrics, 3rd ed. p8, Williams & Wilkins, 2013
3）日本産科婦人科学会，日本産婦人科医会（編）：CQ003 妊娠初期の血液検査項目は？ 産婦人科診療ガイドライン 産科編 2020．pp6-7，日本産科婦人科学会，2020
4）Centers for Disease Control（CDC）: CDC criteria for anemia in children and childbearing-aged women. MMWR Morb Mortal Wkly Rep **38** : 400-404, 1989
5）World Health Organization : Iron deficiency anaemia. Assessment, prevention, and control. A guide for programme managers. 2001. http://www.who.int/nutrition/publications/en/ida_assessment_prevention_control.pdf（2021 年 9 月アクセス）
6）Zheng J, et al : Differential effects of GATA-1 on proliferation and differentiation of erythroid lineage cells. Blood **107** : 520-527, 2006
7）厚生労働省：平成 19 年～23 年国民健康・栄養調査結果．
8）Rahmati S, et al : Maternal anemia during pregnancy and infant low birth weight : A systematic review and meta-analysis. Int J Reprod Biomed（Yazd）**15** : 125-134, 2017
9）Govindappagari S, et al : Treatment of iron deficiency anemia in pregnancy with Intravenous versus oral iron ; systematic review and meta-analysis. Am J Perinatol **36** : 366-376, 2019
10）Sultan P, et al : Oral vs intravenous iron therapy for postpartum anemia ; a systematic review and meta-analysis. Am J Obstet Gynecol **221** : 19-29.e3, 2019
11）Jose A, et al : Comparison of ferric carboxymaltose and iron sucrose complex for treatment of iron deficiency anemia in pregnancy ; randomised controlled trial. BMC Pregnancy Childbirth **19** : 54, 2019
12）Brabin BJ, et al : An analysis of anemia and pregnancy-related maternal mortality. J Nutr **131** : 604S-614S, 2001
13）Carles G, et al : Doppler assessment of the fetal cerebral hemodynamic response to moderate or severe maternal anemia. Am J Obstet Gynecol **188** : 794-799, 2003
14）Sifakis S, Pharmakides G : Anemia in pregnancy. Ann N Y Acad Sci **900** : 125-136, 2000
15）Jung J, et al : Effects of hemoglobin levels during pregnancy on adverse maternal and infant outcomes ; a systematic review and meta-analysis. Ann N Y Acad Sci **1450** : 69-82, 2019

（藤田　太輔・大道　正英）

血液型不適合妊娠

妊娠12から21週まで — 診断と外来対応

POINT
- 妊娠早期に ABO と RhD 血液型, 不規則抗体スクリーニングを実施する.
- 不規則抗体が検出されたら抗体特異性を同定し, 臨床的に意義を有す抗体であるか判断する. 特異性の同定は胎児新生児溶血性疾患(HDFN)惹起性と溶血性輸血副反応の観点から重要である.
- 臨床的に意義のある抗体は定期的に抗体価をモニターし, HDFN 病態の進展を予見する.

DATA
- 妊婦の1%は3,000 mL以上の大量出血を起こし, きわめて緊急性の高い状況に置かれるが, 妊婦の2～3%は何らかの不規則抗体を保有するので, 適合する赤血球確保に時間がかかることがある.
- アジア人特異抗原とも呼ばれる Di^a 抗原は日本人の9%に認められ, 稀に抗 Di^a や, 抗 Di^b が検出されることがある. 抗 Di^b に適合する Di^b 陰性者は日本人には0.15%しか存在しないので, 適合赤血球手配が困難になる.

はじめに

妊婦の1%は3,000 mL以上の大量出血を起こし, きわめて緊急性の高い状況に置かれる. このような産科的大量出血に対応するため, 迅速な輸血が必要となる. しかし, 妊婦の2～3%は何らかの不規則抗体を保有するので, 適合する赤血球確保に時間がかかることがある. 胎児母体間輸血(fetomaternal hemorrhage：FMH)は妊娠・分娩に伴い, 全例で発生するが, その際, 母親が欠く父親由来抗原に対し, 同種免疫反応が起きうる. 形成された母親の抗体にIgG成分が含まれると, 胎盤通過性を有し, 胎児赤血球と反応する. 抗体で感作された胎児赤血球は胎児自身の網内系で破壊され, 胎児新生児溶血性疾患(hemolytic disease of the fetus and newborn：HDFN)を起こす. 妊婦の不規則抗体スクリーニングは血液型不適合妊娠に伴うHDFNの予見や出血時に必要となる輸血の安全性を確保するうえで, 血液型判定とともに大変重要である.

輸血関連検査

妊娠早期に実施すべき輸血関連検査には, ABO と RhD 型検査, 不規則抗体検査(抗体スクリーニング, 抗体特異性同定, 抗体価測定)が含まれる.

血液型検査

● ABO 型

ABO と RhD 血液型は妊婦の出血とHDFNに備えるため, 大変重要である. ABO と RhD 血液型はすべての妊婦において, 妊娠早期(遅くとも15週まで)に検査する. 原因不明の高ビ

リルビン血症児分娩既往を有する O 型妊婦では抗 A と抗 B の抗体価を評価しておきたい.

● RhD 型

RhD 抗原は免疫原性が高く，RhIg（抗 D 人免疫グロブリン）による感作予防措置を講じないと高頻度で抗原感作をきたす．真の陰性でなくても，抗原の量的減弱（weak D）や質的変化（partial D）で RhD 陰性と判定される場合がある．RhD 抗原の陽性・陰性が判定困難な症例は臨床的には RhD 陰性として対応する．高度な輸血検査部門を有する高度機能病院では D 陰性確認試験が望ましいが，一般的な病院・医院ではその水準は要求されない．しかし，妊娠後期で RhD 弱陽性になった場合は安易に RhD 陰性と判定してはならない．大量の FMH によって，RhD 陰性の胎児血が母体血に混入していることがあるためである．

不規則抗体検査

血液型不適合妊娠による HDFN の半数以上は ABO 不適合（母親が O 型に限られる）による．ABO 不適合による HDFN は軽症であることがほとんどであるが，稀に重篤となることもある[1]．

症例報告された ABO 不適合以外による HDFN のうち，Rh 系関連抗体と非 Rh 系の不規則抗体によるものがほぼ同数である．しかし，Rh 系関連抗体が関与すると胎児水腫や重症黄疸を合併し，交換輸血，γグロブリン療法や光線療法を必要とする重症症例が多い．スクリーニングで陽性になったら，抗体を同定し，抗体価を調べて胎児への影響度を予見する．併せて，産婦大量出血に備え，適合赤血球の入手困難度まで評価しておく．

● 不規則抗体スクリーニング

不規則抗体スクリーニングは溶血性輸血副反応や HDFN を惹起する同種抗体を検出するために行う．2～4 種の抗原既知のスクリーニング赤血球との反応をみることで検出する．妊娠前期と後期に二度実施するのが望ましい．特に妊婦が RhD 陰性で配偶者が RhD 陽性の場合は，妊娠中期以降で産生される抗 D を見逃すことがないようにする．

● 不規則抗体の同定

不規則抗体スクリーニングで陽性となったら，必ず抗体の特異性を同定する．抗体の同定には抗原既知の同定用パネル赤血球を用いる．特異性を同定することで，臨床上重要な抗体（Rh 系，Diego 系，Duffy 系など）とそうでない抗体（P1，Lewis 系，Xg[a]）とに分けられる（表 1）[2]．

抗 K，抗 PP1P[k]，抗 Rh17，抗 Di[b] など，抗体と適合する赤血球が入手困難な抗体（表 2）が同定されたら，輸血部門がしっかりした施設で血液センターと緊密な連絡を取り合っての分娩準備が勧められる．

● 抗体価測定

臨床上重要な抗体（表 1）[2] が同定されたら，HDFN の発症とその進展を予見するために抗体価を評価する．胎児に影響するのは IgG 成分なので IgM 成分を破壊して検査を実施するのが望ましいが，難しい施設では総合（IgG＋IgM）力価でも許される．しかし，必ず 37℃ での反応をもって，抗体価とする（室温では IgM 成分の影響が強く出る）．抗体価測定の標的赤血球には児と同じ表現型（ヘテロ接合体）の標的赤血球を用いる．施設間や検査術者による力価のばらつきを避けるため，保存してある前回検体と並べて検査を行うのがよい．

● 抗体価の解釈

HDFN 発症の可能性があるのは IgG 性抗 A，抗 B（これらは規則性抗体と呼ばれる）では 512 倍以上，抗 D では一般に 16 倍以上である．RhD 感作予防のため RhIg を投与された RhD 陰性妊婦では RhIg が体内に残っていて，抗体価 16 倍以上（通常は 2 倍程度）で検出されることがある．妊娠中の RhD 陽性胎児によって免疫感作が生じた可能性もあるが，引き続き抗体価をモニターする．抗原感作された場合，抗体価は上昇してくるのが通常である．検出された

表1 臨床的に重要な抗体とそうでない抗体

重要		D, c, K, Ku, k, Js^b, Jk^a, Fy^a, Di^b, U, PP1P^k（p型が産生），Rh17（D--型が産生）
可能性あり	高い	G（C+Dに混在），E, Kp^a, Kp^b, Js^a, Di^a, M, Jr^a（稀に重症もある）
	低い	C, C^w, e, Jk^b, S, s, LW, Fy^b
関与しない		Le^a, Le^b, Lu^a, Lu^b, P1, Xg^a, KANNO, JMH, Bg

〔大戸 斉：新生児溶血性疾患と母児免疫．前田平生，他（編）：輸血学 改訂第4版．p606，中外医学社，2018より改変〕

表2 稀な赤血球の入手困難度

稀な血液型	適合赤血球の得られる頻度（日本人）
Bombay	<1/1,000,000
Para-Bombay	1/1,100,000
D--	1/1,070,000
Jk(a−b−)	1/440,000
p	<1/370,000
I−	1/280,000
K$_0$	1/120,000
s−	1/3,500
Jr(a−)	1/2,700
Di(b−)	1/600
Fy(a−)	1/160

抗体は自身が産生した能動免疫によるものか，以前に投与したRhIgによる受動免疫によるものか，判定が困難な場合は予定している母体へのRhIg投与をためらってはいけない．

　HDFNを発症しうる同種抗体が検出されたら，定期的（28週までは4週ごと，それ以降は2～4週ごと）に抗体価をモニターする．抗体価測定にも極力IgM成分の影響を排除する．抗体価は間接抗グロブリン試験（37℃，60分）で実施し，反応増強剤（LISSやPEG）は添加しない．

　抗体価が上昇する場合は胎児中大脳動脈血流速度の結果から総合的にHDFN発症を判断する．

病態の新しい知見

● アジア人（日本人）特有の血液型不適合

　これまで蓄積された多くの知見は欧米人（白人）に存在する血液型不適合に起因するものであった．アジア人特異抗原とも呼ばれるDi^{a}抗原は日本人の9%に認められ，稀に抗Di^{a}や，抗Di^{b}が検出されることがある．特に抗Di^{b}は重症なHDFNを引き起こすことがある[3]．抗Di^{b}に適合するDi^{b}陰性者は日本人には0.15%しか存在しないので，適合赤血球手配が困難になる．

● 抗Mと抗Jr^{a}の再評価

　抗Mは比較的よく検出される抗体であるが，HDFNには関与することは少ないと考えられていた．しかし，近年抗Mによる高ビリルビン血症を伴わずに高度な貧血が主体となる重症HDFNが報告される．抗MはIgMが主成分であることが多く，発症機序は不明であった．そのような症例（母親）から微量成分のIgG抗体（1倍以下）を検出できることを証明した．妊娠早期から胎児に発現されるM抗原と反応し，母体抗Mは高力価でなくても，抗体によって赤血球造血が抑制される胎児新生児貧血である[4]．抗Mの微量IgG成分検出が鍵になる．

　抗Jr^{a}もよく検出される抗体であるが，溶血性輸血副反応を惹起することは稀である．しかし，近年抗Jr^{a}によるHDFNの報告が相次いできた[5]．妊婦に抗Jr^{a}が検出されたら，稀にではあるが児にHDFNが発症する可能性を念頭に置き，備えるのがよい．

◆ 文献

1) Kato S, et al : Massive intracranial hemorrhage caused by neonatal alloimmune thrombocytopenia associated with anti-group A antibody. J Perinatol **33** : 79-82, 2013
2) 大戸　斉 : 第Ⅳ章 新生児溶血性疾患と母児免疫. 前田平生, 他（編）: 輸血学　改訂第 4 版. p606, 中外医学社, 2018
3) Mochizuki K, et al : Hemolytic disease of the newborn due to anti-Di^b : a case study and review of the literature. Transfusion **46** : 454-460, 2006
4) Yasuda H, et al : Hemolytic disease of the fetus and newborn with late-onset anemia due to anti-M : a case report and review of the Japanese literature. Transfus Med Rev **28** : 1-6, 2014
5) Katsuragi S, et al : Anemic disease of the newborn with little increase in hemolysis and erythropoiesis due to maternal anti-Jra : A case study and review of the literature. Transfus Med Rev **33** :183-188, 2019

（大戸　斉・安田　広康）

切迫後期流産・後期流産・子宮頸管無力症

診断と外来対応
妊娠12から21週まで

POINT
- 原因：早期流産と異なり母体因子の割合が増加する．
- 診断：妊娠初期の正確な妊娠週数の決定も非常に重要である．臨床症状，腟鏡診での出血の有無，胎胞脱出の有無，経腟超音波検査での頸管長測定，感染徴候の有無の評価が有用である．
- 治療：病態別に対応も異なるため，原因ごとに治療方針を検討する．
- 上記の経過から将来の妊娠に対して予防的な対応ができるか，できるだけ詳細な評価，検討を行い，患者にも十分な情報提供を行う（予防的頸管縫縮術の適応となるか，母体因子の検索から判明した疾患への対処など）．

DATA
- 後期流産は頻度としては早期流産に比して少なく，全流産の10％程度とされている．
- 子宮頸管無力症の発症頻度は1％以下であるが高率で早産につながる重要な疾患である．

はじめに

切迫流産とは，「妊娠22週未満で，胎芽あるいは胎児およびその付属物はまったく排出されておらず，子宮口も閉鎖されている状態で少量の子宮出血がある場合，下腹部痛の有無にかかわらず切迫流産という．流産への移行状態と考えられ，正常妊娠過程への復帰が可能でもある状態とされているが，必ずしも流産の状態を表現したものではなく，初期妊娠時の子宮出血を主徴とした症状に対する名称である」とされている〔『産科婦人科用語集・用語解説集 改訂第4版』（日本産科婦人科学会編，2018年）〕．

流産はその時期によって早期流産（妊娠12週未満）と後期流産（妊娠12週以降22週未満）に区別される．自然流産の頻度は10～15％前後であり，そのなかで後期流産は頻度としては早期流産に比して少なく，全流産の10％程度とされている[1,2]．この時期の流産は妊娠12週未満の初期流産に比して，胎児側の原因ではなく母体側の原因の割合が増加する．胎児側の因子が原因となる割合は，早期流産に比較すると減少はするものの30～40％に染色体疾患が認められ，染色体疾患以外も含めると約50％である．母体の因子としては絨毛膜羊膜炎などの感染症や，子宮頸管無力症に起因するものが多く，その他，子宮奇形，子宮筋腫，多胎妊娠などが挙げられる．感染の原因として子宮頸管ポリープや絨毛膜下血腫なども挙げられる．本稿では主として後期流産の原因として重要な感染性の切迫流産と子宮頸管無力症について解説する．

● 切迫後期流産・後期流産

診断：外来管理について

問診

①出血や下腹部痛の有無．
②妊娠歴・既往疾患・合併症などの確認：前回の妊娠に関して後期流産や早産歴，難産や頸管裂傷（損傷）の既往，中期中絶の既往の有無など詳細に確認する．流産歴がある場合，自然流産の回数や流産となった妊娠週数を確認する．
　連続2回の流産を反復流産，3回以上の流産を習慣流産と定義しているが，習慣流産の15％に子宮の解剖学的異常が認められると報告されている．また早産の原因とも考えられるため，問診のうえ，診察などで習慣流産，早産歴のある患者を診た際には留意する必要がある．原因不明の流産歴がある場合，頸管無力症の可能性がある．主として，妊娠中期における頸管の評価によるリスク評価が大切である．
③正確な予定日決定に必要な情報：もともとの月経周期，最終月経，妊娠反応陽性を確認している場合はそのタイミング，使用している検査薬，不妊治療を行っている場合はその内容．

腟鏡診・内診

出血の有無，出血の性状，頸管ポリープや子宮腟部びらんからの出血や子宮腔からの出血の鑑別，子宮口が開大している場合は胎胞の有無を確認する．切迫流産と診断される子宮出血の原因としては絨毛や胎盤辺縁の剥離，子宮頸管無力症による子宮口の開大，子宮頸管の炎症，子宮頸管ポリープからの炎症などがある．

腟分泌物培養，ほか

感染と後期流産との関連について絨毛膜羊膜炎と細菌性腟症が注目されている．McGregorら[3]は1,260症例の妊婦に対して検討を行い，細菌性腟症の治療を行わなかった妊婦では妊娠22週未満での自然流産率が3.1倍になると報告している．*Ureaplasma*属や*Mycoplasma*属が直接的に流・早産を誘発する可能性は低いが，流・早産発症のリスク因子となり，妊娠中ないしは妊娠前にこれらが同定された場合に治療の対象とするかどうかは今後検討する必要があると思われる．また，腎盂腎炎などの感染症も流早産の原因となることが知られており，無症候性細菌尿を認めた場合は妊娠中では積極的治療を考慮する．

診断に際しての鑑別疾患（表1）

母体側の要因

● 絨毛膜下血腫

胎盤と子宮筋層の間に低エコー領域を認める．外出血を伴う場合や時間経過とともに増大する場合，内部エコー輝度に変化を認める場合に臨床的に絨毛膜下血腫（subchorionic hematoma）と診断する．絨毛膜下血腫は絨毛膜板が脱落膜から剥離して血液が貯留したものと考えられており，切迫流産の一症状といえる．出血のある症例で絨毛膜下血腫によって絨毛

表1　流産の原因

1. 胎児側の要因
   早期流産（妊娠12週未満のもの）：病的卵，異常発育卵，染色体異常
   後期流産（妊娠12〜22週のもの）：子宮内胎児死亡，胎盤，臍帯，卵膜の異常
2. 母体側の要因
   1) 性器異常
      頸管無力症，絨毛膜下血腫，子宮奇形，子宮発育不全，子宮筋腫
   2) 感染症
      絨毛膜羊膜炎，梅毒，単純ヘルペス，風疹，マイコプラズマ，サイトメガロウイルス，パルボウイルス，クラミジア感染症　など
   3) 偶発合併症
   4) その他

膜が広範囲にわたって剥離した場合には流産のリスクは自然流産リスクの3倍になる[4]．詳細は別稿に譲る（⇨59頁）．

● 子宮頸管ポリープ

子宮頸管ポリープは成人女性の2〜5%にみられる疾患である．そのほとんどが良性であるが稀に悪性の報告もあり，原則的には切除し組織学的検査を行うとされている．一方で，妊娠中に発見された頸管ポリープの治療は，切除により子宮内に影響を与え，流産や破水を誘発するリスクがあるという否定的な考えと，ポリープ自体が出血・感染源となるので，予防的に切除したほうがよいという肯定的な考えがある．妊娠中に切除されたポリープの約90%がendocervical polypおよびdecidual polypであり，前者の37週未満早産率は4.8%（2/42）であるのに対して後者は34%（14/41）に上昇する[5]．詳細は別稿に譲る（⇨80頁）．

● 子宮筋腫合併妊娠

諸家の報告によると妊娠に筋腫が合併する頻度は0.45〜3.1%といわれている[6]．妊娠期間中の症状として頻度の高いものとしては，切迫流産17.1〜25.9%[7-9]，切迫早産16.3〜39.9%[8,9]，前期破水7.3%[9]，早産9.3〜20%などがあり[9-11]，流産，常位胎盤早期剥離[9,10]，子宮内胎児発育不全[9]などの頻度が上昇する．子宮筋腫は妊娠中（妊娠中期から後期にかけて）に疼痛をきたし，直径が5 cmを超える漿膜下筋腫に起こりやすく，疼痛の程度によっては流早産との鑑別を要する．疼痛は赤色変性によるもので筋腫合併妊娠の9%で超音波断層法にて赤色変性を示唆する混合型パターンや低エコー領域を認めるとされ，その70%は疼痛を伴う．疼痛の原因は筋腫の急速な増大に伴う虚血，子宮増大による筋腫への血流減少，そして虚血に陥った筋腫からのプロスタグランジン産生による．

胎児側の要因

● 胎児奇形

稀ではあるが，ポッター症候群など胎児尿産生が阻害される疾患では妊娠中期にかけて破水をきたすことがある．

管理

基本的には安静となるが，その有効性は証明されていない．性器出血の状況や下腹部痛の程度により必要に応じて入院管理を勧める．子宮収縮が明らかな症例においては，ある程度症状を軽減する効果はあるものの，それが結果として流産予防となるかは不明である．また仕事の

有無，上のお子さんの有無などを考慮し，個々に対応することが多い．

治療

子宮収縮抑制薬のイソクスプリン塩酸塩（ズファジラン）は妊娠 12 週以降，リトドリン塩酸塩（ウテメリン）は妊娠 16 週以降で適応となるが，これらについても有効性は確立されていない．感染が疑われる際の抗菌薬についても同様である．昭和大学江東豊洲病院（以下，当院）では外出血を認める場合は感染予防の目的で生理食塩液による腟洗浄を行っている．

● 子宮頸管無力症

定義・概念

早産の原因の 1 つである頸管無力症は既往早産の経過に基づき診断されてきた．頸管無力症は『産科婦人科用語集・用語解説 改訂第 4 版』では「妊娠 16 週頃以後にみられる習慣流早産の原因の 1 つである．外出血とか子宮収縮などの，切迫流早産徴候を自覚しないにもかかわらず子宮口が開大し，胎胞が形成されてくる状態である」と定義される．発症頻度は 1% 以下であるが，高率に早産につながり，無症候性であり，また早産の予防という観点からは頸管開大がみられてからでは治療の機を逸してしまうという難しさがある．それゆえ，その管理のために妊娠中に頸管の状態を評価することの意義は大きい．その評価は内診よりも経腟超音波検査のほうが客観性に優れ，なおかつ早期診断につながることより頸管の超音波像を妊娠中に確認し評価することが重要である．頸管裂傷などの外傷性，先天性，その他に起因するといわれている．

診断

診断自体は病歴や超音波所見などを踏まえて行う．診断の根拠となる所見は以下のとおり[12]．
①既往歴：頸管無力症の既往，妊娠中期の症状がほとんどない状態での 2 回以上の流産歴，早産歴．
②超音波所見：26 週未満で頸管長 25 mm 以下．
③身体所見：妊娠 14〜27 週に子宮収縮を伴わず子宮口開大，熟化を認める症例．

頸管長の評価

正常妊婦の頸管長は妊娠初期から中期で約 40 mm，32 週以降では 25〜30 mm に短縮する（図 1）．妊娠 24 週で頸管長が 30 mm 以下，26 mm 以下に短縮したとき，35 週未満の早産のオッズ比がそれぞれ 3.79，6.19 に上昇するという論文が 1996 年に Iams ら[13]によって発表された．それ以来，頸管長短縮と早産との関連についての論文が多数報告されるようになった．

前述の Iams らのほかにも，Guzman ら[14]は 15〜24 週の妊婦における頸管長による早産予知の ROC 曲線を作成し，25 mm が 30 週以前の早産のカットオフ値として最適であるという報告をしている．

以上のことより，頸管長 25 mm を下回った妊婦を早産のハイリスク群として管理していく必要があると一般には考えられている．

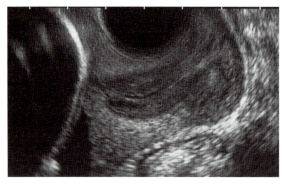

図1 子宮頸管の経腟超音波画像：正常
内子宮口閉鎖，正常頸管長

頸管長の測定時期

　Guzmanら[14]は頸管長測定時期を妊娠15〜20週と21〜24週で比較し，21〜24週のほうが感度は高かったと報告しているが，深見ら[15]は妊娠16〜19週における子宮頸管の超音波測定が頸管無力症の発症予測に至適な時期であるとしている．また，Mellaら[16]はローリスク妊婦では18〜22週に1回，ハイリスク妊婦では14〜18週と18〜22週の2回，また，早い週数での早産既往を有するような超ハイリスク妊婦では14週から24週まで2週間ごとの子宮頸管長測定を勧めている．子宮頸管長測定の妊娠中の1回の施行を考えると，最適な時期についての意見は分かれるが，論理的には，早期の早産を防ぐためには早いほうがよく，一方，感度を高めるためには遅いほうがよい．したがって，ここでは，可能であれば20週前後に複数回行うことを提言する．また，20週前後での子宮頸管長が25 mm以上でも，30 mm前後であった場合には，通常の健診間隔ではなく，早めの来院を指示することはやぶさかではない．

管理・治療

　上述のことより，22週未満の症例では頸管長25 mm以下の場合入院させ，頸管長短縮に対していずれの場合も，まず安静を指示し，病態に応じた治療を施す．

予防的頸管縫縮術

　妊娠中期に3回以上の流産または早産の既往がある妊婦は予防的頸管縫縮術の適応であるとの報告がある[17]．そのほかにも妊娠中期の流・早産既往やハイリスク因子に対する予防的頸管縫縮術に関する報告はあるものの，対象とする患者，手術実施時期，エンドポイントの設定のばらつきが結果に大きく影響していることが考えられ，確定した見解には至っていない[17-19]．
　実際，Rushら[18]はハイリスクの患者194名を対象として妊娠15週から21週の間にMcDonald法による頸管縫縮術を施行した結果，頸管縫縮術実施群とコントロール群で37週未満の早産率に差はなかったとしている（33週未満でも同様）．したがって，予防的頸管縫縮術の適応を決定するためにはリスク因子の有無だけにこだわらず，頸管長や生化学的な早産マーカーなどの他の因子も考慮に入れていく必要があり，現時点ではエンドポイントも含めて，細分類した状況に応じた再評価が必要と考えられる．

頸管長短縮に対する頸管縫縮術

　頸管無力症と診断されたときの管理方針としては2種類挙げられる．一方は安静療法，もう一方は頸管縫縮術の施行である．予後に関して，頸管縫縮術の施行が有用であるという明らか

なエビデンスは示されておらず，現時点では個々の症例に応じて対応しているが，最近では早産既往のない単胎の頸管長短縮症例では，頸管縫縮術を行うことにより32週以降の早産率を減少させうる可能性が高い傾向にあるという報告もある[20]．

なお，頸管縫縮術を行う際には頸管炎の有無を確認する必要があるとの報告がなされている．Sakaiら[21]は，妊娠20〜24週の単胎妊婦16,508例に頸管長測定および頸管粘液中IL-8濃度測定を行い検討した結果から，頸管長短縮例に対する頸管縫縮術は，頸管炎のない症例に対しては有効であるが，頸管炎のある症例ではむしろ行うべきではないと報告している．

以上より，頸管長短縮のあるハイリスク群に対しては，短縮の程度と同時に炎症の有無を必ず診断しておく必要がある．その方法として細菌性腟症のチェック，また，参考値とはなるが，胎児がん性フィブロネクチン／頸管粘液エラスターゼの測定(保険適用外)などが挙げられる．

本邦のRCTで，細菌性腟症がなくエラスターゼ陰性が確認されていて，かつ妊娠16〜26週に頸管長25 mm未満の短縮を認めた症例において，Shirodkar法による頸管縫縮術で切迫早産管理を減少させると報告されている[22]．ただし早産率や周産期予後の改善は認めなかったという結果があるのも事実である．さらにこのデータも含めたsystematic reviewによると，早産歴のない単胎妊婦で頸管長が25 mm以下の患者に対する頸管縫縮術では，早産や新生児予後の改善は認められなかったものの，頸管長10 mm以下の症例に対しては頸管縫縮術の有効性が示された[20]．しかし，これら最近のrecommendationでも子宮頸管の不顕性感染や局所の炎症の有無を考慮しておらず，早産予防に対する管理方法や，その結果としての早産率が異なっている諸外国からのデータに基づいていることは考慮すべき点ではある．具体的には，長期にわたる入院などは避けられる可能性がある一方で，早産を回避する完璧な手段とはいえないということも含めて患者に説明する必要がある[12]．

腟や頸管の炎症・感染に対するUTI・腟内洗浄など

頸管無力症と診断され，かつ腟内あるいは頸管の炎症・感染を認める場合，当院では生理食塩液による腟洗浄を施行している．常在菌への悪影響という観点から，ポビドンヨードを用いるより生理食塩液のほうがよいと考えている．そのほかには必要に応じて抗菌薬を投与する．保険適用外であるが，尿中トリプシンインヒビター(urinary trypsin inhibitor：UTI)は抗炎症作用をもつとされており，本邦では腟内投与されている施設も少なからず存在する．しかしながら，頸管長短縮症例に対する頸管縫縮術の施行やUTIの使用については，早産の予防という点についての明らかなエビデンスはない[23]．

黄体ホルモン療法〔腟内プロゲステロン投与ならびにヒドロキシプロゲステロンカプロン酸エステル(17p)筋注〕

近年早産ハイリスク症例に対するプロゲステロンの早産予防効果が再注目されている．内因性プロゲステロンには子宮収縮抑制作用，頸管熟化抑制作用，抗炎症作用などがあり，これらの作用が早産予防に有効と考えられている．しかし体外から投与された薬剤が子宮にどのように作用するかについてはいまだ明らかになっていない．2012年に米国で発表された指針[24]によれば，早産既往例に対し妊娠16週から36週まで17p 250 mgを1週間に1回筋注投与，頸管長短縮例にはプロゲステロンの経腟投与(プロゲステロン腟錠200 mg連日投与またはジェル90 mg連日投与)が推奨されているが，本邦ではいまだ市販されていない．その後Maherら[25]が早産既往例でも17p筋注より経腟投与のほうが優れているとのRCTを発表している．現在，日本人を対象として有効性を示した高いレベルのエビデンスはなく，プロゲステロンの早

産予防を目的とした治療指針はその投与対象，経路，投与量，期間など今後も検討が必要である．

　頸管縫縮術後における早産予防としてのプロゲステロン製剤との併用は早産率や周産期予後の改善には寄与しないという報告がある一方で，28週未満，24週未満の早産というアウトカムについては併用群で有意差はないものの，相対危険度が0.57，0.30とほかの群と比較し良好な傾向がみられるため，選択肢にはなりうると考えられる．

円錐切除後の妊娠管理について

　円錐切除後の妊娠で認める早産率増加の原因は，円錐切除で頸管腺が切除されることにより，抗菌作用を有する頸管粘液の分泌が減少し，ひいては絨毛膜羊膜炎を誘発し，結果として前期破水を引き起こすためと考えられている[26,27]．このような背景のなかで最近では15 mm以上または2.66 cm^{3}以上切除した場合，早産率が2倍になるという報告がある[28]．近年でも，非妊娠時の子宮頸部病変の適応による円錐切除既往を有する妊婦に対して後方視的に頸管縫縮術の早産予防効果の有効性を論じたNamら[29]やMiyakoshiら[30]の報告では，その有用性は明らかにされていない．注意すべき点として，Namらでは単一施設で対象症例65例中頸管縫縮術を実施した症例は6例のみで（術式はMcDonald手術のみと明記）あるが，頸管縫縮術の適応が予防的頸管縫縮術であるのかultrasound-indicated cerclageであるのかが示されていない．しかしながら，重要な点は円錐切除時の切除容積や残存頸管長が早産のリスクである可能性を指摘していることである．一方，Miyakoshiらは日本の二次〜三次施設の約30万症例から既往頸管手術（円錐切除を含む）を実施した1,334症例を抽出し，そのうち頸管縫縮術実施症例（n=171）と非実施症例（n=1,163）を比較して予防的頸管縫縮術の有用性は認めなかったとしているが，円錐切除時の切除容積や残存頸管長，術式などの考慮がなされていない．さらには頸管無力症や頸管長を考慮していない時代の臨床データに基づくものであり，頸管縫縮術の有用性を認めないとする主張については議論の余地が多々存在する．したがって，「円錐切除後妊娠＝予防的頸管縫縮術は早産予防に対して無効」とするには，いささか無理があると考えざるをえない．あくまでも参考程度とすべきであろう．

　したがって，上記のように頸管を大きく切除した症例や他にリスク要因を有する症例については，予防的頸管縫縮術が有効である可能性も示唆される．以上のように，予防的頸管縫縮術の有用性に関しては，確固たるエビデンスがないのが実情である．

〈参考〉子宮頸管長測定に際しての注意

組織学的内子宮口の同定

　組織学的内子宮口を同定することは，子宮頸管長の正しい測定上必要である．頸管腺組織像の外子宮口からの遠位端として同定するのがよい．頸管腺組織は頸管の筋層と比べやや hypoechoic な（稀に hyperechoic な場合もある）細長い紡錘形の部分として描出される．組織学的内子宮口から解剖学的内子宮口までが子宮峡部で5〜10 mm程度であるが，妊娠により同部位（妊娠時は子宮下部または下節と呼ぶ）は伸展し，差はあるものの妊娠20週頃までに子宮腔に取り込まれる．妊娠初期〜中期の頸管長の正常値は35〜45 mmであるため，50 mm以上測定された場合は峡部を含めて測定している可能性がある．

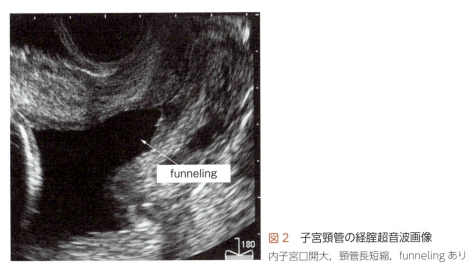

図2 子宮頸管の経腟超音波画像
内子宮口開大，頸管長短縮，funneling あり

流早産のリスクを高めると考えられる経腟超音波所見

● funneling

　子宮頸管は子宮収縮に伴い短縮することがあるため，数分間観察することが大切である．あるいはその代わりに，子宮底を圧迫するか妊婦に努責を加えさせる pressure test を施行してみるのもよい．Berghella ら[31)]によると，早産率は funneling が 25% 未満では 10% であったが，funneling が 50% を超えると 70% まで上昇すると報告している．ただし funneling がすぐに早産につながるわけではなく，残存頸管の長さが重要な因子となる．そのため，funneling が認められるときは頻回の頸管長測定が必要となってくる（図2）．

● 頸管腺領域像

　超音波像における頸管腺領域像とは，頸管腔周囲の子宮頸部筋層に比してやや高～低輝度に描出される帯状領域，組織学的には子宮頸管腺が存在する部分に相当する．この頸管腺領域像が消失すると頸管長の短縮や内子宮口開大所見の検出率が高くなり，早産の予測因子と指摘されている．

● sludge

　子宮頸管長の測定に際し，羊水腔の内子宮口付近に高輝度エコーを伴う浮遊物を認めることがあり「sludge」と呼ばれている．この sludge の存在は早産ないし後期流産患者における病理組織学的な絨毛膜羊膜炎や感染の存在との関連が指摘されている．しかしながら，子宮頸管長測定に sludge の存在を加味することで早産予知の精度が向上するか否かについての結論は得られていない．

子宮頸管長測定に際して考慮すべき因子

　早産予防を目的として子宮頸管長測定を行う際，感度を左右するさまざまな因子を考慮する必要がある．早産既往を有する単胎妊娠の場合，子宮頸管長測定で短縮を認めた場合（25 mm 未満），その早産発症に対する感度は最も高いものとなる（69%）[32)]．その他，患者背景によって，例えば，単胎妊娠であるか多胎妊娠であるか，早産既往，円錐切除既往，子宮奇形の有無，子宮収縮など切迫流早産症状の有無によって，その感度や陽性的中率は異なるものであることを念頭に置く必要がある．

おわりに

　本稿では，後期流産，その原因となる頸管無力症の外来における診断，管理，治療について述べた．後期流産は全流産の約10％と頻度は低いものの，それを経験した際の心因的負担は大きい．外来においては流産リスクの有無を検討し，ハイリスクの症例に対しては受診間隔を配慮する．また出血，腹痛など有症状の際は，入院管理を検討したうえで，個々の病態に対応する必要がある．

◆ 文献

1) 国立研究開発法人日本医療研究開発機構委託事業 成育疾患克服等総合研究事業「不育症の原因解明，予防治療に関する研究」研究班：AMED研究 不育症の原因解明，予防治療に関する研究を基にした不育症管理に関する提言 2019
2) 村田雄二：第3章 流産・不育症．産科合併症 改訂2版．pp25-45，メディカ出版，2013
3) McGregor JA, et al：Prevention of premature birth by screening and treatment for common genital tract infections：results of a prospective controlled evaluation. Am J Obstet Gynecol 173：157-167, 1995
4) Bennett GL, et al：Subchorionic hemorrhage in first-trimester pregnancies：prediction of pregnancy outcome with sonography. Radiology 200：803-806, 1996
5) Tokunaka M, et al：Decidual polyps are associated with preterm delivery in cases of attempted uterine cervical polypectomy during the first and second trimester. J Matern Fetal Neonatal Med 28：1061-1063, 2015
6) 平松祐司：子宮筋腫合併妊娠の管理．子宮筋腫の臨床．pp227-235，メジカルビュー社，2008
7) 浮田昌彦：子宮筋腫合併妊娠の管理法．産婦治療 47：433-437, 1989
8) 久保　武，他：妊娠と子宮筋腫の保存療法．産婦の実際 41：1903-1907, 1992
9) Exacoustos C, et al：Ultrasound diagnosis of uterine myomas and complications in pregnancy. Obstet Gynecol 82：97-101, 1993
10) Koike T, et al：Uterine leiomyoma in pregnancy：its influence on obstetric performance. J Obstet Gynaecol Res 25：309-313, 1999
11) 杉本充弘，他：妊娠合併子宮筋腫の取り扱い．HORM FRONT GYNECOL 10：187-193, 2003
12) 山下有加，他：インフォームドコンセント・想定されるリスクと対応．大槻克文（編）：産科医ならマスターしたい子宮頸管縫縮術．pp16-19，メジカルビュー社，2020
13) Iams JD, et al：The length of the cervix and the risk of spontaneous premature delivery. National Institute of Child Health and Human Development Maternal Fetal Medicine Unit Network. N Engl J Med 334：567-572, 1996
14) Guzman ER, et al：A comparison of sonographic cervical parameters in predicting spontaneous preterm birth in high-risk singleton gestations. Ultrasound Obstet Gynecol 18：204-210, 2001
15) 深見武彦，他：妊娠中期の子宮頸部超音波画像による切迫流早産の前方視的検討．産婦の実際 49：101-108, 2000
16) Mella MT, et al：Prediction of preterm birth：cervical sonography. Semin Perinatol 33：317-324, 2009
17) Final report of the Medical Research Council/Royal College of Obstetricians and Gynaecologists multicentre randomised trial of cervical cerclage. MRC/RCOG Working Party on Cervical Cerclage. Br J Obstet Gynaecol 100：516-523, 1993
18) Rush RW, et al：A randomized controlled trial of cervical cerclage in women at high risk of spontaneous preterm delivery. Br J Obstet Gynaecol 91：724-730, 1984
19) Laser P, et al：Multicentred controlled trial of cervical cerclage in women at moderate risk of preterm delivery. Br J Obstet Gynaecol 91：731-735, 1984
20) Berghella V, et al：Cerclage for sonographic short cervix in singleton gestations without prior spontaneous preterm birth：systematic review and meta-analysis of randomized controlled trials using individual patient-level data. Ultrasound Obstet Gynecol 50：569-577, 2017
21) Sakai M, et al：Evaluation of effectiveness of prophylactic cerclage of a short cervix according to interleukin-8 in cervical mucus. Am J Obstet Gynecol 194：14-19, 2006
22) Otsuki K, et al：Randomized trial of ultrasound-indicated cerclage in singleton women without lower genital tract inflammation. J Obstet Gynaecol Res 42：148-157, 2016

23) Otsuki K, et al : Randomized trial of the efficacy of intravaginal ulinastatin administration for the prevention of preterm birth in women with a singleton pregnancy and both cervical shortening and inflammation of lower genital tract. J Obstet Gynaecol Res **45** : 86-95, 2019
24) Society for Maternal-Fetal Medicine Publications Committee, et al : Progesterone and preterm birth prevention : translating clinical trials data into clinical practice. Am J Obstet Gynecol **206** : 376-386, 2012
25) Maher MA, et al : Prevention of preterm birth : a randomized trial of vaginal compared with intramuscular progesterone. Acta Obstet Gynecol Scand **92** : 215-222, 2013
26) Kuoppala T, et al : Pregnancy and delivery after cone biopsy of the cervix. Arch Gynecol **237** : 149-154, 1986
27) Larsson G, et al : Outcome of pregnancy after conization. Acta Obstet Gynecol Scand **61** : 461-466, 1982
28) Castanon A, et al : Risk of preterm delivery with increasing depth of excision for cervical intraepithelial neoplasia in England : nested case-control study. BMJ **349** : g6223, 2014
29) Nam KH, et al : Pregnancy outcome after cervical conization ; risk factors for preterm delivery and the efficacy of prophylactic cerclage. J Gynecol Oncol **21** : 225-229, 2010
30) Miyakoshi K, et al : Risk of preterm birth after the excisional surgery for cervical lesions ; a propensity-score matching study in Japan. J Matern Fetal Neonatal Med **34** : 845-851, 2021
31) Berghella V, et al : Cervical funneling : sonographic criteria predictive of preterm delivery. Ultrasound Obstet Gynecol **10** : 161-166, 1997
32) Owen J, et al : Multicenter randomized trial of cerclage for preterm birth prevention in high-risk women with shortened midtrimester cervical length. Am J Obstet Gynecol **201** : 375 e1-8, 2009

（山下　有加・大槻　克文）

診断と外来対応

妊娠 12 から 21 週まで

細菌性腟症

POINT
- 早産予防には細菌性腟症の治療が重要である．
- Nugent score を用いて細菌性腟症を診断する．
- メトロニダゾール腟錠を用いて細菌性腟症を治療する．

DATA
- 本邦の妊婦における細菌性腟症の保有率は，1990 年で 10％，1995 年で 15％，2000 年で 20％，2010 年では 32％ と明らかな増加傾向にある．

はじめに

　本邦の妊婦における細菌性腟症の保有率は 1990 年で 10％，1995 年で 15％，2000 年で 20％，2010 年では 32％ と明らかな増加傾向にある．早産の主な原因として絨毛膜羊膜炎が挙げられるが，絨毛膜羊膜炎の背景として細菌性腟症が存在することは以前よりさまざまな文献で報告されている．細菌性腟症から細菌性腟炎，頸管炎となり，卵膜全体に炎症が波及すると前期破水や陣痛を惹起する．そのため早産予防には，まず細菌性腟症の管理が重要となる．

　2007 年の Cochrane review では妊娠 20 週までに細菌性腟症の抗菌薬治療を行うと早産が予防できると報告されていたが[1]，2013 年の Cochrane review では細菌性腟症を治療しても早産予防効果がなかったと報告されており[2]，細菌性腟症の治療効果については賛否両論である．わが国においては，細菌性腟症に抗菌薬治療を行うと 32 週未満早産率も 37 週未満早産率も有意に低下したと報告されている（表 1）．近畿大学病院産婦人科（以下，当院）では 2004 年から細菌性腟症スクリーニングを妊娠初期と中期の全妊婦に施行し，全例無治療で経過観察していた．そのデータに基づいて 2010 年 7 月から細菌性腟症群（Nugent score 7 点以上）に治療を開始した．

　本稿では，当院でのデータ[3]を交えながら，細菌性腟症の管理について解説する．

概念

　正常妊婦の腟内には乳酸桿菌が増えて腟内の浄化作用を示し，一般の細菌類は少なくなっているとされていたが，一部の妊婦に，この乳酸桿菌のほかに絨毛膜羊膜炎を引き起こす微生物が腟内に存在していることがわかってきた．この状態は一般の細菌（微生物）が単に妊婦の腟内に存在しているというだけの状態で，腟炎などの細菌感染による炎症状態は引き起こしていないので「細菌性腟症（bacterial vaginosis）」と呼ばれ，BV の略語で呼ばれるようになった．

表1 早産予防対策による効果

具体的対策	人工早産含む		人工早産除く	
	施行 (n=29,869)	未施行 (n=16,852)	施行 (n=26,862)	未施行 (n=15,516)
32週未満早産率	1.6%	3.0%	0.9%	1.6%
	$P<0.0001$		$P<0.0001$	
37週未満早産率	8.5%	11.3%	5.4%	6.5%
	$P<0.0001$		$P<0.0001$	

(日本産科婦人科学会周産期委員会報告,2009年)

病因

細菌性腟症の初期段階である *Lactobacillus* 属の減少は,抗菌薬の使用,経口避妊薬の使用,ビデや温水洗浄便座の使用,排尿排便時の清拭の方向(肛門側から腟側),ストレス,ステロイドホルモンの使用,喫煙などが原因として挙げられている.精液のなかに細菌性腟症の原因菌が多く含まれていることや,性行為そのものが腟内細菌を活性化する可能性も指摘されており,妊娠中の性行為とりわけ挿入行為は控えることが望ましいと思われる.

診断

細菌性腟症の診断には,以前は,腟分泌物のpH,帯下の性状,アミン臭の有無,および腟分泌物検鏡によるclue cellの証明によるAmselら[4]の診断基準が用いられてきた.しかし,本診断基準には主観的な要素が多いといった問題点が指摘され,1991年に新たな診断基準として,腟分泌物検鏡によって乳酸桿菌の消失・*Gardnerella* や *Mobiluncus* の増加をスコア化して評価するNugent score(表2)が発表され[5],現在は一般的に細菌性腟症の標準的診断法として応用されている.0～3点を正常群,4～6点を中間群,7～10点をBV群と診断する.さらに2007年には,より診断精度を高めた修正Nugent scoreがVerstraelenら[6]によって発表されている.Nugent scoreで得られた結果を,Grade I(正常腟内細菌叢パターン),Grade I -like(*Lactobacillus* 以外のグラム陽性桿菌),Grade I -PMN(*Lactobacillus* 優勢であるが好中球優位),BV-like(Nugent score 4点以上,*Gardnerella* および *Bacteroides* 以外のBV)に分けている.Nugent scoreに炎症の所見も加味した分類で,早産リスクの診断により有効と思われるが,まだ一般的とはいえない.

治療

『産婦人科診療ガイドライン 産科編2020』での妊娠中の細菌性腟症の取り扱いについては,「Answer 1. 細菌性腟症と診断されたら,早産ハイリスクと認識して管理する(推奨レベルB)」「Answer 2. 早産予防を目的とした細菌性腟症のスクリーニング検査を行う場合には,妊娠20週未満に実施する(推奨レベルC)」「Answer 3. 症状のある妊婦には,抗菌薬を用いて治療を行う(推奨レベルB)」「Answer 4. Answer 2で細菌性腟症と診断された妊婦には,抗菌薬を用いて治療する(推奨レベルC)」となっている.

米国Centers for Disease Control and Prevention(CDC)のガイドラインでは,妊婦の細菌

表2 Nugent score による細菌性腟症の診断

スコア	Lactobacillus (菌量)	Gardnerella vaginalis and Bacteroides 属(菌量)	Mobiluncus 属 (菌量)	細菌数 (morphotype/oil ×1,000)	菌量
0	4+	0	0	0	0
1	3+	1+	1~2+	<1	1+
2	2+	2+	3~4+	1~4	2+
3	1+	3+		5~30	3+
4	0+	4+		≥30	4+

Nugent score：7~10 → BV 群，4~6 → 中間群，0~3 → 正常群
(Nugent RP, et al：J Clin Microbiol 29：297-301, 1991 より改変)

表3 細菌性腟症の治療：日本性感染症学会ガイドライン

薬剤	投与方法
①(推奨)メトロニダゾール腟錠(フラジール腟錠)250 mg	1回1錠，1日1回(腟挿入)，7~10日間
②クロラムフェニコール腟錠(クロマイ腟錠)100 mg	1回1錠，1日1回(腟挿入)，7日間

当院では，初日は外来にて医師が挿入し，残り6日間は自己挿入としている．

性腟症には，メトロニダゾール 500 mg，1日2回，7日間内服，またはメトロニダゾール 250 mg，1日3回，7日間内服，またはクリンダマイシン 300 mg，1日2回，7日間内服による治療を推奨している．一方，本邦の日本性感染症学会のガイドラインでは，メトロニダゾール(フラジール)腟錠 250 mg またはクロラムフェニコール(クロマイ)腟錠 100 mg を1日1回，7日間の局所療法が推奨されている(表3)．Nugent Score 4~6 点以上の中間群の妊婦にも同様の治療をしている施設も多い．メトロニダゾールは腟内常在菌である Lactobacillus 属には影響を与えずに，Peptostreptococcus，Bacteroides，Prevotella，あるいは Fusobacterium などの嫌気性菌に対して殺菌効果が高いため，細菌性腟症治療に理想的な薬剤である．

　当院では，2004 年 7 月~2008 年 12 月に当院で妊婦健診を行った 867 名(多胎・人工早産を除く)をすべて無治療で経過観察していた．その結果，初期検査で BV 群だった 32 例中の 16 例(50%)が中期検査で正常群となっていた．無治療でも約半数は自然軽快するとの報告もあり，当院でも同様の結果であった．無治療群の妊娠初期の検査で，BV 群は中間群や正常群に比して早産率が高かった．また，妊娠中期の検査で，BV 群と中間群は正常群に比して早産率が高かった．妊娠初期の検査での BV 群，妊娠中期の検査での BV 群および中間群が早産のリスク因子になると考えられた．そのデータに基づいて 2010 年 7 月より BV 群にメトロニダゾール腟錠の治療を開始した．Nugent Score 7 点以上の BV 群の妊婦に，メトロニダゾール(フラジール)腟錠 250 mg を投与した．2014 年 4 月までに当院で妊婦健診を行った 629 名(多胎・人工早産を除く)のなかで，初期 BV 群だった 38 名中 30 名(78.9%)が中期検査で正常群となっていた．治療効果は明らかであったと思われる．また，有意差は認めなかったものの治療群が無治療群よりも早産率が低い傾向にあった．当院では，BV への治療が早産率の減少につながったと思われる．現在の当院での細菌性腟症の治療を示す(図1)．

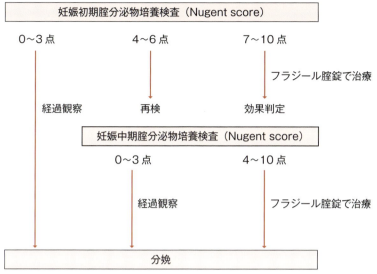

図1 当院での細菌性腟症の治療

おわりに

細菌性腟症は早産の一要因といえる．検査法や治療法も簡便である．細菌性腟症を治療する施設がさらに増加し，早産減少につながることを期待したい．

◆ 文献

1) McDonald HM, et al : Antibiotics for treating bacterial vaginosis in pregnancy(Review). Cochrane Database Syst Rev **24** : CD000262, 2007
2) Brocklehurst P, et al : Antibiotics for treating bacterial vaginosis in pregnancy. Cochrane Database Syst Rev **31** : CD000262, 2013
3) Shimaoka M, et al : Association between preterm delivery and bacterial vaginosis with or without treatment. Sci Rep **9** : 509, 2019
4) Amsel R, et al : Nonspecific vaginitis. Diagnostic criteria and microbial and epidemiologic associations. Am J Med **74** : 14-22, 1983
5) Nugent RP, et al : Reliability of diagnosing bacterial vaginosis is improved by a standardized method of gram stain interpretation. J Clin Microbiol **29** : 297-301, 1991
6) Verstraelen H, et al : Modified classification of Gram-stained vaginal smears to predict spontaneous preterm birth : a prospective cohort study. Am J Obstet Gynecol **196** : 528, e1-6, 2007

（島岡　昌生・葉　宜慧・松村　謙臣）

妊娠糖尿病の診断

診断と外来対応
妊娠12から21週まで

POINT
- 耐糖能異常のスクリーニングは，妊娠初期の随時血糖法と妊娠中期（24〜28週）の50 g glucose challenge test（GCT）法あるいは随時血糖法の2段階で行う[1]．
- 妊娠初期の血糖コントロール不良例は胎児形態異常の発生率が高い．
- 耐糖能異常合併妊娠は周産期合併症のハイリスク群である．妊娠中は，母児の合併症の防止および分娩という目標に向かって管理する．

DATA
- 「妊娠中の糖代謝異常と診断基準」が改訂され，妊娠糖尿病と診断される妊婦は8.5％程度に増加した．

病態の概要と新しい知見

ライフスタイルの欧米化に伴い，わが国の糖尿病患者数（2型糖尿病）は増加している．

耐糖能異常合併妊娠では，妊娠高血圧症候群，胎児形態異常，胎児発育不全（FGR），heavy for date（HFD）および巨大児，肩甲難産，分娩外傷，帝王切開，そして新生児の低血糖，呼吸障害（RDS），高ビリルビン血症，多血症・過粘度症候群，低カルシウム血症やNICU入院などの比率が高くなり，結果として周産期死亡率，新生児罹病率が高くなる（表1）．また，糖尿病性ケトアシドーシスの発症や糖尿病性網膜症が増悪するリスクもある．したがって，周産期合併症を予防するために耐糖能異常合併妊娠を早期に発見し血糖管理を行う必要があり，妊婦健診時に耐糖能スクリーニングを行って陽性例には75gOGTTを行い，耐糖能異常が診断されれば非妊時よりも厳格な医療介入が必要となる．

2015年に「妊娠中の糖代謝異常と診断基準」が改訂された（表2）．①妊娠糖尿病（gestational diabetes mellitus：GDM），②妊娠中の明らかな糖尿病（overt diabetes in pregnancy），③糖尿病合併妊娠（pregestational diabetes mellitus）の3つがある．また，その結果，GDMと診断される女性は8.5％程度に増加した[1,2]．

GDMは，耐糖能異常をきたしやすい遺伝的素因や環境因子を有する女性に妊娠という負荷が加わったため耐糖能異常が顕性化した状態で，分娩後は耐糖能が正常化する場合が多いが，加齢に伴い2型糖尿病を発症するリスクが高いので，産後の管理（産褥6〜12週での75gOGTT）や内科でのフォローアップも必要である．

検査

・随時血糖
食事時間は考慮せず，血漿血糖値を測定する．

表1　耐糖能異常合併妊娠における母児の合併症

母体	胎児・新生児
妊娠高血圧症候群 羊水過多症 糖尿病性ケトアシドーシス 糖尿病性網膜症 帝王切開	胎児形態異常 FGR HFD，巨大児 肩甲難産，分娩外傷 低血糖 RDS 高ビリルビン血症 多血症・過粘度症候群 低カルシウム血症

表2　妊娠中の糖代謝異常と診断基準（平成27年8月1日改訂）

1) 妊娠糖尿病 gestational diabetes mellitus（GDM）
　75gOGTTにおいて次の基準の1点以上を満たした場合に診断する．
　1. 空腹時血糖値≧92 mg/dL（5.1 mmol/L）
　2. 1時間値≧180 mg/dL（10.0 mmol/L）
　3. 2時間値≧153 mg/dL（8.5 mmol/L）
2) 妊娠中の明らかな糖尿病 overt diabetes in pregnancy [註1]
　以下のいずれかを満たした場合に診断する．
　1. 空腹時血糖値≧126 mg/dL
　2. HbA1c値≧6.5％
　＊随時血糖値≧200 mg/dL あるいは75gOGTTで2時間値≧200 mg/dL の場合は，妊娠中の明らかな糖尿病の存在を念頭に置き，1または2の基準を満たすかどうか確認する．[註2]
3) 糖尿病合併妊娠 pregestational diabetes mellitus
　1. 妊娠前にすでに診断されている糖尿病
　2. 確実な糖尿病網膜症があるもの

註1：妊娠中の明らかな糖尿病には，妊娠前に見逃されていた糖尿病と，妊娠中の糖代謝の変化の影響を受けた糖代謝異常，および妊娠中に発症した1型糖尿病が含まれる．いずれも分娩後は診断の再確認が必要である．
註2：妊娠中，特に妊娠後期は妊娠による生理的なインスリン抵抗性の増大を反映して糖負荷後血糖値は非妊時よりも高値を示す．そのため，随時血糖値や75gOGTT負荷後血糖値は非妊時の糖尿病診断基準をそのまま当てはめることはできない．

〔日本糖尿病・妊娠学会と日本糖尿病学会との合同委員会：妊娠中の糖代謝異常と診断基準の統一化について．糖尿病と妊娠 15(1)：2015 より転載〕

- 空腹時血糖

　夜間絶食後の血漿血糖値を測定する．

- ヘモグロビンA1c（hemoglobin A1c：HbA1c）

　約1か月前の血糖状態を反映する．

- グリコアルブミン（glycoalbumin：GA）

　約2週間前の血糖状態を反映する．HbA1cは妊娠中の鉄欠乏状態に影響されるが，GAは鉄欠乏状態に影響されない．

- 50gGCT

　食事摂取の有無にかかわらずブドウ糖50 gを飲用し，1時間後の血糖値を測定する（≧140 mg/dLを陽性とする）．

- 75gOGTT

　前夜10時以降禁食（水・お茶は可）のまま朝に来院してもらい，採血して空腹時血糖値を測定

表3 妊娠初期HbA1c値と胎児形態異常の割合

HbA1c(%)	4.6〜7.6	7.7〜8.6	8.7〜9.9	10.0〜10.5	10.6〜
胎児形態異常の割合(%)	1.89	2	6.25	9.1	25

(Kitzmiller JL, et al : JAMA 265 : 731-766, 1991)

する．次いでブドウ糖75 gを飲用し，1・2時間後の血糖値を測定する．

診断の手順

　耐糖能異常のスクリーニングは，妊娠初期の随時血糖法と妊娠中期(24〜28週)の50gGCT法あるいは随時血糖法の2段階で行う．妊娠初期の検査は見逃されていた糖尿病を診断するために必要であり，妊娠中期の検査は妊娠の進行とともにインスリン抵抗性が増大してくることによって発症するGDMを診断するために重要である．妊娠初期の随時血糖値がカットオフ値（各施設で独自に設定してよい）未満の陰性例と，随時血糖は陽性（カットオフ値以上）であったが75gOGTTではGDMあるいはovert diabetes in pregnancyと診断されなかった妊婦に対して，妊娠中期に50gGCT法を行う．ただし，50gGCTが施行困難な場合には随時血糖法を行ってもよい[1]．

　GDMのハイリスク妊婦（高齢妊娠，肥満，糖尿病の家族歴，GDM既往，原因不明の周産期死亡歴，HFDや形態異常児の分娩歴，羊水過多，尿糖強陽性もしくは2回以上の陽性など）に対しては，随時血糖とHbA1cを測定する．随時血糖によるスクリーニングを省略して75gOGTT検査を施行してもよいが，妊婦が糖尿病であった場合に高血糖を招くことがあるので注意する．

　随時血糖≧200 mg/dL時には高血糖を招く危険性があるため糖負荷試験は行わず，overt diabetes in pregnancyの診断基準を確認するため，空腹時血糖ならびにHbA1cを測定し，眼科を受診させる．診断基準を満たさない場合はGDMと診断する．75gOGTTで空腹時血糖＞126 mg/dLかつ2時間値≧200 mg/dLのときにもHbA1cを測定して眼科受診を促し，overt diabetes in pregnancyの診断基準を確認する．この際，HbA1c 6.5%未満かつ75gOGTT 2時間値≧200 mg/dLの場合にはhigh risk GDMとし，妊娠中は糖尿病に準じた管理を行い，産後は糖尿病に移行する可能性が高いので厳重なフォローアップが望ましい[3]．

　耐糖能異常合併妊娠では胎児形態異常の発生率が高くなる．発生頻度を低下させるためには，妊娠初期（器官形成期）の血糖コントロールが重要であり，妊娠前から血糖コントロールを行ったのちに計画的に妊娠することが推奨される．もし，血糖コントロール不良のまま妊娠した場合には，妊娠初期HbA1c値と胎児形態異常の割合（表3）などを参考にして超音波検査を行って形態異常を検索する[4]．糖尿病合併妊娠では心構造異常が多いことが知られている．

入院の判断

　糖尿病合併妊娠は内科と連携して妊娠管理を行う．経口血糖降下薬を内服中の糖尿病合併妊娠の場合はインスリン療法に切り替えるため，また，overt diabetes in pregnancyはインスリン療法を導入するため，入院管理を行う．

　また，GDMと診断されたら血糖管理・教育入院を行う．GDMでは食事療法と運動療法から開始する．しかし，妊婦の運動療法には限界があり，安静を要する切迫流・早産などでは施行

できないため，食事療法が主体となる．食事療法は[2,5]，非肥満妊婦（非妊時 BMI＜25）の場合は「標準体重×30 kcal＋（妊娠初期 50 kcal，中期 250 kcal，後期 450 kcal，授乳中 350 kcal：施設により付加カロリーは異なる）」，肥満妊婦（非妊時 BMI≧25）では「標準体重×30 kcal＋（肥満者の付加カロリーは個別対応）」とする〔標準体重＝身長（m）×身長（m）×22〕．食後の高血糖を予防し，血糖の変動を少なくするため，4～6分割食にする．入院中に食事指導と，毎食前，食後2時間と眠前の1日7回の血糖自己測定（self-monitoring of blood glucose：SMBG）の導入を行う．早朝空腹時血糖≦95 mg／dL，食前血糖値≦100 mg／dL，食後2時間血糖値≦120 mg／dL を目標とする．HbA1c が 6.2％ 以下，GA 15.8％ 以下を目標にする．血糖の管理基準は非妊時よりも厳しいが，周産期合併症の予防のため必要である．食前血糖が正常化したにもかかわらず食後血糖が高い場合は，分割食の比率を変更するとよい．

　多くの GDM は食事療法と運動療法で管理可能であるが，血糖コントロール不良の場合はインスリン療法を導入する．毎食前の速効型あるいは超速効型インスリン注射を開始し，血糖値に応じて調整する．妊娠経過とともに，インスリン抵抗性の増大および体液量の増加のため，インスリン投与量が2倍程度に増加する．また，切迫流・早産の治療薬であるリトドリン塩酸塩は血糖上昇作用があり，点滴投与ではケトアシドーシスを生じることがある．また，胎児肺成熟促進のための経母体ステロイド投与後はインスリン必要量が増加する．

外来での管理法

　耐糖能異常合併妊婦では，妊娠に伴う身体の変化を受け入れながら血糖をコントロールするために，ライフスタイルの調整を行わなければならない．しかし，GDM と診断されると，血糖値を気にするあまり妊娠中であるにもかかわらず食事制限を行う者もおり，その結果，尿中ケトンが陽性となったり，胎児の成長に影響が出ることもある．

　超音波検査にて胎児発育と羊水量をモニターし，4週ごとに HbA1c または GA を測定する．インスリン使用者，overt diabetes in pregnancy，ハイリスク GDM は SMBG を行う[5]．SMBG で管理すると児の出生時体重は減少し，巨大児の頻度も減少する[6]．血糖コントロールが不良となれば，インスリン量調整のため入院管理を行う．

◆ 文献

1）日本産科婦人科学会，日本産婦人科医会（編）：CQ005-1 妊婦の糖代謝異常スクリーニングと診断のための検査は？ 産婦人科診療ガイドライン 産科編 2020．pp22-24，日本産科婦人科学会，2020
2）日本産科婦人科学会，日本産婦人科医会（編）：CQ005-2 妊娠糖尿病（GDM），妊娠中の明らかな糖尿病，ならびに糖尿病（DM）合併妊婦の管理・分娩は？ 産婦人科診療ガイドライン 産科編 2020．pp25-28，日本産科婦人科学会，2020
3）中林正雄，他：多施設における妊娠糖尿病の新しい診断基準を用いた臨床統計．糖尿病と妊娠 11：85-82，2011
4）Kitzmiller JL, et al：Preconception care of diabetes. Glycemic control prevents congenital anomalies. JAMA 265：731-736, 1991
5）平松祐司：妊娠糖尿病の診断と管理．産婦実際 61：1023-1028, 2012
6）Murphy HR, et al：Effectiveness of continuous glucose monitoring in pregnant women with diabetes：randomized clinical trial. BMJ 337：a1680, 2008

（船越　徹）

妊娠 12 から 21 週まで　子宮筋腫

診断と外来対応

POINT
- 妊娠初期に，筋腫の発生部位（位置）と大きさを把握しておく．妊娠中の管理や，合併症発症の予測に役立つ．
- 流早産や胎児位置異常，常位胎盤早期剥離の発生率が高まる．特に，胎盤が筋腫核上にあるときは注意が必要である．
- しばしば筋腫核に一致した疼痛が発生し，1～2 週で軽快する．稀に，外科的介入を要する症例がある．

DATA
- 子宮筋腫は妊婦に高頻度（1～3％）に認められる．
- 20％ 程度に子宮筋腫部に一致した疼痛が出現する．

はじめに

　子宮筋腫は，妊婦に高頻度（1～3％）に認められる．妊娠中には，無症状もしくは一過性の疼痛エピソードといった軽い症状で経過し，外来での管理・経過観察での対応が可能な症例も多い．しかし，増大する妊娠子宮や胎盤との位置関係などから，妊娠に特有の病態やピットフォールが発生する．以下に，妊娠中期の管理で大切と思われる点について述べ，自験例を含めピットフォールを紹介する．

筋腫に伴う妊娠合併症

　子宮筋腫に伴う産科合併症の罹患率を表 1 に示す[1]．妊娠中期の合併症としては，切迫早産，子宮内胎児発育制限，常位胎盤早期剥離などがある．前置胎盤が増加することにも注意する．
　筋腫の位置（発生部位）と大きさにより合併症の発生率が異なる．子宮体部に発生した漿膜下筋腫は捻転を，粘膜下筋腫は流産や出血をきたすことがある．筋腫が胎盤の直下もしくは近接して存在する場合に，流産や早産，常位胎盤早期剥離，分娩時出血などの産科合併症の発生率が高まる．子宮頸部や体部下部より発生した筋腫は分娩障害の原因となることがある．また，子宮体部下部に発育した筋腫では，子宮切開が困難となることがある．なお，子宮や胎盤と筋腫核との位置関係は，妊娠後期までに大きく変わるので，分娩様式の選択は妊娠後期の観察所見により判断する必要がある．

子宮筋腫の超音波像

　妊娠初期には，超音波検査により比較的容易に診断できる．妊娠中期以降では，子宮の増大

表1 子宮筋腫合併妊娠の産科的予後

	筋腫合併	筋腫なし	P値	オッズ比(95%信頼区間)
帝王切開	48.8%	13.3%	<.001	3.7 (3.5〜3.9)
胎位異常	13.0%	4.5%	<.001	2.9 (2.6〜3.2)
難産	7.5%	3.1%	<.001	2.4 (2.1〜2.7)
産後出血	2.5%	1.4%	<.001	1.8 (1.4〜2.2)
周産期子宮摘出	3.3%	0.2%	<.001	13.4 (9.3〜19.3)
胎盤遺残	1.4%	0.6%	0.001	2.3 (1.3〜3.7)
絨毛膜炎・内膜炎	8.7%	8.2%	0.63	1.06 (0.8〜1.3)
子宮内胎児発育制限	11.2%	8.6%	<.001	1.4 (1.1〜1.7)
切迫早産	16.1%	8.7%	<.001	1.9 (1.5〜2.3)
早産	16.0%	10.8%	<.001	1.5 (1.3〜1.7)
前置胎盤	1.4%	0.6%	<.001	2.3 (1.7〜3.1)
常位胎盤早期剥離	3.0%	0.9%	<.001	3.2 (2.6〜4.0)
妊娠初期の出血	4.7%	7.6%	<.001	0.6 (0.5〜0.7)
早産期前期破水	9.9%	13.0%	0.003	0.8 (0.6〜0.9)
早産期前期破水・前期破水	6.2%	12.2%	<.001	0.5 (0.4〜0.6)

(Klatsky PC, et al : Am J Obstet Gynecol 198 : 357-366, 2008 より改変)

や胎児や胎盤などにより，子宮前壁の筋腫核以外は観察が難しくなる．特に，底部の子宮筋腫は観察が困難となる．体下部より発育した筋腫と頸部筋腫の鑑別も困難となることが多い．したがって，できる限り早期に発生部位を特定しておく必要がある．

通常の子宮筋腫は，子宮筋層より低輝度の比較的均一な腫瘤として描出される．正常子宮筋の限局性収縮は，正常筋層より高輝度で一過性であることから鑑別できる．子宮筋腫の内部の血流は少なく，筋腫を取り巻くように豊富な血管が観察される．富細胞性平滑筋腫では，筋腫内部は高輝度で血流が豊富な腫瘤像を示す．腫瘍像を大きく四分割して各部を比較すると各部の違いはほとんどない．これに対して，嚢胞化や石灰化・出血などの変性を示す筋腫は，輝度や構造が多彩な像を示す．子宮平滑筋肉腫との鑑別が困難なこともあり，血流やLDH・臨床経過・MRIなども参考にする．

● 筋腫に一致した疼痛

筋腫は，しばしば妊娠初期から中期にかけて増大する．20%程度に子宮筋腫部に一致した疼痛が出現する．原因としては，筋腫の虚血や梗塞が多い．疼痛が突然始まり，急速に増強してピークに達し，発熱や白血球増多，CRP陽性がみられることが多い．通常，1〜2週程度で徐々に疼痛が軽快する．軽症例では外来通院で経過観察が可能である．虚血や梗塞を起こした筋腫核は，変性し縮小に向かうことが多い．長期間経過したものでは高度の石灰化を認める．重症例では，入院のうえ疼痛管理(鎮痛薬投与や麻酔)，子宮収縮抑制などが必要となることもある．

一方，漿膜下筋腫の茎捻転や高度の赤色変性(子宮筋腫静脈の塞栓により筋腫内にも出血壊死をきたすもの)では，疼痛が強く持続し，手術介入が必要なこともある．時に致命的となった症例も報告されている．強い疼痛が数日を経てもさらに増悪し，疼痛管理に難渋する場合には，手術による診断の確定と治療を考慮する必要がある．筋腫に関連して発生する強い疼痛の原因としては，イレウスや腹腔内出血，子宮壁の破裂なども報告されている．

妊娠中に発生した筋腫の診断には，問診(疼痛の始まりとその後の経過)，触診(筋腫に一致

した疼痛), 超音波検査が有用である. 超音波検査による血流の観察も鑑別に役立つ. 有茎性漿膜下筋腫では茎捻転も念頭において茎の血流観察を行う. 赤色変性の診断には, MRI検査が有用である. 梗塞後数日で, T1強調画像で筋腫核周囲の静脈梗塞を反映した高信号が出現する. 筋腫核は, 出血性梗塞を反映して徐々にT1強調画像で高信号となる.

深部静脈血栓症

妊娠中の大きな筋腫, 特に子宮頸部に発生した筋腫で骨盤内静脈や下大静脈の圧迫・完全閉塞を起こした症例が報告されている. 当院の症例で検討したところ, 妊娠中に深部静脈血栓症のために治療を要した症例19例のうち, 4例に直径が10 cm以上の大きな筋腫が認められた. 機械的な圧迫や循環不全のほかに, 妊娠中には凝固系の亢進も加わることから, 骨盤腔を占める大きな筋腫の場合は深部静脈血栓症の発症にも注意する必要がある.

ピットフォール

以下に, 妊娠中期の子宮筋腫合併例の管理について示唆に富む症例を紹介する.

【症例1】子宮筋腫核のために間質部妊娠を見逃した症例

高齢妊娠・子宮筋腫合併妊娠にて妊娠12週に当科紹介となった. 超音波にて8.4 cm大の子宮筋腫を子宮前壁下部に認め, 胎児・胎嚢はその頭側にみられた. 妊娠15週時, 自宅で意識消失をきたした. 救急搬送中に心肺停止となり, 心肺蘇生を受けながら, 当院に到着した. CTで, 腹腔内に脱出した胎児と大量の腹腔内出血を認め, 緊急手術を施行したところ, 左卵管間質部に破裂があった.

胎嚢の子宮内での位置異常 (間質部) が, 子宮筋腫のために見落とされていたものと推定された.

【症例2】経腟超音波でのみ観察し, 頭側に伸展した子宮体部の所見を見逃した症例

近医で, 妊娠5週 (最終月経より推定) より診察を受けていた. 妊娠6週時に胎嚢様の囊胞32 mmを認めたが, 妊娠7週時に性器出血と囊胞の消失を認めた. しかし, 8週時に血中hCG 28万mIU/mLと高値, 子宮内に胎嚢を認めなかったことから, 胞状奇胎疑いとして当科に紹介された. 経腟超音波にて胎嚢は認めず子宮内に腫瘤を認めた. 造影MRIを撮影したところ, 腫瘤は11 cm大の頸部筋腫であり, その頭側に胎嚢を認めた.

経腹超音波検査を施行していれば, 子宮内妊娠の診断が可能であった症例である. 大きな子宮筋腫により子宮体部が左右いずれかの頭側に強く偏位している症例では, 経腹超音波による観察でも子宮腔内の胎嚢を見逃すことがある.

【症例3】子宮底部筋腫による嵌頓子宮を見逃した症例

頸部筋腫, 前置胎盤, 血液型不適合妊娠 (Rh陰性) のため妊娠20週で当科に紹介された. ダグラス窩に7 cm大の筋腫があり, 子宮頸部は腹側に長く延長していた. 前壁付着全前置胎盤と診断し (図1), 妊娠36週時に帝王切開を施行した. 子宮下部で横切開を加えたところ, 子宮頸管切断, 子宮体部後壁切開となった. この体部後壁切開より胎児を解出した. 筋腫は底部漿膜下筋腫で骨盤内に嵌頓していた.

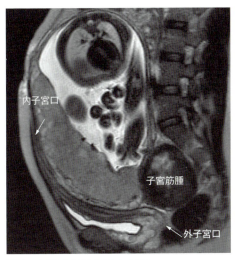

図1 妊娠32週 MRI 矢状断

　同様の症例は，しばしば報告されている．当科でもこの症例以降の経験例では，術前に嵌頓子宮を診断して正しい位置での子宮切開を実施できている．妊娠中期までに筋腫の位置（底部より発育）を正しく診断しておくこと，MRI画像などで前方に著しく伸展された腟壁を同定することが頸部筋腫と誤認しないために大切である．

【症例4】卵巣腫瘍を子宮筋腫と誤認した症例

　成熟奇形腫が増大したため，妊娠19週時に開腹右卵巣腫瘍部分切除術が施行された．摘出標本で，奇形腫の悪性転化（扁平上皮癌）と診断された．妊娠23週時に，以後の管理目的に紹介となった．妊娠25週時より子宮前壁下部に3〜4 cm大の子宮筋腫様の腫瘤があり，徐々に増大した．妊娠29週時，帝王切開＋卵巣がん根治術を施行した．子宮筋腫と考えていた腫瘤は，扁平上皮癌の播種であった．根治術後に抗がん化学療法を施行し寛解している．

　前医では紹介前にこの腫瘤を認めていなかったことを確認しないまま，画像所見から筋腫と推定してしまった．また，妊娠中期以降には筋腫の多くは増大を示さない点からも，診断上反省させられた症例である．本例とは別に，ダグラス窩に手拳大子宮筋腫が存在するとして妊娠36週で紹介された症例を経験したことがある．悪阻が持続し，早期の妊娠終了が望ましいとしてただちに帝王切開を施行したところ，術後2週間目に腹水貯留がみられ胃がんの卵巣転移であったことが判明した．予断を排した診断を心がける必要があることを痛感させられた症例であった．

◆文献

1) Klatsky PC, et al : Fibroids and reproductive outcomes : a systematic literature review from conception to delivery. Am J Obstet Gynecol **198** : 357-366, 2008

（尾本　暁子・生水　真紀夫）

妊娠22〜36週に行う検査

検査の実施法 妊娠22から36週まで

POINT
- 理学的所見，血液検査結果により妊娠中期以降に発生しやすい周産期疾患(妊娠高血圧症候群，妊娠糖尿病)の発見に努める．
- 前置胎盤，低置胎盤の有無について確認し，その状態に応じた分娩方針を決める．
- 胎児発育不全，羊水量の異常を認めた場合は，その原因の精査を行う．

　国の示す基準および『産婦人科診療ガイドライン　産科編2020』(以下，産科ガイドライン)では24〜35週の時期には2週間に1回程度の受診が望ましいとされ，毎回の診察での，体重・血圧測定，子宮底長測定，尿検査(糖，蛋白半定量)，児心拍確認，浮腫の評価を行う(レベルB)．それに加えて，妊娠中の2回目の耐糖能検査(24〜28週)，血算(1〜2回)，HTLV-1(初期検査で行わなかった場合)を血液検査として行い，クラミジア検査(初期から30週頃まで)，B群溶連菌検査(35〜37週)もこの時期にスケジュールすべき検査項目である．この時期は妊娠高血圧症候群，妊娠糖尿病，胎児発育不全，切迫早産などの比較的頻度が高い周産期異常が顕在化する時期であるため，これらの疾患の出現を念頭に置いて妊婦健診を行う必要である．

● 理学的所見(症状，バイタルサイン，体重変化など)

以下のような理学的所見に注意し，疾患を鑑別し，対応する必要がある．

症状

- 規則的子宮収縮，下腹部痛 → 切迫早産，常位胎盤早期剝離の初期症状
- 性器出血 → 切迫早産，常位胎盤早期剝離，前置・低置胎盤，前期破水
- 心窩部痛，嘔気・嘔吐 → HELLP症候群，急性妊娠脂肪肝
- 頭痛，眼華閃発 → 妊娠高血圧症候群，高血圧緊急症，子癇

バイタルサイン

- 発熱 → 絨毛膜羊膜炎
- 血圧上昇 → 妊娠高血圧症候群，子癇

身体所見，尿検査

- 浮腫の増加，体重の急激な増加 → 妊娠高血圧症候群，生理的浮腫，深部静脈血栓症など
- 尿蛋白陽性 → 妊娠高血圧症候群，生理的蛋白尿，腎疾患など

中期以降の血液検査

この時期は最も血液希釈が顕著である．Hb濃度9.6～10.5 g/dLの妊婦は低出生体重児出産リスクや早産リスクが最も低く，それ以下・以上では用量依存的にこれらのリスクが高くなるため，極度の貧血やHb>13.0 g/dLを示す妊婦には注意する．また，妊娠中には生理的な血小板数減少が生じるが，妊娠高血圧症候群発症やHELLP症候群発症に先行して起こる場合もあり，生理的範囲を逸脱した血小板数推移にも注意が必要である．

胎盤由来の血糖上昇因子の作用により妊娠中の耐糖能は低下する．妊娠初期の血糖検査では妊娠前からすでに存在する耐糖能障害の発見が中心であり，一方，妊娠の影響に伴う耐糖能低下により初期検査で異常がない妊婦でも中期以降に血糖値の異常を示すことはしばしば生じる．産科ガイドラインでは妊娠中期(24～28週)に50gGCT(≧140 mg/dLを陽性)もしくは随時血糖(≧100 mg/dLを陽性)によるスクリーニングが推奨されている．スクリーニング陽性妊婦には診断検査(75gOGTT)を行う(レベルB)．

通常超音波検査

通常超音波検査においては，胎児推定体重計測，胎盤位置の確認，羊水量測定〔amniotic fluid index(AFI)，羊水ポケットなど〕を行い，発育遅延や胎盤位置・羊水量異常検出に努める．

胎児発育不全(FGR)

FGRを疑った場合，妊娠初期計測値などを参考に妊娠週数を再確認する．胎児体重基準値を用い，−1.5 SD以下をFGR診断の目安とし，子宮底長の変化，羊水量なども考慮して，FGRを総合的に診断する．FGR発症に関連する胎児形態異常と胎盤臍帯異常の精査，妊娠高血圧症候群関連検査(血圧，蛋白尿，各種血液検査など)，母体合併症の確認(糖尿病，甲状腺機能異常，抗リン脂質抗体症候群などに関する検査)を行い，原因を検索する．高度のFGRや形態異常を認める場合は染色体異常も疑い，精査にあたる[1]．

羊水量の異常

腹囲，子宮底の理学的所見や超音波検査におけるAFI測定により羊水量の異常を検出する．ただし，妊娠週数による生理的な変化や母体・胎児の個人差も大きいことを念頭に置く必要がある．

羊水過多の原因としては，①胎児側要因として羊水嚥下・吸収障害(横隔膜ヘルニア，先天性嚢胞性腺腫様肺奇形，消化管閉鎖，神経筋疾患，中枢神経系奇形，胎児水腫，染色体異常など)，胎児尿産生過剰(双胎間輸血症候群，胎児貧血，無心体双胎，胎盤血管腫，胎児バーター症候群など)，②母体側要因として母体糖尿病，多胎妊娠などがある．

羊水過少の原因としては，①胎児側要因として，腎無形成，腎異形成などの無機能腎や尿産生不良となる先天性胎児異常，閉鎖性尿路障害などの尿排出障害，胎児染色体異常，胎児発育不全，過期妊娠などがあり，②母体側要因として，胎盤機能不全を生じる疾患(妊娠高血圧症候群，抗リン脂質抗体症候群，膠原病，血栓症など)が挙げられ，また母体への薬剤投与(非ステロイド性解熱鎮痛薬，ACE阻害薬)も要因となりうる．③胎盤・臍帯・卵膜の要因としては，胎盤梗塞・血栓，双胎間輸血症候群などが挙げられる．ただし，羊水過少の場合には内診により破水の有無を最初に確認することも重要である[2]．

胎盤位置異常

　妊娠中期に経腟超音波検査を行い，胎盤位置異常のスクリーニングを行うことが大切である．前置胎盤，低置胎盤では癒着胎盤の合併も考慮する．特に，帝王切開既往がある場合の前壁付着の前置胎盤では癒着胎盤の頻度が高いことは留意が必要である．胎盤位置異常が確認された妊婦には，妊娠の進行とともに突然の大量出血を生じるリスクが増大することを説明しておく．自院では緊急時の対応が困難である場合は，32週末までに他院への紹介受診が完了するようにする．低置胎盤については妊娠36～37週時，胎盤辺縁が内子宮口から2cm以内の場合には経腟分娩での出血量の増加が懸念されるため[3]，予定帝王切開も考慮される．

◆文献

1) ACOG Practice Bulletin No.12 : Intrauterine growth restriction. January 2000(Guideline)
2) Golan A, et al : Persistence of polyhydramnios during pregnancy-its significance and correlation with maternal and fetal complications. Gynecol Obstet Invest **37** : 18-20, 1994
3) Matsubara S, et al : Blood loss in low-lying placenta : placental edge to cervical internal os distance of 2 cm less vs. more than 2 cm. J Perinat Med **36** : 507-512, 2008

〔中山　敏男・山下　亜紀・永松　健・藤井　知行〕

検査の実施法

妊娠22から36週まで

胎児の発育評価

POINT
- 胎児推定体重を計測する際，各パラメータの計測を行う基本的な画面を正確に描出する．
- 超音波断層法による胎児発育の評価は，少なくとも妊娠20週頃，妊娠30週頃，妊娠37週頃に実施する．
- 超音波診断装置に採用している計算式が施設によって異なることがあり，その場合は計測方法が異なるため，他施設で検査をする際には注意を要する．

はじめに

　妊娠22週以降の妊婦健診では，胎児発育を評価する．超音波断層法による胎児発育の計測は確立されており，胎児推定体重（estimated fetal weight：EFW）を経時的に観察する．さらに，胎児発育不全（fetal growth restriction：FGR）や将来巨大児につながる large for gestational age（LGA）など発育異常の診断を行うことにより，母児の合併症を検索することは，分娩時期や分娩方法の決定，新生児医療の要否（高次施設との連携・高次施設への搬送）を検討するために必要不可欠である．『産婦人科診療ガイドライン 産科編2020』[1])では，超音波検査による胎児発育のチェックを，妊娠20週頃，妊娠30週頃，妊娠37週頃に実施することが勧められている．特にFGRのスクリーニングとして，"妊婦全例に対して，妊娠中期以降30週頃までには胎児計測を行い，必要に応じて再検する"ことを推奨レベルBで設定している．しかしながら，発育異常の早期発見のためには，EFWの推移を確認する意味でも妊娠22週以降の妊婦健診ごとに計測することが望ましいと考える．
　そこで，基本的な胎児計測のパラメータとEFWの算出法について説明する．

胎児計測に用いられるパラメータと計測方法

　胎児計測は超音波断層法によって行われる．現在，臨床で主に用いられている胎児計測のパラメータを以下に示した．これらのパラメータを用いてEFWを算出する．

児頭大横径

　児頭大横径（biparietal diameter：BPD）は，児頭水平断で，頭蓋骨の中央部に正中線が描出され，正中線の前寄りに透明中隔腔，後ろ寄りに四丘体槽が確認できる断面で計測する（図1）．計測範囲は，近位側の頭蓋骨外側と遠位側の頭蓋骨内側までを計測する outside-inside method が一般的であるが，推定式によっては遠位側の頭蓋骨外側までを計測する outside-outside method もあるので，推定体重算出の際にはどの推定式が用いられているかに留意する必要がある．

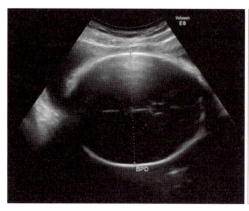 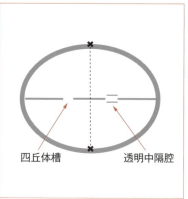

図1　児頭大横径(BPD)計測

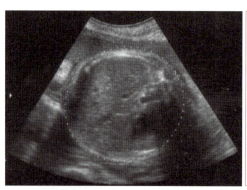 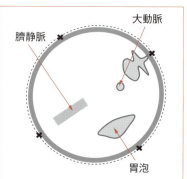

図2　軀幹横断面計測(AC, FTA)

軀幹横断面計測

　胎児上腹部水平断で，大動脈に直交し臍静脈(斜めに切れる)および胃泡が描出される断面で計測を行う．描出に際し，まず胸部から腹部大動脈の走行を確認し，その断面から90度角度を変えて腹部水平断を描出する．そこからプローブを胎児の上下方向に水平移動させることにより，目標とする断面は容易に描出できる．おおよその目安は，腎上極・副腎が描出されるレベルである．

- ● 軀幹周囲長，軀幹断面積

　軀幹周囲長(abdominal circumference：AC)および軀幹断面積(fetal trunk cross section area：FTA)は近似楕円として計測する方法が一般的であるが，外周をトレースする方法もある(図2)．

- ● 軀幹前後径 × 軀幹横径

　脊椎突起の先端から腹壁正面までを軀幹前後径(anterior-posterior trunk diameter：APTD)，これに直交する横径が軀幹横径(transverse trunk diameter：TTD)である．ともに描出された軀幹横断面の外側で計測する(図3)．

大腿骨長

　大腿骨長(femur length：FL)は，胎児の大腿骨を超音波プローブにできる限り平行になるように描出し，両端の骨化部分が完全に描出された断面で計測する．骨端部分が斜めに描出さ

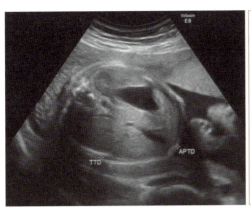
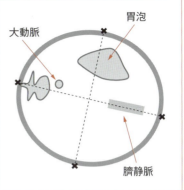

図3 軀幹横断面計測（APTD×TTD）

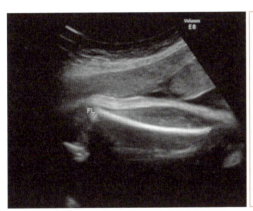
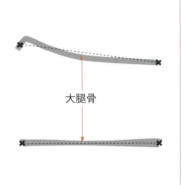

図4 大腿骨長（FL）計測

表1 胎児体重推定式

青木（1985）	$1.25647 \times BPD^3 + 3.50665 \times FTA \times FL + 6.30994$
Shinozuka（1987）	$1.07 \times BPD^3 + 3.42 \times APTD \times TTD \times FL$
Modified Shinozuka（2000）	$1.07 \times BPD^3 + 0.30 \times AC^2 \times FL$

BPD : biparietal diameter, FTA : fetal trunk cross section area, FL : femur length, AC : abdominal circumference, APTD : anterior-posterior trunk diameter, TTD : transverse trunk diameter

れる画像では，それぞれの化骨部分の中点を起点として計測する（図4）．

胎児推定体重

　現在用いられている胎児体重推定式は上記に示した超音波計測による各パラメータを用いて行っている．胎児発育は人種的な差異を考慮する必要があるため，本邦で作成されたものを用いることが望ましい[2]．表1に本邦で使用されている代表的なものを挙げる．実際のEFW計測は，入力された各パラメータの計測値により，超音波診断装置に組み込まれたソフト上で行われているため，その場で検者が計算を行うことはまずない．しかし，施設によって採用している計算式が異なることがあり，その場合は各パラメータの計測方法に留意する必要がある．

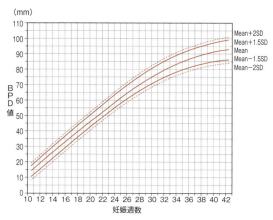

図5 BPD値の妊娠週数に対する回帰曲線
(日本超音波医学会：超音波医学 30：J415-J440, 2003
より一部改変)

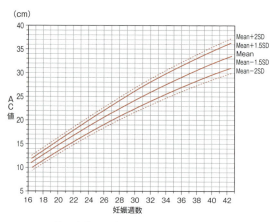

図6 AC値の妊娠週数に対する回帰曲線
(日本超音波医学会：超音波医学 30：J415-J440, 2003
より一部改変)

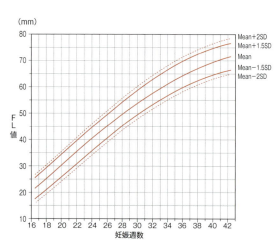

図7 FL値の妊娠週数に対する回帰曲線
(日本超音波医学会：超音波医学 30：J415-J440, 2003
より一部改変)

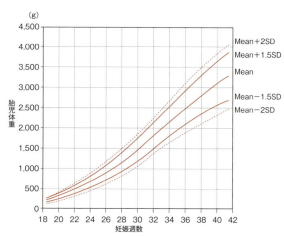

図8 胎児体重の妊娠週数に対する回帰曲線
(日本超音波医学会：超音波医学 30：J415-J440, 2003
より一部改変)

　現在，主に用いられているのは，表1に示したModified Shinozuka(2000), Shinozuka(1987), 青木(1985)の各式であり，日本超音波医学会でも臨床上問題となる差はほとんどないとされている．図5～8に2003年に日本超音波医学会から公示された各パラメータの妊娠週数に対する回帰曲線と，EFWの発育曲線を示す[3]．FGRは図8に示した胎児体重基準値の−1.5 SDを目安とする[1]．

　超音波によるEFWは，胎児の頭部の形の個体差や腹部軟部組織の容積，周囲からの圧迫による軀幹の変形などの影響を受けるが，実際の胎児体重との誤差は10％以内といわれている．

◆ 文献

1）日本産科婦人科学会，日本産婦人科医会（編）：CQ001，CQ307-1，CQ307-2，CQ310．産婦人科診療ガイドライン 産科編 2020．日本産科婦人科学会，2020
2）田中宏和，他：胎児の異常．倉智博久，他（編）：産婦人科学テキスト．pp498-500，中外医学社，2008
3）日本超音波医学会 用語・診断基準委員会：「超音波胎児計測の標準化と日本人の基準値」の公示について．超音波医学 30：J415-J440，2003

（田中　宏和）

検査の実施法

妊娠22から36週まで

胎児の形態評価②

POINT
- 22週から36週の妊婦健診で胎児の形態異常が見つかった場合には，正しい診断と児の評価を行い，出生前後の分娩方針や児の治療方針を決定して妊婦に説明をする必要がある．
- 専門的な医療が必要な場合は高次医療機関に紹介する．

DATA
- 全出生児のおよそ3％には何らかの先天異常がみられる．
- 先天性横隔膜ヘルニア（CDH）は合併奇形や染色体異常の合併が比較的みられ，また肺低形成をきたすため，予後はそれらに依存する．CDH単独の生存率は70～80％程度．
- 先天性心疾患は出生時の約1％と頻度の高い疾患で，出生直後より介入が必要な症例も多く胎児診断が重要．

はじめに

　全出生児のおよそ3％には何らかの先天異常がみられるため，胎児形態異常のスクリーニングが行われる[1]．『産婦人科診療ガイドライン 産科編2020』では，産科超音波検査は一般の妊婦健診時に行われる推定体重，胎位，羊水量などだけを項目とした「通常超音波検査」と，胎児形態異常の検出を目的とした「胎児超音波検査」に分けられるとされている．
　胎児超音波検査は決められた妊娠週数時に訓練を受けた検者がスクリーニングプログラムに従って胎児の異常を検出するものである．
　形態異常の評価は正確な胎児超音波解剖学の知識と正常画像を正しく描出できる技術が必要である．表1に国際産婦人科超音波学会が示す胎児形態標準検査の検査項目を示す[2]．異常が疑われたときや見つかった場合は精密検査を行い正確な診断，その重症度を評価し妊娠中の管理や出生後治療の方針を決定する．また，分娩前である妊婦に大きな不安をもたせないようなカウンセリングも重要である．本稿では超音波胎児スクリーニング検査により検出される疾患を臓器別に解説し，妊婦への説明の仕方のポイントを述べる．

頭部・中枢神経系疾患

　頭部の観察は，透明中隔と側脳室が描出される側脳室通過断面（transventricular plane）と，そこからややプローブを足方に傾け小脳を描出させる小脳通過断面（transcerebellar plane）の2つの画像を利用し，頭蓋骨の変形，側脳室の拡大，小脳横径，後頭蓋窩を観察する（図1）．側脳室後角の幅は妊娠14週から38週までほとんど変化せず，平均が7～8 mmで10 mm以上を異常とする．側脳室が拡大する疾患は水頭症，脳梁欠損，孔脳症などがある（図2）．後頭蓋窩は大槽（cisterna magna）とも呼ばれ10 mm以上を異常とし，後頭蓋窩の拡大はダンディ-ウォーカー奇形，Blake's pouch cystなどを疑う．また後頭蓋窩が閉鎖し，小脳が彎曲してい

表1 妊娠中期で観察する胎児解剖の基本項目
（国際産婦人科超音波学会）

頭部	頭蓋骨 透明中隔 正中鎌 視床 側脳室 小脳 後頭蓋窩
顔	両側眼窩 正中での横顔 口の存在 口唇
頸部	腫瘤の有無 胸郭の形態・大きさ，肺の大きさ 心拍動 四腔断面，心臓の位置 大動脈・肺動脈流出路 横隔膜ヘルニアがない
腹部	胃の位置 腸管の拡張 両側腎の存在 臍帯付着部
骨格	脊髄の欠損，腫瘤 上肢，下肢
胎盤	位置 腫瘤 分葉胎盤
臍帯	3本の血管
生殖器	男性，女性

（Salomon LJ, et al : Ultrasound Obstet Gynecol 37 : 116-126, 2011 より改変）

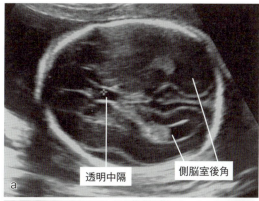
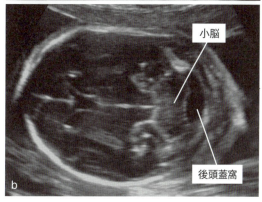

図1 頭部スクリーニングのための2断面
a：側脳室通過断面（transventricular plane）．透明中隔と側脳室後角を観察する．
b：小脳通過断面（transcerebellar plane）．小脳と後頭蓋窩を観察する．

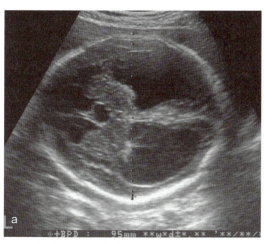
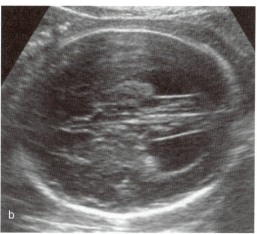

図2 脳室拡大をきたす疾患
a：水頭症．側脳室が拡大している．
b：脳梁欠損．軽度に脳室拡大．

る所見は banana sign と呼ばれ，頭蓋骨が陥没している所見を示す lemon sign とともに二分脊椎に特徴的な所見である．小脳横径は妊娠週数の値を mm 数としたものがほぼ正常である．また，脊椎を胎児矢状断で観察し脊髄髄膜瘤などの有無を確認する．

説明のポイント

脳室拡大をきたす疾患は多岐にわたるため，原疾患を特定することが難しい場合がある．また側脳室後角が 15 mm 以上であれば有意な所見であるが，15 mm 未満の軽度拡大，特に 10〜12 mm はボーダーラインで正常所見である可能性もある．後頭蓋窩の拡大や小脳虫部の低形成は，ダンディ・ウォーカー奇形であれば神経学的予後は不良であるが，mega cisterna magna や Blake's pouch cyst の場合は中枢神経症状がみられない可能性もある．脳梁欠損は単独であれば神経学的症状が軽度である可能性もあるが，先天奇形症候群の1つの所見としてみられている場合も多い．

中枢神経系の疾患は発達や知能に関連することが多いが，形態だけでは機能を推定することが困難なことも多く，過度の不安をあおることは慎むべきである．

頸部・顔面

顔面の形態異常で代表的なものは口唇裂・口唇口蓋裂である．頻度は1/600とされている．口唇裂と口唇口蓋裂を出生前に鑑別することは難しいことも多い．頸部の異常は頸部嚢胞や甲状腺腫などの腫瘍性病変が代表的である．頸部嚢胞は妊娠初期にみられる場合は，染色体異常の可能性が高く予後不良であることが多いが，妊娠中期以降で発見されるものは，染色体異常や他の合併奇形がない単独のものが多く，生命予後は比較的良好である．

説明のポイント

口唇口蓋裂は哺乳障害，言語障害，咀嚼・嚥下障害などの障害があり，新生児科，小児科，耳鼻咽喉科，小児歯科，矯正歯科，リハビリテーション科など多科にわたる集学的治療が必要である．また，どの程度まで修復が可能かは個々の症例によるが，形成外科医などの専門家から写真などを用いて説明を行うのが理想であろう．

胸部疾患

心四腔断面(four chamber view)の横断面で心臓の偏位，胸腔内を観察する．胸郭でみられる疾患は，先天性横隔膜ヘルニア(congenital diaphragmatic hernia：CDH)，congenital pulmonary airway malformations(CPAM)，胎児胸水などである(図3)．心臓の位置が左右どちらかに偏位していればCDH，CPAMが疑われる．両者の鑑別は，横隔膜ヘルニアの典型例では胃や腸が胸腔内に脱出し，腸管の蠕動運動がみられる場合もある．CDHは40〜50%に合併奇形や染色体異常がみられるため，それらについての精査が必要である．単独のCDHの場合は重症度により予後が異なるため，肝挙上の有無や，健側肺の大きさの評価である肺と胸郭の面積の比(L/T比)や肺/頭囲比(LHR)を在胎週数ごとの正常値と比較した observed expected LHR(o/e LHR)が用いられている．また胃泡の位置で分類する Kitano の分類も報告されている．

CPAM は胎児期に胎児水腫に進行しなければ比較的生命予後の良い疾患である．macrocystic 型と microcystic 型に分けられ，重症度の評価は CPAM 体重比(CVR)が最も利

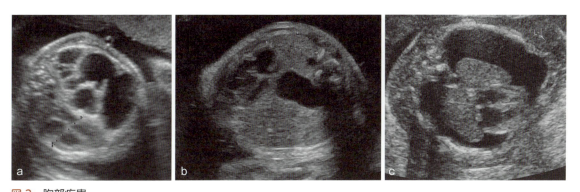

図3 胸部疾患
a：CPAM(congenital pulmonary airway malformations)，b：先天性横隔膜ヘルニア，c：胎児胸水

用されている．CVRは腫瘤の縦×横×高さ×0.52(cm^3)/頭囲(cm)で計算され，1.6以上では80％の症例で胎児水腫に進行すると報告されている．

胎児胸水は原発性と続発性に分けられ，原発性胸水は一般的には乳び胸である．続発性には肺分画症や先天性心疾患によるもの，また胎児水腫の一症状としてみられる場合もある．原発性胸水には胎児胸腔-羊水腔シャントの有用性が報告されている．

説明のポイント

CDHは合併奇形や染色体異常の合併が比較的みられ，また，肺低形成をきたすため予後はそれらに依存する．単独のCDHの生存率は70〜80％程度であり，健側肺の大きさと肝臓の脱出の有無で重症度が評価される．それらから推定される出生後の状態を説明するべきである．CPAMは26〜28週頃に胎児水腫となるリスクが最も高くなる．胎児水腫に発展しないCPAMの生命予後は比較的良好である．また，染色体異常や他の合併奇形がみられる頻度は低い．胎児胸水は，自然軽快する症例の予後は良好であるが，胎児水腫に進行する例の生存率は50〜70％程度である．羊水-胸腔シャントが有効な場合もあるが，重症例では効果が乏しい場合があることも説明するべきである．

● 心疾患

先天性心疾患は出生児の約1％と頻度の高い疾患で，出生直後より介入が必要な症例も多く胎児診断が重要である．

腹部断面，four chamber view，five chamber view，three vessel view，three vessel trachea viewの5つの断面を描出し異常を検出する[3]（図4）．腹部断面では胃泡の位置，下大静脈，下行大動脈の位置を確認する．それらの位置の異常があれば内臓逆位や内臓錯位であり，心疾患の存在の可能性が高くなる．four chamber viewでは脊椎に対しての大動脈，下大静脈の位置，心臓の左右の同定，偏位，胸郭断面比(cardiac thoracic area ratio：CTAR)，心室心房の左右差，心室中隔・心房中隔の異常，不整脈の有無をみる．five chamber view，three vessel viewで大動脈が左心室から，肺動脈が右心室から起始していることの確認，three vessel trachea viewでそれぞれの血管の大きさや走行などの異常の有無を確認する．このスクリーニング法で総肺静脈還流異常症を除いたほとんどの先天性疾患が診断可能である．

先天性心疾患は多数の疾患の総称を示すが，各疾患については割愛する．心臓の構造から出

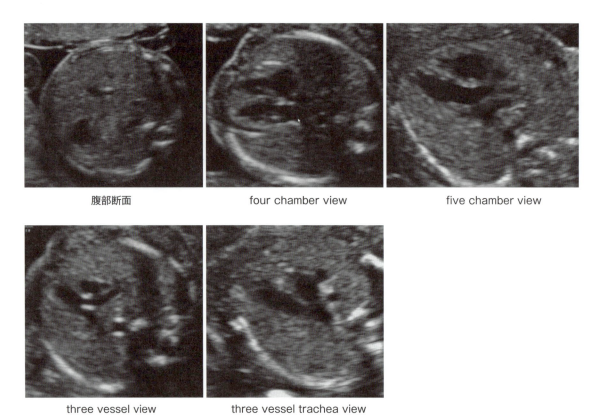

図4 胎児心臓のスクリーニングの基本5断面

生前後の状態を予測する．房室弁逆流の有無や程度から胎児水腫をきたす可能性があるか，治療法が二心室型か一心室型になるか，動脈管依存性か，出生直後にはどのような治療が必要となるかなどを出生前に精査する必要がある．

説明のポイント

先天性心疾患はさまざまな種類があり，症例ごとに重症度や治療法が異なる．

出生前検査で正確な診断が困難なこともあり，また出生後の循環動態の変化から出生前には出生後治療の方法が正確に予測できないこともある．

先天性心疾患には約10％に染色体異常の合併があり，各疾患で合併しやすいものとそうでもないものがある．

● 腹部

腹部臓器の異常は，消化管閉鎖(図5a，b)や消化管重複症などの消化器系疾患，総胆管嚢腫，肝嚢胞などの肝胆道系疾患，多嚢胞性腎異形成(MCDK)，下部尿路閉塞，水腎症などの腎泌尿器系疾患，ほかにも卵巣嚢腫や副腎腫瘍などさまざまある．出生後の精査の結果で治療方針の選択ができる疾患もある一方で，胎児期からの周産期管理が必要な疾患も存在する．胎児期からの周産期管理が必要な代表的なものは消化器系疾患であり，特に消化管閉鎖は臍帯潰瘍による胎児死亡の危険性や出生後早期の手術の必要性を有しているため胎児診断されることが重要である．また，卵巣嚢腫や下部尿路閉塞などは胎児治療の実施が考慮される．

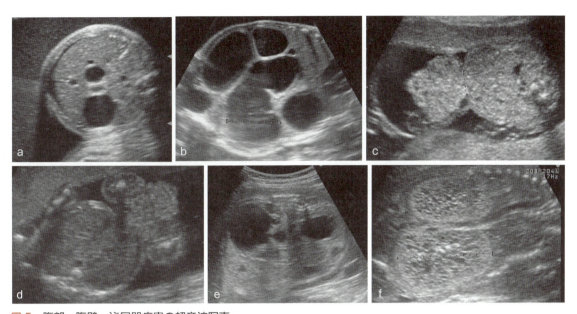

図5 腹部，腹壁，泌尿器疾患の超音波写真
a：十二指腸閉鎖，b：小腸閉鎖，c：臍帯ヘルニア，d：腹壁破裂，e：水腎症，f：常染色体劣性多発性囊胞腎（ARPKD）

　超音波検査だけでも囊胞の位置，囊胞が出現した妊娠週数，消化管であれば蠕動運動，羊水量異常の有無，他臓器の異常など総合的な所見から診断を絞り込むことができるが，確定診断が困難なことも多い．MRIはそれを補うことができる検査であり，超音波検査では鑑別できない詳細な囊胞と他臓器との位置関係，囊胞の信号強度や胎便の通過性などの所見が得られ，診断の助けになる．

説明のポイント

　消化器疾患は出生直後より外科的な介入が必要である可能性があり，上部消化管閉塞は臍帯潰瘍による胎児死亡のリスクがある．その他の疾患は出生後の精査の結果により方針が決定されることが多い．胎児期に確定診断が得られない場合はさまざまな可能性を説明しておく必要がある．

腹壁疾患

　代表的な疾患は臍帯ヘルニア，腹壁破裂（図5c，d）で，ほかに総排泄腔外反，膀胱外反などがある．臍帯ヘルニアは脱出臓器が膜に覆われており，染色体異常や他の合併奇形を伴うことが多く，その合併症が予後を左右することが多い．腹壁破裂は臍帯の右側から腹部臓器が体外に脱出し，それが膜に覆われていないことから診断ができる．染色体異常や他の合併奇形が少ないことから比較的予後が良好であるが，消化管虚血から短腸症候群をきたすことがあるため分娩時期周囲の妊娠管理は重要である．

説明のポイント

　臍帯ヘルニアの場合は染色体検査の必要性，また合併奇形の可能性を十分に説明する．腹壁破裂は脱出部位の消化管の圧迫により，早期の娩出が考慮されることや短腸症候群を合併する

ことがあることを説明する.

腎泌尿器系疾患

腎臓の形態を観察し，腎盂の拡張や囊胞性病変がないことを確認する．当院では腎盂の拡大は前後径で 10 mm 以上を異常所見としている（図 5e）．片側または両側腎盂拡大をきたす原因で多いものは腎盂尿管移行部狭窄や尿管膀胱逆流などである．また下部尿路閉鎖では膀胱が拡大する．さまざまな疾患があるが，羊水量が正常で膀胱が描出できれば，腎機能は正常である可能性が高い．

説明のポイント

腎泌尿器疾患で予後不良なものは，両側腎無形成などのポッター症候群（Potter sequence），胎児期に発症の常染色体劣性多発性囊胞腎（ARPKD）（図 5f），下部尿路閉鎖などの羊水過少をきたす疾患である．腎盂尿管移行部狭窄や MCDK は病変が片側で羊水量が保たれていれば，短期的な予後は良いと考えられているが，長期的な予後は明らかでないため，出生後の精査によっては定期的な検査は必要と説明する．後部尿道弁などの下部尿路閉塞や膀胱尿管逆流は腎機能障害が進行することもある．

四肢骨格系疾患

四肢骨格異常をきたす疾患は四肢短縮から診断される骨系統疾患が代表的である．骨系統疾患は 200 以上の疾患の総称で，頻度の高いものは軟骨無形成症，タナトフォリック骨異形成症，骨形成不全症などである．大腿骨長が −3 SD 以下の場合は骨系統疾患を疑うが，超音波検査で得られる所見は四肢短縮の程度，胸郭の低形成の有無，骨折像の有無などの限られた所見だけであり，診断のためには 3D-CT が可能な高次医療機関での精査が必要となる．病態や予後は疾患ごとに異なるが，胸郭の低形成をきたすものは出生後の呼吸不全のため短期予後が不良であることが多い．胎児期のスクリーニング法は推定体重計測時の大腿骨長で，鑑別疾患は胎児発育不全である．

説明のポイント

骨系統疾患は疾患ごとに予後が異なるため，3D-CT での正確な診断の後に病状を説明するのが理想である．それが不可能な場合は骨系統疾患の一般的な説明をすることになるが，胸郭の低形成をきたすものは出生直後から呼吸不全を引き起こすことを伝える．

おわりに

本稿では妊娠 22〜36 週に行う胎児形態異常の検出を目的とした胎児超音波検査について述べたが，近年では超音波検査機器の性能の向上などにより，より早い妊娠週数で胎児形態異常を評価する傾向となってきている．したがって，本稿の内容は 22 週未満での評価も含まれている．

◆ 文献

1） 左合治彦，他：胎児の超音波診断．超音波医 **34**：427-437, 2007
2） Salomon LJ, et al：Practice guidelines for performance of the routine mid-trimester fetal ultrasound scan. Ultrasound Obstet Gynecol **37**：116-126, 2011
3） International Society of Ultrasound in Obstetrics and Gynecology, Carvalho JS, et al：ISUOG Practice Guidelines（updated）: sonographic screening examination of the fetal heart. Ultrasound Obstet Gynecol **41**：348-359, 2013

〔和田　誠司・杉林　里佳・小澤　克典・左合　治彦〕

切迫早産・絨毛膜羊膜炎

診断と外来対応　妊娠 22 から 36 週まで

POINT
- 『産婦人科診療ガイドライン 産科編 2020』では，切迫早産の概念および子宮収縮抑制薬の使用法が大きく変更され，海外に近づいた．
- 腹痛を伴う子宮収縮を認めた場合には，鑑別診断の 1 つである常位胎盤早期剥離を否定する．
- 臨床的絨毛膜羊膜炎と胎児の健常性(well-being)に注意し，母体体温，脈拍数，腹部触診，血算，CRP，NST などの諸検査を行う．

● 切迫早産

概要と新しい知見—日本の切迫早産の概念は海外に近づきつつある

海外における切迫早産

　海外における切迫早産は，①規則的で有痛性の子宮収縮がある，②子宮頸管の変化がある(開大および／または展退)，の 2 つを満たすものに限定した，いわゆる早期陣痛(preterm labor)を指し，「不規則な子宮収縮があり，子宮口開大を認めない切迫早産」という概念はない．そのため，出生した児の予後をよくするために，母体へのステロイド投与の効果が出るとされる 48 時間までの tocolysis(トコリーシス)のみが行われており，それ以降の長期間にわたる tocolysis(maintenance tocolysis, long-term tocolysis)は無効であるばかりでなく，薬剤による副作用が母児とも多くなるので行うべきではない，という立場をとっている．

日本における切迫早産の概念は 2020 年に大きく変更された

　2020 年以前の日本では，不規則あるいは一過性の早期陣痛を認めた妊婦も含めた広い概念を切迫早産としていたため，切迫早産の診断が下されやすく，たとえ軽症の患者であっても，必要以上に内服治療が継続されていた．

　『産婦人科診療ガイドライン 産科編 2020』(以下，GL 産科編 2020 と略す)では，切迫早産を「妊娠 22 週 0 日から妊娠 36 週 6 日までの妊娠中に，規則的な子宮収縮が認められ，かつ子宮頸管の開大度・展退度に進行が認められる場合，あるいは初回の診察で子宮頸管の開大が 2 cm 以上となっているなど，早産となる危険性が高いと考えられる状態と判断する．(推奨レベル B)」(GL 産科編 2020, CQ302, Answer 1)に大きく変更した(以下"推奨レベル"を省略し，A・B・C のみを表示)．子宮収縮抑制薬の使用に関しては，以下のような Answer 5 および Answer 6 に変更された．

　Answer 5：診断後，分娩を遅延させる必要がある場合には，以下を行う．
　1) 子宮収縮抑制薬投与等を開始する．(B)
　2) 分娩後の対応も含めて自施設での管理が困難な場合，高次医療施設への紹介もしくは母体

表1 切迫早産の初期評価チェックリスト

I．母体チェックリスト		
□ 発熱（≧ 38.0℃）	□ ない	□ ある
□ 頻脈（100 / 分）	□ ない	□ ある
□ 全身熱感	□ ない	□ ある
□ 触診（子宮が硬い）	□ ない	□ ある
□ 胎児心拍モニタリング（外側法にて規則的な子宮収縮の有無がないか）	□ ない	□ ある
□ 不正性器出血・子宮頸管ポリープ	□ ない	□ ある
□ 腟炎・細菌性腟症（鏡検，Nugent スコア，顆粒球エラスターゼなど）	□ ない	□ ある
□ 早産マーカー陽性（がん胎児性フィブロネクチン）	□ ない	□ ある
□ 頸管の変化（頸管短縮，funneling，頸管内胎胞形成，腟内胎胞形成）	□ ない	□ ある
□ 膀胱炎・腎盂腎炎（頻尿，残尿感，排尿時痛，尿混濁，尿沈渣）	□ ない	□ ある
II．胎児チェックリスト		
□ 胎児頻脈（心拍数基線 >160 / 分）	□ ない	□ ある

搬送を試みる．（B）
3）胎児の脳保護を目的として硫酸マグネシウム投与を行う．（C）
Answer 6：子宮収縮抑制薬を投与する際には有害事象に注意し，症状が軽快したら減量や中止を検討する．（C）

診断の手順

初期の評価項目（表1）

- **母体のバイタルサイン：体温，血圧，心拍数，呼吸数**
 特に，後述する子宮内感染（絨毛膜羊膜炎）を示唆する，体温の上昇（≧ 38.0℃），頻脈（≧ 100 / 分）の有無に注意する．

- **胎児のバイタルサイン：胎児心拍数**
 母体からの炎症が胎児へと波及し，胎児炎症反応症候群（fetal inflammatory response syndrome：FIRS）をきたした場合に胎児頻脈を生じる．切迫早産の患者の non-stress test（NST）では，常に胎児頻脈がないかをチェックする．

- **子宮の熱感（程度，場所），子宮収縮の状態（頻度，持続時間，強さ）**
 切迫早産患者の診察の基本は触診である．全身に熱感がないかをみるために，妊婦の全身を触って熱感がないかを触診で調べる．
 次に，子宮自体の硬さ，圧痛の有無を触診にて調べる．持続的で間欠のない硬い子宮や圧痛を伴う子宮は常位胎盤早期剥離のことがあり，経腹的超音波断層法にて胎盤肥厚がないことを確認する．それを確認せずに tocolysis を行うのは慎まなければならない．子宮以外の局所の炎症や便秘によっても，早期陣痛（痛みを伴う規則的子宮収縮）が誘導されることがあるので，鑑別が必要である．
 最後に胎児心拍数陣痛計を用いて，他覚的に子宮収縮を目で確認し，収縮を認めた場合には患者に対し胎児心拍陣痛図を一緒に見ながら「これが子宮収縮ですが，わかりますか（自覚できていますか？）」など声掛けを行い，子宮収縮を自覚しているかを確認する．

- **腟分泌物検査（Nugent スコア，がん胎児性フィブロネクチン定量，顆粒球エラスターゼ半定量）**
 細菌性腟症による腟内細菌叢の変化，母体の免疫力の低下から腟炎，子宮頸管炎が誘導さ

れ，上行して絨毛膜羊膜炎へと進展することがあるため，妊婦健診時に帯下の増量や色調の変化を問診し，必要があれば鏡検や細菌培養により腟炎の有無を確認する．

- 経腟超音波断層法検査による頸管の状態

頸管線領域の確認，頸管短縮，funneling，卵膜下垂（頸管内胎胞形成，腟内胎胞形成）の有無を確認する．腟炎や子宮収縮がなくても，健診にて偶然頸管短縮に出会うことがある．多くは頸管無力症でみられる所見であるが，帯下の増量が先行している場合が少なからずあるので，必ず問診をする．また全妊婦を対象として，妊娠18～24週頃に経腟超音波断層法にて子宮頸管長を測定する〔GL産科編2020，CQ302，Answer 4(C)〕．

- 尿検査所見：肉眼所見，沈渣所見

切迫早産患者では，無症候性細菌尿が先行していることがある．肉眼的尿混濁や血尿がある場合には膀胱炎のことが多い．仕事中にトイレを我慢することで膀胱炎や便秘となり，腹緊の増強が起こりやすい．また尿沈渣では，白血球や円柱の出現など腎盂腎炎を示唆する所見の有無を確認する．

鑑別診断

- 常位胎盤早期剥離

子宮収縮は常位胎盤早期剥離の初発症状である可能性を認識し，特に胎児心拍数パターン異常が認められる場合は念頭に置き診療を行う〔GL産科編2020，CQ302，Answer 2(B)〕．自覚・他覚症状，腹部触診，経腹超音波断層法，胎児心拍数モニタリングで総合的に診断する．外出血を伴わない産科救急の代表疾患であり，診断精度が上がった現在においても，子宮収縮が頻回にあるため切迫早産と誤診され，子宮収縮抑制薬が投与されながら母体搬送されてくる症例がある．

- 感染症が原因となる子宮収縮

妊婦が高熱と腰痛を訴える原因の1つに腎盂腎炎があり，しかも子宮収縮を生じてくるため切迫早産と誤診されやすい．それ以外，稀ではあるが，切迫早産と鑑別すべき疾患として，虫垂炎（子宮の大きさに一致した疼痛部位の偏位，下痢などの消化器症状を伴う），インフルエンザ感染症（季節性発症，咽頭痛，リンパ節腫脹を伴う），肺炎（咳，呼吸障害を伴う），髄膜炎，稀に梅毒（特に東南アジア出身者に多い）などがある．

入院の判断

①現時点で早期陣痛がある（あるいは，近いうちに早期陣痛に至る可能性が高い）．
②今後破水する可能性が高い（あるいは，現時点で破水している可能性が高い）．
③頸管の状態が急激に変化している〔努責をかけると頸管長が短縮してくる（pressure test），胎胞下垂がある，胎胞が視認できる，不正性器出血を伴う〕．
など数日以内に早産する可能性が高いと判断された場合は，原則入院管理とする．

外来での管理法

受診時に，①早期陣痛がない，②破水する可能性が低い，など早産に至る可能性が高くないと判断された場合には，原則外来管理とする．切迫早産の治療の基本は安静であるが，家計を助けるためにパートタイム勤務している妊婦に対して，自宅安静を指導することが困難な場合もある．切迫早産に対する子宮収縮抑制薬（内服薬）の有効性に関するエビデンスはないが，妊

表2 絨毛膜羊膜炎の初期評価チェックリスト

Ⅰ．問診時チェックリスト		
□ 水様性帯下の増加（おりものが気になり，おりものシート使用中）	□ ない	□ ある
□ 帯下の色の変化（具体的な色や臭い）	□ ない	□ ある
Ⅱ．内診時チェックリスト		
□ 水様性帯下（粘液性ではなく漿液性である）	□ ない	□ ある
□ 異常帯下（黄色，緑色，カンジダ様，出血が混じる）	□ ない	□ ある
□ 鏡検（多数の白血球，clue cell が確認できる）	□ ない	□ ある
□ 頸管顆粒球エラスターゼ	□ ない	□ ある

婦に対して子宮収縮抑制薬（内服薬）を処方することは実臨床上多くみられるし，逆に処方を希望されることも多い．子宮収縮の自覚が減った時点で早めに減量・中止するように指導し，漫然と処方を継続することを避ける．

そのほか，子宮収縮の原因として膀胱炎や便秘があるため，時間を決めてトイレに行くように指導し，緩下剤を処方する．早産患者と健常妊婦との間で腸内細菌叢が異なっていたことが報告されている[1]．また海外では，ヨーグルト摂取者で早産率が減ったとの報告もなされている．ヨーグルトの摂取は，ほとんどのヨーグルトに含まれているプロバイオティクス化合物による炎症と感染の減少メカニズムを通じて早産のリスクを減らす可能性があり，実際に海外ではヨーグルトの消費量が多いと，過体重女性ではなく，非過体重女性では早産が有意に減少しており[2]，日本におけるエコチル調査でも同様に早産が減少していた[3]．

今後さらに研究が進み，妊娠初期，あるいは妊娠前から食生活に注意し，早産を減らすような腸内細菌を多く保つことで妊娠中の子宮収縮を抑制できるようになるかもしれない．

● 絨毛膜羊膜炎

概要と新しい知見

海外では，絨毛膜羊膜炎（chorioamnionitis：CAM）は羊水内感染（intraamniotic infection：IAI）を合併していることが多く，羊水，卵膜，胎盤，脱落膜の感染を含んでいる．日本の場合は，CAM に IAI を併発するケースは妊娠 28 週未満の早産例には多いが，欧米に比べて低率である．CAM があると胎児への感染の波及が増え，新生児敗血症などを生じるために新生児予後が悪くなる．そのため，健診時や予定外の来院時に CAM の存在が強く疑われる場合，その程度を的確，かつ，速やかに把握して，適切な治療を必要最低限の期間のみ行う．CAM の 90％ は子宮頸管炎，細菌性腟症が上行性に波及して生じるが，残りの 10％ は血行性感染により生じるといわれている．

診断の手順

初期評価項目—初期症状である帯下の変化に注意する（表2）

健常妊婦では頸管粘液の産生が増えるため，頸管に粘液栓（mucus plug）が生じ，腟内病原菌が上行性に侵入するのを防いでいる．腟内からの上行性感染によって頸管炎が引き起こされると，生体防御反応として大量の粘液が分泌されてくる．やがて粘液栓が外れ，頸管の炎症に

伴って水様性帯下が増えるために，妊婦は帯下の増量や色の変化を自覚するようになる．このような病的な帯下増多がないことを，妊婦健診の際に問診（必要時内診）で確認する．子宮内炎症からCAM（IAI）に至ると，子宮収縮が引き起こされ，また卵膜の脆弱化が誘導され，破水となる．

臨床的CAMの診断（GL産科編2020，CQ303，解説2）

以下のようなLenckiら[4]による診断基準を用いて診断する．
a. 母体発熱（38℃以上）および以下の4項目中1項目以上がある．
　①母体頻脈（100／分），②子宮の圧痛，③腟分泌物，羊水の悪臭，④白血球≧15,000/μL
b. 発熱がなくても，上記の4項目がある．

臨床的CAMと診断される場合は，すでにCAMが進行した状態であることが多いため，抗菌薬を投与しながらの24時間以内の分娩を目指した分娩誘発，もしくは帝王切開のいずれかを選択することを原則とする．この際，母体敗血症に十分に注意する．また，胎児に炎症が波及している場合，脳内酸素消費量が増え，サイトカインも高値であるため，脳内低酸素環境になると強い脳障害が生じる．このため分娩監視装置でいつもより注意して観察する．

CAM（IAI）の確定診断

CAM（IAI）の確定診断には羊水検査が最も有用であるが，侵襲性の高い検査であるため，現時点では全国でも限られた施設でしか行われておらず，一般的な検査とはいえない．富山大学における管理法を以下に示す．

羊水中病原性微生物の迅速高感度PCR法による早期治療（富山大学システム）

採取した羊水中の病原微生物の有無をみるために，培養検査ではなく，PCRによる迅速検査を行っている．当大学附属病院臨床検査部で，すべての細菌を構成する16S rRNA領域内に共通する8領域に対するuniversal primerを新規に開発し，さらに，真菌，*Ureaplasma*属，*Mycoplasma*属に対する特異的primerを作製し，細菌の同定には真核生物由来のTaq polymeraseを開発することにより，偽陽性や偽陰性のない正確な病原微生物の同定が可能となっている．羊水検査当日の夕方までには結果が判明するため，羊水感染があれば「適切な抗菌薬による治療」を短期間のみ行い，逆に羊水感染がなければ抗菌薬を使用しないという方針を採用することにより，妊娠期間が延長でき，児の予後が改善する可能性があることを報告している[5]（GL産科編2020，CQ302，解説8）．

羊水検査による妊娠延長期間の予測（富山大学システム）

海外における切迫早産の初期治療は，母体へステロイドを投与し，胎児や新生児への効果が最大となるよう，少なくとも48時間分娩を遅らせることである．そのため，48時間以内の子宮収縮抑制薬による治療（short-time tocolysis）しか認めておらず，48時間を超えての治療は，母体の副作用が多くなるばかりなので中止すべきとしている．これに対し，日本では治療を48時間で中止せず，できるだけ投与期間を長くして早産を減らすというmaintenance（long-term）tocolysisが当然の治療法であった．

このmaintenance tocolysisをいつまで行う必要があるかを早期に知ることはとても重要である．母体の臨床症状のみならず，子宮内の炎症にも注目することが大切であると考え，富山

大学では羊水穿刺を積極的に行い，その際に得られた羊水中 interleukin(IL)-8 値と preterm labor index(PLI)を用いて，羊水穿刺後から分娩となるまでの予測妊娠延長日数を算出することで，今後どれくらい妊娠期間を延長できるかを予測している[6,7]．羊水中の IL-8 値が高値や顆粒球エラスターゼ陽性など，子宮内感染が強く示唆され，妊娠の延長があまり期待できない症例では，子宮収縮が増加しても tocolysis の強化は行わず，陣発した時点で妊娠の中断(termination)を行っている．前述した羊水検査の有用性についてはいまだエビデンスとはなっていないが，今後の展開が注目される．

鑑別診断

前述したように，子宮収縮を生じるような疾患すべてが鑑別診断の対象となってくる．

いつかは経験する，覚えておきたい稀な感染症

母体菌血症によって CAM(IAI)を引き起こすものの，あまりなじみのない感染症としてリステリア感染症がある．*Listeria monocytogenes* に罹患すると母体は高熱をきたし，腹緊や胎児頻脈がみられたのち，あっという間に子宮内胎児死亡を引き起こす．

入院の判断

帯下の異常や悪臭を伴った頸管炎がある場合，バイタルサインや血液検査で母体感染徴候がある場合には，臨床的 CAM が強く疑われる．入院させて，母体への集中管理はもちろん，児の FIRS への進展に注意して管理する．臨床的 CAM が疑われる場合には，抗菌薬投与および投与条件(子宮収縮が増強してもこれ以上 tocolysis を強化しない)を設けた tocolysis を考慮するが，臨床的 CAM がある場合には，根本的な治療である termination を選択する．

外来での管理法

臨床的 CAM が強く疑われない頸管炎のみの症例では，腟洗浄や抗菌薬(内服薬・腟錠)を処方し，経時的な管理を行う．

◆文献

1) Shiozaki A, et al : Intestinal microbiota is different in women with preterm birth ; results from terminal restriction fragment length polymorphism analysis. PLoS ONE **9** : e111374, 2014
2) Kriss JL, et al : Yogurt consumption during pregnancy and preterm delivery in Mexican women ; A prospective analysis of interaction with maternal overweight status. Matern Child Nutr **14** : e12522, 2018
3) Ito M, et al : Fermented foods and preterm birth risk from a prospective large cohort study ; the Japan Environment and Children's study. Environ Health Prev Med **24** : 25, 2019
4) Lencki SG, et al : Maternal and umbilical cord serum interleukin levels in preterm labor with clinical chorioamnionitis. Am J Obstet Gynecol **170** : 1345-1351, 1994
5) Yoneda S, et al : Antibiotic therapy increases the risk of preterm birth in preterm labor without intraamniotic microbes, but may prolong the gestation period in preterm labor with microbes, evaluated by rapid and high-sensitive PCR system. Am J Reprod Immunol **75** : 440-450, 2016
6) Yoneda S, et al : Interleukin-8 and glucose in amniotic fluid, fetal fibronectin in vaginal secretions and preterm labor index based on clinical variables are optimal predictive markers for preterm delivery in patients with intact membranes. J Obstet Gynaecol Res **33** : 38-44, 2007
7) Yoneda S, et al : Prediction of exact delivery time in patients with preterm labor and intact membranes

at admission by amniotic fluid interleukin-8 level and preterm labor index. J Obstet Gynaecol Res **37** : 861-866, 2011

(塩﨑　有宏)

診断と外来対応

妊娠22から36週まで

B群レンサ球菌(GBS)

POINT
- GBSは約10〜30%の妊婦から検出され，母児感染を起こす．
- 妊娠35〜37週に，腟入口部や肛門内のGBS培養検査を行う．
- 新生児早発型GBS感染症予防のため，分娩時に抗菌薬を投与する．

DATA
- 妊婦の約2〜5%は咽頭に，約10〜30%は下部消化管や泌尿生殖器に，無症候性にGBSを保菌している．
- GBS保菌妊婦から自然経過で出生した新生児の約50〜60%にGBSが垂直伝播し，その約1〜2%に新生児GBS感染症を生じる．IAPを経た場合の垂直伝播率は約10%である．
- 保菌児や早発型の約60%以上はGBS陰性母体から出生している．
- 日本の早発型の発生率は低く，新生児1,000人当たり0.1〜0.2人と推測される．
- 早発型の約10%，遅発型の約25%で神経学的後遺症や死亡が生じ，特に妊娠34週未満の早産児で周産期死亡率は高い．

病態の概要

B群レンサ球菌(group B Streptococcus：GBS)は母児感染の起因菌である．妊産婦保菌率に比較して新生児感染症の発生率は低いが，発病時の重症化率が高い．GBS感染症は新生児の細菌性感染症で最も多く，生後7日未満発症の早発型と生後7日以降発症の遅発型に分類される．『産婦人科診療ガイドライン 産科編 2020』[1]は，正期産における早発型の予防目的に全妊婦の保菌診断を標準化し，陽性者の分娩時予防的抗菌薬投与(intrapartum antibiotic prophylaxis：IAP)を推奨している．

妊婦の保菌診断

全妊婦対象の分娩前GBS培養スクリーニング検査の推奨時期は妊娠35〜37週である．腟鏡を用いずに1本の綿棒で腟入口部・腟前庭部・外尿道口周囲を，次に同綿棒かもう1本の綿棒で肛門周辺部・肛門内を擦過して広範囲の検体を採取する．ペニシリン耐性菌やペニシリン過敏症の可能性を考慮して，検体提出時に薬剤感受性検査を追加する．前児がGBS感染症の場合には培養検査を省略できるが，検査すれば耐性菌や過敏症が出現した場合に備えられる．

妊婦の約2〜5%は咽頭に，約10〜30%は下部消化管や泌尿生殖器に，無症候性にGBSを保菌している．保菌様式は一時的・間欠的・持続的と一定せず，常在細菌叢化する場合がある．次回妊娠時の再検出率は約40%である．GBSは肛門から会陰を経て腟内に移行するため，腟円蓋部単独の腟分泌物採取による検出率は低い．検査後に保菌する場合もあり，感度や陽性的中率は検査後の時間経過で低下する．結果が陰性でも検査後6週間が経過した場合には再検査を考慮する．

```
┌─────────────────────────────────────────────────────┐
│ 全妊婦対象：妊娠35～37週に腟・肛門GBS培養スクリーニング検査 │
└─────────────────────────────────────────────────────┘
   ※前児GBS感染症罹患例と今回妊娠中GBS細菌尿検出例で省略可能
```

分娩時予防的抗菌薬投与の適応あり
① 今回妊娠中の上記スクリーニング陽性
② 前児GBS感染症罹患[*1]
③ 今回妊娠中GBS細菌尿検出[*1]
④ 保菌状態不明で以下のいずれかを満たす[*2]
　・破水後18時間以上の経過
　・38.0℃以上の発熱

分娩時予防的抗菌薬投与の適応なし
① 今回妊娠中の上記スクリーニング陰性[*3]
② 破水や陣痛のない予定帝王切開

図1　正期産新生児の早発型GBS感染症の発生予防指針

GBS：group B *Streptococcus*
*1．今回妊娠中の上記スクリーニング検査の結果を問わない．
*2．いずれも満たさない場合には分娩時予防的抗菌薬投与を省略できるが，投与を阻むわけではない．
*3．既往妊娠中の上記スクリーニング検査の結果を問わない．
(Verani JR, et al：MMWR Recomm Rep 59：1-32, 2010)

表1　B群レンサ球菌母児感染予防に用いる抗菌薬の用法と用量

ペニシリン過敏症	選択薬剤[*1]	初回量	初回以降の投与量[*2]
なし	ABPC（アンピシリン） PCG（ペニシリンG）	2 g 500万単位	4時間ごとに1 g 4時間ごとに250～300万単位
あり アナフィラキシー低リスク[*3]	CEZ（セファゾリン）	2 g	8時間ごとに1 g
アナフィラキシー高リスク[*3] ・CLDM／EM感受性[*4]	CLDM（クリンダマイシン） EM（エリスロマイシン）	900 mg 500 mg	8時間ごとに900 mg 6時間ごとに500 mg
・CLDM／EM耐性[*5]	VCM（バンコマイシン）	1 g	12時間ごとに1 g

*1．臨床的に絨毛膜羊膜炎が疑われる場合には広域スペクトラムを有し，B群レンサ球菌に有効な抗菌薬を選択する．
*2．分娩まで間欠的に静脈注射を継続する．
*3．抗菌薬の投与歴を事前に聴取する．ペニシリン系やセフェム系抗菌薬投与後の即時型過敏反応の既往がない妊婦をアナフィラキシーの低リスク群，ある妊婦を高リスク群とする．
*4．分離株がEM耐性でCLDM感受性がある場合にはCLDMを選択する．
*5．薬剤感受性が不明な場合にはVCMを選択する．
(Verani JR, et al：MMWR Recomm Rep 59：1-32, 2010)

入院の判断

　無症候性保菌は母体に通常影響せず，帝王切開は母児感染を予防しないため，保菌単独による入院適応や手術適応はない．なおGBSが尿路感染，前期破水，絨毛膜羊膜炎，羊水感染，自然早産や，産褥熱を含む婦人科臓器感染症を惹起する場合がある．基礎疾患を有するcompromised hostで感染症を生じやすく，帝王切開術後24時間以内の発症が多い．成人GBS感染症には乳腺炎，骨髄炎，肺炎，髄膜炎，敗血症などの病像がある．

母児感染の予防

　母児感染の危険因子を有する症例はIAPの適応である（図1，表1）．内側法による分娩監

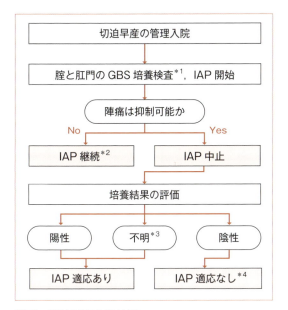

図2 切迫早産の取り扱い

GBS：group B *Streptococcus*, IAP：intrapartum antibiotic prophylaxis
* 1. 最近5週間以内の検査でGBS陰性の場合にはIAPは不要である．
* 2. 陣痛抑制不能の場合には分娩までIAPを継続し，GBS陰性と判明した時点でIAPを中止する．
* 3. 再び陣痛抑制不能になった時点で保菌状態不明かつ早産期の場合はIAPの適応である．
* 4. 培養から6週間以上経過するか，妊娠35〜37週に達した時点で再検査し，GBS陽性の場合はIAPの適応である．

(Verani JR, et al：MMWR Recomm Rep 59：1-32, 2010)

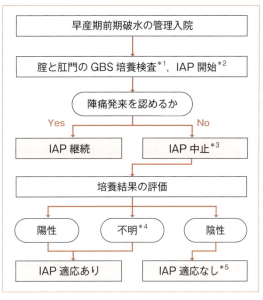

図3 早産期前期破水の取り扱い

GBS：group B *Streptococcus*, IAP：intrapartum antibiotic prophylaxis
* 1. 最近5週間以内の検査でGBS陰性の場合にはGBS母児感染のIAPは不要である．
* 2. 一般的な破水後感染とGBS母児感染のそれぞれに対するIAPを考慮する．
* 3. 陣痛発来がない場合にはGBS母児感染のIAPを3日間継続するか，GBS陰性と判明した時点でIAPを中止する．一般的な破水後感染のIAPは，標準的投与量に則って継続可能である．
* 4. 陣痛発来の時点で保菌状態不明の場合はIAPの適応である．
* 5. 培養から6週間以上経過するか，妊娠35〜37週に達した時点で再検査し，GBS陽性の場合はIAPの適応である．

(Verani JR, et al：MMWR Recomm Rep 59：1-32, 2010)

視，分娩時の頻回内診，絨毛膜羊膜炎，羊水感染，多胎妊娠，若年妊娠，褥婦GBS菌血症，GBS特異的抗体価低値なども早発型に関連する．早発型の約60％に羊水混濁，胎児機能不全，前期破水，母体発熱，羊水感染などの分娩時異常を認める．新生児GBS感染症は妊娠34週未満の早産児や極低出生体重児に多く，保菌以外の要因がある場合に慎重な取り扱いを要する．

尿培養GBS陽性妊婦の保菌量は多いと推定され，今回妊娠で一度でも尿からGBSが検出された妊婦は，週数を問わず陽性として取り扱われる．また参考的に切迫早産や早産期前期破水の取り扱いを図2，図3に供覧する[2]．GBS陽性妊婦や保菌状態不明妊婦の早産期前期破水では3日間の抗菌薬投与で除菌を期待できる．なお分娩誘発や計画分娩における卵膜用手剝離や頸管熟化処置が母児感染の発生率に与える影響に関する十分な医学的根拠はなく，その際のIAPの是非や使用する抗菌薬の用法・用量は施設基準による．

無症候性保菌に対する妊娠中の除菌に推奨や制限はない．ただし常在細菌叢化や周囲環境からの再感染を考慮すると完全除菌は困難であり，除菌後の再検査は必須である．妊娠中の経口的抗菌薬の治療効果は約70〜80％であり，治療した妊婦の約70％から分娩時にGBSが再分離される．今回妊娠で一度でも腟や肛門からGBSが検出された妊婦を陽性としてよいが，妊

娠後期の再検で陰性であれば陰性として取り扱ってもよい．

母児感染と新生児感染症の発生率

　GBS 保菌妊婦から自然経過で出生した新生児の約 50〜60% に GBS が垂直伝播し，その約 1〜2% に新生児 GBS 感染症を生じる．IAP を経た場合の垂直伝播率は約 10% である．一方で保菌児や早発型の約 60% 以上は GBS 陰性母体から出生している．また IAP 開始から 4 時間未満（特に 2 時間未満）の分娩で垂直伝播率は高い．培養結果，分娩様式，抗菌薬の投与回数によらず，新生児 GBS 感染症を疑う症状があれば鑑別疾患として念頭に置く必要がある．

　GBS は腟内から上行性に波及し，陣痛や破水を契機に羊水に侵入する．胎児が嚥下した感染羊水の GBS は，肺から血中に侵入して胎児機能不全，胎児敗血症，新生児感染症，周産期死亡を惹起する．定着菌量が多いほど感染率は高い．胎児が産道を通過するときに，皮膚や粘膜に GBS が付着して感染する場合もあるが，大多数は無症候性保菌である．日本の早発型の発生率は低く，新生児 1,000 人当たり 0.1〜0.2 人と推測される．

新生児 GBS 感染症の症状と診断

　新生児では生体防御機構が未熟で，先天性感染症に罹患しても発熱しない場合がある．新生児 GBS 感染症の病像は敗血症，肺炎，髄膜炎のほか関節炎，蜂窩織炎，喉頭蓋炎，心内膜炎，骨髄炎など多彩で，無呼吸発作やショックなど急速に重篤な症状を呈する例が多い．発生に性差はなく，遅発型は早発型に比較して予後不良である．早発型の約 10%，遅発型の約 25% で神経学的後遺症や死亡が生じ，特に妊娠 34 週未満の早産児で周産期死亡率は高い．

　早発型には敗血症や肺炎が多く，髄膜炎は少ない．初発症状の約 65% は呼吸障害（呻吟，多呼吸，鼻翼呼吸，陥没呼吸，チアノーゼ）であり，発熱，低体温，哺乳力低下，傾眠，not doing well など非特異的症状は少ない．その多くは分娩時の産道感染に起因する．GBS は正常卵膜を通過し，未破水で羊水感染や胎児感染を生じる場合もある．早発型の約 65% は日齢 0 で発症し，その約 50% は分娩直後に，約 80% は生後 6 時間以内に発症するため，慎重な経過観察と初動対応を要する．

　遅発型には敗血症や髄膜炎が多く，肺炎は少ない．初発症状の約 25% は not doing well や発熱で，約 10% は嘔吐や痙攣であり，非特異的症状の出現率が上がる．分娩時異常発生率や母体 GBS 保菌率は低く，多くは分娩後の水平感染に起因する．生後 2〜4 週に発症時期の頂点を認める．遅発型は IAP を経た母体の出生児に多く，薬剤耐性菌が関与する可能性や，垂直伝播後の保菌に何らかの機序が加わって発症する可能性が指摘される．

　新生児 GBS 感染症は臨床症状，各種炎症所見，血液や髄液の培養による分離同定で診断される．血液や髄液の培養が陰性で，皮膚など表在組織から GBS が検出され，臨床的に GBS 感染症が強く疑われる症例は GBS 感染症疑いとされ，臨床症状が軽い GBS 菌血症も存在する．血液炎症反応の検査感度は生直後で低く，生後 6〜12 時間で上昇するため，臨床症状がある症例には生直後の炎症反応値が正常でも精査や加療を考慮する必要がある．

出生児の取り扱い

　母児感染の危険因子を有する母体からの出生児の管理指針を図 4 に示す[2]．一般的な sepsis work-up として生直後に咽頭，耳孔，鼻腔，肛門，胃内容物，血液の培養検査や各種炎症反応

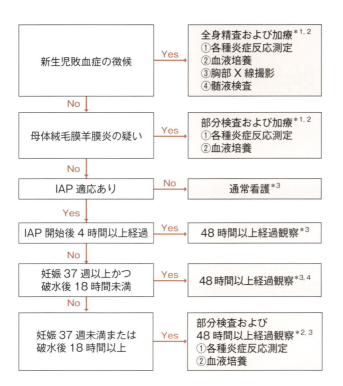

図 4 早発型 B 群レンサ球菌感染症の危険因子を有する新生児の管理指針

IAP：intrapartum antibiotic prophylaxis
* 1. 原因として B 群レンサ球菌，大腸菌，ほかのグラム陰性菌などを念頭に置き，耐性菌出現の可能性も考慮して抗菌薬を選択する．
* 2. 血液培養は生直後に，全血算は生直後 and/or 生後 6〜12 時間で検査する．呼吸障害が出現した場合に胸部 X 線写真を撮影し，敗血症の症状が出現した場合に（患児が処置に耐える状態であれば）髄液検査を行う．
* 3. 新生児敗血症を疑う場合には全身精査と加療を考慮する．
* 4. 生後 6〜12 時間で全血算を検査する専門家もいる．
(Verani JR, et al：MMWR Recomm Rep 59：1-32, 2010)

測定を行い，必要に応じて胸部 X 線撮影や髄液検査を追加し，生後 48 時間以上の慎重な経過観察を要する．早発型を疑う感染徴候を有する児や，臨床的に絨毛膜羊膜炎を疑う母体の出生児に対してただちに抗菌薬を投与する．経過観察を要する児への経口的抗菌薬投与は推奨されていない．

◆ 文献
1）日本産科婦人科学会，日本産婦人科医会（編）：CQ603 正期産新生児の早発型 B 群溶血性レンサ球菌（GBS）感染症を予防するためには？　産婦人科診療ガイドライン　産科編 2020．pp297-299，日本産科婦人科学会，2020
2）Verani JR, et al：Prevention of perinatal group B streptococcal disease. Revised guidelines from CDC, 2010. MMWR Recomm Rep **59**：1-32, 2010

（印出　佑介）

診断と外来対応

妊娠 22 から 36 週まで

前置胎盤

POINT
- 妊娠 22 週前後に前置胎盤を疑い，妊娠 32 週までに診断する．
- 前回帝王切開術に合併する前置胎盤では癒着胎盤を疑う．
- 自己血を含めた十分な輸血の準備をして手術に臨む．

DATA
- 妊娠 27 週までに前置胎盤と診断された症例の 50% 以上は妊娠経過に伴って前置胎盤ではなくなるとの報告があり，それまでは前置胎盤の疑いにとどめ妊娠 28 週以降に診断する．
- 帝王切開術の既往がない前置胎盤に癒着胎盤が合併する頻度は 3%，帝王切開術既往 1 回では 11%，2 回で 39%，3 回以上で 60% と報告されている．

前置胎盤の定義と分類

前置胎盤とは，子宮下節に胎盤が付着し，胎盤が内子宮口に近接している，あるいは内子宮口を覆っている状態である．

- **全前置胎盤**
胎盤が組織学的内子宮口を覆っている状態．胎盤辺縁は，最も組織学的内子宮口に近いところで 2 cm 以上離れている．

- **部分前置胎盤**
分娩開始後の開大した子宮口に，部分的に胎盤がかかっている状態と定義されていた．近年，子宮口が閉鎖した状態で前置胎盤の診断がなされるようになり，暫定的に，胎盤が組織学的内子宮口を覆っているものの，胎盤辺縁が組織学的内子宮口まで 2 cm 未満の状態と定義されている．

- **辺縁前置胎盤**
胎盤の辺縁が組織学的内子宮口に接している状態．

- **低置胎盤**
日本産科婦人科学会の定義では前置胎盤に含まれていないが，欧米では前置胎盤の 1 つとして扱われることも多い．組織学的内子宮口より胎盤辺縁がどの程度離れている状態までを低置胎盤として扱うかについては定かではないが，およそ 2 cm 以内と日本産科婦人科学会では定義している．

前置胎盤の診断

胎盤の位置と内子宮口の関係を診断するには，経腟超音波画像診断が有用である．しかし，胎盤の位置と内子宮口の関係は，妊娠週数が進むに伴い下節が形成されてくる頃になると大きく変化する．妊娠 27 週までに前置胎盤と診断された症例の 50% 以上は，妊娠経過に伴って前

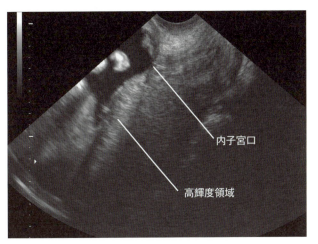

図1 辺縁前置胎盤と見間違う経腟超音波画像所見
経腟プローブの位置によっては，羊水と子宮筋層の超音波減衰率の違いから，図のようにあたかも辺縁前置胎盤のように高輝度領域が観察されることがある．この症例の胎盤は，経腹超音波検査で，子宮体部前壁に認められた．

置胎盤ではなくなると報告されている[1]ので，それまでは前置胎盤の疑いにとどめて，妊娠28週以降に診断するのが一般的である．前置胎盤は，妊娠28週以降に警告出血をきたす頻度が増加してくる[2]ので，妊娠32週までには診断し，在胎週数延長のための安静や自己血の貯血といった準備をする必要がある．また，前回帝王切開術の既往がある妊娠で，胎盤が子宮創部を覆っている場合は，約50％に癒着胎盤が存在すると報告されている[3]ので，さらに詳しい画像検査が必要となる．

前置胎盤の超音波画像診断の留意点を以下に示す．
①経腟プローブを円蓋部に強く圧迫すると胎盤と内子宮口が実際より近接して観察されるので，極力圧迫しないで観察する必要がある．
②経腟プローブを左右に振って，内子宮口側方の辺縁前置胎盤や低置胎盤を見逃さないようにする必要がある．
③胎盤実質が低置胎盤の位置にあっても，胎盤辺縁静脈洞が萎んでいて内子宮口近傍に連続していることを見落としてしまうことがあるので，時間をかけて複数回観察する必要がある．
④臍帯の付着部位が低置にある場合，前置血管が認められることや，経腟分娩に際して臍帯圧迫により頻回に胎児心拍の低下を認めることがあるので，臍帯付着部位も評価しておくことが望ましい．
⑤羊水と子宮筋層では超音波の減衰率が異なるので，図1のように前置胎盤と誤って診断してしまうことがある．経腹超音波検査による胎盤の位置確認も併せて実施する必要がある．

癒着胎盤の定義と分類

癒着胎盤とは，絨毛が脱落膜を欠いて直接子宮筋層に付着あるいは侵入した状態である．癒着胎盤は，浸潤の程度によって，狭義の癒着胎盤〔accreta（絨毛が脱落膜を介さず直接子宮筋層に接している状態）〕，嵌入胎盤〔increta（絨毛が子宮筋層に浸潤している状態）〕，穿通胎盤〔percreta（絨毛が子宮筋層を貫いて子宮表面に達している状態）〕に分類される．また，癒着の範囲によって，焦点癒着胎盤（focal），部分癒着胎盤（partial），全癒着胎盤（total）に分類さ

れる.
　帝王切開術や子宮筋腫核出術，子宮鏡手術，子宮内清掃術，動脈塞栓術（TAE）などの既往がある場合に，内膜欠損部に胎盤が付着すると，癒着胎盤を発症するリスクが高くなる.
　帝王切開術の既往がない前置胎盤に癒着胎盤が合併する頻度は3%，1回の帝王切開術既往のある前置胎盤に癒着胎盤が合併する頻度は11%，2回で39%，3回以上で60%と報告されている[4]．

癒着胎盤の診断

　癒着胎盤の画像診断として，超音波画像診断とMRI画像診断が有用とされている．近年，超音波画像診断におけるハーモニックイメージング技術の進歩により，子宮筋層と胎盤の境界を鮮明に描出することが可能となっている．子宮筋層と胎盤の関係を直接的に評価することに関して，MRI画像診断からは超音波画像診断以上の情報は得られない．
　超音波画像診断において，子宮筋層と胎盤の関係を直接的に評価している可能性の高い所見として，胎盤と筋層の間の低輝度領域（sonolucent zone）の消失，胎盤の筋層嵌入像，胎盤付着部位筋層血流の不連続性，膀胱筋層（bladder line）の消失などを挙げることができる．一方，間接的な評価として，胎盤付着部位筋層の菲薄化，胎盤付着部位筋層血流RIの低下，胎盤付着部位筋層の顕著な血流像（turbulent lacunae flow），頸管や子宮下部筋層のsponge like echo像，胎盤内の低輝度領域（placental lakes）の存在，胎盤内の顕著な血流像（tornado blood flow）などを挙げることができるが，これらの所見は，癒着胎盤を伴わない前置胎盤症例でもしばしば認められる（図2）．
　狭義の前置癒着胎盤であっても，癒着の範囲が広範な症例では，胎盤剥離により大量出血を回避できないことが多く，嵌入胎盤や穿通胎盤であっても，癒着の範囲が狭く血管増生所見に乏しい症例では，胎盤剥離出血を容易に制御できることもある．周術期の出血量は，胎盤浸潤の程度だけには相関しないため，現在の画像診断では，術中出血量の多少やcesarean hysterectomy（CH）の必要性の有無まで予測することは困難である[5]．

前置胎盤の管理

　前置胎盤の管理で重要なポイントは，大量出血への対策と在胎週数の延長である．
　前置胎盤の約1/3は妊娠30週までに警告出血を認める[2]．最初の警告出血は，多くで自然に止血し，出血量も多くはない．しかし，1〜2週間のサイクルで次第に出血量が増加してくるというのが典型的である．止血しない大量出血を認めた場合には，胎盤循環の悪化や胎児貧血も懸念され，緊急帝王切開術が必要となる．
　妊娠22週以降に警告出血を認めた場合，以後分娩まで入院管理とし，安静と子宮収縮抑制薬の投与を実施する[6]．警告出血を認めない症例でも，自宅が遠い場合には，妊娠28〜32週頃までに入院することを勧めたほうがよいと考えるが，日本のガイドラインでは施設や地域の体制，家庭環境などを考慮して決めることとしている[7]．癒着胎盤を疑う前置胎盤症例では，警告出血がなくても，妊娠28週には入院管理として，切迫早産の徴候を早期発見し，先手の対応をしていくことで，不測の緊急帝王切開術を極力回避することが安全管理上重要である．
　警告出血を繰り返す症例や頸管短縮症例，切迫早産症例で，細菌感染が胎盤に波及すると，炎症により早産や大量出血をきたすリスクが高くなるだけでなく，児の予後にも好ましくない影響を及ぼすことが知られている．われわれは，警告出血を認めた症例に対して，抗菌薬の全

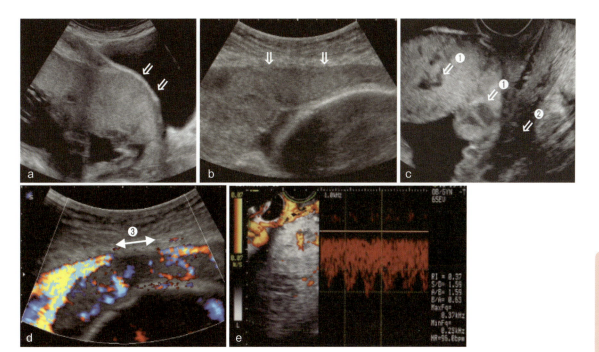

図2 癒着胎盤を疑う超音波画像診断
a：筋層の菲薄化，膀胱への膨隆像（矢印）．
b：筋層への胎盤嵌入像（矢印），sonolucent zoneの消失．
c：placental lacunae（①），sponge like echo（②）．
d：筋層の著明な血流，筋層血流の不連続像（③）．
e：血管抵抗減少（RI≦0.4）．

身投与や局所投与を積極的に実施し，抗菌薬の投与下に児肺成熟のためのコルチコステロイドの投与を実施している．

帝王切開術は，術中大量出血のリスクが高いため，十分な輸血の準備とマンパワーを確保して，予定して実施することが望ましい．大量の警告出血が認められてから，緊急で帝王切開術を施行するというのは，輸血が後手にまわる可能性があり，極力避けなくてはならない．妊娠36週前後に帝王切開術を実施するのが一般的で，遅くても妊娠37週までには実施したほうがよい[7]．

入院の有無にかかわらず，妊娠28週頃より鉄剤を投与し，900～1,200 mL程度を目標に自己血貯血を実施し，手術当日は，濃厚赤血球（RCC）10単位と凍結血漿（FFP）10単位をすぐに使用できるように準備しておくのが安全である．

まとめ

図3に妊娠22週頃に前置胎盤の状態にある症例の取り扱いについて示す．

妊娠22週頃に，将来的に前置胎盤を危惧する症例を経腟超音波検査でスクリーニングし，遅くても妊娠32週までに前置胎盤の診断をする．前置胎盤は早産となるリスクが高いので，遅くても妊娠32週までに早産児に対応が可能な医療機関に管理を依頼しなくてはならない．既往帝王切開妊娠の前置胎盤は，癒着胎盤を合併するリスクが高いので，対応可能な施設に，できるだけ早い時期に紹介する必要がある．

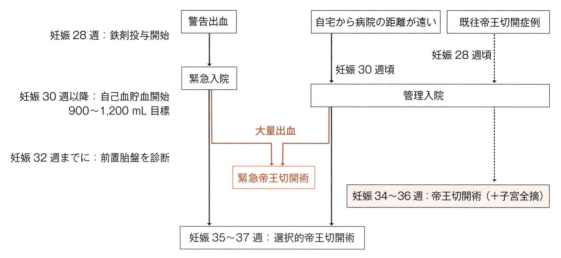

図3 妊娠22週頃に前置胎盤の状態にある症例

　前置胎盤の帝王切開術は，周術期出血量が多くなるので，自己血の貯血を併せて十分な輸血を確保して実施する必要がある．

◆ 文献

1) Dashe JS, et al : Persistence of placenta previa according to gestational age at ultrasound detection. Obstet Gynecol **99** : 692-697, 2002
2) Newton ER, et al : The epidemiology and clinical history of asymptomatic midtrimester placenta previa. Am J Obstet Gynecol **148** : 743-748, 1984
3) Clark SL, et al : Placenta previa / accreta and prior cesarean section. Obstet Gynecol **66** : 89-92, 1985
4) Grobman WA, et al : Pregnancy outcomes for women with placenta previa in relation to the number of prior cesarean deliveries. Obstet Gynecol **110** : 1249-1255, 2007
5) 村山敬彦：当センターで経験した前置癒着胎盤症例における術中出血量低減に関する手術手技の臨床的検討：従来法の有用性に関する検討と総腸骨動脈 Balloon Occlusion を併用した Cesarean Hysterectomy の有用性に関する検討．日産婦会誌 **61** : 2136-2148, 2009
6) Besinger RE, et al : The effect of tocolytic use in the management of symptomatic placenta previa. Am J Obstet Gynecol **172** : 1770-1775 ; discussion 1775-1778, 1995
7) 日本産科婦人科学会，日本産婦人科医会（編）：CQ304 前置胎盤の診断・管理は？　産婦人科診療ガイドライン 産科編 2020．pp147-150, 日本産科婦人科学会，2020

（村山　敬彦）

診断と外来対応

妊娠 **22** から **36** 週まで

多胎妊娠の管理

POINT
- 多胎妊娠は周産期におけるハイリスクであり，特別な健診体制を提供すべきである．
- 一絨毛膜双胎では TTTS の発症に留意して，妊娠初期から 2 週間ごとの健診が望ましい．

DATA
- 多胎妊娠では流・早産率が高く，双胎妊娠での早産率は約 50％ に及び，単胎妊娠の約 12 倍．
- 多胎児の周産期死亡率は約 17％ と単胎児の約 4％ に比べて明らかに多い．
- 双胎妊娠での妊娠高血圧症候群の発症率は約 13～22％ と高率であり，単胎妊娠の 2 倍．
- 妊娠高血圧腎症，HELLP 症候群および子癇の発症頻度はいずれも高く，単胎妊娠の 2～5 倍．
- 双胎妊娠における先天的な形態異常の頻度は約 6％ と高く，単胎妊娠の 2 倍以上．一絨毛膜双胎ではさらに高頻度という報告がある．
- 一絨毛膜一羊膜双胎では 10～20％ が胎児死亡や新生児死亡に至る．

はじめに

　多胎妊娠では流・早産率が高く，双胎妊娠での早産率は約 50％ に及び，単胎妊娠の約 12 倍である．また，低出生体重児は多胎児の約 7 割を占める．結果的に，多胎児の周産期死亡率は約 17％ と単胎児の約 4％ に比べて明らかに多い．特に一絨毛膜二羊膜双胎の周産期死亡率および神経学的後遺症の頻度は，二絨毛膜二羊膜双胎と比較して 3 倍以上となるが，双胎間輸血症候群（twin-twin transfusion syndrome：TTTS）などの特有の病的状態がこのことに関連している．したがって，膜性ごとのリスクを考慮した妊娠第 2 三半期からの注意深い管理が求められる．そのためには，妊娠初期の正確な超音波検査による膜性診断が前提となる．さらに，母体の妊娠合併症として，妊娠高血圧症候群，妊娠糖尿病および分娩時大量出血の頻度が高い．

　本邦における多胎分娩は，体外受精胚移植の導入以降は約 1.2％ まで増加したものの，1996 年に移植胚を 3 個以内に制限する旨の日本産科婦人科学会会告が出されてからは，要胎以上の多胎は減少した．さらに 2008 年には日本産科婦人科学会は「生殖補助医療における多胎妊娠防止に関する見解」として単一胚移植を原則としたため，双胎妊娠の頻度はわずかに減少している．しかし，依然として多胎妊娠は周産期におけるハイリスクであり，妊婦健診を行うにあたっても特別の管理が望まれる．

周産期リスクを考慮した多胎妊娠の外来管理

　双胎妊娠をはじめとする多胎妊娠は，ハイリスク妊娠としての妊婦健診を行うべきである．米国[1]，英国[2]，仏国[3]の多胎診療に関するガイドラインおよび『産婦人科診療ガイドライン 産科編 2020』[4]でも，多胎（双胎）妊娠の管理についての指針が提唱されており，参考にすべきで

ある．

早産予測

多胎（双胎）妊娠では流・早産リスクが高いことは前述のとおりである．流・早産の既往，子宮頸管長短縮，がん胎児性フィブロネクチンは，それぞれ双胎妊娠でも早産予測マーカーとしての有用性が示されている．特に妊娠24週未満の頸管長短縮と早産率との関連が指摘されており，本邦においては，入院管理およびNICUとの連携という点では有用な情報となる．しかし，双胎妊娠例の早産率の抑制という点で有効な介入方法が確立されていないこともあり，子宮頸管長計測やがん胎児性フィブロネクチンのルーチンでのローリスク群への使用を勧めていない国もある．

早産予防

単胎妊娠の流・早産既往症例に対するプロゲステロン（17α-hydroxyprogesterone caproate）投与による早産予防の有効性が示されているが，多胎妊娠での予防効果は明らかでない．また，安静臥床や予防的頸管縫縮術の効果も現時点では否定的であり，ローリスク群への適用は避けるべきであろう．同様に安静を目的とした入院管理の早産予防効果は否定的であり，無症状のローリスク双胎症例に入院を勧める根拠は乏しい．

妊娠高血圧症候群

双胎妊娠での妊娠高血圧症候群の発症率は約13〜22％と高率であり，単胎妊娠の2倍であり，重症例が多い．また，妊娠高血圧腎症，HELLP症候群および子癇の発症頻度はいずれも高く，単胎妊娠の2〜5倍である．早発例もあるため，血圧上昇や蛋白尿を認める場合は，重症化を念頭に置いて，入院管理を考慮すべきであろう．血小板減少，肝酵素上昇やアンチトロンビン活性低下はHELLP症候群の発症に先行するといわれており，双胎妊娠の妊娠後半期にはこれらの検査のメリットがあるかもしれない．

胎児発育不全

二絨毛膜二羊膜双胎で一児に胎児発育不全（FGR）あるいは両児にFGRがみられる場合は，いずれも単胎のFGRと同様の背景を考慮し，胎児状態のモニタリングが重要となる．胎児心拍数図モニタリングに加えて，超音波検査による胎児発育と羊水量の評価が重要である．biophysical profile score（BPS）も胎児のwell-beingの評価に用いられるが，外来診療では時間の制約があり，困難かもしれない．一方，超音波ドプラ法による臍帯動脈，中大脳動脈あるいは静脈管の血流計測が重症度の評価に有用であり，これらは一定の時間で施行可能であるため，外来診療でも利用しやすい．血流異常の症例は周産期予後不良の頻度が高く，ハイリスクなケースとしてインテンシブな胎児のモニタリングが考慮されるため，入院管理も選択肢となる．

一絨毛膜二羊膜双胎における一児のFGRはselective IUGR（一児の胎児発育不全）として管理方法が議論されているが，詳細は後述する．

胎児形態異常

双胎妊娠における先天的な形態異常の頻度は約6％と高く，単胎妊娠の2倍以上である．また，一絨毛膜双胎ではさらに高頻度という報告がある．一児のみに異常を認める場合と両児ともに認める場合がある．無脳症などの羊水過多をきたす疾患では，仮に一児のみの罹患であっ

ても早産リスクがあり，他方の胎児の周産期予後にも影響しうる．また，一絨毛膜双胎では，一児の形態異常に関連する胎児の状態悪化が他方の健常児の well-being にも関連するため，管理に難渋する．外来診療で胎児への超音波スクリーニングによって形態異常が指摘された場合は，疾患ごとに予後を考慮した個別の周産期管理計画を立てる必要がある．結合双胎は，きわめて稀であるが，分離手術による生存例が報告されている．

一絨毛膜二羊膜双胎

一絨毛膜二羊膜双胎では，TTTS や selective IUGR などの特有の病的な状態があるため，特別な外来管理が必要である．これらの病的状態は妊娠第 2 三半期前半から明らかとなるため，一絨毛膜双胎では妊娠第 2 三半期前半以降から少なくとも 2 週間に一度の妊婦健診が推奨されている．

● TTTS

TTTS は，胎盤の吻合血管を介した両児間の血流不均衡が両児の血行のアンバランスを引き起こすことによって，一絨毛膜二羊膜双胎の約 9％ に発症する．自然予後はきわめて不良であるが，胎児鏡下胎盤吻合血管レーザー凝固術（FLP）の効果が認められており，発症が疑われる症例は速やかに治療施設へのコンサルトが望まれる．

一児の羊水過多と一児の羊水過少によって診断されるため，妊婦健診のたびに経腹超音波による羊水深度の評価が必須である．TTTS は妊娠 16 週以降に好発するため，この時期以降に妊婦が腹部緊満感を訴える場合にも，羊水過多の有無を確認すべきである．妊娠 16 週以降に両児の羊水深度の差が 4 cm を超えるケースも TTTS のハイリスクといわれている．特に，両児間の隔膜がはっきり描出できない場合，両児の膀胱のサイズに差がある場合，一児が羊水過多の場合は TTTS を疑うべきである．

● selective IUGR

selective IUGR は一児の FGR の場合（推定体重が −1.5 SD 以下あるいは体重差 25％ 以上）に診断される．胎児の臍帯動脈拡張期血流が順行性の場合は比較的予後良好であるが，異常（途絶・逆流）を認める症例は，両児ともに予後不良である[5]．また selective IUGR の胎児の羊水過少も予後不良因子である[5]．したがって，臍帯動脈拡張期血流異常（途絶・逆流）や羊水過少を認める一絨毛膜二羊膜双胎では，新生児管理が可能な時期となれば入院管理および人工早産が考慮される．また，重症例は FLP の適応である．

● 双胎貧血多血症

双胎貧血多血症（twin anemia polycythemia sequence：TAPS）とは羊水過多過少を伴わないが，それぞれの児に貧血と多血を認めるものである．頻度は 2〜5％ であるが，自然発生と FLP 術後に発症する医原性のものがある．周産期死亡や神経学的後遺症のリスクがある．超音波ドプラ法による中大脳動脈収縮期最高血流速度による胎児診断が可能である．また，FLP 術後や selective IUGR の症例では，TAPS のスクリーニングを考慮する．

子宮内胎児死亡

一絨毛膜双胎における一児の子宮内胎児死亡（IUFD）は，生存している他児から死亡した胎児への吻合血管を介した急激な血液の移動（acute feto-fetal hemorrhage）により，他児の失血を引き起こし，結果的に他児の死亡や神経学的後遺症をもたらすことがあり，その頻度は約 40％ といわれている．一児死亡から 24 時間以内に生存児が重症貧血とならなかった場合には予後良好であることが多いという報告があり，超音波ドプラ法による中大脳動脈収縮期最高血流速度を用いた胎児貧血の評価が参考になる．

表1 多胎外来での健診スケジュール

妊娠週数		8	9	10	11	12	13	14	15	16	17	18	19	20
妊婦健診の間隔														
イベント					予定日決定			母性内科				クラミジア		
				妊娠初期検査										
超音波検査	胎児発育			CRL			BPD							
	羊水量													
	超音波ドプラ											UA, MCA		
	胎児スクリーニング											○		
	頸管長計測(経腟)											○		
NST														
夫婦への説明と同意					多胎妊娠の注意点									

　一児がIUFDと診断された場合でも，他児の急速な娩出のメリットは明らかでなく，原則的には妊娠継続による経過観察が推奨されている．なお，二絨毛膜二羊膜双胎での一児死亡も含めて，死胎児稽留症候群の実態は明らかでなく，存在するとしてもきわめて稀であるため，無症候妊婦においては死胎児稽留症候群を考慮した妊娠終了は勧められない．

一絨毛膜一羊膜双胎

　一絨毛膜一羊膜双胎では，10〜20%が胎児死亡や新生児死亡に至る．80〜90%に合併する臍帯相互巻絡と吻合血管の存在が予後に関連すると考えられているが，臍帯相互巻絡による胎児の血流障害による胎児死亡のほとんどは妊娠20週以前に発生していることが明らかとなっている．したがって，妊娠20週以降の一絨毛膜一羊膜双胎ではある程度良好な予後を期待しうるが，妊娠の後半期においても臍帯因子による胎児機能不全のリスクがある．妊娠第2三半期後半からインテンシブな胎児モニタリングを行う体制として，入院管理のメリットを指摘する報告が多いが，外来での頻回な胎児評価でも予後に差がないとする報告もある．各施設の実情に応じて管理がなされることになるが，いずれにしても胎児心拍数図モニタリングや超音波検査を用いた頻回の胎児評価と，妊娠32〜34週頃の娩出が推奨される．

無心体双胎

　無心体双胎(twin reversed arterial perfusion sequence：TRAP sequence)は，健常児(pump児)から胎盤吻合血管を介した逆行性血流によって無心体のサイズが増大する．一絨毛膜双胎において，妊娠初期に一児死亡と診断されていた胎児のサイズがのちに増大した場合にはTRAP sequenceを疑う．TRAP sequenceでは血流が自然消失することもあるが，血流が持続する場合は健常児の高拍出型心不全や羊水過多をきたすことがあり，その場合は予後不良となる．ラジオ波焼灼術(RFA)などの血流遮断術が行われており，治療施設にコンサルトすることが考慮される．

21	22	23	24	25	26	27	28	29	30	31	32	33	34	35	36	37	38
2週ごと											毎週						
			GCT CBC						術前検査		麻酔科		GBS		CBC 肝機能 凝固線溶系		帝王切開 / 誘発分娩
EFW																	
羊水深度																	
							UA, MCA					UA, MCA					
					○												
					○												
									随時						○	○	
										分娩様式							

妊娠 22 から 36 週まで

大阪母子医療センターでの多胎外来の現況

　大阪母子医療センターでは，多胎妊娠のリスクを考慮した外来管理を提供するために，「多胎外来」を設けて，通常の妊婦健診とは別の診療を行っている．多胎外来でのスケジュールを**表1**に示す．

　初診時から速やかに膜性診断を行うが，必要であれば紹介医に膜性診断にまつわる情報提供を依頼する．また妊娠第1三半期のうちに，別紙(**図1**)を用いて妊婦とパートナー(夫)に対して多胎妊娠における注意点をあらかじめ理解していただくように説明する．また一絨毛膜双胎の妊婦では，TTTS の症状である腹部緊満感の出現や腹囲・体重の急激な増加などを自覚された場合には速やかに受診していただくように説明している．

　原則的に，妊娠第2三半期前半から膜性を問わず2週間ごとの健診を行っている．特に，一絨毛膜双胎では TTTS の発症を考慮して羊水量の異常の有無に注意して，毎回の健診で超音波検査によって羊水深度を計測している．母体の高血圧，胎児発育不全，羊水量のアンバランスなどの何らかの異常所見が指摘された場合には，週2回の受診あるいは入院を提示する．高血圧関連疾患の発症も考慮して，妊娠32週以降は毎週の受診にて経過観察を行うが，母児ともに明らかなリスクを認めない場合には管理入院は行っていない．妊娠34週までには，妊婦とパートナー(夫)に対して分娩様式の説明と同意を得る．すべての多胎妊婦で，予定される分娩様式を問わず，帝王切開のための術前検査と麻酔科外来の受診を終えて，緊急帝王切開に備えるようにしている．

おわりに

　多胎(双胎)妊娠の周産期リスクを考慮した外来管理について概説した．ローリスク単胎妊娠とは区別した特別な妊婦健診の体制が考慮されるべきである．

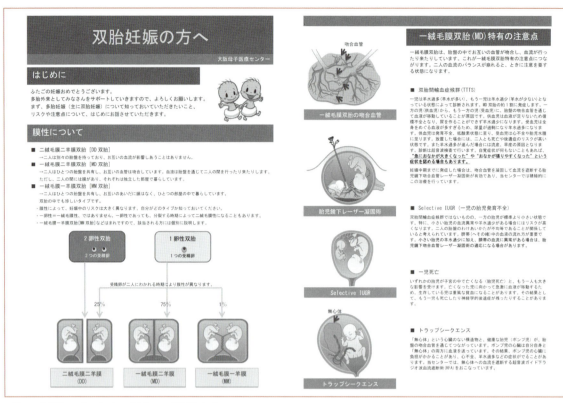

図1　妊婦・パートナー（夫）への説明用パンフレット

◆文献

1）NICE guideline : Twin and triplet pregnancy(NG 137). 2019
2）Vayssière C, et al : Twin pregnancies : guidelines for clinical practice from the French College of Gynaecologists and Obstetricians(CNGOF). Eur J Obstet Gynecol Reprod Biol **156** : 12-17, 2011
3）ACOG Practice Bulletin No. 144 : Multifetal gestations : twin, triplet, and high-order multifetal pregnancies. Obstet Gynecol **123** : 1118-1132, 2014
4）日本産科婦人科学会，日本産婦人科医会（編）：産婦人科診療ガイドライン 産科編 2020．日本産科婦人科学会，2020
5）Ishii K, et al : Ultrasound predictors of mortality in monochorionic twins with selective intrauterine growth restriction. Ultrasound Obstet Gynecol **37** : 22-26, 2011

（石井　桂介）

双胎の注意点（MDでもDDでも！）

[赤ちゃん（胎児、新生児）に関して]

■ 流産・早産

多胎は単胎にくらべて流産・早産の割合が高いです。多胎妊娠での早産率は約50％、つまり約半分の人は早産になります。妊娠28週未満の結果早産となる方も1割程度いらっしゃいます。早産で産まれた赤ちゃんは、NICU（新生児集中治療室）に入院となり、さまざまなサポートを必要とします。多胎妊娠では流産予防対策が重要となります。

■ 胎児発育不全

胎児のうち一人、もしくは二人とも発育が標準より小さい場合があります。そのほとんどは胎盤や臍帯の状態が原因であると言われています。重症例では胎児の状態が悪化することもあります。

■ 胎児構造異常

軽度のものを含めると、多胎妊娠では約6％といわれています。超音波検査で発見されるケースがあります。

[お母さんに関して]

■ 妊娠高血圧症候群

高血圧、蛋白尿を認める状態です。多胎での頻度は単胎の3倍程度です。重症化すると、子癇発作（けいれん）、常位胎盤早期剥離などをおこし、母児ともに危険な状態になることがあります。

■ 弛緩出血

分娩後に大出血をおこすことがあります。二人の赤ちゃんを抱えて伸びきった子宮は、産後に収縮する力が弱くなってしまいます。ときに輸血を必要とする場合もあります。

■ その他

悪阻、妊娠糖尿病、貧血、血栓症など、いろいろな合併症の頻度が全体的に単胎に比べて多くなります。

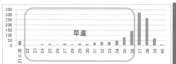

[参考] 2001-2010年 当センターでの双胎妊娠の分娩週数

当センターにおける双胎の妊娠管理

- 多胎は様々な注意点があるため、妊婦健診の頻度を多くしています。妊娠初期から妊娠31週までは2週間ごと、それ以降は毎週健診をおこないます。
- 超音波検査も2週間ごとに行います。（そのための費用が追加されます。）
- 病状によって、より多くの受診をお勧めすることがあります。
- 帝王切開となることもありますので、経腟分娩を予定している方も含めて全員が術前検査・麻酔科受診を行い、帝王切開に備えます。
- 切迫早産、羊水量の異常や胎児発育不全、妊娠高血圧症候群など、慎重な管理が必要な方は入院をお勧めします（入院の頻度は単胎より高いです）。母体・胎児の状態を慎重に診るためにMDは36週から、DDは37週から入院管理をお勧めしています。
- MM双胎では早めの管理入院を行っています。
- 多胎の赤ちゃんは、NICU（新生児の集中治療室）への入院が必要な割合が高いです。万一、当院のNICUが満床である場合には、他の病院に転院（母体搬送、もしくは新生児搬送）となることがあります。

妊娠週数	受診間隔	イベント
13週まで		予定日決定・初期採血
14～17週	2週間ごと	
18～19週		内診（頸管長） 胎児スクリーニング（医師）
20～23週		
24～25週		採血（血糖検査）
26～27週		内診（頸管長） 胎児スクリーニング（技師）
28～29週		
30～31週		術前検査 （採血・レントゲン）
32～33週	毎週	分娩方法と帝王切開の説明 （夫・パートナーの来院） 麻酔科受診
34～35週		内診（GBS検査） 分娩方法と入院時期の決定
36週		採血・内診

当センターにおける双胎の分娩方法

■ 分娩の時期

順調であれば、経腟分娩でも帝王切開でも妊娠37週以降を目標にします。双胎妊娠では妊娠後期の母体または胎児のコンディションの悪化が単胎妊娠よりも早くみられることがあるため、予定日よりも早めの出産が一般的です。原則的に、選択的帝王切開は妊娠38週に予定、経腟分娩予定の方も38週までに自然陣痛がない場合には誘発分娩を提案しています。※MM双胎については、主治医より個別に説明を行います。

■ 経腟分娩

双胎だからというだけで全員帝王切開になることはありません。第一子が頭位の場合には、経腟分娩でも帝王切開でも児への安全性は変わらないとされています。以下の基準を満たす場合には、基本的に経腟分娩をお勧めしています。（みつご以上は帝王切開としています。）

* 第一子が頭位であること。
* 妊娠34週以降であること。
* 児がふたりとも推定体重1800g以上であること。
* 母児のコンディションが良好であること。
* 前回帝王切開や、子宮手術の既往がないこと。

分娩途中に児の状態が悪くなったときや、分娩進行が悪いときには帝王切開に切り替えます（単胎の場合と同じです）。まれですが、第一子が分娩したのちに第二子のみ帝王切開となることがあります。

※MM双胎の場合は経腟分娩では無く、原則として帝王切開となります。

■ 帝王切開

上の基準を満たさない方は帝王切開分娩としています。双胎の場合は希望での帝王切開もおこなっています。帝王切開のリスク（出血、血栓症、次回妊娠時への影響など）をご理解いただいたうえで、ご夫婦で相談してください。

分娩が近づく時期に改めて、分娩方法と帝王切開について説明します。
その際には夫（もしくはパートナー）の同伴をお願いしています。

妊娠22から36週まで

診断と外来対応

妊娠22から36週まで

妊娠高血圧症候群

POINT
- 妊娠高血圧腎症診断後は，原則入院管理させる．妊娠高血圧，妊娠蛋白尿の場合，家庭血圧測定を開始し，健診間隔を短くする．
- 診察室高血圧の診断には，機会を変えて，2回連続で高血圧であることを確認する．また，白衣高血圧を除外することが重要である．
- HELLP症候群は，上腹部痛，嘔気を伴うことが多い．HELLP症候群が強く疑われるが迅速血液検査が難しい場合は，紹介を考えるべきである．

妊娠高血圧症候群および関連疾患の定義，リスク因子と病態

定義

- **妊娠高血圧，妊娠高血圧腎症，加重型妊娠高血圧腎症，子癇**

 2004年に旧妊娠高血圧症候群の診断基準が作成された（表1）[1]．妊娠高血圧症候群の英語名はpregnancy-induced hypertension（PIH）からhypertensive disorders of pregnancy（HDP）に変更された[2]．旧PIHは，妊娠高血圧（gestational hypertension：GH），妊娠高血圧腎症（preeclampsia：PE），加重型妊娠高血圧腎症（superimposed PE：SPE），および，子癇（eclampsia）の4つの病態の総称であった[1]．おのおのの定義は表1に示したとおりである．新しいHDPの定義・分類は表2に示したとおりである[2]．

 改訂HDPの主な特徴は，高血圧合併妊娠（chronic hypertension：CH）が病型に加わったこと，高血圧に蛋白尿を合併した場合のみならず，高血圧に（蛋白尿がなくても）肝機能障害，腎障害，神経障害，血液凝固障害，あるいは子宮胎盤機能不全が加わった場合もPEと判断すること，そして，子癇が病型から外れ新しいPEの診断基準に包含されたことである．

- **妊娠蛋白尿（gestational proteinuria：GP）**

 改訂版HDPの病型分類には含めないが，妊娠20週以降に初めて蛋白尿が指摘され，分娩後12週までに消失した場合をいう[1]．

- **HELLP症候群**

 改訂版HDPの病型分類には含めない．PEや子癇に合併することが多く，溶血（Hemolysis），肝酵素の上昇（Elevated Liver enzymes），血小板減少（Low Platelets）を呈する多臓器不全である[2]．上腹部痛，嘔気・嘔吐を主訴に発症することが多い．

- **肺水腫**

 改訂版HDPの病型分類においても，全身性の浮腫病変はHDPの母体合併症として重要である．特に，肺水腫や胸水貯留はHDPに伴う血管壁の透過性亢進の結果として発生しうる[1]．

- **急性腎不全**

 妊娠中の腎機能障害の評価は，蛋白尿の程度ではなく，血清クレアチニン（creatinine：Cr）

表1　旧 PIH の定義

妊娠 20 週以降，分娩 12 週まで高血圧がみられる場合，または高血圧に蛋白尿を伴う場合のいずれかで，かつこれらの症状が単なる妊娠の偶発合併症によるものではないものをいう．

病型分類：

- 妊娠高血圧腎症 (preeclampsia)
  妊娠 20 週以降に初めて高血圧が発症し，かつ蛋白尿を伴うもので分娩後 12 週までに正常に復する場合をいう．
- 妊娠高血圧 (gestational hypertension)
  妊娠 20 週以降に初めて高血圧が発症し，分娩後 12 週までに正常に復する場合をいう．
- 加重型妊娠高血圧腎症 (superimposed preeclampsia)
  (1) 高血圧症 (chronic hypertension) が妊娠前あるいは妊娠 20 週までに存在し，妊娠 20 週以降蛋白尿を伴う場合，
  (2) 高血圧と蛋白尿が妊娠前あるいは妊娠 20 週までに存在し，妊娠 20 週以降，いずれか，または両症状が増悪する場合，
  (3) 蛋白尿のみを呈する腎疾患が妊娠前あるいは妊娠 20 週までに存在し，妊娠 20 週以降に高血圧が発症する場合をいう．
- 子癇 (eclampsia)
  妊娠 20 週以降に初めて痙攣発作を起こし，てんかんや二次性痙攣が否定されるもの．痙攣発作の起こった時期により，妊娠子癇，分娩子癇，産褥子癇と称する．

表2　新 HDP の定義

以下に示す妊娠高血圧，妊娠高血圧腎症，加重型妊娠高血圧腎症，および高血圧合併妊娠の総称．なお，改訂版の妊娠高血圧，妊娠高血圧腎症，および加重型妊娠高血圧腎症の定義は，旧定義とは異なっている．高血圧合併妊娠は旧定義には含まれておらず，改訂版で初めて追加された．

病型分類：

- 妊娠高血圧腎症 (preeclampsia：PE)
  (1) 妊娠 20 週以降に初めて高血圧を発症し，かつ，蛋白尿を伴うもので，分娩 12 週までに正常に復する場合．
  (2) 妊娠 20 週以降に初めて発症した高血圧に，蛋白尿を認めなくても以下のいずれかを認める場合で，分娩 12 週までに正常に復する場合．基礎疾患のない肝機能障害〔肝酵素上昇（ALT もしくは AST＞40 IU/L），治療に反応せず他の診断がつかない重度の持続する右季肋部もしくは心窩部痛〕，進行性の腎障害（Cr＞1.0 mg/dL，他の腎疾患は否定），脳卒中，神経障害（間代性痙攣・子癇・視野障害・一次性頭痛を除く頭痛など），血液凝固障害〔HDP に伴う血小板減少（＜15 万/μL），DIC，溶血〕．
  (3) 妊娠 20 週以降に初めて発症した高血圧に，蛋白尿を認めなくても子宮胎盤機能不全〔胎児発育不全 (FGR)，臍帯動脈血流波形異常，あるいは死産〕を伴う場合．
- 妊娠高血圧 (gestational hypertension：GH)
  妊娠 20 週以降に初めて高血圧を発症し，分娩 12 週までに正常に復する場合で，かつ妊娠高血圧腎症の定義に当てはまらないもの．
- 加重型妊娠高血圧腎症 (superimposed preeclampsia：SPE)
  (1) 高血圧が妊娠前あるいは妊娠 20 週までに存在し，妊娠 20 週以降に蛋白尿，もしくは基礎疾患のない肝腎機能障害，脳卒中，神経障害，血液凝固障害のいずれかを伴う場合．
  (2) 高血圧と蛋白尿が妊娠前あるいは妊娠 20 週までに存在し，妊娠 20 週以降にいずれかまたは両症状が増悪する場合．
  (3) 蛋白尿のみを呈する腎疾患が妊娠前あるいは妊娠 20 週までに存在し，妊娠 20 週以降に高血圧が発症する場合．
  (4) 高血圧が妊娠前あるいは妊娠 20 週までに存在し，妊娠 20 週以降に子宮胎盤機能不全を伴う場合．
- 高血圧合併妊娠 (chronic hypertension：CH)
  高血圧が妊娠前あるいは妊娠 20 週までに存在し，加重型妊娠高血圧腎症を発症していない場合．

値によって行う[1]. 通常, 0.9～1.4 mg/dL は軽症, 1.4～2.5 mg/dL は中等症, そして, 2.5 mg/dL 以上は重症と判断される. 血清 Cr＞3.5～4.5 mg/dL になった場合は透析導入を考慮する必要がある.

● 高血圧合併妊娠

改訂版 HDP の病型分類から HDP の病型の1つに加わった. 国際妊娠高血圧学会(International Society for the Study of Hypertension in Pregnancy：ISSHP)が 2014 年に提唱した新規分類において CH が加わったが[3], 新定義では, ISSHP 分類との整合性を図るために, CH が HDP の一病型として追加された.

● 白衣高血圧

ISSHP が 2014 年に提唱した新規分類において, 白衣高血圧(white-coat hypertension：WCH)が加わることになった[3]. 妊娠中の血圧の正常域は必ずしも非妊婦と同じではないが, 現時点の日本妊娠高血圧学会(Japan Society for the Study of Hypertension in Pregnancy：JSSHP)内のコンセンサスとして, 日本高血圧学会での WCH の診断基準をそのまま妊婦にも当てはめるとした[4].

一般成人における WCH は, 診察室血圧値が≧140/90 mmHg, かつ, 自由行動下 24 時間血圧測定(ambulatory blood pressure monitoring：ABPM)あるいは家庭血圧測定(home blood pressure：HBP)で高血圧でない場合と定義される[5]. 妊娠中の WCH も現時点では一般成人と同様の基準で診断する[4]. なお, 今回の改訂版 HDP 病型分類では, 付記として「高血圧の診断」があり, 「白衣・仮面高血圧など, 診察室での血圧は本来の血圧を反映していないことがある. 特に, 高血圧合併妊娠などでは, 家庭血圧測定あるいは自由行動下血圧測定を行い, 白衣・仮面高血圧の診断およびその他の偶発合併症の鑑別診断を行う.」と記載された.

リスク因子

● 肥満

複数の大規模研究において, 肥満妊婦は 2～3 倍 PE になりやすいと報告されている[6].

● 既往 PE/GH

既往 PE/GH と PIH 発症に関する systematic review において, 既往 PE の妊婦では 14％ に PE が発生し, 既往 GH の妊婦では 39％ に GH が発生していた[7]. 既往に PE/GH のある妊婦では, 32％ に PE/GH が発生していた[7].

● 血圧高値

妊娠中の血圧レベルと PE 発症に関する systematic review において, 妊娠中期の平均血圧(mean arterial pressure：MAP)≧90 mmHg の陽性尤度比(positive likelihood ratio：LR＋)は 3.5(2.0-5.0)であった[8].

● 子宮動脈血流速度波形異常

子宮動脈血流速度波形異常(abnormal uterine artery Doppler：異常な UAD)と早発型 PE に関する systematic review において, 妊娠初期, 中期の異常な UAD を有する妊婦の早発型 PE 発症の LR＋はおのおの 11.2, 11.0 であった[9]. 異常な UAD と GH 発症との関連は非常に弱いかあるいは関連がないと報告されている[10, 11].

病態

● two-stage disorder

PE が two-stage disorder であるというコンセプトが現在広く受け入れられている[12, 13]. first stage は胎盤灌流の減少であり, それに引き続く second stage は母児合併症(高血圧, 蛋白尿,

胎児発育不全)の発症である．second stage の発症には，胎盤で生じる酸化ストレスや血管新生抑制因子である soluble fms-like tyrosine kinase 1(sFlt-1)あるいは soluble endoglin(sEng) の産生亢進と placental growth factor(PlGF)の低下が重要である[14,15]．

● 血管新生関連因子

sFlt-1 の増加には，胎盤での虚血やらせん動脈の拡張不全が重要であると考えられている[15]．現在，妊娠 20 週以降の sFlt-1／PlGF 比は，PE 疑い妊婦から PE 発症を予知するために用いられている[16,17]．また，妊娠初期の PlGF 低値は PE 発症のハイリスク群同定に有用であり，この PlGF を含んだアルゴリズムを用いて同定された PE ハイリスク妊婦に対して妊娠 16 週未満に低用量アスピリンが投与されたところ，早産 PE の発症を 50% 予防し，早発型 PE の発症を 80% 予防した[18]．

妊娠高血圧症候群および関連疾患の診断の手順

妊娠中の高血圧診断

診察室高血圧を認めた場合，すでに慢性高血圧の診断がついていないときは，ABPM あるいは HBP を用いてまず WCH でないかどうかを診断することが重要である．また，高血圧を認めた場合は 1 分程度間隔をあけて複数回測定したり，機会を変えて再度測定したりすることで，一過性高血圧(transient hypertension)を除外することができる．日本高血圧学会の高血圧診断基準を示す(表 3)[5]．JSSHP の委員会内のコンセンサスとして，妊娠中の高血圧の診断は一般成人における高血圧の診断基準と同じとすることが確認されている[4]．

妊娠中の蛋白尿診断

『産婦人科診療ガイドライン 産科編 2020』の蛋白尿の診断では[2]，随時尿中の蛋白／クレアチニン比(P／C 比)≧0.3 の場合に蛋白尿陽性と判断する方法も認めた(表 4)．従来，蛋白尿の診断は，原則として 24 時間尿を用いた定量法で測定し，300 mg／日以上を陽性と判断すると定義されている[1]．ただし，随時尿を用いた試験紙法による成績しか得られない場合は，少なくとも 2 回以上連続して陽性である場合を陽性と判断する[2]．2014 年の ISSHP で新たに提案された妊娠中の高血圧疾患の定義では，従来の 24 時間尿，試験紙法に加え，P／C 比≧0.3 を蛋白尿陽性の診断法としており[3]，改訂版 HDP 病型分類ではこの定義が採用された．

脳出血・脳梗塞の診断，PRES の診断

妊娠・分娩・産褥期において痙攣を認めた場合，脳卒中(脳出血あるいは脳梗塞)と可逆性白質脳症(posterior reversible encephalopathy syndrome：PRES)の鑑別が求められる．脳卒中が疑われる場合は，まず，CT 検査を優先して行い，病態が落ち着き検査が可能であれば MRI 検査を行うのがよい[2]．MRI 検査では，PRES に特徴的な脳の浮腫の診断が容易である[1]．特に，FLAIR(fluid attenuated inversion recovery)法，DWI(拡散 MRI)と ADC(apparent diffusion coefficient)mapping により，血管性浮腫(vasogenic edema)と細胞障害性浮腫(cytotoxic edema)の鑑別が可能である．表 5 に血管性浮腫と細胞性浮腫の鑑別を示した．

HELLP 症候群の診断，DIC の評価

HELLP 症候群は血液検査結果による診断名であり，必ずしも HDP を合併している必要はない．現在国際的にコンセンサスが得られた診断基準はなく，関連疾患である急性妊娠脂肪肝

表3 高血圧診断基準

	収縮期血圧 (mmHg)	拡張期血圧 (mmHg)
診察室血圧	≧140 かつ/または	≧90
家庭血圧	≧135 かつ/または	≧85
自由行動下血圧 24時間 昼間 夜間	≧130 かつ/または ≧135 かつ/または ≧120 かつ/または	≧80 ≧85 ≧70

〔日本高血圧学会高血圧治療ガイドライン作成委員会（編）：高血圧治療ガイドライン 2019．p19，日本高血圧学会，2019より許諾を得て転載〕

表4 妊娠中の蛋白尿診断基準

測定法	基準値
試験紙法	1＋：連続して2回以上 2＋：1回以上
24時間蓄尿検査	0.3 g／日以上
随時尿 P／C 比	≧0.3

表5 MRIによる血管性浮腫と細胞障害性浮腫の鑑別

MRI撮像法	血管性浮腫	細胞障害性浮腫	注意点
T1	等信号〜低信号	等信号〜低信号	
T2	高信号	高信号	脳髄液との判別困難
FLAIR	高信号	高信号	脳脊髄液の信号除外，ただし，血管性・細胞障害性の鑑別は不可
DWI	低信号〜等信号	高信号	
ADC	高信号	低信号	細胞障害性浮腫であっても，時間経過で等信号，高信号と変化する．

もまた診断基準がはっきりしていない．このため，『産婦人科診療ガイドライン 産科編 2020』では，参考として，HELLP症候群および臨床的急性妊娠脂肪肝の診断基準が記載されている[2]．AST高値（＞45 IU／L），LDH高値（＞400 IU／L）の両者を満たし，さらに，①血小板数＜12万／μLの場合はHELLP症候群を，②AT活性＜60％，かつ血小板数≧12万／μLの場合は臨床的急性妊娠脂肪肝を疑う．実際問題として，ASTやLDHの上限は各施設や検査機関で設定されていることが多いので，その1.5倍を上限値として設定するほうが妥当かもしれない．DICの評価は，産科DICスコアを用いる．

肺水腫の評価

肺水腫は，血管壁の透過性亢進によって発生する場合と，心不全によって発生する場合の2種類の発生様式があり，病態を異にする．いずれにおいても胸部X線検査で肺野全体の透過性が低下し，真っ白になる．肺葉間に水分が溜まり，vanishing tumor と呼ばれる腫瘤影がみられる．心不全を合併する場合は心陰影の拡大がみられる．聴診，経皮酸素モニター，全身状態や呼吸状態も参考にし診断をつける．また，心不全との鑑別には心臓超音波検査が重要である．しばしば，周産期心筋症による肺水腫が発見される．

白衣高血圧の診断

一般成人におけるWCHは，診察室血圧値が≧140／90 mmHg，かつ，ABPMあるいはHBPで高血圧でない場合と定義される（表3）[5]．妊娠中のWCHも現時点では一般成人と同様の基準で診断する[4]．

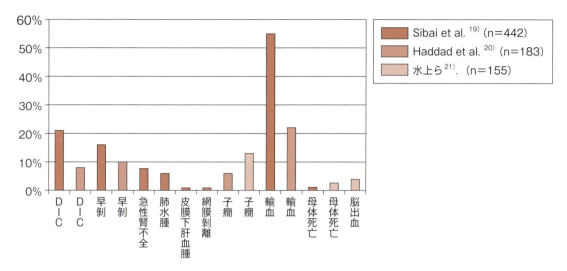

図1 HELLP症候群患者における各種合併症の発生率

妊娠高血圧症候群および関連疾患の入院の判断

妊娠蛋白尿，妊娠高血圧

『産婦人科診療ガイドライン 産科編2020』においては，PE, SPE, 重症GH, 重症CHと診断した場合は入院管理を勧める，と記載されている[2]．GP, 非重症GH, 非重症CHの場合に入院させるべきか否かについては，疾患の発症週数，あるいは，NST所見などを総合的にみて判断すべきと思われる．

妊娠高血圧腎症，子癇およびHELLP症候群

前述したとおり，PEであれば，原則入院管理とする．妊娠子癇が発生すれば，ただちに入院管理とする．HELLP症候群は，血液検査所見による診断であるため，検査を外注しているような一次施設の場合は迅速な診断が困難である．HELLP症候群は一般には高血圧を伴うことが多く，また，大部分で上腹部痛，嘔気・嘔吐を呈する．HELLP症候群の発症が強く疑われるが，迅速血液検査が不可能な場合は，検査可能な施設へ速やかに紹介することが重要である．HELLP症候群は急速に検査所見が悪化し，DIC，急性腎不全，常位胎盤早期剥離，脳出血，被膜下肝血腫など重篤な合併症を併発しやすい（図1）[19-21]．血小板数が5万/μL未満でDICを伴う場合は脳出血発生リスクが増加するので，適宜，血小板輸血も考慮する．

入院後の管理法

本稿は診断と外来管理に関する解説であるため，入院後の対応については成書（『産婦人科診療ガイドライン 産科編2020』『妊娠高血圧症候群の診療指針2021』および『妊娠と高血圧：内科医・産科医のための薬剤療法マニュアル』など）を参考にされたい．

表6 妊娠高血圧症候群，妊娠蛋白尿時の血液検査

- 血算
- ATⅢ活性
- 総蛋白，アルブミン
- 尿酸，Cr
- AST，ALT，LDH
- フィブリノゲン

妊娠高血圧症候群および関連疾患の外来での管理法

妊娠蛋白尿

　GPについては，その後PEに変化する確率が約50%と高いことが知られている[22]．筆者らは，随時尿でP/C比を測定できるようになってからは，その値の程度と血液検査所見を参考にして入院すべきかどうかを判断している．表6に筆者らが外来，入院中に行っている妊娠高血圧症候群，妊娠蛋白尿時の血液検査を示す．

妊娠高血圧，高血圧合併妊娠

　GH，CHについては，その後PEに変化した頻度はおのおの15%，22%であったと報告されている[22,23]．いずれにしても，妊娠中に高血圧状態を呈している場合は，その後PEに増悪するリスクが高い．したがって，高血圧妊婦では，HBPを導入して血圧管理，降圧薬の効果の確認を行うのがよい．また，GHが発生したり，CHが増悪したりする場合は，蛋白尿の出現を少なくとも週1回程度はチェックすべきと思われる．GHであっても，早発型や重症（≧160/110 mmHg）である場合は入院管理を勧める．

　GHでは，血圧値が160/110 mmHg以上であれば，PEの管理に準じて，降圧薬の使用を考慮する．CHに関しては，内科医師が管理する場合も多いと思われる．CHの場合の降圧開始基準については内科医師に一任するのがよいと考えている．妊娠中に外来で使用できる経口降圧薬の種類，用法・用量および注意点については，「ハイリスク妊娠の管理：高血圧」の表1（⇨316頁）をご参照いただきたい．

◆ 文献

1）日本妊娠高血圧学会（編）：妊娠高血圧症候群の診療指針2015 Best Practice Guide．メジカルビュー社，2015
2）日本産科婦人科学会，日本産婦人科医会（編）：産婦人科診療ガイドライン 産科編2020．日本産科婦人科学会，2020
3）Tranquilli AL, et al：The classification, diagnosis and management of the hypertensive disorders of pregnancy；A revised statement from the ISSHP. Pregnancy Hypertens 4：97-104, 2014
4）日本妊娠高血圧学会（編）：妊娠と高血圧：内科医・産科医のための薬剤療法マニュアル．金原出版株式会社，2013
5）日本高血圧学会高血圧治療ガイドライン作成委員会（編）：高血圧治療ガイドライン2019．日本高血圧学会，2019
6）Itoh H, et al：Obesity and Risk of Preeclampsia. Med J Obstet Gynecol 2：1024, 2014
7）Takahashi K, et al：Recurrence Risk of Hypertensive Disease in Pregnancy. Med J Obstet Gynecol 2：1023, 2014
8）Cnossen JS, et al：Accuracy of mean arterial pressure and blood pressure measurements in predicting

pre-eclampsia : systematic review and meta-analysis. BMJ **336** : 1117-1120, 2008
9） Ohkuchi A, et al : Prediction of Early-Onset Preeclampsia Using Uterine Artery Doppler. Med J Obstet Gynecol **2** : 1026, 2014
10） Takahashi K, et al : Biophysical interaction between blood pressure and uterine artery Doppler for the occurrence of early-onset preeclampsia : A prospective cohort study. Pregnancy Hypertens **3** : 270-277, 2013
11） Khalil A, et al : Longitudinal changes in uterine artery Doppler and blood pressure and risk of pre-eclampsia. Ultrasound Obstet Gynecol **43** : 541-547, 2014
12） Redman CW, et al : Placental stress and pre-eclampsia : a revised view. Placenta **30** : Suppl A : S38-42, 2009
13） Roberts JM, et al : The two stage model of preeclampsia : variations on the theme. Placenta **30**(Suppl A) : S32-37, 2009
14） Roberts JM, et al : Is oxidative stress the link in the two-stage model of preeclampsia? Lancet **354** : 788-789, 1999
15） Maynard SE, et al : Angiogenic factors and preeclampsia. Semin Nephrol **31** : 33-46, 2011
16） Zeisler H, et al : Predictive value of the sFlt-1 : PlGF ratio in women with suspected preeclampsia. N Engl J Med **374** : 13-22, 2016
17） Bian X, et al : Short-term prediction of adverse outcomes using the sFlt-1 (soluble fms-like tyrosine kinase 1)/PlGF (placental growth factor) ratio in Asian women with suspected preeclampsia. Hypertension **74** : 164-172, 2019
18） Rolnik DL, et al : Aspirin versus placebo in pregnancies at high risk for preterm preeclampsia. N Engl J Med **377** : 613-622, 2017
19） Sibai BM, et al : Maternal morbidity and mortality in 442 pregnancies with hemolysis, elevated liver enzymes, and low platelets（HELLP syndrome）. Am J Obstet Gynecol **169** : 1000-1006, 1993
20） Haddad B, et al : Risk factors for adverse maternal outcomes among women with HELLP（hemolysis, elevated liver enzymes, and low platelet count）syndrome. Am J Obstet Gynecol **183** : 444-448, 2000
21） 岡井　崇，他：周産期委員会（平成20年度専門委員会報告）．日産婦会誌 **61** : 1543-1567, 2009
22） Morikawa M, et al : Pregnancy outcome of women who developed proteinuria in the absence of hypertension after mid-gestation. J Perinat Med **36** : 419-424, 2008
23） Brown MA, et al : The natural history of white coat hypertension during pregnancy. BJOG **112** : 601-606, 2005

（大口　昭英）

常位胎盤早期剝離

妊娠22から36週まで　診断と外来対応

POINT
- 常位胎盤早期剝離は性器出血や腹痛で突然発症し，母児ともに生命の危険性のある疾患であり，その予知・予防法はない．
- 常位胎盤早期剝離の危険因子をもつ患者には，胎動減少，腹痛，性器出血などが常位胎盤早期剝離の初発症状であることを周知し，それらが出現した際には速やかに受診するように指導する．
- 性器出血，子宮収縮を認める妊婦には常位胎盤早期剝離の可能性を疑い，超音波検査，胎児心拍・子宮収縮の監視を行う．
- 常位胎盤早期剝離を発症した場合には，母体の全身状態の把握と急速遂娩が管理の基本である．

DATA
- 常位胎盤早期剝離の頻度は，1,000分娩あたり単胎で5.9例，双胎で12.2例．
- 周産期死亡率は通常の10倍以上高く，母体死亡の原因にもなる．

病態

　常位胎盤早期剝離は，正常の位置に付着している胎盤が妊娠中あるいは分娩中の胎児娩出前に剝離する状態である．胎盤が先に剝離することにより，胎児への酸素供給が障害され，児は低酸素状態に陥る．児の予後は胎盤の剝離面積に相関し，胎児死亡や脳性麻痺を発症することがある．また，母体は出血性ショックや播種性血管内凝固症候群（DIC）をきたし，重篤な状態に陥ることがある．常位胎盤早期剝離の頻度は，1,000分娩あたり単胎では5.9例，双胎では12.2例が発症し，周産期死亡率は通常の10倍以上高く，母体死亡の原因にもなる．

　常位胎盤早期剝離の発症予知は困難であるが，危険因子が存在する．表1に示すように，常位胎盤早期剝離の既往，高血圧合併妊娠，妊娠高血圧症候群，切迫早産，前期破水，子宮内感染症，外傷，外回転術，喫煙などが危険因子である．そのほか，経産婦，高齢妊娠，子宮内胎児発育不全，多胎妊娠，羊水過多，既往帝王切開歴，子宮奇形，子宮腫瘍，臍帯過短，薬物中毒なども危険因子となることが報告されている．

症状

　常位胎盤早期剝離の代表的な症状としては，腹痛やお腹の張り，性器出血がある．これらは切迫早産や分娩の徴候との判別が難しい場合がある．腹痛は持続する痛みが特徴的であるが，周期的で陣痛と類似することもある．また，胎動の減少，腰痛，下痢などが初発症状として現れることもある．性器出血は胎盤の剝離する部位と範囲によっては内出血が主で外出血が少量あるいは認められないこともあり，この場合には診断が遅れてDICを併発することがある．破水しているときには血性羊水を認める．

表 1 常位胎盤早期剥離の危険因子

- 常位胎盤早期剥離の既往
- 高血圧合併妊娠
- 妊娠高血圧症候群
- 切迫早産
- 前期破水
- 子宮内感染症
- 外傷
- 外回転術
- 喫煙

診断

　母児の予後のためには早期診断が重要であり，妊娠の中期以降に子宮収縮，下腹痛，性器出血，胎動減少を認めた際には，常位胎盤早期剥離の可能性を考えて，超音波検査，胎児心拍数モニタリング，母体血液検査を行う．鑑別診断としては，切迫早産，前置胎盤がある．特に常位胎盤早期剥離の早期には切迫早産との鑑別が重要である．また，検査で常位胎盤早期剥離を否定した場合でも，のちにその発症の可能性があることに注意して管理する必要がある．

　常位胎盤早期剥離の超音波所見に Jaffe による分類[1]があるが，典型的な所見に胎盤後面の血腫形成がある．胎盤内の血腫像，胎盤辺縁の異常像（胎盤が丸みを帯びる，胎盤辺縁が剥離），胎盤の肥厚（5.5 cm 以上）も常位胎盤早期剥離の際に認められる所見である．しかしながら，超音波検査による常位胎盤早期剥離の診断は，早期剥離の所見が認められる際には的中率は高いが，超音波所見がなくても否定できないと報告されている[2]．また，胎盤が前壁に付着しているほうが後壁付着と比較して超音波検査による診断率が高い．

　胎児心拍数モニタリングは，胎盤の剥離の程度により多様なパターンを呈する．胎児心拍は常位胎盤早期剥離が早期または軽度の場合には，胎児の低酸素血症に対する反応として頻脈が認められる．胎盤剥離の進行に伴い胎児低酸素血症が重症化するに従って，基線細変動の減少，遅発または変動一過性徐脈，サイナソイダルパターン，基線細変動の消失，徐脈が出現する．また，常位胎盤早期剥離の初期徴候として認められるさざ波様の子宮収縮波形は，切迫早産の子宮収縮や陣痛の子宮収縮波形とは異なり，弱い子宮収縮が短い周期で繰り返すパターンである．このさざ波様波形が認められた際には，厳重に監視を続ける必要がある．

　血液凝固能異常，DIC の程度が母児の予後に重要な影響を及ぼす．血小板，アンチトロンビン活性，FDP，D ダイマー，フィブリノゲン，プロトロンビン時間，AST，LDH を測定する．常位胎盤早期剥離では，FDP，D ダイマー上昇，フィブリノゲン低下，プロトロンビン時間延長を伴い，HELLP 症候群の合併にも注意する．特に内出血が主で外出血が少量の場合には，血液検査の所見から血液凝固能異常，DIC の程度を判断して対応することが重要である．

管理

　母児の予後の改善のためには，早期診断が重要である．外来で管理中の妊婦が表 1 に示すような常位胎盤早期剥離の危険因子を有する場合には，患者に対して，常位胎盤早期剥離の発症について，および胎動減少，軽度の腹痛や性器出血が常位胎盤早期剥離の初発症状である可能性を周知させる必要がある．また，助産師や看護師を，患者からの腹痛や性器出血の訴えに対して常位胎盤早期剥離を考慮して対応できるように，教育することも重要である．

切迫早産の症状を訴えて受診した患者に，前述した検査で常位胎盤早期剥離が疑われた場合には，入院させて厳重に管理する必要がある．常位胎盤早期剥離と診断した場合には可及的速やかに児を娩出させる．その際，母体のDICやショック，胎児の生存または死亡，妊娠週数，分娩進行の程度により，高次医療施設への搬送の必要性，さらには母体搬送にするか新生児搬送にするかを検討する．母体に産科DICを認める場合には，可及的速やかにDIC治療を開始する[3]．常位胎盤早期剥離から3時間以上経過している症例，母体がDICを発症している症例，胎児死亡を起こしている症例などはリスクが高く，高次医療施設への搬送が望ましい．発症からの時間が短く母体の全身状態が安定していれば，児の救命目的で自施設で急速遂娩させて新生児搬送を行う可能性も考慮する．そのためには，一次医療施設で常位胎盤早期剥離を発症した場合に，母児の救命目的でより迅速な搬送ができるように，具体的な指針や体制を整備しておくことが重要である．

◆ 文献

1) Jaffe MH, et al : Sonography of abruption placentae. Am J Roentgenol **137** : 1049-1054, 1981
2) Glantz C, et al : Clinical utility of sonography in the diagnosis and treatment of placental abruption. J Ultrasound Med **21** : 837-840, 2002
3) 日本産科婦人科学会，日本産婦人科医会（編）：CQ308 常位胎盤早期剥離（早剥）の診断・管理は？ 産婦人科診療ガイドライン 産科編 2020．pp164-167，日本産科婦人科学会，2020

〔工藤　美樹〕

羊水過多・過少

診断と外来対応
妊娠 22 から 36 週まで

POINT
- 羊水過多および羊水過少を認めたら，原因検索を行う．
- 発症した週数によって原因や予後が異なる．
- 羊水量の経時的な計測や胎児の健常性（well-being）を評価する．

DATA
- 羊水過多，羊水過少ともに全妊娠の 1〜2% にみられる．

羊水の生理学

妊娠中期以降になると，羊水の産生の主体は胎児尿である．妊娠後期には胎児の尿産生は 1 日 1 L にも及ぶ．羊水産生の一部に肺からの分泌液も関与する．羊水腔からの消退は，ほとんどが胎児の嚥下による．また，胎児尿の浸透圧は 260 mOsm/L で胎児や母体血漿の 280 mOsm/L よりも低いため，胎盤表面の羊膜から胎児循環系さらに胎盤を経て母体側に排泄される．羊水量は，これらの産生と消退のバランスにより決定される（表 1）．正常の経過として羊水量は妊娠の経過とともに増加し，妊娠 32 週前後で最大量に達する．その後は減少傾向を示し，40 週以降にその傾向は顕著となり，1 週で約 8% 減少する．

羊水の計測法

臨床的には超音波画像から羊水量を推定する方法が広く行われている．

最大羊水深度（maximum vertical pocket：MVP）

プローブを妊婦の長軸に沿って床に垂直に立て，羊水部分が最も広く描出される部分の深さを測定する（図 1）．測定する部分には胎児部分や臍帯は含めない．カラードプラを併用すると臍帯の確認がしやすい．8 cm 以上を羊水過多，2 cm 未満を羊水過少という．多胎妊娠の場合にもそれぞれの羊水腔で計測し，正常値も同様である．twin-to-twin transfusion syndrome（TTTS）の診断にも MVP を用いる．

羊水ポケット（amniotic fluid pocket：AP）

腹壁に垂直にプローブをあて，羊水腔のなかで胎児部分や臍帯を含まないように円を描き，その円の最大径を計測する（図 2）．2〜8 cm が正常範囲とし，8 cm 以上を羊水過多，2 cm 未満を羊水過少とする．

表1 羊水量の調整（妊娠中期以降）

経路	羊水量への影響	1日量(mL)
胎児尿	産生	1,000
胎児の嚥下	消退	750
胎児の肺胞液の分泌	産生	350
胎盤胎児膜面からの吸収	消退	400
経羊膜からの吸収	消退	少量

〔Cunningham FG, et al (eds)：Williams Obstetrics 24th ed. McGraw-Hill, 2014 (adapted from Magann, 2011；Modena, 2004；Moore, 2010)〕

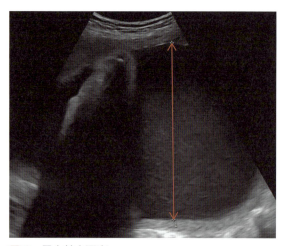

図1 最大羊水深度

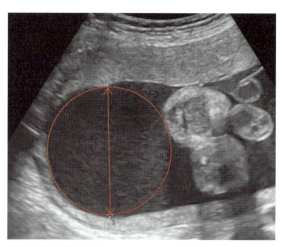

図2 羊水ポケット

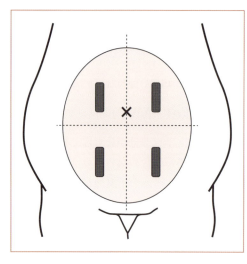

図3 AFIの計測法
4分割の仕方．妊娠週数が早く子宮が小さい場合は，上下の分割を臍にこだわらなくてよい．

羊水インデックス（amniotic fluid index：AFI）

　プローブを妊婦の長軸に沿って床に垂直に立てて計測し，子宮を4分割して計測したそれぞれのMVPの合計で表現する（図3）．正常範囲は5〜24cmとされている．

表2 羊水過多の原因

- ○胎児の羊水嚥下・吸収障害
    - 消化管閉鎖（上部消化管閉鎖，口唇口蓋裂，気管食道瘻，腹壁破裂など）
    - 神経筋疾患（筋緊張性ジストロフィなど）
    - 中枢神経系奇形（無脳症，ダンディ-ウォーカー症候群など）
    - 胎児水腫（胎児心不全をきたす心奇形や不整脈などによる）
    - 染色体異常（18トリソミー，21トリソミーなど）
- ○胎児尿産生過剰（高心拍出性）
    - 双胎間輸血症候群，無心体双胎，胎盤血管腫
    - 胎児貧血（血液型不適合妊娠，パルボウイルス感染，胎児母体間輸血症候群など）
- ○母体糖尿病
- ○多胎妊娠
- ○その他

表3 羊水過多と原因

原因（%）	Golan（1993）	Many（1995）	Biggio（1999）	Dashe（2002）
特発性	65	69	72	82
胎児奇形	19	15	8	11
糖尿病	15	18	20	7

羊水過多

診断

AFI≧24 cm または AFI≧25 cm，AP≧8 cm，MVP≧8 cm のとき羊水過多とする．羊水過多は全妊娠の1〜2%に認める．

羊水過多は程度によって分類されることがあり，AFIが25〜29.9 cm までを軽度（mild），30〜34.9 cm までを中等度（moderate），35 cm以上を高度（severe）という．軽度なものが全体の約2/3を占め，中等度のものが20%程度，高度なものが15%程度である．MVPの場合は，8〜9.9 cm が軽度，10〜11.9 cm が中等度，12 cm 以上が高度となる．一般的に，軽度なものは特発性であることが多いが，高度なものは原因や妊娠合併症を伴うことが多い．

原因（表2）

羊水過多の病態は，主に胎児による産生量の増加（胎児水腫など）と胎児の嚥下能力の低下（上部消化管閉鎖など）である．原因は，胎児先天奇形によるものが約15%，母体糖尿病によるものが15〜20%である．特発性の羊水過多は約70%にも及ぶ（表3）．ただ，特発性の羊水過多と診断されていても，約25%に出生後に異常が判明している．また，発育停止を伴う羊水過多の場合，18トリソミーが推測される．

妊娠の転帰

羊水過多が重度な場合や先天奇形など原因のあるものは，特に表4に示すような合併症が多くなる．帝王切開率の上昇や児のNICU入院も多くなる．周産期死亡率は2〜5倍になり，

表4 羊水過多に伴う妊娠合併症

- 母体の呼吸困難
- 切迫早産，前期破水，早産
- 胎位異常
- 巨大児
- 臍帯脱出
- 常位胎盤早期剝離
- 弛緩出血

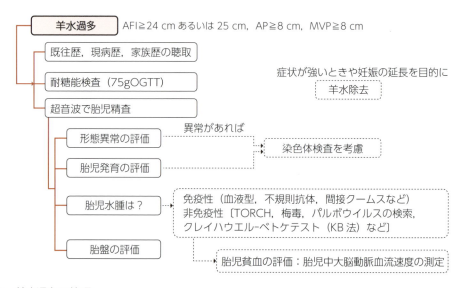

図4 羊水過多の管理

特に胎児発育不全を伴う場合は悪い．

羊水過多の管理(図4)

　まず超音波検査による半定量的な評価を行い，原因検索に努める．超音波所見で形態的な異常や胎児水腫の有無，発育遅延の有無を検査する．羊水過多が高度な場合や形態的な異常を認めるときは，染色体検査も考慮される．また耐糖能検査(75gOGTT)を行って糖尿病の有無を調べる．

　羊水過多の管理として，羊水量の経時的な計測や胎児の健常性(well-being)の評価が，分娩時期の判断と児の予後改善に寄与するため，『産婦人科診療ガイドライン 産科編2020』[1]で推奨されている．

　羊水過多に対しては，切迫早産の徴候があるなら子宮収縮抑制薬の投与や入院が考慮される．また増大子宮による呼吸困難感のような症状がある場合や妊娠の延長が必要な場合，羊水穿刺による羊水除去が考慮される．羊水除去の速度や除去量などについての明確な基準はないが，18Gのエラスター針を用い，皮膚を消毒し局所麻酔をして穿刺を行い，チューブをつなげて自然滴下あるいは吸引して除去する．吸引器を用いて100 mL/時程度の羊水除去は安全とする報告もある[2]．1回当たり1,000～3,000 mL程度の除去で，羊水量が正常域になるのを目標とする．

表5 羊水過少の原因

○母体側要因
　胎盤機能不全を起こしやすい合併症：妊娠高血圧症候群，抗リン脂質抗体症候群，膠原病，血栓症など
　薬物服用：NSAIDs，ACE 阻害薬など

○胎児側原因
　染色体異常
　先天奇形（特に泌尿器系の奇形）
　腎臓形成異常：腎無形成，多発性囊胞腎，多囊胞性異形成腎など
　閉塞性尿路疾患：［水腎症］腎盂膀胱移行部閉塞，膀胱尿管移行部閉塞
　　　　　　　　［膀胱拡大］尿道閉鎖，後部尿道弁，Prune-berry 症候群
　胎児発育不全
　胎児死亡
　過期妊娠

○胎盤・臍帯・卵膜の要因
　破水
　胎盤梗塞
　双胎間輸血症候群
　CAOS など

○その他　原因不明

　分娩時には胎位の変化，破水時の臍帯脱出，常位胎盤早期剝離，弛緩出血などに注意が必要である．
　羊水過多時の超音波検査にあたっては，羊水が多いことにより胎児がよく動き，プローブからも距離があり時間がかかることがある．さらに母体が仰臥位低血圧症候群になりやすいため，短時間での検査が必要とされることもある．母体の左側が下になるように傾けることや，検査を数回に分けるなどの工夫も考慮される．

羊水過少

診断

　AFI＜5 cm あるいは MVP＜2 cm，AP＜2 cm のいずれかのとき羊水過少とする．全妊娠の 1〜2％ にみられる．羊水過少の場合は，臍帯を羊水と判断して計測し，過小評価してしまうことがあるが，カラードプラを併用すれば，羊水なのか臍帯なのかが容易に判断できる．

原因（表5）

　羊水過少の主な病態は，胎児の尿産生低下と羊水の流出（前期破水）である．出現時期によりさまざまな原因がある．発症の時期が妊娠中期であれば，泌尿器系の先天奇形や胎盤の異常，あるいは前期破水などが疑われる．妊娠後期であれば，前期破水や胎盤機能不全のためであることが多い．胎盤機能不全は妊娠高血圧症候群のような母体合併症に伴うものが主で，胎児発育不全もきたしていることが多い．

- 先天奇形（泌尿器系の異常）
　およそ妊娠 18 週で胎児尿が羊水産生の主となるため，泌尿器系に異常があると妊娠の中期から羊水過少を示す．羊水のほとんどない状態が早期から長期に続くため，肺低形成，四肢の

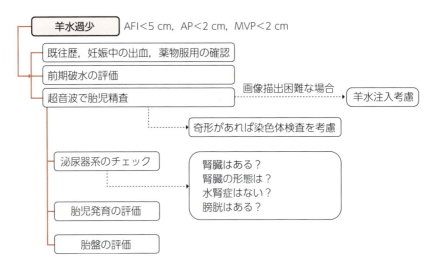

図5 羊水過少の管理

関節の拘縮，特有の顔貌（ポッター様顔貌）を示す．このように妊娠24週以前に重度の羊水過少になる場合，肺低形成となり予後不良である．

- chronic abruption-oligohydramnios sequence : CAOS
  妊娠の早期から続く出血に伴い，慢性的な胎盤剝離が羊水過少を示す病態もある．

羊水過少の管理（図5）

　超音波検査による半定量的な評価を行い，原因検索に努める．胎児奇形や胎盤異常の有無を検索し，胎児発育を評価する．特に妊娠中期であれば泌尿器系の異常の評価を行う．児のwell-beingの評価は超音波検査による胎児観察，発育の評価，羊水量の評価，胎児血流計測およびnon-stress testなどの一般的な手法を組み合わせて繰り返し行う．重度の羊水過少では超音波での解像度が低下し，胎児異常の評価が難しくなる．超音波画像を改善させるために，経腹的な羊水注入療法（温生食200 mL程度の注入）を行う方法もある．

　長期間効果が持続する羊水過少の一般的な治療法はない．分娩時においては羊水過少が原因の胎児心拍数パターンの異常を改善させる手段として，羊水注入療法が考慮される．妊娠37週以降の羊水過少に関しては，分娩誘発を行った場合と待機的管理を行った場合で，周産期予後に明らかな差がなかったという報告もあり，分娩誘発は必ずしも周産期予後を改善しない[3]．

◆ 文献

1）日本産科婦人科学会，日本産婦人科医会（編）：CQ306-1 羊水過多の診断と管理は？，CQ306-2 羊水過少の診断と管理は？　産婦人科診療ガイドライン 産科編2020．pp153-156，日本産科婦人科学会，2020
2）横内　妙，他：急速羊水除去法の安全性．日周産期・新生児会誌 49：1272-1275, 2013
3）Shrem G, et al : Isolated oligohydramnios at term as an indication for labor induction : a systematic review and meta-analysis. Fetal Diagn Ther 40 : 161-173, 2016

（村上　法子・亀谷　英輝）

診断と外来対応

妊娠22から36週まで

胎児発育不全（FGR）

POINT
- FGR，特に胎児体重が平均値 −2 SD である場合の周産期死亡率は正常児の50倍以上である．
- 病因は多様であり，母胎因子，胎児因子，胎盤因子が重複することがある．
- 管理においては胎児死亡を避けるため，NST，CST，BPP，胎児血流波形を評価し，総合的に娩出のタイミングを計る．

DATA
- FGR の周産期死亡率は出生体重が5パーセンタイル未満で増加しはじめ，3パーセンタイル未満の児では 50／1,000 以上であり，正常児に比較して50倍以上．
- 喫煙により FGR は 3.5 倍に増加．
- TORCH 症候群（トキソプラズマ，風疹，サイトメガロウイルス，ヘルペスウイルス），A 型・B 型肝炎ウイルス，結核，梅毒などの感染は FGR 発症全体の 5% を占める．
- FGR の約 10% に形態異常を伴う．また，大奇形の約 22% に FGR を認めたとの報告がある．
- 胎児体重推定は超音波検査によって行うが，10% から 15% の誤差が生じる可能性がある．
- 腹囲が正常である場合に FGR である可能性は 10% 未満であり，診断するうえで参考になる．

はじめに

　胎児発育不全（fetal growth restriction：FGR）は，周産期罹病率や死亡率が高い疾患群で，その産科管理には十分な注意を要する[1]．外来管理中での胎児死亡をはじめ，出生後も新生児仮死，胎便吸引症候群，低血糖，低体温などの合併頻度が増加するため，高次医療機関で周産期管理が行われることが多い．神経学的予後不良の原因疾患でもあり，乳児期，幼児期にとどまらず，学童期まではフォローアップが重要とされている[2]．その原因病態は多様であり，診断も困難であることが多い．そのため有効な治療法もなく，フォローアップに関する明確な指針もない．母体，胎児適応で未熟な週数での娩出がやむをえないこともあるが，未熟であればあるほど児の神経学的予後は悪い[2,3]．FGR の周産期管理の目標は，胎児死亡を避けながら，神経学的後遺症が起こりにくい，より成熟した分娩週数で児を娩出させることである．外来対応としては早く正確に診断し，入院管理または高次医療機関へ紹介するタイミングが重要となる．胎児死亡を避けるための well-being 評価法として，NST（non-stress test），CST（contraction stress test），BPP（biophysical profile），胎児血流波形（パルスドプラ法）計測などがあり，複合的に判断することが重要である[2-4]．

定義

　妊娠中の胎児推定体重が該当週数の一般的な胎児体重と比較して明らかに小さい場合を FGR と呼ぶ[4]．現在，日本産科婦人科学会においては，FGR の診断基準は定められていない．FGR の周産期死亡率は出生体重が 5 パーセンタイル未満で増加しはじめ，3 パーセンタイル未

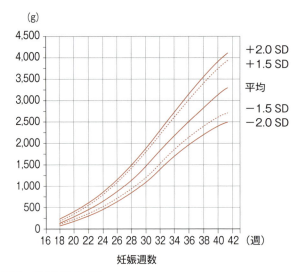

図1　胎児成長曲線
(日本産科婦人科学会周産期委員会提案：超音波胎児計測の標準化と日本人の基準値. 日産婦会誌 57巻1号：92-117, 2005)

満の児では50/1,000以上であり，正常児に比較して50倍以上である[1]．5パーセンタイルは標準偏差で表すと－1.64 SD，3パーセンタイルは－2.0 SDに相当する．この理由から『産婦人科診療ガイドライン 産科編 2020』[4]では，各週数の胎児体重平均値の－1.5 SD以下をFGRとしつつも，周産期予後が問題となるのは5パーセンタイル未満である－2.0 SD児としている（図1）[5]．診断において出生時体重曲線が使用されていたが，現在では胎児体重基準値を用いている[4]．また，胎児発育基準値は，地域や人種により異なる．

FGRの病因と危険因子

FGRの病因は多様であり，母体因子と胎児因子，胎盤因子が重複することがある（図2）[2]．

母体低体重

妊娠前の母体体重が軽いこと，母体が胎児期にFGRであったことはリスクファクターとなる．いわゆる「やせ」の妊婦の体重増加が基準以下の場合にはFGR出生の危険性が高い．

体重増加不良と低栄養

妊娠中の過剰なカロリー制限や，妊娠中期における母体体重増加不良は胎児低体重と関与する．摂食障害患者においてもFGRは増加する．

血管病変合併疾患（母体合併症）

妊娠高血圧症候群，糖尿病（腎症，網膜症），腎疾患，抗リン脂質抗体症候群，チアノーゼ型心疾患，膠原病などの血管病変を伴う疾患が含まれる．これらは胎盤微小循環を障害し，胎児低酸素症，血管収縮や虚血，胎盤の拡散低下や物質輸送障害を引き起こす可能性がある．妊娠中期の子宮動脈波形異常は胎盤への母体動脈血流入減少を表しており，FGR発症の危険因子である．

正常では妊娠初期の胎盤形成においてトロホブラストが母体動脈内皮細胞を置換することに

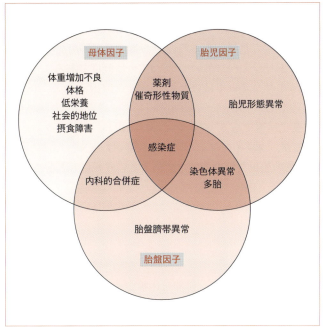

図2 FGR の原因
(Cunningham FG, et al(eds)：Williams Obstetrics 24th ed. pp874-884, McGraw-Hill, 2014 より作成)

より絨毛間腔が 15～20 mmHg の低圧に保たれ，安定した血液供給が達成される．しかし，FGR においてはトロホブラストによる母体動脈内皮細胞の置換が十分ではなく，絨毛間腔が高圧となるため安定した血流が得られない環境となっている[2]．高圧環境の胎盤には胎児側血流も流入しにくく，胎盤でのガス物質交換も影響を受け，胎児成長は停滞する．

胎盤臍帯異常

胎盤機能低下，拡散機能低下は早期発症型の妊娠高血圧症候群に伴う FGR の原因として最も多い．部分的な慢性的胎盤剥離や，前置胎盤，梗塞，血腫，絨毛血管腫なども FGR の原因となる．児の染色体が正常で，絨毛染色体トリソミーモザイクを示す CPM(confined placental mosaicism)が，原因不明の FGR 症例において約 10～25％ の頻度で認められるとの報告もある[2]．

多胎

胎数に反比例して胎児体重は小さくなる．さらに，胎盤の占有体積によって，体重に差が出てきやすい．

薬剤，催奇形性物質への曝露

抗痙攣薬，葉酸拮抗薬，免疫抑制薬，抗腫瘍薬，コカイン，麻薬などが含まれる．1～2 杯のアルコール摂取であっても FGR の危険性は上昇する．常用的なアルコール摂取は胎児アルコール症候群を発症させる．喫煙により FGR は 3.5 倍に増加する[2]．

母体胎児感染症

TORCH 症候群(トキソプラズマ，風疹，サイトメガロウイルス，ヘルペスウイルス)，A 型・B 型肝炎ウイルス，結核，梅毒などの感染は FGR 発症全体の 5％ を占める[2,3]．

先天奇形，染色体異常

FGRの約10%に形態異常を伴う．また，大奇形の約22%にFGRを認めたとの報告がある[2]．重篤な奇形ほどFGRの程度も重篤となる傾向がある．循環器疾患や染色体異常を合併する例は特に顕著である．21トリソミーにおいては，FGRは軽度であることが多いが，四肢骨の短縮が明らかである．18トリソミーではほとんどの例でFGRとなる．18および13トリソミーにおいては妊娠初期のCRL(crown-rump-length)もすでに正常より小さいことが多く，妊娠週数の決定において注意すべきである[2]．胎盤における限局性モザイクは胎盤機能不全と関連し胎児発育は抑制されるが，クラインフェルター症候群(47, XXY)では胎児発育は抑制されず，ターナー症候群は6.6倍の胎児発育の抑制を認めるという報告もある[2]．

診断

妊娠週数の確認

正確な妊娠週数の確認が診断の基本となる．排卵日の推定や妊娠8週から12週でのCRLが適切であるかを確認する．

子宮底長の測定

妊婦健診での子宮底長の測定は有用である．子宮底長の測定は，安全かつ安易でありスクリーニングには適しているが，誤差が大きく，適切な診断ができる確率は40%という報告もある[2]．

胎児体重の推定

胎児体重推定は超音波検査によって行うが，10%から15%の誤差が生じる可能性があることを患者に十分説明する．再検を行い，経時的変化を観察することにより誤差を最小限にとどめることが重要である．妊娠32〜34週に1回のみ行った検査では，検出感度は70〜85%であり，複数回の診断が要求される[2]．胎児推定体重(EFW)は胎児の腹囲(AC)と頭囲(HC)，大横径(BPD)，大腿骨長(FL)を組み合わせた計算式で算出する．Modified Shinozuka式が標準的である[4]．

$$EFW(g) = 1.07 \times BPD^3 + 3.00 \times 10^{-1} AC^2 \times FL$$

腹囲の測定

腹囲(AC)が正常である場合にFGRである可能性は10%未満であり，診断するうえで参考になる[2]．逆にACが正常範囲を下回っていた場合にはFGRの可能性が高い．AC低下はFGR発症過程における肝臓への血流量の変化とかかわりがある．

胎児期において臍帯静脈血は酸素含有量，栄養量ともに一番豊富である．正常であればこの臍帯静脈血の多くは肝臓に流入する．しかし，FGRでは胎児低酸素やpH低下のため，肝臓内血管は収縮し，臍帯静脈血の多くは静脈管を通して受動的に下大静脈に短絡され，肝臓への血流は減少する．短絡された酸素豊富な血液は右心房から卵円孔，左心房，左室を通り，重要臓器である心筋や脳へ流入する．この胎児の適応現象(brain sparing effect)の結果，肝臓の成長が遅れACが小さく評価される[2]．

ACの測定部位は胎児の腹部大動脈に直交する断面で，胎児の腹壁から脊柱までの距離の前

方1/3から1/4の部位に肝臓内静脈および胃胞が描出される断面で計測する．また，HCとの比（HC／AC ratio）から，symmetrical FGRとasymmetrical FGRとに区別される[2-4]．

　symmetrical FGRは妊娠早期に発症し，薬物への曝露，感染症，染色体異常によるものが多い．一方，FGRの約80%を占めるasymmetrical FGRは妊娠高血圧症候群などによる胎盤機能不全が原因であり，妊娠後期に生じやすい．ただし，妊娠高血圧症候群によるFGRも妊娠早期にはsymmetrical FGRと診断されることも多く，FGRをきっかけに妊娠高血圧症候群が発見されることもある[2]．生理学的観点からは，asymmetrical FGRにおいてはbrain sparing effectのため胎児脳の酸素供給が保持され，重要臓器は保護されると考えられてきた．しかし，最近になって周産期罹病率や長期神経学的予後はasymmetrical FGRのほうが悪いことが報告されており[2,3]，FGRにおけるbrain sparing effectの脳保護作用は疑問視されている．

羊水量の測定

　羊水量はFGRの診断と予後を推定するうえで重要な要素である．妊娠24〜34週において羊水過少は胎児形態異常と強い相関があるとの報告[2]がある．また，形態異常がない場合でも羊水過少がある場合の37%は−2.0 SD未満のFGRであり，羊水量低下の重症度はFGRの重症度と関連するとされている．多くの場合，羊水過少の原因の1つとして長期の低酸素症が考えられているが，実際には複合的で卵膜の吸収速度なども影響を与えることが明らかとなっている．羊水量がまったく正常の場合や逆に羊水過多の場合もある．この場合，胎児疾患などの精査が必要である．

臍帯動脈，大脳動脈や静脈管での血流変化

　胎盤が胎児発育不全の原因である場合，早期変化として現れる臍帯動脈や大脳動脈での血流波形変化と，晩期に出現する大動脈・臍帯動脈拡張期逆流や静脈管逆流などが重要である．臍帯動脈での血流波形（図3）[4,5]の変化は，FGRを評価するうえで標準的検査となっている．原因となる胎盤循環不全は，胎盤血管の梗塞や収縮によることが多い．進行すると臍帯動脈（UA）より末梢の血管抵抗が上昇し，UAのpulsatility index（UA-PI）の上昇として現れる．胎児低酸素が進行すれば，重要臓器である脳血管の拡張が起こり，胎児中大脳動脈のPI（MCA-PI）値の低下として現れる．循環障害がさらに悪化し，胎盤の70%以上の血管が障害を受けると臍帯動脈拡張末期血流の途絶や逆流を発症する[2]．さらに低酸素状態が進行すると血流変化は末梢から大動脈や肺動脈などの中枢側の血管でも明らかとなってくる．最終的には心不全状態となり，心拍出量が低下し，右心房の収縮に伴って下大静脈への逆流波が増大し，静脈管の逆流，臍帯静脈の波動として認めるようになる．血流波形異常所見がみられる血管が心臓近位であればあるほど重症である．長期神経学的予後不良と胎児血管血流異常，特に臍帯動脈拡張期途絶逆流，大動脈狭部逆流，静脈管逆流などとの関係が報告[2-4]されている．一方，神経学的予後はドプラ所見ではなく出生体重と出生週数に強く影響されるとの報告もある[2,3,6]．

　診断においてはこれらの複合的要因を総合的に判断して行う．くれぐれも1回だけの検査で診断してはならない．経時的に検査を行い，成長速度の判定も重要である[2-4]．

● FGRの外来対応

　FGRと診断した場合，原因精査を行う．まず高血圧のスクリーニング，血液学的検査による感染症，膠原病，甲状腺機能の検査と超音波による胎児・胎盤および臍帯の観察を行う．それらによっても原因不明の場合や，胎児奇形を伴う場合は，羊水の染色体検査を検討する．た

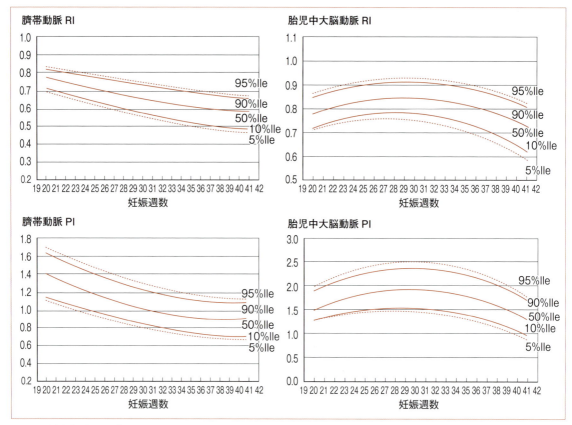

図3 臍帯動脈および胎児中大脳動脈のRI・PI正常曲線
(日本産科婦人科学会周産期委員会提案：超音波胎児計測の標準化と日本人の基準値．日産婦会誌57巻1号：92-117, 2005)

だし，染色体検査は保険外検査であり，費用も高額である．結果は以後の妊娠管理には非常に有用であるが，治療手段がないため，インフォームド・コンセントが必要である．喫煙やアルコールはすぐに中止させる．多くの場合，FGRを改善する効果的治療法は確立されておらず，安静やサプリメント，酸素療法，ヘパリンやアスピリンによる抗凝固療法などは，有用性が否定されている[2]．妊娠第3三半期に，FGRの精査をきっかけに，抗リン脂質抗体症候群が診断された場合，アスピリン，ヘパリン療法を開始することもあるが胎児成長に対する効果は不明である[2]．FGRの予防に関しては，small for gestational age（SGA児）の既往や早期の妊娠高血圧腎症のリスクをもつ場合において，妊娠第1三半期にアスピリン内服を行うことで予防できるという報告もあるが，すべての症例に対して予防効果があるとはいえない[7]．

well-beingの評価

胎児死亡を避けるためには胎児well-beingの評価は必須である[2-4]．開始時期は32週が一般的であるが，FGRの程度によって20週台でも施行可能である．

評価法としてはNST，CST，BPP，胎児血流波形の計測などがある．臍帯動脈での血流評価はFGR診断のスクリーニングとしては適さないが，管理法として胎児予後を改善するとされている．resistance index（RI）またはPIを計測し，基準値（図3）をもとに評価する．FGRであるにもかかわらず正常値を示す場合には，染色体異常や構造異常による成長障害の可能性があ

り，精査が必要である．RI, PI が正常で，形態異常がない場合は周産期罹病率，死亡率に関して，高い negative predictive value が示されており[3,4]，胎児監視を行いつつ定期的な外来管理が可能である．しかし，UA-PI の上昇や胎児低酸素の進行に伴う MCA-PI 値の低下がみられはじめると入院管理が必要となる．循環障害がさらに悪化し，胎盤の 70% 以上の血管が障害を受けると臍帯動脈拡張末期血流の途絶や逆流を発症する[2]．この臍帯動脈逆流症例では周産期死亡，罹病率が高いため，未熟な週数であっても分娩を考慮した産科管理が必要であることがある．さらに低酸素状態が進行すると血流変化は末梢から中枢側の血管で明らかとなってくる．最終的には心不全状態となり，心拍出量が低下し，右心房の収縮に伴って下大静脈への逆流波が増大し，静脈管の逆流，臍帯静脈の波動として認めるようになる．いずれの方法も，低酸素症に引き続いて起こりうるアシドーシスを間接的に予知する検査であり，単独ではなく複合的に利用して判断することが勧められている．

外来管理から入院，高次医療機関への移行

　FGR と診断した場合，先述したように効果的な治療がなく，神経学的予後不良の場合がありうる．産科医の役割は胎児死亡を避けつつ分娩のタイミングを計ることである．よって，FGR と診断した場合には速やかに高次医療機関に紹介する．入院のタイミングは，胎児の well-being 監視の強化が必要となった場合である．発育の停止傾向や羊水量低下傾向，UA-PI の上昇を認めた場合は，2 週間に 1 回の超音波検査では不十分と考え，少なくとも週 2 回以上の胎児監視を行うべきである[2-4]．分娩に関しては高次医療機関で施行されるべきであるが，児の予後，特に妊娠 30 週未満では出生体重と妊娠週数が強く関与する[2,4,6]ことを念頭に置き，娩出時期は総合的に決定されるべきである．500 g 未満の出生体重は，児の生命予後の危険因子である[2-4]．分娩方法は，原則的には経腟分娩であるが，FGR では予備能が低下しているため，胎児機能不全となりやすい．いつでも帝王切開が施行できるような体制で臨む．

◆ 文献

1) Manning FA : Intrauterine growth retardation. Fetal Medicine. Principles and Practice. p317, Appleton & Lange, Norwalk, CT, 1995
2) Cunningham FG, et al (eds) : Fetal growth restriction. Williams Obstetrics 24th ed. pp874-884, McGraw-Hill, 2014
3) ACOG Practice Bulletin No. 204 : Fetal growth restriction. Obstet Gynecol 133 : 97-109, 2019
4) 日本産科婦人科学会，日本産婦人科医会(編) : CQ 307-1 胎児発育不全(FGR)のスクリーニングは？　産婦人科診療ガイドライン　産科編 2020. pp157-159, 日本産科婦人科学会，2020
5) 日本産科婦人科学会周産期委員会提案 : 超音波胎児計測の標準化と日本人の基準値．日産婦会誌 57 : 92-117, 2005
6) Thornton JG, et al : Infant wellbeing at 2 years of age in the Growth Restriction Intervention Trial (GRIT); multicentred randomised controlled trial. Lancet 364 : 513-520, 2004
7) Rolnik DL, et al : Aspirin versus placebo in pregnancies at high risk for preterm preeclampsia. N Engl J Med 377 : 613-622, 2017

（戸田　薫・松本　純・上塘　正人）

診断と外来対応

妊娠22から36週まで

胎児の位置異常

POINT
- 通常，35～36週未満では医療的な介入は不必要である．
- 胎児の位置異常の原因となりうる要因を検索するとともに，臍帯下垂には十分な注意を払う．
- 妊娠後期に近づいてきたら，陣痛が発来する前に，分娩様式や外回転術などそれぞれのリスクについて家族も含め十分に説明をしておく．

DATA
- 妊娠経過中に頭位でない確率は，妊娠24週で約40％，28週で約25％，32週で約12％，36週では5％以下とされており，妊娠週数が最も胎位に影響を及ぼす．

概要

妊娠後期が近づくにつれ，胎児は子宮のなかで縦軸で収容されやすくなる．頭位とは児頭が下方にあり児軸が縦の状態を指すが，頭位以外の状態（骨盤位，横位，斜位）を胎児の位置（胎位）異常という．一般に胎位の異常が問題となるのは，破水後や陣痛開始後，または分娩時でのリスクが頭位に比較して高いためである．したがって，陣痛のない未破水の状態であれば，通常36週未満ではあまり問題となることはない．妊娠経過中に頭位でない確率は，妊娠24週で約40％，28週で約25％，32週で約12％，36週では5％以下とされており，妊娠週数が最も胎位に影響を及ぼす．週数以外には，表1に示すような原因によっても胎位の異常をきたすため，外来診察時には原因の検索も必要となる．

診断の手順

レオポルド（Leopold）手技

子宮底部に硬く，球状で浮遊感のあるものを触知した場合には，骨盤位を疑う．子宮が横に広く，底部が妊娠週数からみて比較的低く，かつ胎児を触知しにくい場合には，横位を考える．しかし，触診では精度が劣るため，必ず超音波検査による確認を行う．

内診

胎児の殿部やかかと，膝などを触知する（頭部を触知しない）．内診で胎位の異常を疑う場合にも，超音波検査を併用して確認する．

超音波検査

児頭の位置を確認する．また，胎位異常を認める場合には，臍帯下垂（図1）や胎盤の位置異常（低置・前置胎盤など）や子宮筋腫，子宮奇形，さらに骨盤内腫瘍などの有無も検索する．

表 1　胎位異常の原因となりうる因子

- 子宮奇形，子宮筋腫
- 多産婦
- 骨盤内腫瘍
- 狭骨盤
- 胎盤位置異常（低置胎盤，前置胎盤）
- 羊水量の異常（羊水過多・過少）
- 先天奇形（胎児水頭症・頭蓋骨形成不全，など）
- 多胎妊娠
- 帝王切開の既往

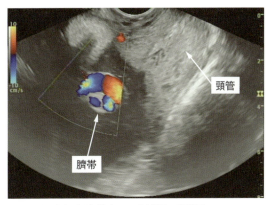

図 1　経腟超音波検査での臍帯下垂所見

表 2　外回転術の成否に影響しやすい因子

成功しやすい因子
- 多産
- 十分な羊水量
- 先進部が未固定
- 子宮収縮抑制薬の併用

不成功となりやすい因子
- 児頭が固定
- 児頭を触れにくい
- 肥満
- 前壁胎盤
- 児背が前方か後方に位置
- 子宮収縮

入院の判断

臍帯下垂に注意

　前述のごとく，未破水で頻回な子宮収縮を認めなければ，胎位異常を理由に 36 週未満で入院を必要とすることは少ない．しかし，胎位異常では頭位に比較して母体骨盤内に臍帯が入りやすく，児の最下部（先進部）よりも下方に臍帯が位置することが多くなる（臍帯下垂，図 1）．臍帯下垂を伴う場合では，36 週以降で子宮収縮の増加，頸管の開大，また，前期破水などの頻度が高くなる時期に入れば，臍帯脱出を起こすリスクがあり，緊急帝王切開になることもあるため，入院管理を考慮する．

外回転術

　外回転術は，帝王切開の既往がなく，頭位になった場合に経腟分娩のトライアルが可能である症例に実施する．外回転術の成否にかかわらず胎児機能不全になる可能性があるため，37 週以降に緊急帝王切開を行える環境下での外回転術の実施が望ましい．外回転術の成否に影響しやすい因子を表 2 に示す．

表3 骨盤位経腟分娩の要約(目安)

- 胎児骨盤不均衡がない
- 頸部過伸展がない
- 胎児の推定体重が2,500～3,800 g程度
- 骨盤位経腟分娩に習熟した医師が常駐すること
- 緊急帝王切開が可能
- 経腟分娩の希望がある
- 分娩の進行が順調
- 臍帯下垂がない

＊上記のすべてを満たしていることが望ましい．

骨盤位経腟分娩を希望する場合

表3に骨盤位経腟分娩の要約を示す．これらすべての条件を満たす場合，骨盤位経腟分娩を実施することが可能である．入院のタイミングは，各施設での基準・マンパワーなどに応じて決める(自然陣痛発来での入院や誘発分娩を予定しての入院でよい)．

予定手術

胎位異常は帝王切開術の適応となる．

外来での管理法

胸膝位・側臥位法

妊娠30週を越えて骨盤位が続く場合には，胸膝位・側臥位法で児の自然な回転を促せることがあるので，外来受診時に指導したうえで自宅で試させてもよい(破水や子宮収縮がない状態で行うこと)．

早めの来院を指示

前述のごとく，臍帯脱出などのリスクが高いため，破水感や子宮収縮の増加などがあれば早めに来院することを指示しておく．

説明はしっかりと

胎位異常のリスク，特に骨盤位経腟分娩を希望する場合にはそのリスクについて，家族を含め時間をかけてしっかりと行っておく．

(橘　大介・三杦　卓也・田原　三枝)

診断と外来対応

妊娠 22 から 36 週まで

preterm PROM

POINT
- preterm PROM は母児の合併症を引き起こすことが多く，早産に直結する可能性がきわめて高い．
- したがって，的確な早期診断が要求されるが，検査の偽陽性や偽陰性に注意すべきである．
- 外来での継続管理となる症例はごく稀であり，入院管理あるいは他院への搬送を考慮すべきである．

DATA
- PROM は全妊娠の 3〜18.5% にみられ，preterm PROM は PROM 全体の 1/4 で，早産全体の約 30% を占める．
- 周産期データベース 2001〜2005 年の約 24 万例を用いたケースコホート研究によると，リスク因子として喫煙が 1.7 倍と特徴づけられた．

はじめに

前期破水（premature rupture of the membranes : PROM）とは，陣痛が起こる少なくとも 1 時間前に卵膜が破綻し羊水が漏れることと定義される．いったん破水すると短期間のうちに陣痛発来することが多い．妊娠 37 週未満の早産期 PROM（preterm PROM）では，早産に至ったり，母児感染につながる機会が増えてくる．したがって，外来で破水と診断された場合には，時間を置くことなく，ただちに入院あるいは他院への紹介が必要となる．

病態の概要——病態生理，頻度，リスク因子，合併症

腟頸管部の炎症による上行性感染が破水の引き金となる．サイトカインがメディエーターとなって破水に至る過程を概説すると，まず上行してきた細菌が卵膜や羊水中のマクロファージを活性化する．マクロファージはサイトカインを分泌し，これが卵膜にある内因性の蛋白分解酵素活性を上げ，卵膜のコラーゲンを分解するといわれている．

PROM は全妊娠の 3〜18.5% にみられ，preterm PROM は PROM 全体の 1/4 で，早産全体の約 30% を占める．

リスク因子として，海外からの報告では喫煙（2 倍），多胎妊娠や羊水過多などの子宮過伸展（2 倍），preterm PROM の産科歴（2〜4.5 倍），頸管の手術歴（1.8 倍）などとされている．日本産科婦人科学会周産期委員会作成による周産期データベース 2001〜2005 年の約 24 万例を用いたケースコホート研究によると，喫煙が 1.7 倍と特徴づけられた（表1）．

preterm PROM にはさまざまな合併症がみられる．主な合併症として，母児感染，切迫早産，胎児低酸素症，胎児機能不全，常位胎盤早期剥離，臍帯脱出，肺低形成，児の変形などが知られている．

表1 産科の病気と発症しやすい要因

主な産科の病気(発症の頻度)	年齢 (20～34歳女性と比べて)		喫煙 (非喫煙者と比べて)	不妊治療 (治療歴なしと比べて)	分娩回数 (経産婦と比べて)	(初産婦と比べて)	基礎疾患 (疾患がない場合と比べて)				
	20歳未満	40歳以上	喫煙者	体外受精	初産婦	経産婦	子宮の病気	高血圧	糖尿病	腎疾患	甲状腺疾患
(妊娠1,000件当たり30件以上)											
切迫早産(37週未満)	1.8倍		1.4倍			1.2倍	1.2倍				
前期破水(37週未満)			1.7倍								
妊娠高血圧症候群		2.5倍	1.2倍		1.8倍			9.0倍	2.0倍	2.8倍	1.5倍
(妊娠1,000件当たり10～29件)											
頸管無力症			1.6倍	1.5倍		1.3倍	1.9倍				
絨毛膜羊膜炎			1.7倍		1.9倍						
(妊娠1,000件当たり1～10件)											
前置胎盤			2.2倍	2.6倍		1.3倍					
胎盤早期剥離		1.5倍	1.4倍				2.3倍				

※平成21年度厚生労働科学研究(子ども家庭総合研究事業)「わが国における新しい妊婦健診体制構築のための研究(主任研究者:松田義雄)」による
※平成13～17年における日本産科婦人科学会データベース242,715例のケースコホート研究による検討

表2 破水診断のピットフォール

	偽陽性	偽陰性
水様性帯下	尿,頸管分泌物,腟炎・頸管炎	
アルカリ化	アルカリ尿,血液,頸管粘液,精液,消毒液	長時間の検体放置
シダ状結晶形成	頸管粘液	血液,胎便

診断の手順

　病歴を詳細に聴取したのち,外陰部を十分に消毒して滅菌した腟鏡を使って視診を行う.①大量の水様性帯下が外子宮口から持続的に漏出する典型的な症状に加えて,その帯下が②pH 7.1～7.3の弱アルカリ性で,③NaClや蛋白を含んだ羊水であることの3項目が確認されれば,正診率は93%まで上昇するといわれている.ニトラジンやBTB(brom-thymol-blue)試験紙によるアルカリ化と,NaClの存在をスライドグラス上でのシダ状結晶(ferning)で確認する方法は,ベッドサイドで簡単にしかも迅速に行えるという点で有用であるが,おのおのに偽陽性と偽陰性があることを念頭に入れておく必要がある(表2).同時にGBSなどの細菌培養も必ずしておく.
　指による内診は,感染の可能性を助長するので,児娩出が決定されるまでは原則として行わない.腟鏡診で,後腟円蓋部の羊水貯留の有無,胎児先進部,子宮口開大の程度などを観察し,同時に臍帯や四肢の脱出がないことを確認する.羊水流出がみられない場合には,腹壁から胎児を動かしてみると羊水流出が起こり,診断可能となる場合もある.羊水量の急激な減少も破水を示唆する所見であるが,もともと羊水量が多くなることがある疾患(胎児消化器系の

異常，糖尿病合併妊娠など）では，羊水量が正常範囲以内にとどまる場合もあるので注意を要する．

　羊水中に高濃度に含まれる物質が存在していることを確認することで，破水の補助的診断が可能となる．αフェトプロテイン，胎児フィブロネクチンや insulin-like growth factor binding protein-1（IGFBP-1）などが挙げられる．

　上述した方法でも破水の診断がつかない場合には，経腹的羊水穿刺によって色素を羊膜腔内に注入したのち，腟からの色素（インジゴカルミン）漏出を調べる方法も試みられる．

児の娩出に際して留意すべき項目

妊娠週数，児体重の評価

　preterm PROM に限らず，未熟児娩出を扱う際には必要最低限の事項である．妊婦の月経歴を詳しく聞き，妊娠初期の超音波計測値をもとにして妊娠週数の確認と修正を行う．preterm PROM の胎児計測では，羊水漏出のため児頭が扁平化し，大横径が過小評価されることがある．大横径（BPD）が前後径（OFD）の75％以上であって初めて信頼できる BPD とされる．75％未満の場合には，$\sqrt{(BPD \times OFD)/1.265}$ のような補正が有効とされる．

non-reassuring fetal status の有無

　未破水例に比べて胎児心拍異常は約5倍出現しやすいといわれている．これは主として羊水過少のために臍帯が圧迫されやすいことや常位胎盤早期剥離を合併しやすいことなどによる．また，骨盤位においては臍帯脱出の可能性を常に念頭に入れておく．

子宮内感染の評価

　子宮内感染は他の感染巣の存在を否定したうえで，38℃以上の母体発熱に加え，子宮圧痛，母児の頻脈，羊水悪臭，白血球増多やCRPの増加といった多くの非特異的な症状から診断されることが多い．しかも，これらの症状が出現するのは比較的遅い時期といわれている．

　いったん感染が起こった場合には，児の予後が不良になることから，早期診断の必要性が増してきた．経腹的羊水穿刺による細菌の存在確認（施設によっては，エラスターゼ，糖濃度，炎症性サイトカインなどの測定を含む）の意義が出てくるが，培養までに時間がかかり，その間に生まれる症例が多いため，管理方針として使いにくい，羊水量が減少しているので技術的に難しいなどの欠点もあるが，胎児肺成熟度の確認（マイクロバブルテストなど）とともに，得られる情報は新生児管理にとって有用である．

　一方，ハイリスク妊娠の管理に欠くことができない胎児評価法となっているBPP（biophysical profile）は，preterm PROM においては感染の早期診断法の1つかもしれない．non-reactive NST，胎児呼吸様運動の消失，羊水量の減少が胎児感染のアラームサインとして挙げられている．

分娩進行の有無

　子宮口の開大に加え，子宮収縮が10分以内で規則的に起こり，しかも痛みを伴う場合には，分娩進行と判断する．破水例では予想外に早く進行することがあり，早めの準備が必要である．

　これらのステップをすべて外来で行うかどうかは，施設の方針に委ねられる．

◆ 文献

・松田義雄,他:破水,症候論—胎児付属物症候論.佐藤和雄,他(編):臨床エビデンス産科学 第2版.pp241-252,メジカルビュー社,2006
・松田義雄:合併症妊娠と産科合併症の連関.日産婦会誌 **64**:1766-1773,2012
・Mercer BM:Preterm premature rupture of the membranes:current approaches to evaluation and management. Obstet Gynecol Clin N Am **32**:411-428,2005

(松田　義雄)

診断と外来対応

妊娠22から36週まで

胎児死亡

POINT
- 死産には子宮内胎児死亡（IUFD）と分娩中の胎児死亡が含まれ，妊娠22週以降では350～400人の妊婦に1件の割合で死産が発生する．
- 子宮内胎児死亡の予知は困難であり，また妊娠22週以降の死産の25～40%が原因不明であることを認識する．
- 胎児の死亡時期の特定は困難な場合も多いが，臨床経過や所見から総合的に判断する．
- 死産児の外表検査と胎盤・臍帯の肉眼的観察は必須の検査である．
- 児に形態や染色体の異常がある場合，同胞発生の可能性などに関して適切な情報源を用いて十分に情報収集を行い，産婦・家族に伝える．
- 死産児の尊厳に配慮し，また産婦と家族の悲嘆のプロセスを理解して対応する．
- 医療事故調査制度に該当する死産が発生した場合には，両親への説明と制度の定める報告と手続きを適切に行う．

DATA
- 2018年の人口動態統計によれば，妊娠12週以降の自然死産率（出産1,000対）は9.9，妊娠22週以降では2.6である．

病態の概要

　妊娠22週以降では350～400人の妊婦に1件の割合で死産が発生する．死産には分娩中の胎児死亡も含まれるが，子宮内胎児死亡（intrauterine fetal death：IUFD）の割合のほうが多いものと思われる．IUFDの予知は多くの場合に困難で，発見の契機は胎動消失の自覚やたまたま来院した妊婦健診時が多い．死産の原因は多様だが，児の形態異常や胎盤・臍帯の異常に関連した原因の割合が高く，少なくとも死産児の外表検査と肉眼的観察は必須である．また，検査を行っても原因が判明しない例がかなり存在する．管理する際には，死産児，産婦，家族への十分な配慮が必要であり，精神的・心理的な支援が求められる．

疫学・原因

IUFDと死産の頻度

　厚生労働省人口動態統計の「死産」の定義は「妊娠満12週以後の死児の出産」であり，周産期死亡は「妊娠満22週以後の死産および早期新生児死亡（生後7日未満の死亡）」と定義される．2018年の人口動態統計によれば，妊娠12週以降の自然死産率（出産1,000対）は9.9，妊娠22週以降では2.6である．妊娠時期別の自然死産数の割合を図1に示す．すなわち，妊娠22週以降では350～400人の妊婦に1件の割合で自然死産が発生する．自然死産は，分娩前の死亡

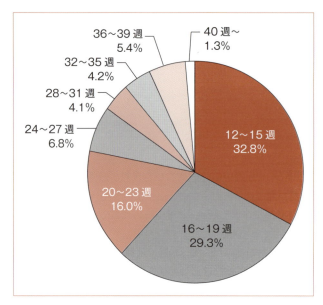

図1 人口動態統計における妊娠時期別の自然死産数の割合
(総数 9,252, 2018年)

表1 死産と関連する背景因子の分類法：ReCoDe(relevant condition of death)分類

胎児	致死的先天奇形，慢性感染(TORCHなど)，急性感染，非免疫性胎児水腫，血液型不適合妊娠，胎児母体間輸血，双胎間輸血症候群，分娩時仮死(intrapartum asphyxia)，胎児発育遅延，など
臍帯	臍帯脱出，臍帯巻絡，真結節，卵膜付着，など
胎盤	早期剝離，前置胎盤，前置血管，胎盤梗塞，その他の胎盤機能不全，など
羊水	絨毛膜羊膜炎，羊水過少症，羊水過多症，など
子宮	子宮破裂，子宮奇形，など
母体	糖尿病，甲状腺疾患，本態性高血圧，妊娠高血圧症候群，SLE，抗リン脂質抗体症候群，胆汁うっ滞，薬物依存，など
外傷	外的要因，医原性
分類不能	関連する病態なし，情報不足

ReCoDe(relevant condition of death)分類[1]はGardosiらが提唱した代表的な死産に関連した可能性のある背景因子の分類法であり，これを利用すると，原因不明に分類せざるをえない症例の頻度が最少になるとされる．原因が特定されなくても用いることができる．
(Gardosi J, et al : BMJ 331 : 1113-1117, 2005)

(IUFD)，分娩中の死亡に分けられるが，多くはIUFDであると推測される．

IUFD・死産の原因

原因は多様で確立した原因分類法はない．厳密には原因分類法ではないが一例としてReCoDe分類[1]を表1に示す．日本産科婦人科学会周産期登録データベース(2013〜2014年)の解析結果[2]では，死産例(妊娠22週以降，2,133例)の原因としては，原因不明が25〜40%と最多で，次いで胎盤因子(21.7%：主に常位胎盤早期剝離)，臍帯因子(15.6%)，先天奇形(15.1%)，子宮内感染(2.1%)の順であった．本邦の中核・高次施設からのデータを用いた検討

であることに留意する必要はあるが，死産原因として原因不明例や胎盤・臍帯に関連した異常，児の異常が多いことは，最近の諸外国の検討と比較しても universal な事象のようである．

胎児死亡の診断と予知

胎児死亡の徴候と診断

妊娠中～後期では胎動の消失を契機に診断されることが多いが，無症状で妊婦健診時に偶然発見されることもしばしばある．胎児死亡の原因疾患によっては，特徴的な症状（例：常位胎盤早期剝離では下腹痛，性器出血など）が出現し，診断される場合もある．診断の方法は超音波断層法で胎児心拍の消失を確認することにより行われる．

胎児死亡時期の推定

胎児死亡時期を特定することは難しく，臨床経過や種々の所見から「総合的に判断」をせざるをえない．実際には，①妊娠中～後期では胎動感の消失時期，②児の発育状況（超音波胎児計測値の推移や死産児の体重など），③浸軟を示す所見（頭蓋骨の屋根瓦様重積や変形など）の程度などから判断することになる．

胎児死亡の予知

胎児死亡や児後遺症を予知し児の予後を改善するために，さまざまな胎児 well-being の評価法が用いられている（他稿参照，⇨ 259 頁）．胎児発育不全（FGR）や胎児水腫などで胎児状態が悪化していると判断されるような場合では（例：臍帯動脈拡張期血流の途絶・逆流），近い将来の胎児死亡をある程度予測しうる場合もあろうが，それでも正確な時期の予測は困難である．また，臍帯巻絡や過捻転，常位胎盤早期剝離などでは，それまでの妊娠経過に異常がなくても突然に胎児死亡に至ることがあり，予知はできないと考えられる．

診断後～分娩，分娩後の対応，外来での説明・カウンセリング

胎児死亡をどう伝えるか

胎児死亡という過酷な事実を産婦にうまく伝えるのは難しい．筆者は，妊婦に超音波画像を供覧し説明しながら，体の動きがみられないこと，心拍が消失していることをゆっくりと理解してもらうことにしている．告知により衝撃を受ける妊婦への心遣いが大切で，妊婦の来院状況（家族同伴の有無など）に応じて適切に対応する．産婦と家族の精神的苦痛や悲嘆から受容への各段階（ショック，感情発露，孤独感，不安，パニック，罪の意識，敵意と反発，無気力，克服，受容）を十分に理解し，面談やカウンセリングなどを通じて産婦や家族に寄り添う姿勢が重要である．このような場合の対応に熟練した専門職が乏しいわが国では，各施設の状況に応じて，看護師や助産師などを含めた医療スタッフのサポート体制と臨機応変な対応が求められる．

診断から入院までの管理

IUFD 後の自然経過では 80～90％ の妊婦で 2 週間以内に陣痛が発来するとされるが，IUFD の診断が得られたら，なるべく早期に入院させ，胎児と付属物の娩出を図るのが一般的であ

る．死亡した胎児を長期にわたって子宮内にとどめておくと，死胎児稽留症候群と呼ばれるDICの一種を発症する可能性がある(1か月以上経過すると約25％に発症する)[3]．また，死亡した胎児を子宮内に抱えたまま過ごすのが精神的苦痛だと訴える妊婦も多いからである．もし待機的管理をする場合は，血小板数の減少とフィブリノゲン値の低下に注意して管理する．双胎一児死亡への対応については他稿を参照されたい(⇨46頁)．

娩出方法

妊娠中期のIUFDでは，十分に適切な方法で頸管熟化を図ったのち，プロスタグランジンE_1誘導体製剤(ゲメプロスト)腟坐剤投与が母体保護法指定医師により広く行われている．オキシトシンやプロスタグランジン$F_{2α}$製剤も使用可能であるが，投与方法や適用時期は薬剤添付文書の記載に従う．また，経腟分娩が困難な前置胎盤合併例などでは，帝王切開による娩出も選択肢となることがある．

常位胎盤早期剝離が原因の胎児死亡例では，児と胎盤の速やかな娩出が必要である．わが国での早剝胎児死亡例への対応は，早期娩出して母体合併症(特にDIC)を防ぐために帝王切開分娩を積極的に行う施設と，より侵襲性の高い帝王切開を避けるため極力経腟分娩の方針とする施設のいずれもあり，どちらの方法が適切なのかについては定まっていない．

分娩時の死産児の取り扱い，書類手続き，産婦・家族への対応

分娩に際しては，産婦にとっては死産といえども立派な出産であり，産婦への支援的な接し方と，死産児の尊厳を損なわない十分な配慮が必要である．また，死産児への諸検査〔剖検，染色体検査，AI(autopsy imaging)など〕の施行希望の有無，死産児への面会希望の有無を，分娩前に産婦と家族に聞いておくのが望ましい．ただし，状況により分娩後に尋ねるのが適切な場合もあり，臨機応変に対応する．

妊娠12週以降の死産の際には厚生省令第42号(死産の届出に関する規程)に従い，医師は速やかに死産証書を作成し，両親(あるいは同居者，出産に立ち会った医師または助産師，その他の立会人の順)が，死産届とともに届出人の所在地(住所地など)あるいは死産のあった場所を管轄する市区町村に届け出ることが義務づけられている．これらの提出が受理されたのちに火葬許可申請書を提出すると火葬許可書(兼埋葬許可書)が得られるので，妊娠12週以後の死産児はこれに基づいて火葬・埋葬されることになる．死産は出生でないため戸籍上には記録が残らない．施設の状況によっても異なるが，葬儀業者の手配をどうするかについても，(産婦や)家族に事前もしくは分娩後に確認する．また，病理検査などを行わない場合の胎盤や臍帯，卵膜などの子宮内容物の処理については，胞衣取り扱いを認可されている専門業者に委託するなどして適切に処理する．

IUFDの原因検索法(検査法)

表2に『産婦人科診療ガイドライン 産科編 2020』で推奨されている検査法と推奨レベルを挙げる[4]．

IUFDの原因内訳から考えて，児と胎盤・臍帯の肉眼的観察(外表検査)は必須である．多胎妊娠の膜性診断，胎盤の吻合血管の検索も必要に応じて行う．これらの病理組織学的検索も考慮する．剖検については非常に情報量が多く重要な検索法であるものの，家族の死生観や剖検可能な施設が限定されるなどの理由から，本邦での剖検率は低率と推定される．標準化された剖検プロトコールが存在しないなどの問題もある．近年は剖検の代わりにAIと呼ばれる児のMRIやCT検査も用いられるようになってきており，われわれの経験でも剖検の承諾が得ら

表2　子宮内胎児死亡例（妊娠22週以降）における原因検索法

胎児側検査
1) 児，胎盤・臍帯の肉眼的観察（外表検査）（A）
2) 胎盤・臍帯の病理検査（C）
3) 児の病理解剖（C）
4) 児全身X線検査，もしくはそれに準ずる検査（C）
5) 染色体検査（C）

母体側検査
6) 不規則抗体スクリーニング（間接クームス試験を含む）（C）
7) 梅毒スクリーニング（C）
8) 抗リン脂質抗体（ループスアンチコアグラント，抗カルジオリピン抗体，抗β_2 GPⅠ抗体）（C）
9) パルボウイルスB19，TORCH感染に関する検査（C）
10) 糖尿病，甲状腺機能異常に関する検査（C）
11) 血液凝固系検査（C）
12) 胎児母体間輸血に関する検査（C）

『産婦人科診療ガイドライン 産科編 2020』CQ804[4]では，検査で判明するIUFDの原因の割合，検査の効率性・有用性・普及度・実施可能性などを根拠とし，検査法と推奨レベルを挙げている．これは推奨検査法を支持する高いレベルのエビデンスがないためである．原則として推奨レベルは，A：強く勧められる，B：勧められる，C：考慮される（考慮の対象となるが，必ずしも実施が勧められているわけではない）とされている．
〔日本産科婦人科学会，日本産婦人科医会（編）：産婦人科診療ガイドライン 産科編 2020．p365，日本産科婦人科学会，2020 より改変転載〕

れない場合でも，AIに関しては産婦・家族の承諾が得られることが多い．しかし，剖検と比較した場合のAIの有用性についてはまだ明らかではない．これに関連し，剖検の一部あるいは単独で施行される全身X線検査は，外表検査や剖検の所見，胎児超音波検査などから骨系統疾患を疑う症例では有用な検査とされる．

　染色体検査を行う場合は，自費となる検査費用や結果が得られない可能性が高いこと（死産例の娩出後検体を用いた染色体検査失敗率は65〜87％[3]）などについても十分に情報提供する必要がある．最近では，IUFDの診断後なるべく早期に羊水穿刺による染色体検査（G-band）を行うことで検査失敗率が減少する可能性が報告されている[3]．また，従来のG-band法で捉えられない染色体の微細構造異常やコピー数変化などに対して，高解像度の遺伝学的検査（アレイCGH法，全エクソーム解析，全ゲノム解析など）も症例によっては選択肢となるかもしれない．ただし，費用が高い点など解決すべき課題がある．

　母体側の検査項目では推奨レベルがCと高くないが，症例に応じて行うべき検査の参考となると思われる．それぞれの詳細情報は『産婦人科診療ガイドライン 産科編 2020』のCQ804の解説[4]が有用である．

IUFDの原因，次回妊娠に向けての説明・カウンセリング

　IUFDの原因評価と次回妊娠時の再発可能性に関する説明は，退院後の外来で行われることが多い．IUFDの原因と考えられる明らかな児の形態異常や染色体異常が発見された場合，それが単発的・孤発的なものなのか，遺伝性があるのか，どの程度，次回妊娠時に同胞発生する可能性があるのかなどに関して，適切な情報源から十分に情報収集し，正確な情報を産婦や家族に伝えなければならない．情報源として活用できるWebサイトや成書の一部を表3に挙げた．必要に応じて遺伝カウンセリングの専門家の支援を仰ぐようにする．形態異常や染色体異

表3 胎児形態異常や染色体異常を認めた場合に有用な情報源

- OMIM (Online Mendelian Inheritance in Man)
    http://www.omim.org
- GeneReviews（日本語版）：下記の簡易版
    信州大学医学部附属病院遺伝子診療部（訳）．http://grj.umin.jp/
- GeneReviews 8
    http://www.genereviews.org/
- ニューイングランド周産期マニュアル―胎児疾患の診断と管理 第2版
    Bianchi DW, Crombleholme TM, D'Alton ME. 南山堂，2011（上記の翻訳版）
- 新先天奇形症候群アトラス 第2版
    梶井 正, 他（編）．南山堂，2015
- Smith's Recognizable Patterns of Human Malformation, 7th ed
    Jones KL, Jones MC, del Campo M. Saunders, 2013
- A Guide to Genetic Counseling
    Uhlmann WR, Schuette JL, Yashar B. Wiley-Blackwell, 2009
- PubCaseFinder
    https://pubcasefinder.dbcls.jp/

常以外の原因が考えられた場合にも，知りうる範囲で十分な情報の提供を心がける．

医療事故調査制度に該当する死産例に遭遇した場合

　医療事故調査制度（2015年10月開始）では，対象となる医療事故を「医療機関に勤務する医療従事者が提供した医療に起因し，又は起因すると疑われる死亡又は死産であって，当該医療機関の管理者が医療事故にその死亡又は死産を予期しなかったもの」としている．これに基づき，管理者が医療事故に該当する死産と判断した場合には，死産児の両親に本制度の報告対象であることと医療事故調査・支援センターに報告することを説明し，同センターへの報告と院内事故調査の開始に向けた手続きを行う．具体的にどのような死産例が該当するのかについては「医療事故調査制度における産婦人科死亡事例の報告に関する基本的な考え方」が参考になる．これによれば，妊娠中の薬剤投与に起因する胎児死亡，および何らかの医療行為に伴った予期せぬ胎児死亡が報告対象となる[4]．

◆文献

1) Gardosi J, et al : Classification of stillbirth by relevant condition at death (ReCoDe) : population based cohort study. BMJ **331** : 1113-1117, 2005
2) Haruyama R, et al : Causes and risk factors for singleton stillbirth in Japan: Analysis of a nationwide perinatal database, 2013-2014. Sci Rep **8** : 4117, 2018
3) ACOG SMFM Obstetric Care Consensus No. 10 : Management of Stillbirth. Obstet Gynecol **135** : e110-e132, 2020
4) 日本産科婦人科学会，日本産科婦人科医会（編）：CQ804 子宮内胎児死亡（妊娠22週以降）における原因検索と産婦・家族への対応については？ 産婦人科診療ガイドライン 産科編 2020. pp365-368, 日本産科婦人科学会，2020

（石本　人士）

母体の静脈瘤・下肢静脈血栓症

診断と外来対応　妊娠22から36週まで

POINT
- 下肢静脈瘤は，妊娠中は原則として保存的療法にて対処する．
- 深部静脈血栓症は，無症状の場合もあり，臨床症状のみでは診断が難しいこともある．
- 深部静脈血栓症は，肺血栓塞栓症を引き起こす可能性がある．
- 深部静脈血栓症の薬物療法は，ヘパリン投与を基本とした抗凝固療法を行う．

DATA
- 妊娠中の深部静脈血栓症のほとんどは下肢（特に左下肢）に認められ，約70％の症例が腓腹部の静脈系を含まない腸骨大腿静脈領域に発生する．
- 下肢の深部静脈血栓症を認める女性の30～60％に無症候性の肺塞栓を合併しているとの報告もある．

● 下肢静脈瘤

病態の概要

　静脈には，血液の逆流を防ぐための弁がついており，これが重力による血液の逆流を防いでいる．この逆流を防ぐ静脈弁が機能不全になると，血液は逆流し，下肢に血液が溜まり，静脈がこぶのように膨らむことによって下肢静脈瘤が発生する．

　下肢には深部静脈と表面にある浅在静脈がある．深部静脈には，無数にある表在の静脈からの血液が流れ込む．正常な状態では，深部静脈も浅在静脈も逆流防止弁の働きにより上方に向かって一方通行で流れている．妊娠・出産，立ち仕事などが原因で静脈の還流が悪くなり，下肢の静脈弁に負担がかかると，弁の機能不全のために静脈瘤が発生する．原因となりやすい静脈は，大伏在静脈と小伏在静脈であるが，幹にあたる伏在静脈の弁が壊れて逆流が始まると，その伏在静脈は太くなり蛇行する．さらに逆流した血液が幹から枝の静脈へも逆流して流れ込むと，枝の静脈も太くなり蛇行し静脈瘤になる．ふくらはぎに蛇行した静脈が目立ってみえるのはこの枝の部分であり，多くの場合，問題はその枝だけでなく，外観からは見えない幹である伏在静脈の内圧上昇や還流障害が原因である．

診断の手順

　病状としては，下肢浅在静脈のホース状・結節状の蛇行，網目状の静脈拡張，下肢倦怠感，腫脹，疼痛，色素沈着，湿疹，潰瘍である．妊娠初期から存在することが多く，それが妊娠に伴って増悪することがある．診断は，視診と臨床症状から比較的容易である．

対処法

　まずは，保存的に対処する．長時間の歩行や起立を避け，医療用の弾性ストッキングや弾性包帯が静脈瘤の進行防止・現状維持の目的で使用される．これらを用いることにより下肢に適度な圧力を与え，下肢に余分な血液が溜まることを予防し，下肢の深部にある静脈への流れを助けることになる．

　ほかには，硬化療法，静脈除去術，レーザーやラジオ波を用いた血管内治療，静脈高位結紮術なども治療法としてある[1]．しかしながら，妊娠に伴って顕在化したものは，多くの場合，妊娠子宮による還流障害や妊娠に伴う循環血流の増加が原因であるため，分娩後の自然軽快が期待できることから，妊娠中は原則として前述の保存的療法にて対処するのが一般的である[2]．

鑑別診断

深部静脈血栓症に伴う静脈瘤

　深部静脈血栓に伴う圧上昇によって発生する二次性の静脈瘤である．深部静脈血栓症は，肺血栓塞栓症を引き起こす可能性がある．深部静脈血栓症が臨床上疑われる場合は，血液凝固系検査，特にDダイマー増加・TAT（thrombin antithrombin complex）増加，およびCRP増加・白血球増加は，血栓の形成と感染の補助診断となる．カラードプラを用いた超音波断層装置などにより確定診断する．深部静脈血栓症の診断がついた場合は，肺血栓塞栓症の有無を検索する必要がある[3]．

血栓性静脈炎に伴う静脈瘤

　血栓性静脈炎後の弁破壊に伴う二次性の静脈瘤である．

下肢静脈血栓症

病態の概要

　原因としてウィルヒョウの3徴，①血液凝固能亢進，②血流うっ滞，③血管内皮障害が知られている．妊娠中は，血液凝固能の亢進，線溶能低下，血小板活性化，プロテインS活性低下，女性ホルモンの静脈平滑筋弛緩作用，増大した妊娠子宮による腸骨静脈・下大静脈の圧迫，帝王切開などの手術侵襲による血管内皮障害などにより下肢静脈血栓症が発生しやすくなっている．

　妊娠中の深部静脈血栓症（DVT）のほとんどは下肢に認められ，約70％の症例が腓腹部の静脈系を含まない腸骨大腿静脈領域に発生する．腸骨静脈や腓腹静脈に単独に発生する頻度は，約17％と6％である．

　症状は多彩で，閉塞や炎症の程度によって異なる．また，血栓のタイプにより遊離血栓と完全閉塞血栓に分けられる．前者の場合は無症候性のものがほとんどであるが，肺塞栓を起こしやすい．

　発生部位は，妊娠中には左下肢に発生しやすい．これは，右腸骨動脈や卵巣動脈は，左側のみ左腸骨静脈の上方を交差するために，静脈を圧迫するためと考えられている．

　典型的な症状は，突然発症する下肢の痛みと浮腫である．時に，動脈の攣縮のために下肢の

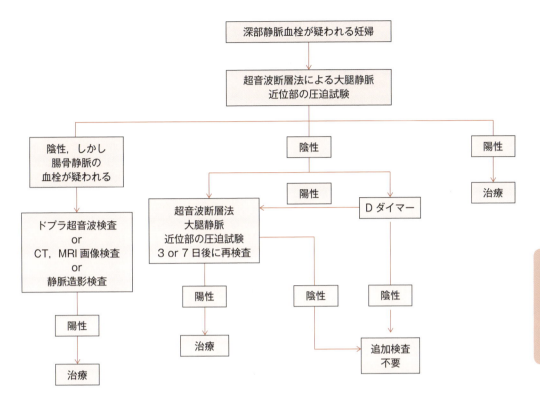

図1 妊娠中に深部静脈血栓が疑われた場合の評価手順
(American College of Obstetricians and Gynecologists : Thromboembolism in pregnancy. Practice Bulletin No. 123. September 2011 より改変)

白色調の変化，冷感，脈を触れにくくなることもある．逆にかなりの血栓が存在するときでも，痛み，熱感，腫脹がほとんど認められないこともある．下肢のDVTを認める女性の30〜60％に，無症候性の肺塞栓を合併しているとの報告もある．

診断の手順

　無症候性のものもあり，臨床症状のみで診断することはしばしば困難なこともある．医療面接などで現病歴，既往歴，家族歴，生活歴などの情報を収集し，危険因子の有無を確認する．危険因子のなかで最も重要な因子は，血栓症の既往であり，妊娠中の再発のリスクは3〜4倍高くなる[4]．さらに，視診や触診から下腿の腫脹，浮腫，疼痛，色調の変化などの症状を認めた場合，本疾患を疑いさらなる検査を進めていくことになる（図1）[5, 6]．ホーマンズ徴候（膝を軽く押さえて足関節を背屈させると腓腹部に疼痛が生じる）やローエンベルグ徴候（下腿に血圧測定用カフを巻き加圧すると100〜150 mmHgの圧で疼痛が生じる）で陽性の場合は本症を疑うが，特異度は低い．

　諸外国においては，臨床的な発症の可能性の評価にWells score systemが用いられている（表1）[7, 8]．これにより高リスクと判定された場合は，圧迫超音波またはマルチスライスCT血管造影法で確定診断を行う[8]．

表1 Wells score system による DVT ならびに PTE の発症可能性評価

	深部静脈血栓症（DVT）[6]		肺血栓塞栓症（PTE）[7]	
評価項目と配点	①下肢全体の腫脹 ②深部静脈の触診による疼痛 ③圧痕性浮腫（患側のみ） ④表在静脈の拡張（患側のみ） ⑤患側と健側のふくらはぎでの太さの違い>3 cm ⑥過去4週間以内の手術または運動制限（少なくとも3日のトイレ洗面以外のベッド上安静） ⑦麻痺または最近のギプス固定 ⑧悪性腫瘍 ⑨同程度のDVT以外の鑑別診断が挙げられる	+1点 +1点 +1点 +1点 +1点 +1点 +1点 +1点 -2点	①臨床的にDVTの症状（下肢の浮腫や触診による疼痛）がある ②鑑別診断として他の疾患よりPTEが疑わしい ③心拍数>100回/分 ④過去4週間以内の手術または運動制限（少なくとも3日のトイレ洗面以外のベッド上安静） ⑤DVTやPTEの既往 ⑥喀血 ⑦悪性腫瘍	+3点 +3点 +1.5点 +1.5点 +1.5点 +1点 +1点
合計点数と判定基準	0点：低リスク 1～2点：中等度リスク 3点以上：高リスク		0点：低リスク 2～6点：中等度リスク 7点以上：高リスク （4点以上：PTEを強く疑う）	

高度の場合には，圧迫超音波またはマルチスライス CT 血管造影法（MDCTA）で確定診断を行う．低度または中等度の場合には，Dダイマー値を測定する．非妊婦ではDダイマー値が判定基準（500 ng/mL）未満であれば発症を否定できるが，判定基準以上では圧迫超音波またはMDCTAで確定診断を行う．
(American College of Obstetricians and Gynecologists : Thromboembolism in pregnancy. Practice Bulletin No. 123. September 2011, および Wells PS, et al : N Engl J Med 349 : 1227-1235, 2003 より作成)

Dダイマー検査

妊娠中にはDダイマーは生理的に上昇する．また，多胎妊娠，帝王切開，常位胎盤早期剝離，preeclampsia，敗血症などでも値が上昇するため，ルーチンに鑑別法として用いることには問題がある．しかしながら，Dダイマーの上昇がみられないときは，DVTを否定できる．

超音波診断—静脈圧迫法

プローブで静脈を圧迫し，静脈の圧縮性を判定する．DVTを疑った場合には，非侵襲的な本検査を大腿静脈系の血栓の診断にまず用いる[9]．ただし，重要なことは，本検査が陰性であったとしても，肺塞栓を完全には否定できないということである．これは，妊娠中の肺塞栓の多くは腸骨静脈からの血栓に起因することや，他の静脈系からの血栓に起因して発生するためである．したがって本検査を疑われる静脈部位に繰り返し行うことや，遠位部の下肢静脈系にも行うことが勧められる．また，腸骨静脈の血栓の可能性を否定できないときは，カラードプラ，CT，MRIなどのほかの画像検査を行う必要がある．

静脈造影検査

診断の陰性的中率は98％と高いが，侵襲的な検査のため，胎児の放射線被曝や血栓などの母体合併症に注意が必要である．また，手技が煩雑で検査時間も長くなるため，今日ではほとんど用いられることはない．

対処法

発症時の対策[3, 9]

　肺塞栓を合併していない場合は，保存療法と薬物療法で対処する．保存療法は，長時間の立位や坐位を避け，下肢の安静と圧迫療法を行う．下肢の腫脹が強い場合や静脈炎を併発している場合は，弾性包帯を使い，症状が軽快した時点で弾性ストッキングを着用する．薬物療法には，ヘパリン投与を基本とした抗凝固療法を行う．通常，5,000単位（ヘパリンナトリウム5 mL）を静注後，15,000～20,000単位＋生食100 mLを5 mL/時で開始し，活性化部分トロンボプラスチン時間（APTT）が正常の1.5～2.5倍となるように用量を調節して持続投与する．皮下注射の場合は，投与後6時間のAPTTが治療範囲内に維持されるように投与する．これらは，最低5日間の投与期間が推奨されている．
　アンチトロンビン欠損症（欠乏症）の妊婦が妊娠中にVTEを発症した場合には，アンチトロンビン製剤の補充を考慮する[9]．

治療後の妊娠中の予防

　妊娠中は，再発の可能性があるためヘパリンカルシウム5,000単位，1日2回の皮下注射（低用量未分画ヘパリン）による予防投与を行うことが勧められている[3]．予防的な皮下注射は，外来通院（近医を含む）でも可能である．自宅での自己注射は保険診療として認められていない[3]．DVTの原因が，安静，脱水，手術などの一時的危険因子によるものである場合や，「35歳以上」「BMI＞25 kg/m^2」「喫煙者」「表在性静脈瘤が顕著」「妊娠高血圧腎症」「多胎妊娠」「両親にVTE既往歴」「安静臥床」などの危険因子を3つ以上有している場合は，複数名の医師で，予防投与の必要性について検討のうえで投与の有無を決定する[9]．
　米国，英国いずれでも妊娠中の抗凝固療法には低分子量ヘパリンの使用が推奨されている．低分子量ヘパリンは，作用に個人差が少なく1日1～2回の皮下投与で済み，モニタリングが必要ないために簡便に使用可能である．また，血小板減少や骨量減少などの副作用の頻度も低い．本邦で利用できる低分子量ヘパリンにはエノキサパリン（クレキサン，妊婦には有益性投与）とダルテパリンナトリウム（フラグミン，妊婦には禁忌）がある[9]．

◆ 文献

1）清水　宏（編）：あたらしい皮膚科学　第2版．p175，中山書店，2011
2）Marsden G, et al : Diagnosis and management of varicose veins in the legs : summary of NICE guidance BMJ **347** : 1-3, 2013
3）小林隆夫：周産期医学必修知識　第7版（「周産期医学」編集委員会　編）．pp328-331，東京医学社，2011
4）ACOG Practice Bulletin No. 123 : Thromboembolism in pregnancy. September 2011. Reaffirmed 2017
5）日本循環器学会：肺血栓塞栓症および深部静脈血栓症の診断，治療，予防に関するガイドライン（2017年改訂版）．https://www.j-circ.or.jp/cms/wp-content/uploads/2017/09/JCS2017_ito_h.pdf（2021年9月アクセス）
6）ACOG Practice Bulletin No. 123 : Thromboembolism in pregnancy. September 2011
7）Wells PS, et al : Evaluation of D-dimer in the diagnosis of suspected deep-vein thrombosis. N Engl J Med **349** : 1227-1235, 2003
8）Wells PS, et al : Derivation of a simple clinical model to categorize patients probability of pulmonary embolism; increasing the models utility with the SimpliRED D-dimer. Thromb Haemost **83** : 416-420, 2000
9）日本産科婦人科学会，日本産婦人科医会（編）：CQ004-1 妊娠中の静脈血栓塞栓症（VTE）の予防は？　産

婦人科診療ガイドライン 産科編 2020．pp8-12，日本産科婦人科学会，2020

(金子　政時)

診断と外来対応

妊娠22から36週まで

妊娠糖尿病の管理

POINT
- 妊娠中期には生理的にインスリン抵抗性が亢進するため，妊娠初期のスクリーニング陰性例には，必ず妊娠24～28週に再スクリーニングする．
- 食事療法，運動療法に加えて血糖目標値に達しない場合はインスリン療法を行う．
- 厳重な血糖管理に加えて，妊娠高血圧症候群，胎児過剰発育，羊水過多，切迫早産などに注意が必要である．
- 糖尿病内科医と産科医の情報共有が重要である．

DATA
- GDM診断基準が周産期予後改善を指標に改訂され，晩婚化も加わり，頻度が旧基準の2～3%から8～10%と4倍に増え，日常診療で遭遇する機会が増加している．
- 血糖自己測定（self-monitoring of blood glucose：SMBG）を行い，早朝空腹時血糖95 mg/dL以下，食前血糖値100 mg/dL以下，食後2時間血糖値120 mg/dL以下を目標に治療する．

はじめに

　妊娠中は胎盤から産生されるホルモンがインスリン作用に拮抗する方向に働き，インスリン抵抗性が亢進する．このことは胎児へのエネルギー供給の点からは合目的的であるが，耐糖能異常や妊娠高血圧症候群など妊娠中のさまざまな病態にも関与する．妊娠中に取り扱う糖代謝異常（hyperglycemic disorders in pregnancy）には，①妊娠糖尿病（gestational diabetes mellitus：GDM），②妊娠中の明らかな糖尿病（overt diabetes in pregnancy），③糖尿病合併妊娠（pregestational diabetes mellitus）の3つがある．GDMは，「妊娠中にはじめて発見または発症した糖尿病に至っていない糖代謝異常である」と定義され，妊娠中の明らかな糖尿病，糖尿病合併妊娠は含めない．

　GDM診断基準が周産期予後改善を指標に改訂され，晩婚化も加わり，頻度が旧基準の2～3%から8～10%と4倍に増え，日常診療で遭遇する機会が増加している．妊娠22～36週までのGDM管理を考えるとき，①妊娠初期のスクリーニング検査にてすでにGDMの診断がついている場合，②妊娠中期（妊娠24～28週）のスクリーニング検査にてGDMの診断がつく場合がある．

妊娠中期GDMスクリーニングと診断

　妊娠前から糖尿病と診断されておらず，妊娠初期のスクリーニング陰性やスクリーニング陽性であったが糖負荷試験で異常を認めなかった全妊婦に対して，妊娠中期（24～28週）に随時血糖測定（カットオフ値100 mg/dL以上）または50gGCT（カットオフ値140 mg/dL以上）で検査を行う．スクリーニング陽性妊婦には糖負荷試験（75gOGTT）を行う[1]．空腹時血糖126

表1　妊娠中の糖代謝異常と診断基準

妊娠中に取り扱う糖代謝異常 hyperglycemic disorders in pregnancy には，1）妊娠糖尿病 gestational diabetes mellitus(GDM)，2）妊娠中の明らかな糖尿病 overt diabetes in pregnancy，3）糖尿病合併妊娠 pregestational diabetes mellitus の3つがある．

妊娠糖尿病 gestational diabetes mellitus (GDM)は，「妊娠中にはじめて発見または発症した糖尿病に至っていない糖代謝異常である」と定義され，妊娠中の明らかな糖尿病，糖尿病合併妊娠は含めない．

3つの糖代謝異常は，次の診断基準により診断する．

診断基準
1）妊娠糖尿病 gestational diabetes mellitus (GDM)
　75gOGTTにおいて次の基準の1点以上を満たした場合に診断する．
　①空腹時血糖値　≧92 mg/dL　(5.1 mmol/L)
　②1時間値　≧180 mg/dL　(10.0 mmol/L)
　③2時間値　≧153 mg/dL　(8.5 mmol/L)
2）妊娠中の明らかな糖尿病 overt diabetes in pregnancy[註1]
　以下のいずれかを満たした場合に診断する．
　①空腹時血糖値≧126 mg/dL
　②HbA1c値≧6.5%
　＊随時血糖値≧200 mg/dL あるいは75gOGTTで2時間値≧200 mg/dLの場合は，妊娠中の明らかな糖尿病の存在を念頭に置き，①または②の基準を満たすかどうか確認する．[註2]
3）糖尿病合併妊娠 pregestational diabetes mellitus
　①妊娠前にすでに診断されている糖尿病
　②確実な糖尿病網膜症があるもの

註1：妊娠中の明らかな糖尿病には，妊娠前に見逃されていた糖尿病と，妊娠中の糖代謝の変化の影響を受けた糖代謝異常，および妊娠中に発症した1型糖尿病が含まれる．いずれも分娩後は診断の再確認が必要である．
註2：妊娠中，特に妊娠後期は妊娠による生理的なインスリン抵抗性の増大を反映して糖負荷後血糖値は非妊時よりも高値を示す．そのため，随時血糖値や75gOGTT負荷後血糖値は非妊時の糖尿病診断基準をそのまま当てはめることはできない．
これらは妊娠中の基準であり，出産後は改めて非妊娠時の「糖尿病の診断基準」に基づき再評価することが必要である．
〔日本糖尿病・妊娠学会と日本糖尿病学会との合同委員会：妊娠中の糖代謝異常と診断基準の統一化について．糖尿病と妊娠 15(1)：2015 より転載〕

mg/dL以上や随時血糖200 mg/dL以上の場合は75gOGTTを行わず，妊娠中の明らかな糖尿病の存在を念頭に置いて精査する．診断基準を**表1**に示す[2]．また，初期および中期のスクリーニング検査では偽陰性が存在するため，胎児過剰発育，羊水過多，尿糖連続強陽性などを認めた場合には積極的に75gOGTTを行う．

妊娠中の管理[3-5]

診療は，『産婦人科診療ガイドライン 産科編2020』に基づいて行う．血糖管理の主な目標は，母体面からみると妊娠中に生じやすい糖尿病腎症，網膜症，ケトアシドーシスなどの糖尿病合併症や妊娠高血圧症候群，児の予後からみると妊娠初期の高血糖による胎児奇形および妊娠中後期の早産，巨大児，難産や低血糖，黄疸や呼吸窮迫症候群など新生児合併症などの発症抑制である．また胎内環境の改善は将来の児のメタボリック症候群発症予防につながる可能性がある．

血糖管理

妊娠中は血糖自己測定(self-monitoring of blood glucose：SMBG)を行い，早朝空腹時血糖

95 mg/dL 以下, 食前血糖値 100 mg/dL 以下, 食後 2 時間血糖値 120 mg/dL 以下, HbA1c 6.2% 未満, グリコアルブミン(GA)15.8% 未満を目標に治療する. GDM 症例全例への SMBG 導入が理想であるが, 75gOGTT 1 点陽性の非肥満妊婦では保険適用外であり, 自費での SMBG 導入または HbA1c や GA 測定が用いられる.

食事療法

GDM 妊婦に対しては, 糖尿病(DM)に準じた食事療法を行う. 耐糖能異常妊婦のエネルギー必要量はいまだ統一されていないが, 一般には非肥満妊婦には標準体重× 30 + 200 kcal, 肥満妊婦(BMI 25 以上)では標準体重× 30 kcal とし, 血糖の変動を少なくするため 4~6 分割食(主に主食のみ)を指導する. 血糖管理が不十分な場合や血糖管理は良好でも過度の食事制限によりケトン体陽性の場合はインスリン療法を併用する. 授乳期は, 標準体重× 30 + 450 kcal(非肥満授乳婦), + 200 kcal(肥満授乳婦)としている. 低血糖発作に注意し, その対処法を説明する.

運動療法

食事療法と同様に基本とされる. 妊娠中の適切な運動量は定かでなく, その効果の評価も一定していないが, 血糖値改善に有効とされる. 他の合併症や切迫早産の症状がなければ, 食事療法との併用で軽度の運動を促すことは, ある程度の効果が期待でき, 治療への動機付けとなりうる.

薬物療法

妊娠中は厳格な血糖管理が必要であり経口糖尿病薬は胎児への安全性が確立していないため, インスリン基礎量と追加量を補充する強化インスリン療法, 特にインスリン頻回注射法が第一選択である. 超速効型(または速効型)インスリン毎食前 3 回投与が基本で, 目標血糖が達成できない場合は, 中間型インスリンを朝, 就寝前に 1~2 回追加投与する. 投与量は, 急激な血糖変動を防ぐため SMBG を行いながら各採血時の血糖値を左右する責任インスリン量を増減し調節する. 先に述べたように妊娠週数の進行に伴いインスリン抵抗性は亢進し, 外因性インスリン需要量は増加するため, インスリン療法の導入や投与量の増量は必要な治療であるが, 分娩後は減量または中止となることが多いことをよく説明し, 過度の不安を抱くことがないように指導する.

経口糖尿病薬として妊娠中に使用される可能性があるのは, 第二世代スルホニル尿素薬(SU)のグリベンクラミドとビグアナイド系のメトホルミンである. これらの薬剤は, 本邦では妊婦禁忌とされているが形態異常の増加の報告はない. グリベンクラミドは, 血糖降下は不十分で巨大児や新生児低血糖の頻度が高く, メトホルミンは食事療法やインスリン治療を上回る血糖降下作用や周産期予後の改善を認めていない. インスリンが禁忌またはインスリン自己注射が安全に施行されない場合に限り, 児の長期的予後のデータはないことも踏まえて十分なインフォームド・コンセント後に使用が検討されるべきである.

周産期管理

GDM 合併妊婦で入院管理が必要な状況としては, **表 2** が挙げられる. 厳重な血糖管理に加えて, 妊娠高血圧症候群, 胎児過剰発育, 羊水過多, 切迫早産などに注意が必要である. 定期的な健診時には, 血圧, 蛋白尿, 胎児発育, 羊水量, 頸管長などの検査を行い, 血糖や産科的所見から健診間隔を考慮する. 糖尿病内科医と産科医の担当患者の情報共有が重要である. さ

表2 GDM妊婦で入院管理を考慮する状況

- 母体管理
  - ①血糖管理
    - ・血糖管理不良・低血糖への対応
    - ・かぜや発熱，腹痛，吐き気，下痢などによる「シックデイ」や薬物使用による高血糖
    - ・糖尿病ケトアシドーシス
  - ②周産期合併症
    - ・妊娠高血圧症候群
    - ・羊水過多
    - ・切迫早産
    - ・前期破水
- 胎児管理
  - ・胎児過剰発育・巨大児または胎児発育不全
  - ・胎児well-beingの悪化

らに糖代謝異常合併妊娠管理方法について，日頃から合同カンファレンスでの症例検討や意見交換，意思疎通が大切である．

胎児発育は，常に胎児発育曲線上でその推移をモニタリングすることが重要である．発育過剰の傾向を認める場合は，早めに血糖管理を再検討する．一方，妊娠高血圧症候群を合併した場合は，胎児発育不全（FGR）となる可能性があることにも注意を払う必要がある．

糖代謝異常合併妊娠では，妊娠32週以降，子宮内胎児死亡（IUFD）の頻度が増加する．IUFDに対する特異的なwell-being異常所見はないが，特に血糖管理の不十分な妊婦ではnon-stress test, pulsed Doppler法による血流計測，biophysical profile scoreなど適宜評価し，異常を認めた場合は早期入院管理を考慮する．

産後フォローアップの重要性

GDMは妊娠中に発症する耐糖能異常であり，妊娠終了後インスリン抵抗性の改善に伴い耐糖能が正常化することが多いが，20～30％では耐糖能異常が産後も継続し，また正常化した症例の15％は10年以内にDMに進行する[6]．本邦でも大規模前向き研究はこれまで行われていないが，2010年に改訂されたGDMの新しい診断基準を用いた日本糖尿病・妊娠学会による多施設共同研究では，産後のDM発症率は，GDM症例で18.6％，high risk GDM症例で22.2％，全体で約20％と，これまでの諸外国の報告に比してやや高いと報告されている[7]．肥満が最大の産後DM発症リスク因子であり，家族歴，妊娠中の耐糖能やインスリン分泌能低下なども挙げられる．分娩後4～12週（実際には産後健診時が最も検査施行率が高い）での糖負荷試験による耐糖能評価とその後の長期フォローアップや栄養学的介入が重要である．

GDM妊婦の次回妊娠時のGDM再発率は大規模な前向き研究はなく，GDMスクリーニング方法，診断基準や産後のフォローアップ方法が異なるため比較は難しいが，最新のメタアナリシスでは平均48％である[8]．再発率に影響する因子は，人種，肥満，年齢，短い妊娠間隔，妊娠間の体重増加，妊娠中インスリン使用歴，分娩後HbA1c値などである．本邦での検討も少ないが，これまでの報告では平均57.6％（33.7～95.2％）である[9]．

GDM管理の基本は，食事，運動，血糖評価を中心としたライフスタイルへの介入である．まずは適切な血糖管理の重要性を強調し，治療への動機付けを図る（表3）．繰り返し継続した

表3 患者指導のポイント

①厳重な血糖管理が母児の予後を改善すること、そのために血糖コントロール不良の場合にはインスリン投与が必要であり胎児への安全性は確立されていることを十分説明する．
②妊娠後半にはインスリン抵抗性の亢進によりインスリン使用量は増加することが多いため、不安を抱かないように十分な説明が必要である．
③厳密な血糖管理が求められるため治療により低血糖を引き起こす可能性があり、その対処法について指導が必要である．
④産後4〜12週で必ず耐糖能が正常化しているかどうかチェックする．将来のDM発症リスクが非常に高いので定期的なフォローアップと体重管理が重要であることを指導する．

指導により生涯にわたるセルフケア意欲を高めることが重要である．

◆ 文献

1）日本産科婦人科学会，日本産婦人科医会（編）：CQ005-1 妊婦の糖代謝異常スクリーニングと診断のための検査は？　産婦人科診療ガイドライン 産科編2020．p22-24，日本産科婦人科学会，2020
2）日本糖尿病・妊娠学会と日本糖尿病学会との合同委員会：妊娠中の糖代謝異常と診断基準の統一化について．日産婦会誌 67：1656-1658，2015
3）日本産科婦人科学会，日本産婦人科医会（編）：CQ005-2 妊娠糖尿病（GDM），妊娠中の明らかな糖尿病，ならびに糖尿病（DM）合併妊娠の管理・分娩は？　産婦人科診療ガイドライン 産科編2020．p25-28，日本産科婦人科学会，2020
4）増山寿：妊婦の糖尿病．山口徹，他（総編集）：今日の治療指針2013．p647-648，医学書院，2013
5）日本糖尿病・妊娠学会（編）：II 妊娠中の管理．妊婦の糖代謝異常 診療・管理マニュアル 改訂第2版．pp56-167，メジカルビュー社，2018
6）Vounzoulaki E, et al：Progression to type 2 diabetes in women with a known history of gestational diabetes；systematic review and meta-analysis. BMJ 369：m1361, 2020
7）中林正雄，他：多施設における妊娠糖尿病の新しい診断基準を用いた臨床統計．糖尿病と妊娠 11：85-92，2011．
8）Schwartz N, et al：The prevalence of gestational diabetes mellitus recurrence-effect of ethnicity and parity: a metaanalysis. Am J Obstet Gynecol 213：310-317, 2015
9）増山寿：IV 産後の管理 10. 妊娠糖尿病患者が次回妊娠で妊娠糖尿病を繰り返す頻度は？　日本糖尿病・妊娠学会（編）：妊婦の糖代謝異常 診療管理マニュアル 改訂第2版．p201-202，メジカルビュー社，2018

（増山　寿）

既往子宮手術

妊娠22から36週まで 　診断と外来対応

POINT
- 十分な問診と情報収集を行い，個別リスクを評価すること．
- 想定しうるリスクについて，患者や家族に十分な説明を行うこと．

DATA
- 円錐切除術後の妊娠では早産率が 8～15% であり，対照群と比較して 1.5～3 倍と有意に高い．

はじめに

　子宮手術とは，子宮内膜搔爬術やポリープ切除術など日帰りで行えるものや，帝王切開術，子宮筋腫核出術，最近では，子宮頸がんに対する広汎性子宮頸部摘出術(RT)に至るまで多岐にわたる．妊婦の高齢化に伴い，妊孕性温存も考慮した手術が選択される機会や，妊孕性回復のための子宮筋腫核出術などが増えた結果，既往子宮手術後妊娠の頻度は上昇しており，妊婦健診でもしばしば遭遇する．さらに RT 後の妊娠報告も増加している．その後の妊娠に影響する手術をしたときには患者自身に十分な情報提供をしておくべきである．記憶は曖昧であることも多く，手術内容を説明した文書を渡し，妊娠管理を行う医師に情報を伝える配慮が望ましい．

　既往子宮手術のリスクは手術の種類により異なるが(表1)，主には早産，子宮破裂，癒着胎盤および産後の異常出血である．

　管理の第一段階は医療面接における十分な情報収集である．検査目的の子宮鏡や内膜搔爬術などの既往は問診でしか確認できないうえ，患者自身が子宮への侵襲を伴う手術と認識していないこともあるため，詳細に確認する．そのうえで診療録から情報収集を行い，手術からの期間，腹腔内所見，子宮筋層切開の部位，内膜到達の有無，縫合方法，術後感染の有無などを確認する．リスクは手術内容に大きく影響される．後医は，患者自身から得られる情報では不十分と判断したら，前医へ情報提供を求め，その妊婦の固有リスクを十分に評価することが望ましい．

　また，妊娠初期に妊婦への早産，子宮破裂などのリスクの説明を行っておき，性器出血，腹部緊満感などの症状を認めた場合の対処法などについても説明しておくとよい．入院加療が必要となる可能性が一般妊婦よりも高いことを妊婦にあらかじめ伝えておくことで，緊急入院がスムーズに行える効果もある．

既往術式別の妊婦健診時の注意点

円錐切除術

　わが国の周産期データベースを用いた検討では，円錐切除を含む頸部手術後妊娠の早産率は

表1 既往子宮手術の種類と上昇するリスク

手術		上昇するリスク
経腟的	円錐切除術	早産
	子宮内膜搔爬術 子宮内ポリープ摘出術 子宮鏡下子宮筋腫摘出術	子宮破裂 癒着胎盤 産科出血
経腹的	帝王切開術 開腹・腹腔鏡下子宮筋腫核出術 開腹・腹腔鏡下子宮腺筋症核出術 腹式広汎性子宮頸部摘出術	
その他	経動脈塞栓術（原則挙児希望は適応外） 集束超音波治療法（原則挙児希望は適応外）	

25.8％であったが，頸部手術未実施群でも9.5％とハイリスク妊婦が多く含まれるデータベースであり[1]，解釈には注意が必要である．しかし，ノルウェーのpopulation-based cohort[2]による円錐切除術後妊娠の相対危険度が1.5〜3倍であり，わが国でも同程度であることが推定される．

円錐切除術後妊娠での頸管長計測の有用性はまだ結論がでていないが，妊娠24週までに頸管長が25 mm未満であった場合は有意に早産率が高いという報告もあり，頸管長の計測が早産リスク評価に有用と考える．しかし，前述のデータベースでは頸部手術後妊娠に対する予防的縫縮術は早産率を低減させていない．頸管長計測によってリスクを評価できても，標準化された早産防止策はまだ確立されてない．切除方法（LEEPあるいはメス）や，切除範囲によってもリスクが変化すると報告されている．頸管長が短縮している場合には，感染に注意しながら各施設で頸管縫縮術を考慮しているのが現状であろう．頸管が短くShirodkar's手術やMcDonald's手術が行えない場合には，腹膜開放縫縮術や開腹縫縮術なども施行されているが，その有用性を示す高いレベルのエビデンスはない．また原疾患（CIN3，子宮頸がんⅠa1など）の管理状況（細胞診の結果など）も把握し，妊娠中の子宮頸部細胞診・コルポスコピーの必要性について検討する．

帝王切開術

帝王切開に至った経緯について妊婦から聴取する．手術の適応はもちろん，緊急か選択か，早産か正期産かは，リスクを評価するために入手すべき情報であろう．前回が自施設での帝王切開ならば，手術記録や診療録から前回手術時所見・入院中の経過の詳細について確認する．腹腔内所見，子宮筋層切開部位，子宮筋層縫合の方法，術後感染の有無などを確認する．

また前回の緊急帝王切開の経験がトラウマとなり，今回の分娩に不安を抱いている妊婦も少なからずいるので，妊婦の気持ちを聴取し，心理的支援の必要性を検討する．trial of labor after cesarean delivery（TOLAC）を実施している施設では要約を満たしているのか確認し，施設の方針に合わせて分娩様式を妊婦に提示して方針を決定する．

前置胎盤あるいは低置胎盤で子宮筋層切開部位と近接する場合には癒着胎盤を疑い，注意深い観察を行う（表2）．しかし，単一の所見では癒着胎盤の診断に対して高い感度・特異度を示すものはなく，現状では複数の項目の組み合わせによって，有用性を高めることが行われている．

表2　癒着胎盤を疑うエコー像

①胎盤付着部位の sonolucent zone の欠如
②胎盤内の拡張した絨毛間腔 (placental lacunae)
③子宮筋層の菲薄化，または途絶
④膀胱側への胎盤の突出像
⑤拡張した絨毛間腔の激しい血流 (lacunar pattern, flow void)

開腹・腹腔鏡下子宮筋腫核出術

　手術記録を詳細に検討し，子宮筋層切開部位や内膜穿破の有無を確認することで，癒着胎盤のリスクを評価する．子宮内膜炎や腹膜炎の有無を確認するために，術後に発熱があったのかも確認するとよい．子宮切開創が体部筋層の場合，前置胎盤でなくても（常位）癒着胎盤となりうる．筋腫の核出は複数行うことも多く，核出部位と胎盤の位置関係が不明瞭になりやすい．そのため筋層内・漿膜下筋腫核出術後では，胎盤付着部位に関係なく癒着胎盤を疑い胎盤の注意深い観察を行うが（表2），単純癒着胎盤や深さの浅い侵入胎盤の術前診断は難しい．
　また，残存筋腫の有無を確認し，大きさや位置を評価して分娩に与える影響を判断する．筋腫が残存している場合は，筋腫の変性などによる腹痛，早産や産科出血などの筋腫合併妊娠のリスクも加わる．また，既往子宮手術による腹腔内癒着の可能性も留意する．
　子宮破裂は稀で頻度は不明だが，後述するように妊娠中期での破裂報告もあるため，強い子宮収縮や腹痛を認めた場合には速やかに受診を指導する．

子宮内膜掻爬術・子宮内ポリープ摘出術・子宮鏡下子宮筋腫摘出術

　これらの手術は癒着胎盤の可能性を上昇させるが，患者自身が手術と認識していないこともあるため，既往と同様な治療を行ったのか確認する．子宮内感染既往を除外するために，術後発熱の有無を確認する．癒着胎盤の診断は容易ではないが，その可能性を念頭に置いてエコーによる胎盤の観察を行う．

広汎性子宮頸部摘出術（RT）

　子宮頸がんは若年者が多いため，早期子宮頸がん症例の妊孕性温存手術として近年普及している．それに伴い，RT 後妊娠例の報告も増加している．preterm PROM や早産の発生率が高く，周産期母子センターでの管理が強く望まれる．

分娩に向けての注意

癒着胎盤

　癒着胎盤は，胎盤付着面の床脱落膜の形成の欠如あるいは子宮壁の瘢痕組織による脱落膜の発育不全により，絨毛浸潤の抑制ができないために発生すると考えられている．子宮内操作を伴う手術はいずれも癒着胎盤のリスクを上げるため，妊婦健診においてもその可能性を念頭に置いて超音波検査による胎盤付着部位の検索を行う．前回帝王切開創部上に付着する胎盤では，その30％に癒着胎盤があるため[3]，既往帝王切開で前置胎盤の場合は，癒着胎盤を想定する必要がある．前置癒着胎盤の頻度は手術既往のない子宮で3％，帝王切開既往回数が1回で11％，2回で39％，3回以上で60％と報告されている[4]．前置胎盤発生頻度は，前回経腟分娩で0.38％，前回帝王切開では0.63％であり低いが，既往帝王切開で前置胎盤の場合，特に

前壁優位の場合は，癒着胎盤であるとの前提のもとに手術の準備をしておくべきであろう．

筋腫核出術の内膜穿破例でも，癒着胎盤のリスクが上昇すると考えられる．既往帝王切開とは異なり，子宮切開創が体部筋層では癒着胎盤の超音波診断は確実ではなく，発生頻度が低い常位胎盤では前置胎盤ほど超音波での検索ができないことも多く，分娩前での診断例の報告はきわめて少ない．さらに腹腔鏡下手術では内膜穿破の記録がなくても内膜損傷している，あるいは止血に用いたパワーデバイスによって，筋層・内膜を損傷していることもあるため，リスク評価には限界がある．

腹腔内癒着

近年，癒着防止材の普及などにより軽減しているとはいえ，既往子宮手術後の腹腔内癒着は常に想定する．腹腔内癒着は，臓器損傷や出血のリスクを上昇させ，手術時間も長くなるため，術者のみならず局所麻酔で行う麻酔科にとってもストレスとなる．高周波リニアプローブを用いて術前に腹壁からの超音波検査を行い，呼吸性移動に伴い子宮と壁側腹膜に癒着がないか，その間に腸管が存在していないかの確認も有用であるかもしれない．術前に癒着の程度を評価することで，手術の難易度や時間の予測がより正確になり，腸管損傷などの合併症を避けて手術の安全性向上を図り，手術室や麻酔科との連携強化につながると考えている．

子宮破裂

子宮破裂は，頻度は低いものの母児の生命にかかわる重篤な疾患であり，最も注意すべき合併症である．子宮破裂は，子宮筋層から子宮漿膜までが完全に断裂した「完全子宮破裂」と，子宮漿膜や広間膜に裂傷が及ばない「不全子宮破裂」に分類される．また，その原因として子宮手術既往がある「瘢痕子宮破裂」と子宮手術既往がない「非瘢痕子宮破裂」に分けられる．全国調査によると，2011年1月から2015年12月の5年間で子宮破裂は152例であり，発生頻度は0.015％(152/1,027,249分娩)であった．瘢痕子宮破裂は112例，非瘢痕子宮破裂は40例であった．子宮破裂のうち，帝王切開術後が74例(48.7％)，子宮筋腫核出術後が腹式7例(4.6％)，腹腔鏡下17例(11.2％)，子宮腺筋症核出術後が腹式3例(2.0％)，腹腔鏡下4例(2.6％)，その他7例(4.6％)であった[5]．瘢痕子宮破裂の因子として子宮壁創部の不完全治癒(帝王切開術，筋腫核出術の創部縫合など)・プロスタグランジン製剤の使用が挙げられている．実際『産婦人科診療ガイドライン 産科編2020』でも，既往帝王切開分娩ではプロスタグランジン製剤は使用しないことが推奨されている．

帝王切開後の子宮破裂の確率は子宮筋切開の方法により異なる．古典的縦切開を施行した場合，子宮破裂は0.64％，無症候性の子宮破裂は9％に上るとされ，古典的縦切開やT字・J字切開既往例で1.9％との報告もある．下節横切開での瘢痕子宮破裂は妊娠末期か分娩中の発症が多いが，古典的帝王切開では妊娠中期からの報告もあり，選択的帝王切開を早産期に行うべきとしている報告もある．帝王切開からTOLACまでの間隔と子宮破裂発生率には相関があり，12か月以下では2.7％であるのに対して，36か月以上では0.9％であったともされている[6]．帝王切開後の避妊期間は長いほうが子宮破裂発生頻度は低下するが，帝王切開後妊娠については，加齢による影響も考慮されるべきであり，どの程度次回妊娠まで間隔をあけるべきかについての明確なコンセンサスはない．

筋腫核出術後妊娠の子宮破裂の報告として，前述の全国調査では帝王切開術後の1/10程度の報告がみられている．わが国の筋腫核出術の件数は不明であるが，全分娩の20％以上を占める帝王切開より1/10よりは少ないことは容易に予想され，帝王切開既往よりリスクは高い．腹腔鏡下筋腫核出術(LM)と開腹筋腫核出術のリスク評価も明らかではない．LM後妊娠で

子宮破裂を起こした19例のレビューによると[7]，2層以上の縫合をしている例が3例のみであり，電気焼灼による止血が17例に施行されていた．単層縫合と電気焼灼が危険因子になりうるため，電気焼灼を極力避けることや多層縫合が重要と考えられている．

子宮破裂のリスクは術式のみで決定されるものではなく，子宮筋層切開の方法や縫合，術後経過によるため，個別のリスク評価が必要であり，標準的なリスクは明らかではない．さらに，筋層厚による子宮破裂の予測も行われているが，標準的なリスク評価の指標にはなっていない．

分娩時異常出血

前置癒着胎盤や既往子宮手術での腹腔内癒着は，帝王切開時の出血を増加させる．子宮筋腫核出術既往のある妊婦では筋腫が残存している可能性があり，子宮筋腫合併妊娠での重篤な産科出血発生に対するオッズ比は2.57である．筋腫核出術後妊娠に関しては，Kinugasa-Taniguchiらが自施設での筋腫核出術後と筋腫合併妊娠の分娩を比較し，早産率・分娩時出血量は筋腫核出術後例に多いと報告している[8]．筋腫核出術後妊娠例は，重症例が多いため核出術を施行していない筋腫合併妊娠と比較することは困難であるが，治療後といえども，子宮筋腫合併妊娠以上に高いリスクを有することは念頭に置く必要がある．実際，子宮下節の展退が乏しかったり筋層内血管が豊富であったりして，帝王切開時に予期せぬ過多出血も経験する．

産科出血が予想される場合には，各病院の実情に合わせ，術前の貯血式自己血輸血も考慮する．

◆文献

1) Miyakoshi K, et al : Risk of preterm birth after the excisional surgery for cervical lesions: a propensity-score matching study in Japan. J Matern Fetal Neonatal Med **34** : 845-851, 2019
2) Albrechtsen S, et al : Pregnancy outcome in women before and after cervical conisation : population based cohort study. BMJ **337** : a1343, 2008
3) Miller DA, et al : Clinical risk factors for placenta previa-placenta accrete. Am J Obstet Gynecol **177** : 210-214, 1997
4) Hasegawa J, et al : Improving the accuracy of diagnosing placenta previa on transvaginal ultrasound by distinguishing between the uterine isthmus and cervix: a prospective multicenter observational study. Fetal Diagn Ther **41** : 145-151, 2017
5) Makino S, et al : National survey of uterine rupture in Japan : Annual report of perinatology committee, Japan Society of Obstetrics and Gynecology, 2018. J Obstet Gynaecol Res **45** : 763-765, 2019
6) Bujold E, et al : Interdelivery interval and uterine rupture. Am J Obstet Gynecol **187** : 1199-1202, 2002
7) Parker WH, et al : Risk factors for uterine rupture after laparoscopic myomectomy. J Minim Invasive Gynecol **17** : 551-554, 2010
8) Kinugasa-Taniguchi Y, et al : Impaired delivery outcomes in pregnancies following myomectomy compares to myoma-complicated pregnancies. J Reprod Med **56** : 142-148, 2011

〈福岡　操・板倉　敦夫〉

診断と外来対応

妊娠 22 から 36 週まで

妊婦のマイナートラブル

POINT
- 妊娠中は皮膚，消化器系，循環器系，泌尿器系，精神・神経系，内分泌・代謝系などに多彩な変化をきたし，マイナートラブルの原因となる．
- マイナートラブルの多くは，妊娠の終了に伴い消失し，医学的な介入を必要としない．
- マイナートラブル症状を不快に感じる妊婦も多く，対処法を指導することは重要である．

DATA
- 妊娠中の下肢痙攣の頻度は 40〜60% に及ぶ．
- 妊婦の 40% に便秘を認める．
- 痔核は便秘とともに妊娠中によくみられる疾患であり，産後 2〜18 か月でも約 15% の褥婦が痔核を有する．
- 妊婦の 50〜80% が腰部や骨盤部の痛みを訴える．
- 妊婦の 40% 以上に妊娠線を認める．
- 妊婦の 2% に妊娠性瘙痒症を認める．

● 手根管症候群[1]

妊娠・分娩期と更年期の女性に多く，患者の 1/3 が両側性に発症するといわれている．多くの症例で，分娩後から授乳期が終了する頃には症状は改善している．

病態の概要と新しい知見

妊娠中の浮腫により手根管が腫脹し，正中神経を圧迫することによって発症する．また，妊娠中には末梢神経の興奮性が高まっていることも，発症の一因と考えられる．

診断の手順

自覚症状として，示指，中指を中心とした痺れ，疼痛があり，起床時に強く生じ，手を振ることで楽になる (flick sign)．妊娠中の手の痺れを訴える原因疾患としては，手根管症候群によるものが多く，それ以外には胸郭出口症候群，多発神経炎，腱鞘炎などが鑑別疾患として挙げられる．その他にも，コンピュータのキーボード操作などによる手関節の疲労，先天性手根管狭窄，リウマチ性屈筋腱鞘炎，アミロイドーシス，ギラン-バレー症候群，糖尿病性 neuropathy などがある．

外来での管理法

妊娠中に発症した手根管症候群の多くは対症療法で十分であり，分娩後は自然軽快する．潜在性の浮腫によることがあるので減塩食とし，手関節の掌背運動や把握動作をできる限り行わせないように安静を指導する．また，手根管の内圧を上昇させないこと，圧迫や牽引を与えな

いことを指導する．麻痺が強くないものは，手関節中位固定を行うこともある．薬物療法としては，アセトアミノフェン，ビタミン B_6，ビタミン B_{12} 経口投与，ステロイド局所注射，利尿薬，末梢循環改善薬投与などがある．柴苓湯や五苓散などの漢方薬が有効なこともある．保存的治療で改善が認められず，筋萎縮が強い場合には，手根管開放術を行う．

こむら返り[2]

こむら返りとは，腓腹筋に生じる不随意的な疼痛を伴った急激な痙攣で，妊娠期間中の不快症状のなかで腰痛，背部痛の次に多いとされる．特に妊娠中期後半から末期にかけて，下肢痙攣の訴えが多くなり，妊娠中の下肢痙攣の頻度は40〜60%に及ぶとの報告もある．

病態の概要と新しい知見

妊娠中の発生病態は明らかではないが，以下のことが原因として考えられている．

- **腓腹筋の筋肉疲労**

子宮の増大による重心の変化により，平衡を保つために腓腹筋の筋肉疲労が起こり発症する．

- **局所の循環不全**

子宮の増大により下腿静脈が圧迫され，下肢の静脈血のうっ滞が生じ痙攣が起こる．

- **血中カルシウム減少説**

妊婦の血清総カルシウムは非妊娠時よりも低く妊娠32週以降で最低値になるとの報告もあり，血清中のイオン化カルシウムの低下が下肢痙攣の原因とも考えられている．

- **血中Na減少説**

妊娠の進行により水血症となることで血液浸透圧が低下し，痙攣が生じやすくなる．

- **過呼吸説**

妊娠中の過呼吸による呼吸性アルカローシスが潜在性のテタニー状態をもたらすことにより発症する．

こむら返りは，安静時，運動時の双方に認め，筋肉疲労によって起こることが多いとされるが，妊婦のこむら返りは妊娠後期の夜間就寝中に起こりやすい．就寝中，足関節は底屈位をとり，腓腹筋が弛緩した状態となる．このとき急に筋収縮をした場合，筋収縮を制御する腱受容器が反応せず，生理的限界を超えた有痛性の収縮が生じるとされる．

診断の手順

妊娠前より痙攣が頻発していたもの，妊娠により増悪傾向を認めるものなどは，痙攣を誘発するneuropathy（神経疾患）やmyopathy（筋疾患）との鑑別を要する．歩行時に腓腹筋痛が増強する場合には深部静脈血栓症にも注意を要する．その他の原因として，運動不足，副甲状腺機能低下症，糖尿病や尿毒症などがある．

外来での管理法

予防には，ストレッチなどの下肢の血液循環を促進する運動を行い，かかとの高すぎる靴や低すぎる靴の使用を避け，就寝時には足関節が底屈位になるのを予防する目的でベッドカバーが足を圧迫することがないように調節したり，足底に枕を置くなどの筋緊張の予防を行う．また体重増加が大きいほど下肢に負担が加わりやすくなるため，体重コントロールを指導する．その他，マグネシウムを多く含む昆布の摂取やカルシウム，ビタミン B_1，ビタミンDなどの

補給もこむら返りの予防に有効であったとの報告もある．「三陰交(内くるぶしの最も高いところから指4本以上の脛骨の際)」「承山(ふくらはぎ下端でアキレス腱との境目)」「殷門(大腿後面のほぼ中央)」のツボ刺激も有用であったとの報告もある．

こむら返りが起こったら，下肢のマッサージにより下肢の血液循環を改善させる．痙攣発症時に足の指を足背のほうに反らせることにより筋肉を伸展させる．「陽陵泉(膝の外側の前寄りのくぼみ)」のツボ刺激も有効とされる．薬物療法では，Hammerらは炭酸カルシウム2 g/日の服用により血中カルシウム濃度を変えることなく痙攣の軽快をみたと報告している．漢方薬では芍薬甘草湯が鎮痛・鎮痙作用があり，こむら返りに著効したとの報告もある．その他，低浸透圧の改善目的で50％糖液や生理食塩液を投与するとの報告もある．

● 下肢静脈瘤[3, 4)]

妊娠が原因で下肢の静脈の還流が悪くなり，下肢浅在静脈がホース状，結節状に太く蛇行し，下肢の倦怠感，腫脹，疼痛，色素沈着，湿疹，潰瘍などの症状を認める．妊娠中期から後期にかけ顕著となり，外陰部や腟，直腸にも生じる．

病態の概要と新しい知見

妊娠・出産が原因で静脈の還流が悪くなり，下肢の静脈弁に負担がかかると静脈弁の機能不全により静脈瘤が発生する．大伏在静脈と小伏在静脈が原因となりやすい．

診断の手順

静脈瘤に表在性の血栓静脈炎を併発することはあっても深部静脈血栓症に進展することは稀である．表在性の静脈血栓症では静脈の走行や静脈瘤に一致した疼痛を認めるのに対し，深部静脈血栓症ではホーマンズ徴候，ローエンベルグ徴候などの腓腹筋の運動痛・圧痛を認める．腓腹筋の疼痛を認めた場合にはカラードプラを用いた超音波検査などで深部静脈血栓症を除外する必要があり，深部静脈血栓症の診断がついた際には肺血栓塞栓症の有無を検索する．

外来での管理法

長時間の歩行や起立を避け，静脈瘤の進行防止・現状維持目的に弾性ストッキングや弾性包帯を使用することが多いが，静脈瘤の症状改善については有用性が確認されたものはないとされる[5)]．下肢静脈瘤の治療は，硬化療法，静脈除去術，レーザーやラジオ波を用いた血管内治療，静脈高位結紮術などが挙げられるが，妊娠中の静脈瘤の多くは，妊娠子宮による還流障害や妊娠に伴う循環血流量の増加が原因であり，分娩後の自然軽快が期待できる．疼痛が強い場合にはアセトアミノフェンを内服させ，血液凝固阻止を期待してヘパリン類似物質軟膏を処方し，保存療法を試みる．

● 便秘

妊娠中の便秘は妊娠初期から産褥まで訴えることが多く，全妊婦の40％に便秘を認めるとの報告もある．

病態の概要と新しい知見

妊娠中はプロゲステロンの作用で腸管蠕動が低下するため，腸管通過時間が延長し，水分や

ナトリウムの吸収が促進され，便が硬くなりやすい．また増大子宮による腸管の圧迫で腸管内容がさらに停滞しやすくなる．

診断の手順

妊娠中の機能的便秘は，排便回数が1週間に3回未満になることもあり，硬便，腹部膨満感，残便感などの症状を呈する．器質的な便秘の原因として，痔核，悪性腫瘍や巨大結腸症などが鑑別疾患として挙げられる．

外来での管理法

十分な水分や食物繊維を摂取することや[6]，適度に運動することが便秘の予防には大切である．薬物療法としては，酸化マグネシウム，ピコスルファートナトリウム水和物（ラキソベロン）やセンナ類の投与などがある[4]．

痔

便秘とともに妊娠中によくみられる疾患であり，産後2〜18か月でも約15%の褥婦が痔核を有するとの報告もある．

病態の概要と新しい知見

妊娠中の子宮の増大に伴う静脈還流の障害，排便時の過度のいきみ，便秘に伴う硬便によって，肛門周囲の粘膜下に存在する内痔・外痔静脈叢のうっ血が増悪し痔核を形成する．

診断の手順

内痔核の症状は肛門部の突出と出血が主であり，通常，内痔核では疼痛は強くないが，強い痛みを伴う場合には静脈血栓や壊死を生じている可能性が高い．

一方，外痔核は肛門の皮膚で覆われ下直腸神経の神経支配を受けているので，出血よりも腫瘤触知・疼痛が主な症状である．肛門出血を伴うときには悪性腫瘍の存在に注意を要する．また，発熱・排膿を伴う際は肛門周囲膿瘍が鑑別として挙げられる．

外来での管理法

痔の予防には便秘を防止することが重要であり，十分な水分や食物繊維の摂取や適度の運動を指導し，必要に応じて酸化マグネシウムやピコスルファートナトリウム水和物の投与を行う．妊娠中の食物繊維の摂取は，痔核による痛みやかゆみ，出血などの症状を改善する可能性があるとされている[7]．痔核がある場合には，肛門周囲の温浴・局所の清潔保持を心がけ，疼痛の強い場合はステロイドや局所麻酔薬配合の坐薬や軟膏を併用する．重症例には内痔核切除などの外科的治療も考慮される[3,4]．

腰痛[8]

妊娠中の腰痛は妊娠10週台後半より始まり，妊娠30週台前半以降に最も痛みが強くなり，通常，産後6か月までに軽快する．妊娠女性の50〜80%が腰部や骨盤部の痛みを訴えるとの報告がある．

病態の概要と新しい知見

妊娠子宮を前方に抱えようと重心を後ろに移動させ，上体を反屈する姿勢を取るために，姿勢性腰痛が発生する．その他，増大子宮により腹筋が弱まり，骨盤周囲の体幹支持筋群が伸展することも姿勢性腰痛の原因となる．

さらに，子宮増大に伴う骨盤内諸臓器の血行障害や骨盤内うっ血も腰痛に関与するとされ，肥満や妊娠前からの腰痛はリスク因子となる．

診断の手順

腰部の正中付近や大腿後側に疼痛を訴え，長時間同じ姿勢を続けたり，ひねったりすると痛みは増悪する．妊娠中の切迫早産，腎盂腎炎や尿路結石などの泌尿器疾患による腰痛が比較的多いが，常位胎盤早期剥離，解離性大動脈瘤や悪性腫瘍の存在などに注意を要する．

外来での管理法

過剰な体重増加を避け，適度の休養を指示する．長時間の立位・坐位や脚を組むことを避けるよう指導する．ヨガなどの何らかの運動が腰痛や骨盤痛の改善に役立つ可能性があることを伝えてもよいとされている[9]．薬物療法としては，アセトアミノフェン内服が第一選択となり，妊娠後期にNSAIDsを含む経皮用剤を使用する際には胎児動脈管収縮の可能性への配慮が必要である．また，骨盤を矯正する作用を有する骨盤支持ベルトが有効であることが多い．

● 妊娠線

妊娠6〜7か月に出現し，腹部・大腿部の皮膚の断裂で線状に瘢痕を生じ，色素沈着を伴うこともある．全妊婦の40％以上に妊娠線を認める．

病態の概要と新しい知見

体重増加に伴う皮膚の過伸展により，腹部・大腿部の皮膚の弾性線維が断裂することにより生じる．そのほか，妊娠中のステロイドホルモンの増加も原因とされる．

診断の手順

腹部，大腿外側，殿部，乳房周囲に好発し，線状の瘢痕を生じ，色素沈着を伴うこともある．産後も萎縮性線状瘢痕は残る．

外来での管理法

対症療法のみであり，急激な体重増加を防ぐよう指導する．マッサージ，クリームやオイルの塗布により皮膚の柔軟性を保つことが試みられているが，効果は一定していない[3,4]．

● 妊娠性瘙痒症

妊娠初期〜中期に出現し，著しい瘙痒を伴う2〜5 mmの小丘疹を生じる．妊婦の2％に認める．

病態の概要と新しい知見

原因は不明であるが，精神的ストレスが関与していると考えられている．また，妊娠に伴う

胆汁うっ滞が原因であるとの説もある．

診断の手順

四肢，肩，頸部，殿部の伸側に好発し，著しい瘙痒を伴う2〜5 mmの小丘疹を散在的に生じる．

外来での管理法

予防は困難であるため，薬物療法としてステロイド軟膏の塗布を主体とする．効果がない場合，抗ヒスタミン薬の内服などを行う[3,4]．

◆ 文献

1）中島義之，他：手足のしびれ．ペリネイタルケア **32**：1163-1165, 2013
2）中島義之，他：こむら返り．ペリネイタルケア **32**：1166-1169, 2013
3）正岡直樹，他：運動系の変化とマイナートラブル．ペリネイタルケア **26**：582-588, 2007
4）牧野康男，他：妊娠中後期のマイナートラブル．産と婦 **74**：1319-1322, 2007
5）日本助産学会(編)：CQ113 妊娠中の静脈瘤および浮腫の症状改善に効果のあるものは何か？ エビデンスに基づく助産ガイドライン―妊娠期・分娩期・産褥期2020．pp55-58, 日本助産学会, 2020
6）日本助産学会(編)：CQ114 妊娠中の便秘の改善に効果的な方法は何か？ エビデンスに基づく助産ガイドライン―妊娠期・分娩期・産褥期2020．pp59-60, 日本助産学会, 2020
7）日本助産学会(編)：CQ115 妊娠中の痔核症状の改善に効果的な方法は何か？ エビデンスに基づく助産ガイドライン―妊娠期・分娩期・産褥期2020．pp61-64, 日本助産学会, 2020
8）長田久夫：腰痛．ペリネイタルケア **32**：1170-1174, 2013
9）日本助産学会(編)：CQ112 妊娠中の腰痛・骨盤痛の改善に効果的な方法は何か？ エビデンスに基づく助産ガイドライン―妊娠期・分娩期・産褥期2020．pp51-54, 日本助産学会, 2020

（中島　義之・正岡　直樹）

検査の実施法

妊娠37週以降

妊娠 37 週以降に行う検査

POINT
- 内診により分娩に向けての子宮口の熟化状況を把握する.
- 胎児発育の状態, 胎位を確認して最終的な分娩方針を決定する.
- 予定日超過では胎児の well-being 評価を行うことが重要であり, 42 週以降は分娩誘発を検討する.

妊娠 36 週以降分娩までは, 一般的に 1 週間に 1 回の健診が推奨されている. この時期は, 胎位, 胎児の健常性(well-being)の評価, 母体の全身状態が経腟分娩に耐えうるのかについて最終的な確認を行い, 分娩に向けての準備を進める. 予定帝王切開が必要な妊婦については, 妊婦健診のスクリーニング項目以外に手術前評価として必要な採血, 心電図検査などを行った結果を確認し, また母体, 胎児の状態に応じて適切な帝王切開時期を設定する. また, 陣痛開始, 破水に際しての連絡・来院の方法についても妊婦に確認を行う. 育児, 授乳についての指導を事前に外来で行っておくことも分娩後の環境変化に産婦がスムーズに対応するために大切である.

血液検査・B 群溶血性レンサ球菌(GBS)スクリーニング

37 週頃に血算が推奨されている. これは分娩時の出血に備えて重度の貧血や血小板減少がないことを確認するために重要である. 分娩時の抗菌薬投与による新生児感染防御の必要性の判断のため, GBS 保菌状態についての GBS のスクリーニング検査は分娩開始前に結果が出ていることが大切である一方で, 早すぎる時期の GBS スクリーニングは, 分娩時の細菌叢の状況の変化を考慮すると好ましくない[1]. 『産婦人科診療ガイドライン 産科編 2020』の改訂により妊娠 35〜37 週でのスクリーニングを推奨している(レベル B) (他稿参照, ⇨ 167 頁).

内診

妊娠後期には無痛性子宮収縮が増加し, 内子宮口の開大が進んで子宮腟部は短縮していく. 初産婦では分娩開始直前には外子宮口の開大よりも展退の進行により子宮腟部はほとんど消失した状態となってから陣痛発来する場合も多い. 一方で経産婦では外子宮口の開大が先行することが知られている. また, 前置胎盤などの胎盤位置異常がある場合は内子宮口まで指を入れて内診をすることは出血を生じるため, 後期まで胎盤位置の確認が行われていない場合は経腟超音波検査を行い確認する.

内診所見の変化や自覚的子宮収縮の状態により総合的に判断して, 分娩開始が近いと予想される場合にはその旨を妊婦に説明して準備を進めておくよう指導する. また, 経産婦で自宅が遠方で陣痛発来後に来院までの時間がかかる場合などで墜落産のリスクがある場合には, 早めの入院を勧めるといった対応も検討する.

通常超音波検査・胎児 well-being の評価

　この時期(36週以降)に超音波検査を1回は行うことが国の実施基準となっているが,分娩に近い時期における胎位,胎児の推定体重の評価,羊水量を確認することで分娩方針の最終決定を行う.推定体重の評価で巨大児の可能性が高い場合には,経腟分娩での肩甲難産の頻度が上昇し,新生児仮死や新生児外傷(鎖骨骨折,腕神経叢の損傷によるエルブ-デュシェンヌ麻痺など)ならびに脳性麻痺の危険が高い.また母体の産道損傷や弛緩出血の頻度が高まり,分娩時出血も増加する.そのため,巨大児の分娩が予測される場合は分娩のタイミングや分娩様式について事前の検討が必要である.それまでの妊娠期間中に胎児発育不全(FGR)が指摘されている場合には,妊娠後期に胎盤機能の低下により胎児のwell-beingが悪化したり,羊水過少を生じて陣痛時の臍帯圧迫が生じやすくなるリスクが高いことを念頭に置いて慎重な管理が必要となる.well-beingの評価には超音波検査とnon-stress test(NST)を組み合わせたbiophysical profiling scoreによる評価が有用である.

　予定日超過後の妊婦健診では,41週以降は週数が進むにつれて児の周産期予後が悪化することを念頭に置いた管理が必要である[2].そのため,41週以降には超音波検査とNSTによる胎児well-beingを1週間に2回以上評価することが産科ガイドラインで推奨されている(レベルB).頸管熟化度が良好であれば分娩誘発も選択肢となる.well-beingの悪化が確認される場合には帝王切開を考慮する.また,42週0日以降は,過期妊娠として異常妊娠と位置づけられており,児死亡率は急上昇する.そのため頸管熟化度にかかわらず,誘発分娩を開始することが推奨される.待機方針をとる場合は,42週以降は児罹病率が急上昇することを妊婦・家族に情報提供したうえで,胎児well-beingを厳重に監視することが必要である.

◆ 文献

1) Boyer KM, et al : Prevention of early-onset neonatal group B streptococcal disease with selective intrapartum chemoprophylaxis. N Engl J Med **314** : 1665-1669, 1986
2) Gulmezoglu AM, et al : Induction of labour for improving birth outcomes for women at or beyond term. Cochrane Database Syst Rev **6** : CD004945, 2012

　　　　　　　　　　　　　　　　　　　　　　　　　(中山　敏男・山下　亜紀・永松　健・藤井　知行)

検査の実施法

妊娠37週以降

頸管の成熟度の評価

POINT
- 頸管の成熟度の評価は内診による Bishop スコアが基本であり，正確に評価できるようになるためには訓練が必要である．
- 内診所見を補う客観的指標として，経会陰超音波検査による児頭下降度や経腟超音波検査による子宮頸管の硬度の評価も検討されている．

はじめに

　妊娠37週以降の妊婦健診では，分娩が差し迫っているかどうかを判断するうえで頸管の成熟度を評価することは非常に重要である．これは分娩の進行をみるうえでも重要となるもので，頸管の成熟度を評価することは産婦人科医にとって必須である．
　とはいえ，現実には内診による頸管の成熟度の評価は容易なものではない．複数の医師で評価しても，細かい部分に関しては意見が割れることもありうる．大事なことは，以前の所見に比べて進行しているか不変なのかがわかることである．

頸管の熟化とは

　頸管の熟化とは何かということに関して，詳細は成書に譲るが，妊娠週数の進行に伴い，頸管のコラーゲン線維の分解，水分量の増加，グリコサミノグリカンの質の変化が起こるとされる．組織学的には，熟化前の子宮頸管では間質に線維成分が密にあり，線維芽細胞が多く存在しているが，好中球の浸潤がほとんど認められないのが特徴である．ところが熟化とともに間質に好中球の浸潤がみられ，間質の膨化が著明となっていく．浸潤した好中球は変形し活性化像が多くみられるようになり，リンパ球やマクロファージの浸潤も観察される．間質は線維成分が減少して水分が貯留し，結果として組織は膨化して水腫状となる．つまり，組織が軟化し炎症細胞が浸潤する頸管熟化の組織像は炎症の過程と同じであることが観察されている．この頸管の熟化および子宮収縮により子宮口が開大・展退し，児頭下降が起こり，分娩が進行していく．

産科内診

　妊娠後期ではきわめて重要な検査である．妊娠後期における内診では，胎児先進部の確認，胎児先進部下降度，子宮頸管展退度など，分娩の準備状態の評価に重点を置いた内診を行う．妊娠後半期や分娩進行中に内診を行う際には，あらかじめ超音波検査を行って，胎盤の異常（前置胎盤，胎盤の肥厚，胎盤後血腫など）の有無，特に前置胎盤がないことを確認したのちに内診を開始する．

表1 子宮頸管成熟度の採点方法（Bishopスコア）

Bishopスコア	0	1	2	3
頸管開大度(cm)	0	1〜2	3〜4	5〜6
展退(%)	0〜30	40〜50	60〜70	80〜
児頭下降度(St)※	−3	−2	−1〜0	+1〜
頸管の硬さ	硬	中	軟	
子宮口の位置	後方	中央	前方	

（13点満点で9点以上が子宮頸管成熟と判定される）
※児頭下降度は，station方式により表記される．すなわち，両坐骨棘を結ぶ線を基準とし，これからの児頭の先進部の位置をcm単位で表現したもの

外陰：静脈瘤，浮腫，会陰部の伸展性，既往分娩の裂傷，会陰切開の瘢痕，水疱の有無
腟：分泌物の性状，出血の有無，腟壁の伸展性，奇形の有無，腟中隔の有無
子宮腟部：位置，長さ，硬度，開大度，展退度
子宮体部：位置，大きさ，硬さ，表面の性状，可動性，圧痛の有無
胎児下降度：先進部の種類，下降度，可動性，児頭が十分に下降している場合には泉門や矢状縫合の位置

　特に頸管の成熟度に着目するとBishopスコア（表1）にある5項目が重要で，以下に詳述する．

子宮頸管の開大度

　頸管の成熟度を評価するうえで最も重要な所見の1つである．非妊時から妊娠中期までは基本的に子宮頸管は閉鎖しているが，妊娠後期から分娩の進行に伴い開大し，最終的には胎児の頭が通過する直径約10 cmまで広がる．陣痛が発来すると短時間で非常にダイナミックな変化がみられる．

　内診指で子宮頸部を触診し，その広がりを2本（人差し指と中指）の指の感覚で評価する．2 cmや4 cmなどセンチメートル単位で表現する．自分の内診指の幅を覚えておいて参考にするとよい．例えば1.5 cm幅の指が2本挿入された場合は3 cmである．開大が円形でない場合には大体相当する円形を想定し，直径を示す．子宮頸管が完全に広がって内診で子宮頸部が触れなくなると全開大と表現する（このとき約10 cm開大）．開大が進行し直接測定しにくい場合には，全開大の10 cmから残存している頸管の幅を引いて表現する．早産児や低出生体重児の場合には全開大が10 cmとは限らないので，注意が必要である．

子宮頸管の展退度

　子宮頸管は非妊時から妊娠中期までは文字どおり管状の構造物である．これが妊娠後期から分娩の進行に伴って，子宮頸管はその長さがどんどん短くなってくる．分娩前にはその長さが4 cmくらいあるが，全開大する頃にはほぼ消失する（薄くなる）．もともとの長さからどのくらいの長さになったのかを割合（%）で表現する．「展退50%」とは子宮頸管が半分くらいの長さになったことを表している．正確な表現ではないが，日常診療において，展退が不良な場合を「ぼてっとしている」，展退良好な場合を「ぺらぺら」という言葉で表すこともある．

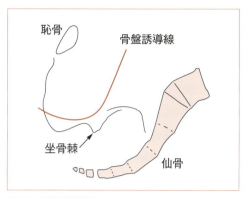

図1　骨盤誘導線

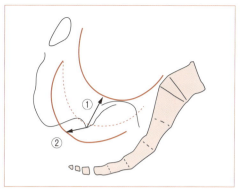

図2　児頭下降度
①：マイナスのstation．
②：プラスのstation．

児頭の位置（station）

　児頭は分娩が進行すると子宮頸管や腟のなかを少しずつ移動する．この移動を児頭の下降と呼んでいるが，この下降具合を表現するのがstationである．骨盤骨の一部に坐骨棘という突起部分があり，内診すると腟壁の奥4〜5時方向と7〜8時方向に触れることができる．児頭先進部が坐骨棘に達していない場合はマイナス，坐骨棘より下降している場合をプラスで表現する．stationがマイナスの段階では，先進部はほぼ直線に近く下降してくるが，坐骨棘を境にして骨盤誘導線が前方に曲がり曲線状に下降していく（図1，2）．このため，日本では，仮想垂直線上で計測するDe Leeのstationではなく骨盤誘導線に沿ったstation（東大式）が用いられることが多い．児頭先進部の位置を空間的に決めるのがやや困難で，正確なstationを評価するためには訓練を要する．stationと児頭最大周囲径の位置との関係は表2に示すとおりである．

子宮頸管の硬度

　子宮頸管は熟化してくると軟らかくなってくることは上述したとおりである．この軟らかさも分娩の進行を知るためには非常に重要な情報である．子宮頸管の硬度は内診した印象で鼻翼くらいの硬さを「硬」，耳たぶくらいの硬さを「中」，マシュマロくらいを「軟」と表現する．子宮頸管熟化不全があると子宮頸管がなかなか軟らかくならずに，分娩進行に支障をきたす．

子宮口の位置

　妊娠後期でも子宮頸管がまだ熟化していないときは，子宮口の位置は後方を向いている．分娩が進行して児頭が下降してくると子宮口の位置も前方へ移動して，内診で容易に触診することができるようになる．この子宮口の位置を「後」「中」「前」の3段階で表現する．

● 客観的評価としての経会陰・経腟超音波検査の活用

　子宮頸管の成熟度および分娩進行の評価は，長らくほぼ内診のみに依存してきたといっていい．しかし内診は客観性に乏しいという面は否めず，細かな評価は検者によって異なることは十分に考えうる．そこでわれわれになじみのある超音波機器を用いて，分娩進行の評価および

表2 児頭最大周囲径の位置の推定と内診所見のポイント

児頭最大周囲径の位置	station※（東大式）	児頭と骨盤底	恥骨結合後面触知	
高在	0〜+1		全触〜2/3	
高中在	+2〜+3	スペースが広い	2/3〜1/3	
低中在		スペースが狭い		
低在	+4	スペースがない	1/3以下	
出口部	坐骨棘不触		不触	

※あくまでも目安である．産瘤，回旋異常により児頭最大周囲径の位置は変化する．

子宮頸管の成熟度に客観性をもたせようと試みが行われている．

経会陰超音波検査

経会陰超音波検査は，われわれが通常の妊婦健診において経腹走査で使用しているコンベックスプローブを感染予防のためのカバーで覆い，会陰にあて走査するものである．恥骨が基準となり，児頭の下降度や児頭の向き（進行方向），回旋などを客観的に評価することが可能である．詳細は成書に譲るが，恥骨下縁から児頭先進部への接線と恥骨長軸をなす角度であるprogression angleと児頭の位置（station）はよく相関することが報告されている．同時に吸引や鉗子などの急速遂娩の難易度の予測も可能とも報告されている[1,2]．

経腟超音波検査

妊娠後期，特に妊娠37週以降に経腟超音波検査を施行する必要性に関しては，議論の分かれるところである．産科外来に経腟超音波検査装置がない施設はほぼないといってよいほどに普及してきており，筆者は必須ではないが基本的に施行している．当院では妊娠30週前後に前置胎盤の有無を評価しているが，里帰り分娩目的の紹介症例などで見逃されている可能性もあり，妊娠後期に施行する意義はあるものと考えられる．また，骨盤位などの非頭位症例では先進部の確認や臍帯下垂の有無は重要である．また自分が内診した子宮口の所見（特に展退）と経腟超音波検査で得られた子宮頸管長との間に整合性があるかどうか，日頃から確認している．

経腟超音波検査による子宮頸管腺領域像（CGA）が頸管熟化に関連するという報告がなされ

ている[3]．妊娠中のCGAは低エコーが典型で，頸管熟化とともに等エコーとなり最終的にCGAは消失することが多く，CGA消失は早産，正期産にかかわらず分娩が近いことを示唆するといわれている．

　子宮頸管の硬さを評価する方法として，超音波を用いた子宮頸部elastographyの応用も期待されている[4,5]．プローブの圧迫によって生じた歪みの大小をもとに関心領域(ROI)内での相対的な硬度を評価するものであり，産婦人科領域ではあまり普及していない(乳腺領域ではスタンダードになってきている)．圧迫を常に一定にできないこと，経腟超音波プローブと子宮頸管との角度や距離が異なること，誤差の問題など，克服すべき課題はいくつもあるが，将来的には客観的な子宮頸管の硬度評価の指標になる可能性は秘めていると考えられる．

◆ 文献
1) 坂巻健，他：経会陰超音波による分娩進行評価．産と婦 82：1371-1376, 2015
2) Benediktsdottir S, et al：Agreement between transperineal ultrasound measurements and digital examinations of cervical dilatation during labor. BMC Pregnancy Childbirth 15：273, 2015
3) 深見武彦，他：切迫早産患者の早産予知における子宮頸管腺領域像消失の意義：頸管長と頸管粘液エラスターゼとの比較．日医大医会誌 1：229-230, 2005
4) 小松篤史：産婦人科超音波診断－新しい技法とその臨床応用　超音波Elastographyの産科応用．臨婦産 67：609-614, 2013
5) Yo Y, et al：Relationship between cervical elastography and spontaneous onset of labor. Sci Rep 10：19685, 2020

（小松　篤史）

検査の実施法

妊娠37週以降

胎盤機能の評価

POINT
- 胎盤機能評価法には生理学的検査法と生化学的検査法がある．
- 近年は，real-time な評価が可能である生理学的検査の有用性が重視されている．
- 各検査法の有用性と限界を認識し，複数の検査を組み合わせた総合的な評価を行うことが望ましい．

はじめに

　胎盤の形成は妊娠7週頃から始まり，妊娠15週頃には形態的・機能的に完成する．その後は妊娠期間を通して成長を続け，その重さは妊娠末期には約500〜600 g（胎児体重の約1/6）となり，胎児娩出後は排出される．

　胎盤の主な機能は以下のとおりである．
・呼吸器＝ガス交換：O_2 を母体から胎児へ，CO_2 を胎児から母体へ
・消化器＝栄養の吸収：糖，アミノ酸，遊離脂肪酸を母体から胎児へ
・内分泌＝ホルモン分泌：ヒト絨毛性ゴナドトロピン（hCG）
　　　　　　　　　　　　ヒト胎盤性ラクトゲン（hPL）
　　　　　　　　　　　　エストロゲン
　　　　　　　　　　　　プロゲステロン
・排泄器＝老廃物の排泄：胎児から母体へ老廃物を排泄

　このように胎盤は，成人における肺，肝臓，腎臓，副腎，性腺，下垂体などを包括したような，広範かつ多彩な機能を営んでおり，胎盤の機能の善し悪しは胎児の発育および予後に重要な影響を及ぼす．妊娠経過中の胎盤機能を正確に把握することができれば，悪条件下にある胎児に対して，適切な時期に適切な処置を施すことが可能となる．この目的のために，古くから多くの研究が積み重ねられてきた．

　優れた検査法である条件としては，異常値をもつ症例が高率に児の異常を示し，正常域内の症例には異常例が含まれないことが必要である．さらに臨床的有用性の面では，胎児に生じる異常に産科医が対応しうる段階での情報でなければならない．現在のところ，胎盤機能検査法としてこれらの条件を完全に満たす検査はないため，それぞれの有用性と限界を認識し，他の情報も加えて総合的に評価する必要がある．

1. 半坐位（semi-Fowler 位）とし，10〜15 分ごとに血圧を測定する．

2. オキシトシン 5U を 5% ブドウ糖液 500 mL に混注し輸液ポンプで持続点滴する．

3. 0.5 mU/分（3 mL/時）の速度で開始し，15〜20 分ごとに注入量を増加させる．

4. 通常 8〜10 mU/分（48〜60 mL/時）以上を必要とすることはないが，最高用量は 20 mU/分（120 mL/時）までとする．

5. 適切な子宮収縮が 10 分間に 3 回みられた時点で CST を判定し，オキシトシンを中止する．

図1 オキシトシンによる CST の方法

オキシトシンを使用する方法のほか，nipple stimulation による CST も可能であるが，nipple stimulation では有効な子宮収縮を得られない例が 0〜40% ある．

● 生理学的検査

contraction stress test (CST)

理論的背景

　胎児心拍数モニタリングのうち，妊娠子宮に負荷（子宮収縮）を与えない状態で，胎児の自発運動（胎動）と心拍数の変化の関係をみる検査をノンストレステスト（non-stress test：NST）といい，子宮収縮がある状態で子宮収縮と胎児心拍数変動との関係を評価する方法をコントラクションストレステスト（contraction stress test：CST）という．CST は胎盤機能検査として有用である．胎盤機能が低下していれば，子宮収縮に伴う血流減少により一時的に胎児酸素分圧が許容限界レベルを下回り，late deceleration が出現する．また，CST にて variable deceleration が認められることもある．これは羊水量の減少による臍帯圧迫の所見と考えられるが，羊水量と胎盤機能低下の間には一定の相関が存在する．一方，late deceleration の原因は多岐にわたる．一般には母体の低血圧，過強陣痛，胎盤機能不全などが成因である．母体の高血圧，糖尿病，膠原病は慢性的な胎盤機能不全の原因となるし，常位胎盤早期剥離は急激で重篤な late deceleration をきたすことがある．

臨床的意義

　CST は，アシドーシスが成立する以前の低酸素状態を把握する方法として優れており，NST で non-reactive か判定不能な症例，胎動の減少を伴う症例，羊水過少，過期妊娠，妊娠高血圧症候群，糖尿病，胎児発育不全，死産の既往などのハイリスク妊娠における予備能の評価，あるいは児娩出時期の決定に有用である．検査法を図1 に示す．

表1 CSTの結果の分類

negative	適切な子宮収縮(3回/10分)または過剰な子宮収縮の状態でlate decelerationまたはsignificant variable decelerationがみられない.
positive	適切かまたは不十分な子宮収縮の状態で，late decelerationが過半数の子宮収縮に伴ってみられる.
equivocal-suspicious	子宮収縮の半数以下に伴ったlate decelerationまたはsignificant variable decelerationがみられる.
equivocal-hyperstimulatory	90秒以上続くかまたは2分周期以内の子宮収縮があり，それに伴うdecelerationがみられる.
unsatisfactory	適切な子宮収縮を誘発できなかった場合または良好な胎児心拍数記録が得られない場合

〔Freeman(1981)をACOGが改変，1999〕

表2 CSTの管理方針

negative	1週間後再検
equivocal(suspicious)	翌日再検
	繰り返す場合 → 週2回NSTまたはBPS
reactive positive	肺成熟 → 分娩
	肺未熟 → 連日NST, reactiveである限り妊娠継続 1週間後再検
non-reactive positive	分娩
	妊娠継続の場合は連日BPS

結果の評価と注意点

　子宮収縮に伴うlate deceleration出現の有無によりpositiveまたはnegativeと判定するのが基本であるが，曖昧な場合も少なくない．表1にACOG(1999)の提唱する判定基準を示す．CSTは子宮収縮という負荷を与える検査であるため，胎児状態の悪化(低酸素状態)を検出する最も鋭敏な検査法である．したがって，negative CSTの場合は児の状態は良く，臍帯因子などによる突発的事故は除外して，1週間程度の期間は児死亡に至ることがきわめて稀(0.4/1,000)と報告されている[1]．胎盤機能低下の進行が早いSLEや糖尿病などでは間隔を短縮して施行したり，NSTと組み合わせて検査するほうがよい．

　一方，児の状態が悪いことに対するfalse positiveの率は高く，positive CSTで児がその後通常の分娩に耐えられた例は，25〜75%と報告されている．CSTの結果がequivocalまたはunsatisfactoryの場合は日をあらためて再検するか，頻回あるいは検査時間を延長したNSTやBPSにより胎児の状態を再評価する(表2)．

　CSTは，子宮収縮自体が危険となる前置胎盤，胎盤早期剥離，前置血管，古典的帝王切開術既往妊娠に対しては絶対的禁忌である．また，子宮収縮が起こると早産を誘発しやすい切迫早産，頸管無力症，前期破水，多胎妊娠は相対的禁忌となる．このほか，NSTで胎児機能不全が疑われるものや著しい予備能の低下が予測されるような場合も施行しないほうがよい．早産期で検査を行う際は，心拍数パターンの解釈に児の未熟性を考慮する必要がある．

超音波検査による血流計測

 胎児の正常な発育および well-being は，母体側の子宮-胎盤循環と胎児側の胎盤-臍帯-胎児循環系での正常な血流に依存しているが，これらのうちのどの部分が病的に変化しても，胎児循環が障害されて胎児が低酸素状態に陥る．超音波検査により直接胎盤の循環を評価する方法はいまだ確立されておらず，子宮胎盤循環と胎児胎盤循環に分けて，両側から循環状態を評価しているのが現状である．将来的に超音波検査や MRI などを応用し，直接胎盤の循環状態が評価できるようになることが期待される．

■ 子宮動脈

理論的背景

 妊娠子宮への血流は，左右の子宮動脈と卵巣動脈，さらには腹膜からの側副血管などで供給されるが，主に子宮動脈から供給されると考えてよい．子宮動脈の血流量は，妊娠初期には 50 mL/分であるが，末期には 500〜750 mL/分に増大する．これは，トロホブラスト細胞が，子宮動脈の末梢血管であるらせん動脈を侵食し，血管壁筋層を破壊するために，らせん動脈が拡張し，末梢血管抵抗が減少することによる．したがって，正常妊娠時の子宮動脈血流波形は，拡張末期血流速度が上昇した形を示す．妊娠中期(20週頃)以降は，経腹的に超音波カラードプラ法で下腹部の子宮外側部で容易に観察できる外腸骨静脈の血流を目安にして，それに直交して走行する子宮動脈上行枝を描出する．子宮動脈のドプラ血流速度波形は，拡張期に逆流の認められる外腸骨動脈波形とは異なり，拡張期にも十分な血流速度を維持した波形として認められる．

臨床的意義

 妊娠初期には，末梢の血管抵抗の存在を意味する切れ込み(notch)が拡張早期にみられるが，正常では，妊娠 20 週頃には子宮動脈血流波形の拡張末期血流速度が上昇し(PI 値，RI 値は低下)，拡張早期 notch はみられなくなる．拡張期血流速度の低下や，拡張早期 notch の存在は末梢血管抵抗の増大，子宮胎盤血流の異常を示唆しており，胎盤機能不全や，後の妊娠高血圧症候群発症の予知に有用である．

結果の評価と注意点

 胎盤の付着部位によって左右の子宮動脈および末梢の血流は異なる．胎盤付着側の血流は対側の血流より多くの血流を供給しているので，拡張期血流速度は高く PI 値，RI 値は若干低い．また，子宮収縮や陣痛発作時は子宮血管の血管抵抗が高まって，血流速度波形は拡張末期に低下・消失し，逆流が出現することもある．子宮が弛緩すると元の血流速度波形に回復する．したがって子宮動脈の血流速度波形の評価に際しては子宮収縮の存在に注意する必要がある[2]．

■ 臍帯動脈

 胎盤内部の循環については，母体側の絨毛間腔と胎児側の絨毛血管の血流速度波形は微細でかつ多方向性のため，従来の超音波パルスドプラ法では個別に観察することはできない．血流方向にかかわらず血流成分をすべて検出し表示できるパワードプラ法を用いると胎盤内部の血流も検出することができるが，個別評価や定量的な検討ができておらず，胎盤機能評価における臨床的な有用性は現在のところ不明である．超音波ドプラ法で定量的な観察が可能な胎盤内

血流速度波形は胎児側の臍帯動静脈から分枝した胎児血流である．胎盤血腫や胎盤梗塞などによる胎児側胎盤循環抵抗の上昇は，臍帯動脈の血流速度波形に拡張期血流速度の低下した異常血流波として現れ，大きなものは胎児発育障害をきたす．逆に，胎盤血管腫のような動静脈吻合による循環抵抗の異常低下は，臍帯動脈の血流速度波形が循環血液量の多い拡張期の異常に速い血流波形となり，胎児のうっ血性心不全や胎児水腫にまで至ることがある．

一方，静脈系の異常は，胎盤血管腫の場合の臍帯静脈のうっ血や一絨毛膜性双胎妊娠で双胎間輸血症候群が進行した場合などに発現する胎盤うっ血の場合で，臍帯静脈拍動に同期した異常な血流波動が出現する．詳細は「胎児 well-being の評価」（⇨ 259 頁）の項を参照していただきたい．

● 内分泌・生化学的検査

表 3 に示すように，これまでさまざまな検査法が胎児胎盤機能検査として報告されてきたが，測定の煩雑さや臨床的意義などの面から，普及しなかったものも多い．現在，胎児胎盤機能の指標として用いられる主なホルモンは，ヒト胎盤性ラクトゲン（human placental lactogen：hPL）と，エストリオール（estriol：E_3）である（表 4）．hPL は胎盤由来ホルモン，E_3 は胎児由来ホルモンとして扱われている．

胎児機能不全の原因はさまざまであるが，分娩前より存在する潜在的因子が分娩時の因子，特に子宮収縮と関連して顕性となり，その結果，胎児機能不全が発生することも少なくない．以下に述べる生化学的検査は，胎児胎盤機能不全によってもたらされる胎児低酸素症の存在とその程度を正確に評価することはできないものの，潜在性胎児胎盤機能不全の検出法（胎児機能不全の予知法）として用いられることがある．

● hPL

理論的背景

胎盤絨毛の合胞体栄養膜細胞（syncytiotrophoblast）から分泌される単純ポリペプチドホルモンである．

hPL の作用としては，
① 母体の脂質分解により血中脂肪酸を増加させ，グリコーゲンを分解し，胎児へのエネルギー供給を増加させることで胎児発育を促進する
② 抗インスリン作用を有し，母体のインスリン濃度を増加させる（この作用は，妊娠中に耐糖能が低下する主な原因の 1 つとされている）
③ 血管新生ホルモンとして胎児の血管新生に関与する
などがある．

syncytiotrophoblast における hPL の mRNA 発現レベルは妊娠を通じてほぼ一定であり，妊娠 6 週頃から検出され，胎盤重量に相関して 34〜36 週まで漸増する．妊娠末期の血中濃度は 5〜15 μg/mL（およそ 1 g/日）でプラトーに達するが，これは他のどんな蛋白ホルモンより高い濃度である[3]．また，胎児にはほとんど移行せず，母体尿中にもほとんど排出されない．さらに，血中半減期は 10〜30 分と短く，日内変動もあまり認められない．このため，血中 hPL は胎盤機能検査のよい指標となっている．測定法には，ラジオイムノアッセイ（RIA），酵素免疫測定法，ラテックス凝集法による簡易測定キットが用いられる．hPL は分娩後急速に減

表3　胎児胎盤系の内分泌・生化学的検査法

ホルモン測定法
　エストリオール，プロゲステロン
　ヒト絨毛性ゴナドトロピン（hCG）
　ヒト胎盤性ラクトゲン（hPL）
胎盤由来酵素検査法
　heat stable alkaline phosphatase（HSAP）
　l-cystine aminopeptidase（CAP）
　leucine aminopeptidase（LAP）
その他
　母体血中 β_1-SP1-Glycoprotein
　母体血中αフェトプロテイン（AFP）値

表4　胎児胎盤機能の生化学的検査法

	E_3	hPL
検体	母体尿	母体血
検査法	24時間蓄尿し，定量	血液検査
特徴	・胎児胎盤系の代謝により産生される． ・胎児の副腎，肝臓あるいは胎盤の機能低下により低値を示す． →胎児胎盤系の評価に適している．	・胎盤重量と相関して値が増加する． ・hPLの産生に胎児は関与しない． →胎盤の機能の評価に適している．
高値を示す病態	胎児：多胎妊娠，巨大児など 母体：甲状腺機能低下，肥満など	・多胎妊娠
低値を示す病態	胎児：胎児死亡，胎児発育不全，胎児機能不全，先天性副腎発育不全，無脳児，21トリソミーなど 母体：大量の副腎皮質ホルモン投与，甲状腺機能亢進，肝障害，腎障害など 胎盤：妊娠高血圧症候群，胎児胎盤機能不全，胎盤酵素欠損症など	・（切迫）流産 ・胎児発育不全 ・妊娠高血圧症候群 ・糖尿病

少して，3～6時間後には検出されなくなる．

臨床的意義

　血中hPL値は，胎盤重量にほぼ相関しており，その分泌調節に胎児の関与が少ないため，胎盤の発育増大の評価法として適している．

測定法，結果の評価と注意点

　hPLは妊娠末期には5～15 μg/mLとなり，hPLが減少傾向を示したり，妊娠末期において4 μg/mL以下であれば，胎盤機能不全によるFGRや，胎児死亡のリスクが高くなる．しかし，one point assayによる胎児予後推定は困難であり，連続測定による変動パターンの検討が重要であるとの意見もある．

表5 尿中エストリオールによる胎児胎盤機能の評価基準

妊娠週数	正常値(mg/日)	警戒値(mg/日)	危険値(mg/日)
32〜36	15 以上	10〜15	10 未満
37〜38	20 以上	10〜20	10 未満
39〜41	25 以上	15〜25	15 未満

最も一般化している定量法(E_3 キット法)による評価基準を示す.
半定量法では妊娠 32〜36 週で 5 mg/L 以上,37 週以降で 10 mg/L 以上を正常域としている.
(日本産科婦人科学会胎児臨床問題委員会)

エストリオール(E_3)

理論的背景

　妊娠すると各種のステロイドホルモンの尿中排泄量が増加するが,非妊時と比較して最も著明に増加するのはエストロゲンであり,妊娠末期のエストロゲン排泄量は非妊時の 1,000 倍以上にも達する.主な原因は,胎児の副腎が妊娠末期になると成人の副腎と変わらない重量となり,100〜200 mg/日のステロイドを生成することによる.特に,エストリオール(E_3)は,非妊時には全エストロゲンの 50〜60% を占めるのに過ぎないのに,妊娠時には 90% 以上がエストリオール分画で占められる.また,分娩が終了して胎児と胎盤が排出されると,各ステロイドホルモンは減少して非妊時のレベルに戻ることになるが,その減少のスピードはエストロゲン,特に E_3 が最も速い.

　胎盤にはアンドロゲンをエストロゲンに変換する(aromatization)機能が存在するが,アセテート → コレステロール → プロゲステロン → アンドロゲン → エストロゲンという一連の生合成機能はなく,胎盤以外で作られたアンドロゲンを利用してエストロゲンを生成している.アンドロゲンの主な供給源は胎児の副腎である.胎児副腎から分泌された dehydroepiandrosterone sulfate(DHEA-S)の一部は,胎児肝臓で 16α-hydroxylase(胎盤にはこの 16α-hydroxylation 能がない)の作用を受けて 16α-OH DHEA-S となり,胎盤に吸収される.16α-OH DHEA-S は,胎盤で E_3 に変換され,母体血中に分泌され,肝臓で抱合された後,母体尿中に排泄される.

　検体は,24 時間尿を用いるのが検査の信頼性の面で最もよい.しかし,24 時間尿を外来診療で多数例について扱うことは難しく適切な方法とはいえない.特定の時間における尿を用いた検討もされたが,満足できる成績は得られていない.最も制約の少ない随時尿を用い,E_3 値を尿比重で補正すると,比較的安定した値が得られるとの報告がある.測定法としては,赤血球凝集阻止反応(E_3 HAIR 法)やラテックス凝集阻止反応(E_3 LAIR 法),E_3 キット法が考案されて簡便化され,測定に要する時間は 2〜3 分にまで短縮されている(表5).

臨床的意義

　上述したように,妊婦尿中エストリオール量を左右する要因は,胎児副腎でのアンドロゲン産生能,胎児副腎および肝臓における 16α-hydroxylation 能および胎盤における aromatization 能の 3 つである.したがって,妊婦尿中 E_3 量は胎児と胎盤の両方のステロイド代謝機能を反映している.

結果の解釈と注意点

正常妊娠の尿中 E_3 は妊娠週数が進むにつれて上昇し，妊娠末期では 40 mg/日となる．E_3 の正常下限は 15 mg/日であるが，20 mg/日以下になった場合は胎児胎盤機能不全に注意を要する．10 mg/日以下は危険とされる．

E_3 が低下する胎児側の原因は，胎盤機能不全，FGR，胎児死亡のほか，無脳児，先天性副腎低形成，21 トリソミーなどが挙げられる．無脳児は，視床下部-下垂体機能が欠如しているため，ACTH が分泌されない．このため，胎児副腎皮質の胎児層が欠如し，DHEA-S の分泌が行われず，E_3 が低値を示す機序が考えられる．21 トリソミーの児では，副腎でのステロイド合成が適切に行われないため低値を示すと考えられている．母体に副腎皮質ホルモンを投与している場合や，母体の腎機能が低下している場合にも尿中 E_3 値は低値を示す．

産生機序を考慮すると，E_3 は胎児と胎盤両者の機能を反映している点が長所であるが，胎児の循環動態を real time に反映していないことから，胎児の急性の機能低下を評価することはできないという短所がある．また，Rh 式血液型不適合や糖尿病合併妊娠例では，胎児予後が悪い場合でも，低値を示さない場合があるため，注意を要する．

胎盤由来酵素

HSAP，CAP，LAP などは妊娠後半期から母体血中に増量し，胎盤機能に関与すると考えられている．これらの測定値は個体間のばらつきが大きく，正常範囲を設定することが難しいことに加え，生理的意義や血中逸脱機序が不明なため，正確な意義づけはなされていない．

まとめ

妊娠末期になると，胎盤機能はある程度限界に近づき，陣痛発来に向けてプラトー化あるいは低下傾向を示す．このような環境下にあっても，より安全な分娩の誘導を行ううえで，その個体のもつ胎児胎盤系機能的予備能を把握することが重要であり，各種機能検査の背景を十分に理解し，それらを総括的に評価する必要がある．最近は，生理学的検査の有用性が高く評価されており，生化学的検査はあまり用いられない傾向にある．理由としては，生理学的検査は real time に胎児の状態を評価できるのに対し，生化学的検査は，胎児の状態を real time に捉えられない点や感度・特異度が低い点が挙げられる．

胎盤機能不全は，完全に治癒させることはできないが，管理することはできる．母体の高血圧や糖尿病は，なるべく早い時期から治療することにより胎盤，ひいては胎児の発育を向上させることが重要である．また，胎盤機能不全が疑われた場合，①ハイリスク妊娠として高次施設へ紹介する，②健診の回数を増やす，③胎動チェックを行うことにより，胎児機能不全を早期に発見することができるであろうし，早産が懸念される場合は，母体へのステロイド投与により胎児の肺成熟を促すことができる．このように，早期診断と適切な出生前管理を受けることがきわめて重要であり，これにより出生児の予後を改善し，合併症のリスクを減少させることができるだろう．

また，近年は近赤外線分光法による胎盤酸素濃度測定[4]や母体血中における胎児/胎盤由来の cell-free DNA/mRNA/miRNA の同定による placenta-insufficiency-related pregnancy complication（PIH や FGR）の予測に関する研究[5]などが報告されており，これらの新しい検査法にも期待したい．

◆ 文献

1) Freeman RK, et al : A prospective multi-institutional study of antepartum fetal heart rate monitoring. II ; Contraction stress test versus nonstress test for primary surveillance. Am J Obstet Gynecol **143** : 778-781, 1982
2) 宇津正二：子宮，胎盤の血流速度波形による胎児評価．日産婦会誌 **51** : N3-6, 1999
3) 山崎峰夫：hCG, hPL, PRL の構造，生理作用，分泌調節およびその意義．日産婦会誌 **52** : N31-34, 2000
4) Kawamura T, et al : Measurement of placental oxygenation by transabdominal near-infrared spectroscopy. Am J Perinatol **24** : 161-166, 2007
5) Hromadnikova I : Extracellular nucleic acids in maternal circulation as potential biomarkers for placental insufficiency. DNA Cell Biol **31** : 1221-1232, 2012

〈永田　愛〉

検査の実施法

妊娠37週以降

妊娠37週以降の胎児well-beingの評価

POINT
- 妊娠37週以降の妊婦健診における胎児well-beingの評価法としては，胎児心拍数陣痛図を用いるものと超音波断層法を用いる方法がある．
- NSTは健康な胎児を正常と判断するのにきわめて有用な検査法である．
- 羊水量は継続的な子宮内環境を反映しており，その多寡は超音波断層法を用いて簡便に判定可能である．

DATA
- NSTでreactiveと判定された場合，99％以上の確率で胎児の状態は良好である．
- NSTでnon-reactiveと判定されても，その50〜90％は偽陽性との報告もある．

はじめに

　胎児well-beingの評価とは，子宮内の胎児の状態が良好であるか否かを調べることである．
　胎児のwell-beingを評価する方法として，胎児心拍数変動に基づく胎児心拍数陣痛図計測（cardiotocogram：CTG）が最も一般的に行われている．これにはノンストレステスト（non-stress test：NST），音響刺激試験（vibro-acoustic stimulation test：VAST）やコントラクションストレステスト（contraction stress test：CST）がある．また，NSTに加えて超音波断層法による評価も加えたbiophysical profile score（BPS）や，羊水量によりwell-beingを評価する方法も行われている．また，NSTやBPSを補完する検査として，超音波パルスドプラ法により胎児の血流を測定し，そのindexから胎児のwell-beingを評価することも行われている．それらのうち，外来において妊娠37週以降の妊婦健診で行われている検査であるNST，羊水量測定，BPS，胎児血流計測について述べる．

NST（non-stress test）

検査の目的

　子宮収縮などのストレスがない状態で，分娩監視装置を用いて子宮収縮と胎児心拍数を一定時間持続的に監視し，胎児心拍数の変化のパターンから胎児の状態や胎児胎盤予備能を評価する．妊娠中の妊産婦・胎児管理における必須の検査として，広く行われている．

検査の手順

　胎児の位置を確認して，妊婦の腹壁上で胎児心音が最も明瞭に聴取できる部位に胎児心拍プローブを装着し，胎児心拍数を連続して記録する．同時に子宮収縮の記録のため陣痛計を装着する．下大静脈の圧迫による仰臥位低血圧を避けるため，母体は半坐位で検査を受ける．血圧

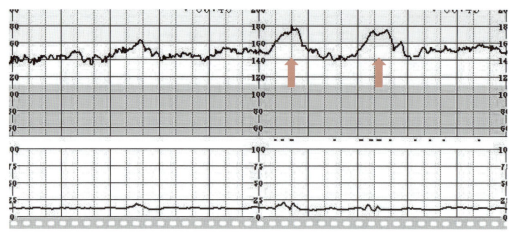

図1 non-stress test(NST)：reactive

胎動に伴う基線心拍数(145 bpm)より15 bpm以上増加，15秒以上持続する一過性頻脈(矢印)が20分未満で2回出現しており，reactiveである．

の測定も並行して行う．胎動計の装着は必ずしも必要ではないが，胎動の情報は参考となる（妊婦による胎動チェックも同様に必須ではないが，参考になるため記録することがある）．

記録速度は1分間に3 cmとすることが『産婦人科診療ガイドライン 産科編2020』で推奨されている．判定基準としての時間は40〜60分が適応されることが多いが，健康な胎児でも胎児の睡眠サイクルの影響でnon-reactiveが持続することがあり，正しく判定するためには80分までは記録を延長すべきとの意見もある．

結果の評価

基線細変動の有無，程度，一過性頻脈の有無，一過性徐脈の有無などを観察するが，特に胎動と心拍数の変化との関連が重要である．NSTにはいくつかの判定基準が提唱されているが，日本産科婦人科学会では任意の20分間に15 bpm以上，15秒以上持続する一過性頻脈が2回以上あるものをreactiveとし，それ以外をnon-reactiveと判定している(図1)．

● reactiveの場合

NSTでreactiveと判定された場合，99%以上の確率で胎児の状態は良好である．また，一過性頻脈を認めれば，胎児の臍帯血pHは7.2以上であることが知られている．常位胎盤早期剥離や臍帯因子などの突発的なイベントにより胎児の状態が急激に悪化することはありうるが，通常1週間以内に胎児死亡する可能性は低いと考えられており，次回の胎児評価は1週間後で問題ないものと考えられる．

● non-reactiveの場合

一方，NSTがnon-reactiveと判定された場合は，胎児が健康であるとは判断できないことになる．一過性頻脈の減少や基線細変動の減少の多くは，睡眠サイクルに伴って出現するため，non-reactiveの場合には胎児の睡眠サイクルとの関連を考慮する必要がある．また，non-reactiveと判定されても，その50〜90%は偽陽性との報告もあるため，non-reactiveと判定された場合には，NSTを延長してreactiveになるまで継続するか，NSTの再検査を行うか，CSTを施行するか，あるいはBPSや胎児血流計測などの検査データを参考にするなど，総合的に胎児well-beingの判定を行う必要がある．

注意点

NSTは健康な胎児を健康と判断するのには有用な検査法であるが，胎児機能不全を高い精度で診断することは困難である．

羊水量測定

検査の目的

羊水の主成分は，妊娠初期では母体血漿や胎児血漿が漏出したもの，妊娠中期以降は胎児尿や胎児の肺胞分泌物と考えられている．妊娠末期は，胎児の異常が羊水量に反映されやすく，羊水量の異常，特に羊水過少は胎児機能不全を示唆する重要な所見の1つである．羊水量の多寡は，継続的な子宮内環境を推定することのできる有用な検査法である．

検査の手順

羊水量の測定には，羊水が最も多量に描出される部位の広がりを計測する方法（羊水深度ないし羊水ポケット）と，子宮腔を4分割してそれぞれの部位で計測した羊水深度の総和を求める方法（amniotic fluid index：AFI）がある．

- 羊水深度

羊水が最も多量に描出される部位で，臍帯や胎児を含まないように測定した深さを羊水深度とする．

- 羊水ポケット

超音波断層法でプローブを子宮壁に対して垂直に当て，その画面で羊水腔に描出可能な円の最大径を羊水ポケットとする．

- AFI

妊婦を仰臥位とし，妊娠子宮を腹壁体表面上で4分割し，超音波プローブを妊婦の長軸方向に沿って床に対して垂直に当て，それぞれの羊膜腔の最大深度を測定し，その総和をセンチメートルで表示したものをAFIとする．

検査の評価

- 羊水が減少している場合

羊水の減少は胎児尿の減少が主な原因であり，胎児胎盤機能低下を反映していると考えられる．羊水深度は2 cm未満，羊水ポケットは2 cm未満，AFIは5 cm未満を羊水過少とするものが多い．AFIは羊水過多には有用であるが羊水過少には有用でないとの報告もみられる．

羊水過少と診断したら，まずは破水の有無を精査する．破水していない場合にはNSTや胎児血流計測を組み合わせて胎児well-beingの評価を慎重に行う．

正期産で診断された羊水過少の取り扱いには一定した見解はなく，胎児のwell-beingに注意したうえで妊娠継続が可能であるが，36週以前から羊水過少を認めていた場合には，妊娠37週以降には妊娠中断も考慮される．

- 羊水が増加している場合

羊水深度と羊水ポケットは8 cm以上，AFIは24 cm以上の場合に羊水過多とする．羊水過多を認めた場合には，羊水過多の原因となる胎児の先天奇形，嚥下障害の有無，胎盤血管腫の有無などについて精査する．母体の耐糖能検査も施行する．羊水過多は2/3が特発性であるため，原因が同定できないことも多い．羊水過多があってもNSTや胎児血流計測で胎児の状

表1　biophysical profile score（BPS）

項目	正常（2点）	異常（0点）
NST	20分間に胎動に伴う一過性頻脈（15 bpm，15秒以上）を2回以上認める．	20分間に15 bpmかつ15秒以上の一過性頻脈が1回，もしくは認められない．
胎児呼吸様運動（fetal breath movement）	30分間に30秒以上持続する胎児呼吸様運動を1回以上認める．	30分間に30秒以上持続する胎児呼吸様運動を認めない．
胎動（gross fetal body movement）	30分間に胎児体幹や四肢の運動を3回以上認める（連続した運動は1回と数える）．	30分間に胎児体幹や四肢の運動が2回以内．
筋緊張（fetal tone）	30分間に四肢の伸展とそれに引き続く屈曲運動，もしくは手掌の開閉運動を1回以上認める．	30分間に四肢の伸展屈曲もしくは手掌の開閉運動を認めない．
羊水量	羊水ポケットが2 cm以上	羊水ポケットが2 cm未満

態がwell-beingと評価されていれば，自然陣痛発来を待機するのが原則である．一方，母体の症状次第では羊水除去あるいは妊娠中断も考慮される．

注意点

母体が非ステロイド系鎮痛薬を服用している場合，胎児が正常であっても羊水過少をきたすことがある．歯科や内科など産婦人科以外を受診している妊婦には，服薬の有無，内容を確認する必要がある．

biophysical profile score（BPS）

検査の目的

BPSはManningらによって提唱された胎児well-beingの評価方法で，NSTに加えて超音波断層法による胎児呼吸様運動，胎動，胎児筋緊張，羊水量の評価を組み合わせることにより，より正確に胎児のwell-beingを評価することを目的としている．

検査の手順

NSTに加えて，超音波断層法で30分間，胎児呼吸様運動，胎動，胎児筋緊張の有無および羊水量を観察する．

検査の評価

BPSのうち，NST，呼吸様運動の減少，胎動の減少，筋緊張の低下は胎児の低酸素症に対する急性の反応を表し，羊水量の減少は慢性的な変化を表しているとされる．また，低酸素状態に対しては，NST，呼吸様運動，胎動，胎児筋緊張の順に感受性が高いとされており，低酸素状態の初期にはNSTの異常や呼吸様運動の減少が起こり，次いで胎動や胎児筋緊張が消失する．胎児の低酸素状態が慢性的になると，血流再分配が起こり胎児腎血流量が減少し，胎児の尿産生量が減少するため羊水過少になる．

BPSではこれらの各5項目について正常であれば2点，異常は0点として合計10点満点で判定する．ManningらによるBPSのスコアを示す（表1）．

注意点

5項目の中でも，特にNSTと羊水量の意義が大きい．羊水が減少していた場合，破水や胎児尿路系の異常がなければ，他のパラメータが正常であっても注意が必要である．例えば，BPSが8点の場合でも，羊水量に異常があれば37週以降では妊娠中断の適応になる．6点以下の場合は妊娠37週以降であれば妊娠中断の適応である．

胎児血流計測

検査の目的

超音波パルスドプラ法を用いると，子宮や胎児・胎盤や臍帯など任意の血管における血流を非侵襲的かつ連続的に観察することができる．経時的に観察することで，胎児機能不全をNSTよりも早期に予知することが可能であり，有用な胎児well-beingの評価方法である．

検査の手順

超音波パルスドプラ法による胎児well-beingの評価では，動脈系では臍帯動脈や中大脳動脈，静脈系では下大静脈や臍帯静脈の血流を計測する．動脈系では血管抵抗の指標としてresistance index（RI）やpulsatility index（PI）が用いられている．

静脈系では心房収縮期の逆流速度と心室収縮期の流入速度の比であるpreload index（PLI）や静脈管の血流速度波形が胎児心機能の評価などに用いられている．

検査の評価

慢性の胎児低酸素血症により胎盤血管抵抗が上昇すると，臍帯動脈の拡張期の最高血流速度が低下して臍帯動脈のRI値，PI値が上昇する．さらに低酸素血症が進行すると，脳への酸素供給を確保するために血流の再分配（brain sparing effect）が起こり，代償性に中大脳動脈での拡張期血流速度が増加し，RI値，PI値が低下する．さらに低酸素血症が進行すると代償機能の破綻をきたして心不全の状態となり，心拍出量が低下し右心房の収縮に伴って下大静脈への逆流波が増大し，PLIが上昇する．心不全が進行し下大静脈逆流量が増加すると，臍帯静脈に心拍に一致した波動を認めるようになり，その後は臍帯動脈拡張期血流の途絶，さらには逆流がみられるようになる．特に臍帯動脈拡張期の血流逆流所見は予後不良因子であることが知られており，FGRにおいて臍帯動脈血流速度波形で拡張期の逆流がみられた場合は，早期に児の娩出を考慮する必要がある．

注意点

臍帯動脈血流速度波形において，実際には拡張期血流が保たれている場合でも，設定した速度幅が適正でないと拡張期血流が途絶しているように見える場合がある．このように，胎児血流計測により胎児well-beingを評価するにあたっては，血流をサンプリングする部位，角度，速度幅などが適正かどうかを確認することが重要である．ただし，逆流所見がみられた場合は，まずは異常な血流と考えてよい．

（吉田　敦・増﨑　英明）

診断と外来対応

妊娠37週以降

胎児機能不全・胎盤機能不全

POINT
- 妊娠37週以降，胎児機能不全が疑われた場合には，まず胎児心拍数モニタリングを行う．
- 胎児心拍数モニタリングでは，基線細変動が胎児酸血症と最も関連がある因子である．
- 対処法は，症例の背景因子を考慮して決定する．

はじめに

　胎児健常性（well-being）を評価する方法として現在用いられている方法は，胎児心拍数モニタリングや超音波による biophysical profile score（BPS），超音波ドプラ法を用いた胎児血流測定がある．本稿では，特に妊娠37週以降の胎児機能不全に対する診断・対応を中心に解説する．

胎児機能不全とは

　胎児機能不全は，妊娠中あるいは分娩中に胎児の状態を評価する臨床検査に「正常ではない所見」が存在し，胎児の健康に問題がある，あるいは将来問題が生じるかもしれないと判断された場合をいう，と定義されている．それまで用いられていた「胎児仮死」あるいは「胎児ジストレス」という用語に代わって用いられるようになった言葉で，欧米で non-reassuring fetal status（NRFS）と呼ばれる状態に相当する邦語として使用されている．病態としては，胎児低酸素症，胎児呼吸循環不全，胎児胎盤機能不全などが考えられる．
　胎児の well-being は，胎児心拍数モニタリング，超音波検査により評価される．

診断の手順

　妊娠37週以降に胎児機能不全を疑った場合，まず行うのは胎児心拍数モニタリングである．そして，胎児心拍数モニタリングのバックアップテストとして，超音波所見を加えた BPS や超音波ドプラ法による胎児血流評価が用いられる．

胎児心拍数モニタリング

　子宮収縮が認められない状態で行われる胎児心拍数モニタリングを non-stress test（NST），子宮収縮を起こして胎児の予備能を評価する検査を contraction stress test（CST）という．分娩中に用いられる胎児心拍数と子宮収縮を記録したものは胎児心拍数陣痛図（cardiotocogram：CTG）と呼ばれる．

- **NST**

　20分間に2回以上の一過性頻脈が認められ，一過性徐脈は認められないとき，reactive と判

一過性徐脈		なし	早発	変動		遅発		遷延	
基線細変動	心拍数基線			軽度	高度	軽度	高度	軽度	高度
正常	正常脈	1	2	2	3	3	3	3	4
	頻脈	2	2	3	3	3	4	3	4
	徐脈	3	3	3	4	4	4	4	4
	徐脈(<80)	4	4		4	4	4		
減少	正常脈	2	3	3	4	3	4	4	5
	頻脈	3	3	4	4	4	5	4	5
	徐脈	4	4	4	5	4	5	5	5
	徐脈(<80)	5	5		5	5	5		
消失	心拍数基線にかかわらず	4	5	5	5	5	5	5	5
増加	心拍数基線にかかわらず	2	2	3	3	3	4	3	4
サイナソイダルパターン	心拍数基線にかかわらず	4	4	4	4	5	5	5	5

図 1 胎児心拍数波形レベル分類
〔日本産科婦人科学会, 日本産婦人科医会(編): CQ411 胎児心拍数陣痛図の評価法とその対応は? 産婦人科診療ガイドライン 産科編 2020. pp228-232, 日本産科婦人科学会, 2020 より作成〕

断する．この場合，胎児の酸素化が正常である確率は99%とされ，非常に感度が高い検査法である．一方，reactiveでなければ，non-reactiveと判断されるが，偽陽性である確率は55〜90%とされており[1]，特異度は低い．

● CST

子宮収縮を起こして子宮胎盤血流量を減少させることにより，低酸素ストレスを胎児に与え，遅発一過性徐脈が出現するかどうかで胎児の予備力を判定する検査法である．CSTで陽性(positive)と判定される場合，胎児が低酸素血症となっている可能性が示唆される．CSTが陰性(negative)であれば，その後1週間以内に死産となる確率は0.04%であると報告されている[2]．

● CTG

分娩中の胎児の状態はCTGによって評価される．日本産科婦人科学会周産期委員会から，胎児心拍数波形を心拍数基線，心拍数基線細変動，一過性徐脈の3要素の組み合わせから82パターンに分け，それぞれの波形を胎児の低酸素・酸血症へのリスクの程度により5段階(レベル1〜5)に分類する指針が示された(図1)[3]．レベル1から順に，正常波形，亜正常波形，軽度異常波形，中等度異常波形，高度異常波形とし，軽度〜高度異常波形(レベル3〜5)を「胎児機能不全」と定義した．

CTGによる胎児機能不全の診断

心拍数基線，心拍数基線細変動，一過性徐脈と胎児低酸素・酸血症の関係を以下に述べる．

● 心拍数基線細変動

胎児酸血症を診断するうえで最も重要な要素である．このため，基線細変動が正常であるこ

表 1　基線細変動を減少させる因子

1. 胎児睡眠（non-REM 睡眠）
2. 未熟性（妊娠週数進行とともに細変動は増加）
3. 胎児頻脈
4. 母体薬物投与（アトロピン硫酸塩，硫酸マグネシウム，麻酔薬など）
5. 胎児慢性低酸素症
6. 胎児酸血症
7. 胎児異常（胎児不整脈・中枢神経疾患）

（藤森敬也：胎児心拍数細変動．胎児心拍数モニタリング講座—大事なサインを見逃さない！　改訂 2 版．p46，メディカ出版，2012 より作成，一部改変）

とは，胎児の自律神経（交感神経・副交感神経）のバランスがよく，循環動態が正常に保たれている状態を表す．基線細変動が正常であれば，胎児酸血症は 98％ 存在しないことが保証される．しかし，偽陽性が多いことも事実で，基線細変動が減少・消失していても，23％ の症例でしか胎児酸血症は認められない[4]．基線細変動は，表 1 に示されるように，酸血症以外の原因でも減少することがあり[5]，症例ごとの背景因子に留意する．一過性徐脈を伴う基線細変動減少は，胎児酸血症の可能性が高い．

● 心拍数基線

感染，母体発熱などで上昇することが知られているが，頻脈は胎児低酸素状態を反映する所見の 1 つでもある[6]．

● 一過性徐脈

遅発一過性徐脈は胎児低酸素血症を表す．胎児酸血症を直接表す所見ではないが，持続すれば嫌気性代謝により胎児酸血症に進行する可能性がある．繰り返す遅発一過性徐脈は，常位胎盤早期剝離の初期の所見であることも多く，注意が必要である．

変動一過性徐脈は多くの場合，臍帯圧迫により生じる．心拍数低下の程度は臍帯動脈血 pH 値に相関し，高度変動一過性徐脈が繰り返されれば酸血症となる可能性が高くなる．心拍数低下から基線回復までが緩徐である場合には，低酸素血症も併存していると考えられ，より注意が必要である．

心拍数が 80／分未満となると，胎児は心拍出量を保つことができなくなる．このため，高度遷延一過性徐脈が反復する場合，早急に児を娩出する必要がある．

BPS

超音波による胎動，胎児筋緊張，胎児呼吸様運動，羊水量および NST 所見の 5 項目の指標からなる胎児 well-being の評価法である．羊水量以外の項目が急性の変化を表すのに対し，羊水量は慢性の変化の指標となる．胎児の well-being が悪化した場合に最初に障害されるのは，胎児呼吸様運動・NST 所見であり，その後，胎動，筋緊張と障害されていく．慢性的に well-being が障害されると，胎児の循環が抑制され尿量が減少し，羊水量減少をきたす．

胎児血流モニタリング

超音波ドプラ法を用いて胎児血行動態を評価する方法で，胎児機能不全を予測する指標として，胎児心拍数モニタリング所見に先行して出現するとされている．

● 臍帯動脈

胎盤血管抵抗が増加して胎盤循環が低下すると，胎児への酸素供給が減少する．これに伴い，臍帯動脈の血管抵抗が上昇するため，臍帯動脈 pulsatility index（PI）または resistance index(RI)の上昇は胎盤循環の悪化を反映する．進行すれば，拡張期血流の途絶や逆流が認められるようになる．

● 中大脳動脈

胎児に供給される血流が減少すると，脳血管を拡張させ血管抵抗を減少させることにより脳血流を増加させる反応が起こる．これは血流再分配（brain sparing effect）と呼ばれる現象で，中大脳動脈 PI（RI）の減少とともに臍帯動脈 PI（RI）の上昇も認められる．

外来での管理法

妊婦健診時には，胎児心拍数モニタリングや BPS を用いた胎児 well-being 評価を行う．また，胎動減少や腹部緊満感，性器出血を主訴として来院した場合にも，胎児 well-being 評価が必要である．

well-being 評価の具体例

以下に具体例を示す．

● 症例 1

図 2 は，腹部緊満感，性器出血を主訴に来院した，妊娠 37 週の症例の胎児心拍数モニタリングである．心拍数基線は 145 bpm，基線細変動は中等度であるが，繰り返す高度遅発一過性徐脈が認められている．本症例はただちに高次施設に搬送され，搬送先で超緊急帝王切開が行われた．常位胎盤早期剥離であった．臍帯動脈血 pH は 7.116 で，児は蘇生に速やかに反応し，予後良好であった．

● 症例 2

図 3 は，胎動減少を主訴に来院した，妊娠 39 週の症例の胎児心拍数モニタリングである．心拍数基線は 170 bpm と頻脈で，基線細変動が消失しているが，一過性徐脈は認められていない．1 週前に施行された胎児心拍数モニタリングは reassuring であった．その後も基線細変動が回復せず，胎児機能不全の診断で帝王切開が施行された．臍帯動脈血 pH は 7.059，児は出生後痙攣を認め，頭部 MRI で低酸素脳症の所見が認められた．

● 症例のポイント

症例 1 は早急な対応が功を奏した症例である．常位胎盤早期剥離は周産期死亡や脳性麻痺の主要原因である．半数以上の症例で胎児心拍数モニタリング波形に異常が認められるとされており，疑った場合にはまず胎児心拍数モニタリングを施行するべきである．繰り返す遅発一過性徐脈および頻回の子宮収縮が特徴的な所見である．

一方，症例 2 は来院後の早期対応では予後改善が困難であった症例である．本症例のように，分娩開始前にすでに胎児脳障害が進行している症例もある．

胎動数カウント

胎児死亡に先立って，胎動回数が減少したとする報告が多く，胎動数カウントが周産期死亡を減少させる可能性が指摘されている．胎動数減少は，胎児機能不全の「自覚症状」ともいえる．妊婦自身に胎動を 10 回感じるのに要した時間を記録してもらい，30 分以上かかれば連絡するよう指導するなど外来管理として有用である．胎動数減少が認められた場合には，胎児 well-being を評価する．症例 2 のような症例を，より早期に発見できる可能性がある．さらに，胎動数減少は常位胎盤早期剥離の初期症状の 1 つである可能性も指摘されている．

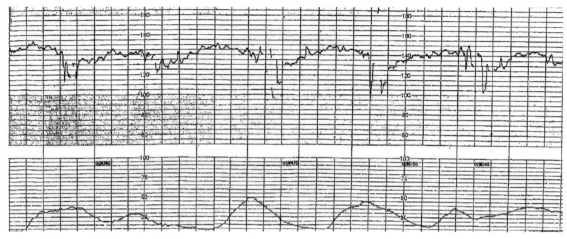

図2 症例1の来院時の胎児心拍数モニタリング

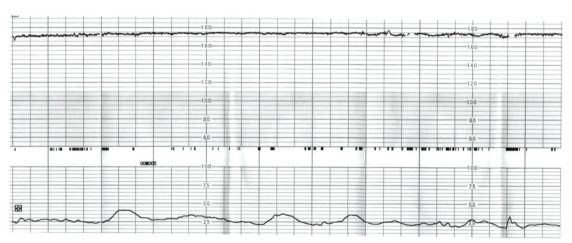

図3 症例2の来院時の胎児心拍数モニタリング

● おわりに

　胎児機能不全とは，胎児が病的状態にあることが確定した状態ではなく，病的状態の可能性があると判断されて臨床医に不安が生じる場合も含む言葉である．症例の背景因子を考慮して対処法を決定する必要がある．

◆ 文献

1) Signore C, et al : Antenatal testing-a reevaluation : executive summary of a Eunice Kennedy Shriver National Institute of Child Health and Human Development workshop. Obstet Gynecol **113** : 687-701, 2009
2) Freeman RK, et al : A prospective multi-institutional study of antepartum fetal heart rate monitoring. II. Contraction stress test versus nonstress test for primary surveillance. Am J Obstet Gynecol **143** : 778-781, 1982
3) 日本産科婦人科学会，日本産婦人科医会（編）：CQ411 胎児心拍数陣痛図の評価法とその対応は？ 産婦人科

診療ガイドライン 産科編2020．pp228-232，日本産科婦人科学会，2020
4）Parer JT, et al：Fetal acidemia and electronic fetal heart rate patterns：is there evidence of an association？ J Matern Fetal Neonatal Med **19**：289-294, 2006
5）藤森敬也：胎児心拍数細変動．胎児心拍数モニタリング講座─大事なサインを見逃さない！ 改訂2版．p46，メディカ出版，2012
6）Ikeda T, et al：The relationship between fetal heart rate patterns and fetal or newborn acidemia. Electronic Fetal Heart Rate Monitoring-The 5-Tier System, 3rd ed. p138, Jones & Bartlett Learning, 2018

〔村林　奈緒・池田　智明〕

診断と外来対応
妊娠37週以降

児頭骨盤不均衡（CPD）

POINT
- 児頭骨盤不均衡（cephalopelvic disproportion：CPD）とは児頭と骨盤の大きさに関係した因子による難産状態である．しかし，分娩の進行は，陣痛の強さ，児頭の応形機能や軟産道などさまざまな因子によって影響を受けるため，分娩開始前にCPDと判断するのは困難である．
- 分娩前のCPDの診断はLeopold診察法やSeitz法による診断法，X線骨盤計測，超音波検査による児頭計測所見，児の推定体重などを参考にする．なお，頭位分娩ではX線骨盤計測法単独で経腟分娩が可能かどうかを判断することはできず，その有用性を支持する証拠はない．また分娩中は胎児心拍モニタリング所見，分娩進行，分娩時間を含めた臨床所見を参考にして総合的に行う．
- 分娩前に変形骨盤などが判明した場合は帝王切開術を行うが，このような症例は非常に稀である．ほとんどの場合は分娩前に確定診断できず，試験分娩を行うことが多い．

定義

『産科婦人科用語集・用語解説集 改訂第4版』では，CPDは，児頭と骨盤の間に大きさの不均衡が存在するために分娩が停止するか，母児に障害をきたすか，あるいは障害をきたすことが予想される場合と定義されており，単に骨盤の大小で分娩の予後を診断するより，児頭と骨盤の両者を比較して，児頭の骨盤通過可否を判定するほうが合理的であるということから児頭骨盤不均衡という概念が生まれている[1]．

狭骨盤，骨盤内腫瘍，軟産道強靱，巨大児水頭症，重複奇形，胎位胎勢の異常，応形機能不全，過短臍帯，臍帯巻絡や前置胎盤などが明らかな場合はそれぞれの診断名を用いる[2]．

診断

分娩の進行は児頭と骨盤の大きさだけでなく，陣痛の強さ，児頭の応形機能や軟産道などさまざまな因子によって影響を受けるため，分娩開始前にCPDと判断するのは困難である．妊娠末期に機能的診断法などでCPDが疑われた場合には，X線骨盤計測法などで診断を進めていく．なお，頭位のCPD診断における骨盤X線計測法の有用性は現在否定的であり，近年行われることは少なくなっている[3]．

CPDを疑う所見

- 前回分娩の既往歴：分娩経過と児体重を調べる．
 死産，新生児死亡，難産（遷延分娩など），既往帝王切開術
- 母体身長150 cm未満[3]，特に145 cm未満[3]の場合
- 骨盤の変形の可能性
 既往に骨盤・脊柱下部・下肢などに疾患のあったもの

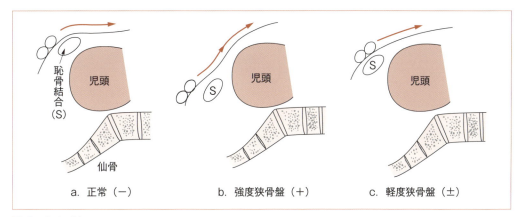

図1 Seitz法

- 胎児超音波計測：誤差は大きいが推定体重3,500 g以上，あるいは胎児大横径10 cm以上[3]，子宮底長36 cm以上の場合（特に38 cm以上）．それ以下でも妊婦の腹部が著明に突出している尖腹の場合[3]
- 児頭が固定しない：Leopold診察法あるいは内診にて児頭浮腫の所見．なお，正常でも陣痛発来前の児頭浮腫はよく認める[3]
- Seitz法陽性：仰臥位にて児頭前面が恥骨結合より高い状態．正常でも陣痛発来前は時に認める[3]
- 母体と児の父親の大きな体格差：母体背景情報として[3]

機能的診断法

● Leopold診察法

第3段，第4段を用いて児頭浮動の程度をみる[2]．児頭の両側で手指の先を下方に滑らせると，指が内方へ向かっていく場合には未嵌入と判定する．

● Seitz法

仰臥位で，児頭の前面と恥骨結合前面との高さを比べる方法である．恥骨結合より児頭前面が低ければSeitz法（−），同じ高さなら（±），児頭前面が隆起していれば（＋）と判定する[2]．（＋），（±）の場合はCPDを疑う（図1）．

● 内診所見

- 内診にて児頭先進部のstation±0の状態であれば児頭嵌入であり，入口面でのCPDがないと判断できる．
- Muller法：母体の腹壁上から外診指で児頭を骨盤腔内に押し下げ，内診指で児頭の下降程度をみる．児頭の下降をみない場合にCPDを疑う．

骨盤X線計測法（図2）

● Martius骨盤入口撮影法[2]

恥骨結合上縁と第5腰椎棘突起が同じ高さになるような坐位をとらせ，X線が骨盤入口の中央を通ってフィルムに垂直になる位置で撮影する[2]．本法により骨盤入口部の形態，また撮影時における入口面と児頭の位置関係をみることができる[2]．鈴村の入口面法（切り抜き法）にも用いられる[2]．近年，女性型骨盤が減少し，類人猿型や男性型が増加してきているとの報告もあり，骨盤入口面の形態把握に有用である[2]．

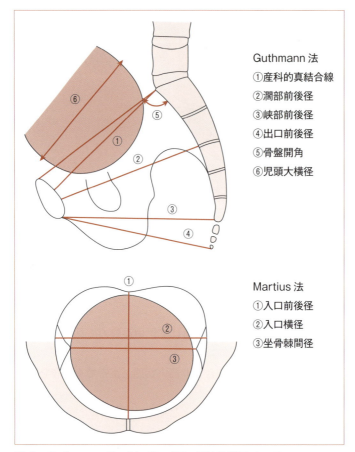

図2 Guthmann法，Martius法におけるパラメータ

● Guthmann 骨盤側面撮影法[2]

　Martius の坐位で側面から撮影するか，股関節が屈曲した側臥位で上方から撮影する．本法により児頭の大きさと浮動性，胎勢，軸進入，定位，産科真結合線，そのほか，最短前後径と児頭の位置関係，仙骨の形態をみることができる．

仙骨形態：仙骨形態が分娩の予後に影響を及ぼす．彎曲の乏しい扁平仙骨や6個の仙椎からなる長骨盤の有無のチェック．長骨盤は自然分娩が減少し，帝王切開がやや増加する．扁平仙骨や仙骨前面が突出している症例では，真結合線以外に最短前後径があるので注意．

● X 線骨盤計測と CPD の予測

　『Williams Obstetrics』に「X 線骨盤計測単独で経腟分娩が可能かどうかを判断することはできず，頭位分娩の取り扱いにおけるX線骨盤計測の意義は限られたものである」ことが記載されている[4]．

　超音波断層法で計測した児頭大横径（BPD）と X 線骨盤計測の経線とを組み合わせれば，ある程度帝王切開術の予測が可能となる（表1，2）[2,5]．軟部組織の厚みを考慮し，骨盤最短前後径と超音波断層法による児頭大横径との差が 1.5 cm 以上は正常，1.0〜1.5 cm では CPD 疑い，1.0 cm 以下では経腟分娩困難と判断する[3]．

● X 線骨盤計測と周産期予後

　Pattinson ら[6]は 1,000 人以上の妊婦が対象となった研究をレビューし，X 線骨盤計測を受けた患者では帝王切開分娩になりやすい傾向があった（オッズ比 2.17）が，その他の周産期予後に

表1　骨盤の大きさと帝王切開術の頻度

	正常域(cm)	狭骨盤の程度(cm)	帝王切開術の頻度(%)
産科真結合線	10.5〜12.5	<9.5 9.5〜10.5 10.5≦	40.0 23.7 7.2
入口横径	11.5〜13.0	<10.5 10.5〜11.5 11.5≦	72.7 24.3 8.4
外結合線	18.0〜20.0	≦17.5 18.0≦	5.2 1.0

〔日本産科婦人科学会(編)：産婦人科研修の必修知識 2016-2018. pp259-260，日本産科婦人科学会，2016，佐藤郁夫：周産期医(増刊号) 26：229-231, 1996より作成〕

表2　産科真結合線と児頭大横径の差と帝王切開術の頻度

真結合−児頭大横径(cm)	帝王切開術の頻度(%)
≦1.0	76.0
1.1〜1.4	43.0
1.5〜1.7	13.0
≧1.8	2.0

〔日本産科婦人科学会(編)：産婦人科研修の必修知識 2016-2018. pp259-260，日本産科婦人科学会，2016，佐藤郁夫：周産期医(増刊号) 26：229-231, 1996より作成〕

は差はなかったことを報告している．さらに頭位分娩においては，X線骨盤計測法単独で経腟分娩が可能かどうかを判断することはできず，その有用性を支持する証拠はないと報告している[6]．

● 放射線被曝

胎児被曝量はGuthmann法で0.5 mGy，Martius法で0.3 mGy程度であり，発がんリスクは低いと考えられる[7]．しかしながら，胎児の放射線被曝により小児がんの発生頻度はわずかではあるが上昇し，母児への危険性は増大するため，前述の予測ポイントや機能的診断法などからCPDが疑われた症例のみに行うべきである．

その他の画像診断(MRI)

MRIは放射線被曝を受けることなく鮮明で再現性のある画像が実測値で得られ，骨だけではなく軟部組織を含めた産道と胎児との大きさの比較検討が可能である．しかし，MRI撮影は放射線被曝の問題はクリアできるがコストが高いことと，産道と児頭の相対的関係などには個人差が大きいため，最終的には内診所見や分娩進行状況などの臨床情報が決め手となる[3]．

管理

X線骨盤計測で変形骨盤などが判明した場合は帝王切開術を行うが，このような症例は非常に稀である．ほとんどの場合は分娩前に確定診断できず，児頭の応形機能や骨盤の応形機能もあり，これらを総合的に判断するために試験分娩を行うことが多い．試験分娩とは帝王切開

の準備をして経腟分娩を試みることである．

● CPD が明らかな場合
　帝王切開を施行する[3]．
①産科真結合線や骨盤最短前後径と児頭横径の差が 1.0 cm 未満

● CPD が疑われる場合
　頭位で前述の「CPD を疑う所見」を認める場合，原則，骨盤計測を行わず試験分娩とする．試験分娩中，下記の項目を認める場合には臨床的 CPD 疑いと診断し，帝王切開とする[3]．
①子宮口の開大に応じた児頭降下を認めない
②産瘤が急速に増大するが児頭降下を認めない
③収縮輪を認める

　なお，前期破水後に陣痛が発来しない，あるいは妊娠 41 週 0 日前後を過ぎて陣痛が発来しない妊婦に前述の「CPD を疑う所見」を認める場合，陣痛誘発の前に骨盤 X 線計測で明らかな CPD を否定しておくことは子宮破裂のリスクを下げるという意義がある[3]．

◆ 文献
1) 日本産科婦人科学会（編）：児頭骨盤不均衡．産科婦人科用語集・用語解説集 改訂第 4 版，p145，日本産科婦人科学会，2018
2) 日本産科婦人科学会（編）：CPD（児頭骨盤不均衡）．産婦人科研修の必修知識 2016-2018，pp259-260，日本産科婦人科学会，2016
3) 日本産科婦人科学会：CPD（児頭骨盤不均衡）．産婦人科専門医のための必修知識 2020 年度版，pp141-142，日本産科婦人科学会，2020
4) Cunningham FG, et al(eds)：Fetopelvic disproportion. Williams Obstetrics, 23rd Ed. pp471-481, McGraw Hill, New York, 2010
5) 佐藤郁夫：CPD：cephalopelvic disproportion．周産期医（増刊号）26：229-231，1996
6) Pattinson RC：Pelvimetry for fetal cephalic presentations at or near term. Cochrane Database Syst Rev：CD000161, 2000
7) 谷口一郎：産婦人科医師からみた「放射線と胎児」．助産雑 58：40-43，2004

〈相澤　利奈・牧野　郁子・牧野　康男〉

診断と外来対応

妊娠37週以降

過期妊娠

POINT
- 妊娠週数が正しいことを再確認する．
- 胎児well-being監視を怠らない（1週間に2回以上）．

DATA
- 本人が過期妊娠で生まれた場合，および夫が過期妊娠で生まれた場合に当該妊婦が過期妊娠する率は，それぞれ49％，23％増加する，との興味深い報告がある．
- 2回目の妊娠での過期妊娠率は，1回目の妊娠が過期妊娠あり対なしで，それぞれ15％対4％との「過期妊娠は反復する割合が高い」という報告もある〔オッズ比4.2，95％信頼区間：4.0-4.4〕．
- 過期妊娠では，絶対リスクは低いが死産や新生児死亡のリスクが上昇する．大規模なretrospective studyによれば，過期妊娠では死産および新生児死亡のリスクが高まった〔40週と比較したオッズ比（OR）：41週（1.5），42週（1.8），43週（2.9）〕．

病態の概要と新しい知見

　過期妊娠（postterm pregnancy）とは，妊娠42週0日（満294日）以降の妊娠である．また，late-term pregnancyは，妊娠41週0日から妊娠41週6日までの妊娠と定義される．本文は，主に『産婦人科診療ガイドライン　産科編2020』のCQ409「妊娠41週以降妊婦の取り扱いは？」[1]，および2つのレビュー[2,3]を参考に作成した．CQ409を熟読すれば，この案件は十分に理解できる．

　なお，CQ409のAnswerは以下のとおりである．
1. 妊娠初期の胎児計測値などから妊娠週数が正しいことを再確認する．（A）
2. 胎児健常性（well-being）を2回／週以上評価する．（B）
3. 妊娠41週台では分娩誘発を行うか，陣痛発来待機する．（B）
4. 妊娠42週0日以降では原則として分娩誘発を勧める（CQ412-1参照）．（B）
5. 分娩誘発の際はCQ412-1，412-2を，さらに子宮収縮薬を用いる場合はCQ415-1，CQ415-2，CQ415-3を順守する．（A）

危険因子

　過期妊娠の病態生理は，まだ十分に解明されていない．既知の危険因子として，過期妊娠の既往，初産，母体30歳以上，肥満などがある．また，遺伝的素因も指摘されている．本人が過期妊娠で生まれた場合，および夫が過期妊娠で生まれた場合に当該妊婦が過期妊娠する率は，それぞれ49％，23％増加する，との興味深い報告もある．

　また，2回目の妊娠での過期妊娠率は，1回目の妊娠が過期妊娠あり対なしで，それぞれ15％対4％，との「過期妊娠は反復する割合が高い」という報告もある〔オッズ比（odds ratio：OR）4.2，95％信頼区間（confidence interval：CI）4.0-4.4〕[4]．

母児の morbidity および mortality

一般的に，罹病率は母児ともに妊娠 40 週以降，週数とともに上昇する[3]．特に，妊娠 41 週以降は死産および児の罹病率が有意に上昇することが疫学的に示されている[5,6]．

● 胎児（新生児）について

過期妊娠では，羊水過少（oligohydramnios），meconium aspiration syndrome（MAS），巨大児，過熟妊娠症候群（postmaturity syndrome），アプガースコア低値，新生児痙攣，NICU 入院率のリスクが高くなる．

また，過期妊娠では，絶対リスクは低いが，死産や新生児死亡のリスクが上昇する．大規模な retrospective study（n＝181,254）によれば，過期妊娠では死産および新生児死亡のリスクが高まった〔40 週と比較した OR は，41 週で 1.5，42 週で 1.8，43 週で 2.9．〕[7]．また，別の大規模な retrospective study（n＝1,815,811）では，41 週 0 日〜42 週 6 日での分娩では，38 週 0 日〜40 週 6 日での分娩に比べて，新生児死亡が有意に高かった〔調整 OR 1.3，95％ CI 1.08-1.73〕[8]．

以上のデータから「医療的介入（誘発）の有無にかかわらず，胎児 well-being 監視が必要である」といえるだろう．

● 母体について

母体罹病率も増加する．重度の産道裂傷，感染，産後出血，肩甲難産，器械分娩や帝王切開などの頻度上昇が示されている．これらのリスク増加の多くは，過期妊娠での巨大児が関連すると報告されている．また，母体の不安も上昇するとの報告がある．

胎児 well-being 監視について

● 開始時期は？

胎児 well-being 監視そのものが，late-term および過期妊娠の周産期罹病および死亡を減少させることを証明するランダム化比較試験（randomized controlled trial：RCT）は存在しないが，胎児 well-being 監視を late-term で開始した群は，postterm で開始した群に比し，死産・新生児の重篤な罹患は低かったとの観察研究がある[9]．さらに，多くの retrospective study では，胎児 well-being 監視を 41 週から 42 週の間に開始している[10]．

上記のことから「医療的介入（誘発）の有無にかかわらず，死産のリスク上昇を考慮して，胎児 well-being 監視は <u>41 週から</u> 行う必要あり」といえるだろう．

● 監視方法は？

胎児 well-being 監視には，non-stress test（NST），contraction stress test（CST），biophysical profile（BPP）などがあるが，その優劣は不明であり，標準化された方法がないのが現状である．しかし，羊水過少頻度が増えるので，NST に加えて羊水量も評価する modified BPP は，簡便性も考慮するとよい選択かもしれない．なお，late-term 以降の羊水過少では，分娩誘発が考慮される[3]．

● 回数は？

監視の頻度についての明らかなエビデンスは存在しないが，分娩誘発と陣痛発来待機を比較した多くの RCT の待機群では，1 週間 2 回以上の監視を行っていた[11,12]．さらに，週 1 回よりも週 2 回のほうが児の予後が良かったとする観察研究もある[13]．

上記のことから「医療的介入（誘発）の有無にかかわらず，死産リスク上昇を考慮して，胎児 well-being 監視を 41 週から <u>1 週間に 2 回以上</u> 行う必要あり」といえるだろう．

医療介入（誘発）の是非

41 週以降の妊娠に対する「誘発 vs 待機」の優劣を比較した 2012 年の Cochrane メタアナリ

シス(22 RCTs, n＝9,383例)[12]では, 誘発は待機に比して周産期死亡率が低く〔相対危険度(relative risk：RR)0.31, 95％ CI 0.12-0.88：17 RCTs, n＝7,407〕, 帝王切開率が低く(RR 0.89, 95％ CI 0.81-0.97：21 RCTs, n＝8,749), MASの率も有意に低かった(RR 0.50, 95％ CI 0.34-0.73：8 RCTs, n＝2,371). 410人に誘発をして周産期死亡を1例減らすことができ〔治療必要数(number needed to treat：NNT)＝410〕, 30人に誘発をして帝王切開を1例減らすことができる(NNT＝30). また, 2009年の別のメタアナリシス(8 RCTs, n＝6,138)[14]でも, 誘発は待機に比して帝王切開率が有意に低かった(誘発に対する待機のOR 1.21, 95％ CI 1.01-1.46).

つまり, 41週以降の妊娠では, 誘発は待機に比べて周産期死亡率, 児罹病率および帝王切開率の減少傾向を示した. 少なくとも, 誘発が待機に比べて母子予後を悪化させるという成績は, ほとんど見当たらない. しかし, endpointを周産期死亡や帝王切開とした場合のNNTは大きく(少なくとも小さくはなく), 「1例の新生児死亡」「1例の帝王切開」を回避するのに, それぞれ, 409人, 29人の妊婦が, いわば「巻き添え」を食らうわけであり, このあたりが介入是非議論のhot spotといえる. すなわち, NNTを考慮した場合に, 「41週での誘発」を強く推奨するのに「十分なエビデンスがない」のが現状である.

ACOG Bulletinや, Cochraneをはじめとしたほとんどのレポートにおいても, 「誘発では待機に比して児死亡は減少するが, どちらにしても, 児死亡率はきわめて低い. 母親には相対リスクと絶対リスクの双方を告げるべきだ」と結論している.

これら成績をすべて斟酌すると, 「自然分娩を強く望む母親には, 児のwell-beingが確証されていれば, 待機管理も十分な選択肢になりうる. しかし, 42週(過期妊娠)は異常妊娠と位置づけられていること, 本邦では初期超音波実施率が高く, 浅い週数の妊婦を42週以降だと誤認する可能性がかなり低いこと, の2点を考慮し, 42週以降も待機管理を望む場合には, ①42週以降は児罹病率が急上昇すること, ②それに伴い, 胎児well-beingの監視をすること, の2点を妊婦・家族に十分にインフォームして診療を行う必要がある」といえるだろう.

なお, 母児にとって重大な合併症を含むため, 分娩誘発の判断は慎重にすべきである. 実施時は, 本邦のガイドライン(特に, CQ412-1, -2, CQ415-1, -2, -3)[1]を順守し, 文書による説明・同意が得られた場合に「<u>のみ</u>」実施することが望ましいだろう.

● 診断の手順

妊娠週数を誤認していると過期妊娠と誤診されてしまう. 特に, 最終月経や排卵日のみを用いた場合は誤診の可能性が高くなる. 妊娠初期の超音波診断により, 妊娠週数誤診に伴う誘発分娩を減らしうる. 超音波を用いて最終月経が確認されると, 過期妊娠の頻度が9.5％から1.5％に減少したとの報告もある.

● 入院の判断

週数を問わず「胎児well-beingが疑わしいとき」, および死産のリスクが急上昇する「妊娠41週以降」は, 原則, 入院管理が望ましいだろう.

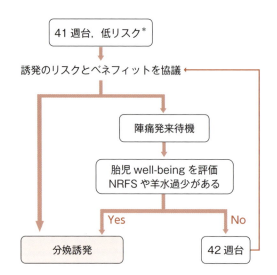

図1 late-term および過期妊娠の管理
＊：誘発を考慮すべき症例以外
NRFS：non-reassuring fetal status.
(Wang M, et al：Am Fam Physician 90：160-165, 2014 より改変)

外来での管理法

40 週台

　胎児 well-being 評価は必ず行う．外来では最低限，NST と羊水量とを評価する．疑わしいときは入院管理する．頸管熟化度を評価し，誘発適応の参考にする．なお，妊婦と相談のうえ，卵膜剝離(熟化促進)を考慮してもよい．

● 羊水過少の診断について

　羊水過少の診断に「AFI を用いた場合は，羊水ポケットを用いた場合に比して誘発率(診断率)が高くなるが，児予後に差はない」との報告や「AFI でなく最大羊水深度(2 cm 未満)を用いることで，有害な周産期予後のリスクを上昇させることなく，不必要な医療介入が減少しうる」とするメタアナリシスがある．羊水過少の診断についての明らかなエビデンスが存在しないので，各施設でのプロトコール作成が望ましいかもしれない．

● 卵膜剝離について

　38 週以降に卵膜剝離をすることで，41 週以降(RR 0.59, 95% CI 0.46-0.74)，42 週以降(RR 0.28, 95% CI 0.15-0.50)の妊娠を減らす効果が認められ，8 人に卵膜剝離をして，陣痛誘発を 1 人減らすことができる(NNT＝8)，とするメタアナリシスがある．ただし，卵膜剝離自体が妊婦へ不快感を招く場合も多く，出血や不規則な陣痛といったリスクもあり，卵膜剝離の利害得失はまだ定まっていない．

41 週台(図1)

　特別な事情がない限り，入院管理が望まれる．外来で管理する場合は，より慎重な胎児 well-being 評価(CST 判定後の外来管理や連日 NST など)が必要である．なお，羊水過少では

分娩誘発が考慮される[3]．

42週台

過期妊娠では児の予後の悪化が顕著となる[5,15,16]．さらに，過期妊娠は異常妊娠であり，原則，入院管理とし，分娩誘発を勧める[1,3]．

● 注意事項

誘発するにせよ，待機するにせよ，周産期死亡はゼロにはできない．誘発したときに「誘発とは無関係な胎児・新生児への不都合」が生じた場合，それが「誘発」のためだと誤解される可能性がある．また，待機した場合で子宮内胎児死亡が起きたときには，それが「待機」とは無関係であったとしても，待機方針が死亡を招いたと誤解される可能性がある．この点については，家族とよく話し合い，情報を共有すべきである．繰り返しになるが，分娩誘発は文書による説明・同意が得られた場合「のみ」の実施が望ましいだろう．

◆ 文献

1) 日本産科婦人科学会, 日本産婦人科医会(編)：CQ409 妊娠41週以降妊婦の取り扱いは？ 産婦人科診療ガイドライン 産科編 2020．pp220-222，日本産科婦人科学会，2020
2) Wang M, et al：Common questions about late-term and postterm pregnancy. Am Fam Physician 90：160-165, 2014
3) ACOG Practice bulletin No. 146：Management of late-term and postterm pregnancies. Obstet Gynecol 124：390-396, 2014
4) Bond DM, et al：Planned early delivery versus expectant management of the term suspected compromised baby for improving outcomes. Cochrane Database Syst Rev 24：CD009433, 2015
5) MacDorman MF, et al：Trends in Stillbirth by Gestational Age in the United States, 2006-2012. Obstet Gynecol 126：1146-1150, 2015
6) Shea KM, et al：Postterm delivery：a challenge for epidemiologic research. Epidemiology 9：199-204, 1998
7) Divon MY, et al：Fetal and neonatal mortality in the postterm pregnancy：the impact of gestational age and fetal growth restriction. Am J Obstet Gynecol 178：726-731, 1998
8) Bruckner TA, et al：Increased neonatal mortality among normal-weight births beyond 41 weeks of gestation in California. Am J Obstet Gynecol 199：421, e1-7, 2008
9) Bochner CJ, et al：The efficacy of starting postterm antenatal testing at 41 weeks as compared with 42 weeks of gestational age. Am J Obstet Gynecol 159：550-554, 1988
10) Kontopoulos EV, et al：Condition-specific antepartum fetal testing. Am J Obstet Gynecol 191：1546-1551, 2004
11) Wennerholm UB, et al：Induction of labor versus expectant management for post-date pregnancy：is there sufficient evidence for a change in clinical practice? Acta Obstet Gynecol Scand 88：6-17, 2009
12) Gulmezoglu AM, et al：Induction of labour for improving birth outcomes for women at or beyond term. Cochrane Database Syst Rev 6：CD004945, 2012
13) Boehm FH, et al：Improved outcome of twice weekly nonstress testing. Obstet Gynecol 67：566-568, 1986
14) Caughey AB, et al：Systematic review：elective induction of labor versus expectant management of pregnancy. Ann Intern Med 151：252-263, W53-63, 2009
15) Tunón K, et al：Fetal outcome in pregnancies defined as post-term according to the last menstrual period estimate, but not according to the ultrasound estimate. Ultrasound Obstet Gynecol 14：12-16, 1999
16) Clausson B, et al：Outcomes of post-term births: the role of fetal growth restriction and malformations. Obstet Gynecol 94：758-762, 1999

（馬場　洋介）

産後健診で行う検査

検査の実施法 — 産褥期

POINT
- 妊娠中・分娩の状況に応じて適切な健診時期，フォローアップ間隔を決定する．
- 身体的な回復のみならず褥婦の精神的状態についても留意した管理が大切である．
- 育児，乳房のケアについての指導は入院中のみならず退院後も重要性が高い．

　産褥期とは，分娩が終了し妊娠・分娩に伴う母体の生理的変化が非妊時の状態に復するまでの状態をいい，その期間は6～8週間とされている．産褥期は，妊娠高血圧症候群や妊娠糖尿病などの妊娠中に発症した異常の状態からの回復を確認する必要があるだけでなく，女性にとって生活環境が大きく変化する時期でもあることから，産褥期特有の精神疾患が発生するリスクがあることに注意が必要である．また，母乳育児に際して乳腺炎などのトラブルも発生しやすい時期である．

　産褥健診については一般的に分娩後1か月程度の時期に新生児の1か月健診と時期をそろえて行われることが多い．近年は核家族化や少子化に伴い，育児に関する地域ネットワークの脆弱化により退院直後に育児不安を抱える女性が多い．そこで育児指導なども目的として分娩後2週間程度の時期にも追加的に産褥健診を行う施設も増加している．これまで産褥健診についての明確な実施基準はなかったが，平成29年度より産婦健康診査事業として一部自治体において産後健康診査が公費補助されつつある．日本産婦人科医会も産後の健康診査の内容についての具体例として，母の身体的な経過のみならず，心理状態や育児支援体制の考慮を必要に応じて行うことを目的として挙げている．

分娩後の入院中の検査

採血，採尿（分娩後3～4日目）

　血算，尿糖，尿蛋白などを適宜行う．分娩時出血量が多かった場合には，貧血の回復の状況に応じて退院時期の延長を検討する．

血圧測定

　妊娠中のみならず分娩後に妊娠高血圧症候群を発症することもあり，1日1回は血圧測定を行う．妊娠高血圧症候群のあった者は必要に応じて降圧薬を内服し，自宅で自己測定を行い，その後も外来フォローする．授乳に伴い高血圧が増悪する場合は，母体の休息を行うなどの配慮が必要である．

退院前診察（分娩後4～5日目）

- 視診，触診，腟鏡診

　悪露の性状，会陰裂傷縫合部・帝王切開の腹部創の離開の有無．会陰縫合部の縫合糸は，創

痛が強い場合に抜糸を考慮する．外子宮口に存在する悪露の貯留や卵膜は除去する．
- 内診
  子宮の圧痛や復古の状態を確認する．
- 経腟超音波
  子宮内の血液成分，卵膜遺残の有無の確認．前置胎盤や癒着胎盤，胎盤用手剥離を要した症例などでは，カラードプラ法による評価で子宮内仮性動脈瘤などの出血リスクのある病変を指摘できるので有用である．
- 悪露培養
  以上の診察から子宮内膜炎，子宮筋層炎などの子宮内感染を疑うときには行う．

産褥1か月健診時の検査

血算，血糖

必要に応じて行う．特に分娩時出血量が多かった症例については貧血の改善の確認についても配慮する．また妊娠糖尿病を生じた褥婦では血糖値の改善について確認する．妊娠による糖代謝への影響がなくなる分娩後6〜12週間後の75gOGTTが有用である．また，妊娠前に耐糖能評価されていない妊婦で巨大児や肩甲難産が生じた際も評価が考慮される．

尿蛋白・尿糖

妊娠高血圧症候群や妊娠糖尿病からの回復状態の確認．

血圧測定

妊娠高血圧症候群があった褥婦については血圧の正常化を確認する．高血圧が遷延して降圧薬の中止が困難である場合は本態性高血圧への移行の可能性を考慮して内科での長期的管理を検討する．

産褥診察

- 視診，触診，腟鏡診
  悪露の性状，会陰裂傷縫合部・帝王切開の腹部創の癒合の確認．
- 内診
  子宮の圧痛や復古の状態を確認する．
- 経腟超音波
  子宮内の血液成分，卵膜遺残の有無の確認．出血の症状や子宮内腔の遺残などの所見によっては，カラードプラ法による評価により子宮内仮性動脈瘤などの病変を指摘できるので有用である（図1）．

乳房のケアについて

妊娠初期からの乳房管理が大切である．初期の健診時に乳頭の形態を確認し，陥没・扁平乳頭の場合には妊娠16週以降くらいから積極的にマッサージを行う．乳頭を伸ばし，乳頭を軟らかくし根元の硬結をほぐしていくとよい．分娩が近づいたら乳管開通法を積極的に行う．分娩後は初回哺乳を早期（可能なら30分以内）に開始し，頻回に授乳を試みたりマッサージをす

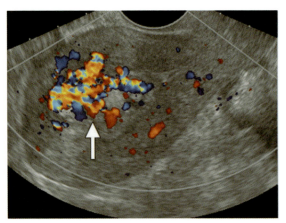

図1 カラードプラ法で指摘された子宮内仮性動脈瘤
産褥1か月時.出血の持続量によっては子宮動脈塞栓などの治療を考慮する.

るのが望ましい.授乳時に清潔を保つことも重要である.授乳前後に清浄綿で乳房・乳頭を清拭し,乳管開口部の閉塞を予防する.乳房緊満予防のため積極的に乳頭,乳房マッサージを行い乳管の開口を促す.

乳汁分泌不全が認められる場合には,明らかな原因がないか検索のうえ,なければ上記のようにマッサージを行うことが有効である.精神的ストレス,分娩時の異常出血,シーハン症候群などにより下垂体機能に障害をもたらしている可能性がある場合には下垂体ホルモン検査を行う.

分娩後3~4日以降になり乳汁分泌が亢進してくる時期に,乳汁がうっ滞し,乳汁の排出不全が原因で乳房圧が上昇する.うっ滞局所の軽度発赤,腫脹,疼痛があり,微熱を伴ったり,局所の腫瘤として触知することもある(うっ滞性乳腺炎).産褥1週間前後に主に片側性に症状を強く呈する.うっ滞した状況を放置すると細菌感染を引き起こし,高熱を伴い局所の発赤腫脹や硬結,有痛性腫瘤が顕著となり化膿性乳腺炎に至ることがあるため注意が必要である.化膿性乳腺炎膿瘍が皮下に近いところにできると,その部分の皮膚は光沢をおびて暗紫色となり,触ると軟らかく波動を感じる.この場合,乳汁培養や超音波による膿瘍の有無を確認することで治療方針を決定する.

● 退院後生活についての保健指導

<u>入浴</u>:約1か月後であれば可能となるので,健診時に許可する.
<u>性交</u>:約1か月後であれば可能となるので,健診時に許可する.
<u>就労</u>:6週間経過すれば労働可能であるので,本人の希望と体力の回復・仕事量を考えて従事させる.妊娠糖尿病や妊娠高血圧のあった場合も,産後6~8週で評価を行った後に判断する.
<u>月経</u>:非授乳褥婦では4週間で,授乳褥婦では10週間で認めることがある.一般的には半年~1年の間に再開することが多いが,1年半程度となることもある.
<u>避妊指導</u>:産褥期,月経再開前に妊娠する可能性があることを指導する.

産褥期の精神面の変化

産褥期には産褥精神障害と総称される特有の精神障害が，非妊娠時に比して多発する．早期には多くが一過性にマタニティ・ブルーズと呼称される程度の抑うつ気分を示す．一方，産後うつ病は産褥精神障害のなかで最も多い病型であり，わが国では褥婦の5～10％に認められる．

マタニティ・ブルーズ

分娩直後から産後7～10日以内にみられ，主に2～4日を発症のピークとする一過性の情動障害と定義される．精神症状として涙もろさ，不安感，焦燥感，緊張感，抑うつ気分，集中力欠如などが現れ，身体的には易疲労感，食欲不振，頭痛などを訴えるが，一過性であり医療面で問題になることは少ない．発症頻度は30％にも上るとの報告もある．厚生省研究班から診断基準が提唱されている．長期間にわたる場合は次に述べる産後うつ病への移行に注意が必要である．詳細は「周産期うつとその他の精神疾患」参照(⇨300頁)．

産後うつ病

産後1か月以内に発症することがあり，その場合は，産後1か月健診で診断できる場合もあるが，産後3～6か月に発症することもある．その場合，適切な医療を受けることができず，育児困難，児童虐待につながる場合がある．産後うつ病は治療を要する疾患である．

早期に診断するために，エジンバラの産後うつ病質問票が用いられている．産褥1か月健診の際にはマタニティ・ブルーズは終了している時期であり，この時期においても抑うつ症状が持続している場合は注意が必要である．詳細は「周産期うつとその他の精神疾患」参照(⇨300頁)．

◆ 文献

・日本産科婦人科学会，日本産婦人科医会(編)：CQ419，CQ420．産婦人科診療ガイドライン 産科編2020．日本産科婦人科学会，2020
・厚生労働省雇用均等・児童家庭局母子保健課長通知「産褥健康診査事業の実施に当たっての留意事項について」．平成29年3月31日雇児母発0331第1号

(設楽 理恵子・永松 健・藤井 知行)

診断と外来対応

産褥期

乳汁分泌不全

POINT
- 授乳手技の確認を行って，原因を考え対応する．
- 乳房緊満の持続を避けることで乳汁分泌不全は改善することがある．

DATA
- 授乳回数は一般的に最初の1週間は8〜9回/日，4週間以降では7〜9回/日．
- 産褥1週目ごろの乳汁分泌は300〜400 mL/日程度であり，これを下回る場合に乳汁分泌不全となる．

● 病態の概要

乳汁分泌の仕組み

乳房は図1[1)]のような組織から形成される．乳腺の最小単位は腺胞(bud)であり，この腺胞が集まって腺房(acini)を形成し，腺房が集まって乳腺小葉を形成し，乳腺小葉が集まって乳腺葉を形成する．通常は15〜20個程度の乳腺葉から形成され，それぞれの乳腺葉はそれぞれ乳管をもち，15〜20程度の乳管の出口が乳頭に連続する．最終出口の乳頭の直前で腺房から分泌される膨らみである乳管洞がある．

血管支配は鎖骨下動脈の内側から内胸動脈，胸肩峰動脈，外側胸動脈(上外側を支配して約1/3の血流供給)，胸背動脈である．

妊娠を契機として，主にプロゲステロンの作用により，腺細胞は増殖し，上皮細胞は成熟する．妊娠初期より腺胞が増殖し，腺房の枝も増え，その周囲の上皮細胞の数・大きさが増え，機能も成熟する．

分娩まではエストロゲン・プロゲステロンのプロラクチン受容体抑制効果により作用が抑えられている．妊娠・産褥期のホルモンの推移を図2[2)]に示す．

乳汁分泌の発来

胎盤の娩出を契機としてエストロゲン・プロゲステロンの急激な消退が生じると，抑制されていた乳汁分泌が発来し，乳汁生成Ⅱ期へと移行する．産褥2〜4日目で軽い熱感を伴う乳房のはり(乳房の生理的緊満)が出現し，3〜5日目にピークを迎える．産褥9日から退縮期までが乳汁生成Ⅲ期で，乳児の飲む量によって産生される乳汁の量が決まる．

乳汁分泌ホルモンであるプロラクチン濃度は分娩直後に徐々に低下するが乳頭への刺激により一過性に上昇し，逆に刺激がなければ1週間程度で妊娠前の濃度まで低下する．射乳ホルモンであるオキシトシンも，乳頭への刺激，児のことを考える，児の姿を見る，臭いをかぐなどの刺激で一時的に上昇する．精神的不安や心理的ストレス，疼痛などはオキシトシンのパルス状分泌を減少させたとの報告があり，児に愛情をもちリラックスした状態で授乳することも大

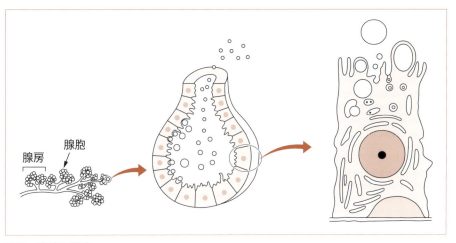

図1 乳腺の構造
〔Bruce A, 他(編): THE CELL 細胞の分子生物学 第5版. p1427, ニュートンプレス, 2010より作成〕

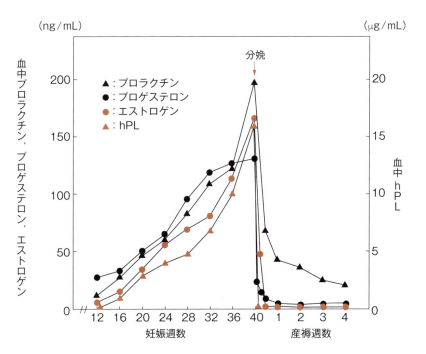

図2 妊娠産褥期のホルモン値の推移
〔青野敏博:乳房の変化と乳汁分泌. 荻田幸雄(編):新女性医学大系32 産褥. pp27-38, 中山書店, 2001〕

切である.

　母乳成分はラクトース,糖蛋白(カゼイン,αラクトアルブミン,ラクトフェリン,分泌型IgA),細胞成分(マクロファージ,好中球,リンパ球,上皮細胞)などからなる.
　ラクトースは乳汁の主要成分であり,母乳に特有の二糖類である.ゴルジ体内のラクトース合成経路でグルコースとUDP-ガラクトースから合成され,ゴルジ体の小胞内に存在している.ゴルジ体膜はラクトース不透過性であり,浸透圧平衡を保つために小胞内で水分が付加されて最終的には開口分泌によって乳汁中に分泌される.

乳汁分泌の維持

　乳汁産生が活性化した後の乳汁分泌の維持にはいくつかの因子が関連しているが，最も大きな要因は児の吸啜刺激により乳房を空虚にしておくことである．

　プロラクチンは下垂体前葉から分泌される．ドパミンが抑制因子として知られ，甲状腺刺激ホルモン放出ホルモン(TRP)や血管作動性腸管ポリペプチド(VIP)などが促進因子として知られる．プロラクチンは授乳時の吸啜刺激により乳頭の神経終末が刺激されることにより急速に上昇し，授乳直後にピークに達し2時間でゆるやかに低下する．プロラクチン基礎分泌量は乳汁産生量には関連せず，乳汁産生の維持に必要なわけではないが，乳腺細胞中のホルモン値は乳汁分泌の維持に何らかの役割を担っていると考えられ，反応性上昇との関連が深い．

　吸啜による乳頭・乳輪刺激によって下垂体後葉から分泌されるオキシトシンは腺胞周囲を包み込んでいる筋上皮を収縮させ，腺胞内圧を高めて乳汁を乳房外に分泌させる(射乳)．

乳汁産生を抑制する原因

　定期的な母乳除去が行われず，腺房内腔の過度の乳汁の蓄積が遷延すると腺房の緊満と乳房内圧の上昇をきたし，乳房内の毛細血管の血流を阻害し，栄養物質の供給とホルモンによる刺激が減少する．加えて，乳房内圧の上昇が細胞と細胞の基底膜への付着部分の間の結合部位を破綻させて乳汁成分の合成と分泌を阻害してしまう．

　その他，乳汁産生を抑制するメカニズムとしてFIL(feedback inhibitor of lactation)として知られる乳汁内の蛋白が抑制フィードバックとして働いている．乳房内圧が上昇し上皮細胞から分泌され，細胞表面のプロラクチンレセプターをdown regulationすることで分泌経路を可逆的にブロックしている．

授乳回数

　授乳回数は一般的に最初の1週間は8～9回/日，4週間以降では7～9回/日であるが個人差が大きい．はじめの1週間で正期産の児で7%程度の生理的体重減少をきたすが1～2週間で回復し，母体の乳汁分泌が3～5日に増加しはじめた後は通常増加する．

　その後，通常は3か月まで30 g/日程度，3～6か月で20 g/日，6～12か月で10 g/日で体重は増加し，4か月で2倍になる．

　人工乳に比べて，母乳育児の場合，はじめの3～4か月は急速に増加するが，それ以降はおそらく早期の離乳による母乳不足の影響などで緩徐な増加となる．

乳汁分泌不全を疑うとき

　乳汁分泌があるにもかかわらず，不適切な授乳方法のために児が十分に摂取できない場合と，乳汁分泌そのものが不足している乳汁分泌不全の場合があるので注意が必要である．

　分泌不全の原因としては表1の要因が考えられる．その他，授乳時のlatch on(図3)[3]は適切か，乳汁膨満が持続していないかどうかなどを観察する．

診断の手順と管理法

　産褥1週目ごろの乳汁分泌は300～400 mL/日程度であり，これを下回る場合に乳汁分泌不全となる．具体的には哺乳量が恒常的に3日目で15 g，5日目で20 g以下になり，結果として児の発育が滞ってしまった場合である．

　乳汁分泌量を測定することは困難であり，その診断は臨床的に行われる．授乳の経過と児の

表1 乳汁分泌不全の要因

母体因子
乳房手術
・乳頭の感覚の有無にかかわらず，乳輪周囲の切除をした女性における乳房増大手術・手術中に完全に乳頭を切除し遊離皮弁の乳頭を用いて再建するような乳頭部分切除を行った場合
乳頭・乳房
・炎症がある場合に不十分な授乳を行った，あるいは不十分な乳房空虚による乳汁産生減少
薬物
・高用量エストロゲン含有の経口避妊薬，プソイドエフェドリン，ニコチン，利尿薬，エタノール（過剰摂取は乳汁産生が低下するが，少量では乳汁産生低下を改善する），高用量の抗ヒスタミン薬
ホルモン
・下垂体機能低下，胎盤遺残，多嚢胞性卵巣症候群，先天的な腺発達減少による不十分な腺組織
児の因子
・口唇・口蓋裂を含む口唇・口蓋の奇形
・吸啜・吸引不良
・脳神経系の発達不良
・未熟児
・母児分離

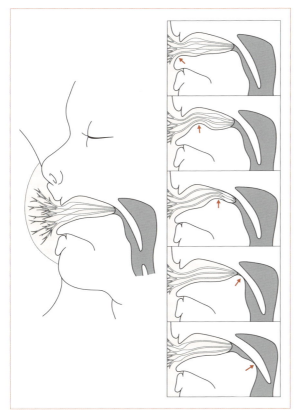

図3 適切な latch on

・児の上唇・下唇が大きく開いている．
・下唇は乳房に対して外側に向いている．
・顎は乳房に接していて，鼻は乳房に接近している．
・頬が充満している．
・latch onの間，舌は下唇に覆い被さって，授乳中を通して乳輪を覆っている．
(Woolridge MW：The anatomy of infant sucking. Midwifery 2：164-171, 1986 より作成)

排便・排尿の減少，児の過度の体重減少から診断するが，以下の基準が『産婦人科研修の必修知識』に参照されている．

①母乳分泌量が産褥4日目以降も100 mL以下．
②産褥4日目以降も乳房緊満がなく，乳汁分泌が開始しない．

③授乳後3時間を経過しても乳房緊満がみられない．
④20分間以上哺乳しても児が泣いたり，乳頭を離さない．
⑤母乳のみの哺育で生後1週間以上経過しても出生体重に戻らない．
⑥混合栄養で人工乳の割合が多いとき．

　実際の授乳手技を確認し，授乳回数・授乳時間・児の排便・排尿回数などを確認することで，真の乳汁分泌不全なのかどうか，母体・児の解剖学的な問題がないかどうかを判断する材料となる．

　乳房を空虚にしておくこと，授乳による刺激が多いほど乳汁分泌は増加すると考えられ，分娩早期から授乳を始め，授乳後に余った母乳を搾乳する，自律哺乳（児がほしがるだけ与える）を行う，などで改善がみられる場合がある．また，腺細胞と血管が接触し，ホルモンにさらされることが必要なので，血流をよくすること（温めるなど）も大切である．しかし，それらが母体のストレスや疲労の原因となっていないか注意深く見守る必要がある．

　原因別に治療は異なるが，先天的問題がなく，社会的条件を克服でき，治療の可能性がある場合には以下の2法を組み合わせて行う．

1）乳房マッサージ

　基本は乳輪部を柔軟にし，授乳を可能にすることである．また，ホルモン分泌促進効果もある．

2）薬物療法

　薬物療法としては以下のものがあるが，用法・用量の記載はない．乳汁中にも分泌されるため内服中は授乳をやめるよう記載があり，実際には使いづらいところもある．

・メトクロプラミド：10〜15 mg／日

　プロラクチン値を数倍に，乳汁分泌量を60〜100％増加させる効果がある．副作用として下痢・痙攣・抑うつなどがある．

・スルピリド：50 mg／回　1日2回　朝夕食後

　ドパミン受容体遮断によりプロラクチン分泌を促進する．副作用としてはパーキンソン症候群や口渇・瘙痒などがある．

◆ 文献

1) Bruce A, 他（編）：THE CELL 細胞の分子生物学 第5版．p1427，ニュートンプレス，2010
2) 青野敏博：乳房の変化と乳汁分泌．荻田幸雄（編）：新女性医学大系32 産褥．pp27-38，中山書店，2001
3) Woolridge MW：The anatomy of infant sucking. Midwifery **2**：164-171, 1986

（小山田　瑞紀）

診断と外来対応

産褥期

乳頭異常・乳腺炎

POINT
- 乳腺や乳房に痛みをきたす原因として乳頭の損傷(搾乳器,児の吸啜や不適切なポジショニングによる),乳頭の血管攣縮,乳頭や乳房の感染,過剰な乳汁分泌,乳汁うっ滞,乳汁塞栓などが考えられる.
- 乳房の病的緊満 → うっ滞性乳腺炎 → 感染性乳腺炎 → 乳腺膿瘍のどの段階にあるのかを評価する.
- 乳腺炎は臨床症状から診断可能ではあるが,長引く場合には再評価し,炎症性乳がんや耐性菌を考慮する.

乳腺炎

病態の概要

　乳腺炎は「圧痛・熱感・腫脹のあるくさび型をした乳房の病変で38.5℃以上の発熱,悪寒,インフルエンザ様の身体の痛みや全身性の疾患としての症状を伴うもの」と定義される.
　乳汁・壊死組織などが溜まったことで乳管の閉塞(乳管口に白い点,白斑のようになって見える場合がある)が生じ,さらに乳汁がうっ滞する.このような乳房の病的緊満が起こると乳汁により腺胞内圧が持続的に上昇し,細胞間結合の透過性が高まり傍細胞経路を通って乳汁成分が乳腺間質に移行し,乳腺組織に炎症反応が引き起こされる.そのうっ滞性乳腺炎の状態から12〜24時間以内に症状が改善されないと局所の発赤,腫脹,硬結,圧痛,熱感などの症状が強く,発熱,悪寒,関節痛などの全身症状をきたす感染性乳腺炎の状態となる.抗菌薬使用後も効果が現れず,圧痛を伴う境界明瞭な領域が生じる場合には膿瘍形成も考える必要がある.
　明確な線引きはできないが,発熱,発赤の度合い,しこりの大きさと硬さ,疼痛,熱感と乳汁の性状から上記のどの段階にあるのかを評価・鑑別し,適切な介入を進めていく必要がある.日本では助産師が乳房トラブルの窓口になっている場合が多いので,医師と助産師との連携が重要となる.

● 診断の手順

　乳腺炎の診断は基本的には臨床症状で可能であり,授乳婦において片側の乳房に発赤,硬結,圧痛があり38.5℃以上の発熱があること,全身症状として筋肉痛,悪寒,インフルエンザ様症状を伴うことから診断する.その他の症状として,頻脈,乳汁のNa濃度の上昇などがある.septic shockは滅多に起こらず,血液検査では白血球上昇や左方偏位がみられるが診断には必要ない.
　両側性の生理的緊満(産後1週間以内に生じることが多い)は授乳中の一般的な病態であるので区別すべきであり,紅斑や浮腫が継続しているような乳腺炎では炎症性乳がんを区別する必要がある.
　乳汁培養は入院が必要なくらい重症化している場合や抗菌薬の効果がみられないときに検討

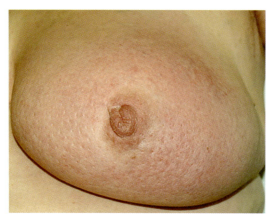

図1 炎症性乳がん

し，菌血症の頻度が少ないので血液培養は必要としない．
　鑑別すべき疾患として以下が挙げられる．
- 乳頭塞栓
　局所の症状のみで全身症状がない．
- 乳汁囊胞（＝乳瘤）
　乳頭の部分的閉塞による乳汁の貯留囊胞．全身症状がなく，触診で軟らかい囊胞状の腫瘤を触れるが圧痛や発赤はない．診断には穿刺が行われるが，一度診断すれば治療のための穿刺は必要ない．
- 炎症性乳がん
　硬結，紅斑，柑皮状変化（間質への細胞浸潤と浮腫を伴うリンパ管閉塞のため点状陥凹を伴う状態），腋窩リンパ節腫脹などを伴う（図1）．
　保存的加療や抗菌薬加療で改善がみられない場合には，乳房エコーが膿瘍の存在の確認や膿瘍の穿刺を行うにあたっても有用である．炎症性乳がんが疑われる場合にはMRIも役立つ．

管理法

　問診により症状の経過をしっかり確認することが大切であり，自覚なく症状が開始している場合があるので注意する．症状がどのような経過を辿っているのか，うっ滞の原因がないか確認する．まずは授乳手技を確認し，うっ滞を解除し，予防していくことが必要である．児の直接授乳が困難であれば，搾乳（乳房マッサージ）によってうっ滞を解除する．
　感染性乳腺炎の治療としては抗炎症薬の使用と授乳手順の改善が必要であり，抗菌薬は使用したほうが臨床症状の改善が早かったとのRCTがある．
　原因菌としては表皮ブドウ球菌（*Staphylococcus aureus*：入院した乳腺炎患者ではMRSAが培養から同定），溶連菌（*Streptococcus pyogenes* Group A or B）が多く，そのほかでは大腸菌（*Escherichia coli*），バクテロイデス属（*Bacteroides* species），コリネバクテリウム属 *Corynebacterium* species, coagulase negative *staphylococci*（e.g. *S. lugdunensis*）などが原因菌となる．そのため，*Staphylococcus aureus* に感受性のある経験的治療が必要となる．
　処方例としては，
① MRSA リスクがなく，重症でない乳腺炎の場合にはセファレキシン（CEX）500 mg／回　1日4回，過敏症がある場合にはクリンダマイシン（CLDM）300 mg／回　1日4回経口．
② MRSA リスクがある場合は CLDM 300 mg／回　1日4回経口か，ST 合剤（バクタ配合錠）

1〜2錠／回　1日2回が海外では初期治療として使用され，リネゾリド600 mg／回　1日2回も考慮される．

投与期間に関しては明らかではないが10〜14日間が再発のリスクを減少させるには適切と考えられ，長引く場合には乳汁培養や薬剤感受性検査を行う必要がある．

48〜72時間で抗菌薬や乳房マッサージにより改善がみられなかった場合にはエコーで再評価を行い，乳腺膿瘍を疑えば穿刺し，膿汁が確認できれば診断となる．穿刺による排膿，ドレナージを行い，膿培養と原因菌に合わせた抗菌薬で治療する．

乳頭炎

病態の概要

乳頭炎は乳頭の損傷（搾乳器，児の吸啜や不適切なポジショニングによる），乳頭の血管攣縮，乳汁うっ滞，感染などによって生じる．

乳頭の損傷の原因としては，搾乳器，不適切なポジショニングとlatch on，乳房緊満，不適切な吸啜や授乳中の無理な乳房からの解除が原因となる．

感染の原因としては乳腺炎と同様，黄色ブドウ球菌を代表とした細菌感染，カンジダ症，ヘルペスウイルス感染などが挙げられる．

診断の手順

乳頭損傷は疼痛に加え，乳頭乳輪部の浮腫，水疱，白斑（乳口炎），表皮剥離，亀裂，潰瘍によって診断される．カンジダ症では乳頭乳輪部の強い灼熱感を伴う痛みがあり，皮膚の落屑と発赤を伴う．

管理法

その多くは不適切なポジショニングやlatch on不足による浅い吸啜などが原因であり，その指導がどの治療よりもまず第一に行われるべきである．

損傷がある場合には，純正ラノリンやブレストジェルの塗布，ハイドロジェルドレッシング材の使用，搾母乳の塗布を行う．感染予防として温水と抗菌作用のない低刺激性の石鹸で1日1回程度（不要な洗浄では悪化するので注意する）洗浄し，授乳後に抗菌薬含有軟膏を使用し，抗菌薬経口投与で乳腺炎への悪化を防ぐ．

損傷がひどい場合には直接授乳は休止し，その間は3時間以内に搾乳を行い，乳房緊満を防ぐ．児に与える場合にはなるべく哺乳瓶や人工乳首の使用は避け，スプーンやカップシリンジを使用し，乳頭混乱をきたさないよう注意する．

乳腺炎に伴う細菌感染の場合には，乳腺炎に準じて治療する．

● カンジダ症

抗真菌薬により母児同時に治療し，ピンポン感染を防ぐことが重要である．

母親　ニゾラールクリーム1回／日　塗布1〜2週間

児（鵞口瘡）　フロリードゲル経口用4回／日，あるいは　ファンギゾンシロップ2〜4回／日を1〜2週間

（小山田　瑞紀）

診断と外来対応

産褥期

子宮復古不全

POINT
- 子宮復古の過程で注意すべき問題点は出血と感染である．
- 出血の原因には胎盤や卵膜の遺残が多いが，子宮血管の異常や絨毛性疾患などもある．
- 産褥熱は，子宮や産道の，常在菌の複合感染による．

DATA
- 分娩直後には1,000g程度，臍下まであった子宮は，産褥6〜8週で元の大きさ（60g程度）に戻る．

はじめに

　妊娠により増大した子宮は分娩後，元の状態に戻るが，その過程がスムーズにいかない場合があり，これを「子宮復古不全」と呼ぶ．重要な問題点は「出血」と「感染」である．順調な経過の場合には，産褥数日の退院前の診察，また，産褥4〜6週の外来での診察で，終診となることが多いであろう．この経過のなかで行う「出血」と「感染」に対する診察と対処について解説する．

子宮復古

　胎盤娩出直後から子宮筋が収縮し，子宮全体が小さくなる．その結果，血流は遮断されていき，これが分娩後出血を止める最も重要なメカニズムとなる．分娩直後には1,000gほど，臍下まであった子宮は，産褥6〜8週で元の大きさ60gくらいに戻る．同時にこのような子宮筋の収縮は子宮内腔の容積を小さくしていくため，内容物を排出する動きにもなる．

　分娩後，子宮頸管は軟らかく外子宮口には細かな裂傷がある．子宮口はまだ開大しており，数日かけて収縮が起こり少しずつ閉じてくる．数日後には1〜1.5cm程度まで閉じてくるが，未産婦の円い形状には戻らず，やや大きめの扁平な経産婦の形状となる[1]．

産褥出血

　分娩後の子宮筋の収縮が不十分で，胎盤が剥離したあと螺旋動脈からそのまま子宮内腔への血液供給が続いてしまうことがある．これはすなわち弛緩出血であるが，分娩後24時間以内に起こることが大半である．腹部からの触診で軟らかい子宮底を触れればわかりやすいが，弛緩が局所的に起こることもあり，特に子宮下節や子宮頸部の弛緩の場合には，腹部からの触診では気づかれないことが多いので注意が必要である．

　分娩後24時間以降に起こるものは，さまざまな要因が関係するものと考えられる．卵膜や胎盤が遺残すると，子宮筋の収縮が不十分となったり，あるいはそれらの組織への血流が残っ

たりして，出血が続く．遺残物は胎盤鉗子などで除去が可能なことも多いが，癒着胎盤など，安易に除去しようとすると大出血を招くものがある．胎盤ポリープは，一部の遺残した胎盤組織に再び血管新生が起き増殖したもので，癒着胎盤同様，安易に除去しようとすると大出血を起こす[2,3]．

子宮の血管異常による産褥出血もある．動静脈奇形のシャント血管が一部破綻して大出血を起こすことがある．動静脈奇形が，前もって診断されることは少なく，突然起きた大量の性器出血で初めて指摘されることが少なくない．また，子宮への人為的操作（帝王切開や子宮内手術など）や外傷により動脈に仮性瘤を生じることがあるが，何らかの要因で破綻すると大出血となる．

その他，産褥出血の原因として，再開した月経，「次の妊娠」に関連した出血，絨毛性疾患などが挙げられる．産褥出血は，既往があれば再発しやすいと考えられ，十分な問診や診察が重要である．凝固異常については，過多月経の既往や，家族歴を十分に問診する[2]．

産褥感染

産褥期の感染症の起因菌は腟や消化管の常在菌であることが多く，複数の菌による混合感染であることが多い[1]．胎盤を含めた妊娠組織の遺残は代表的な原因である．前期破水，絨毛膜羊膜炎，帝王切開などはリスク因子である．発熱，子宮の圧痛，悪露の異臭があれば子宮内膜炎を疑う．そのほかには，会陰切開や産道の裂傷，帝王切開の術創などが感染巣となることがある．また，尿路感染症，乳腺炎，上気道炎も産褥期にしばしばみられる．

健診でみるべきポイント

悪露の量や悪臭，子宮の収縮や圧痛，発熱，産道の創傷や会陰切開，あるいは帝王切開の創部，などを日々観察し，退院時には，内診台でより正確な所見を得る．子宮はおおよそ手拳大となり，十分な硬さがあり，帯下は粘性で血液などが混じった悪露となっている．産褥1か月ほどで行う外来での健診も同様の診察を行う．子宮はおおよそ正常大かやや大きいくらいのサイズまで戻り，十分硬く，悪露はほとんどなくなっているか，あっても少量である．「出血」と「感染」について妊娠組織の遺残は重要な原因であるが，超音波検査，特に経腟超音波が，健診時には広く行われるようになり，子宮内腔の観察や遺残物の評価に大いに役立っている．

経腟分娩後の子宮内腔の超音波所見は，分娩後早期にいったん空虚になるものの，しばらくは液体貯留がみえ，4〜8週後には再び空虚となり薄い内膜ラインが描出される．遺残胎盤はさまざまなエコー信号で描出され，分娩数日後は子宮筋層とのエコー輝度の差が少なくはっきりしないが，分娩数週間後になれば，子宮筋層より高信号で捉えやすくなっている．カラードプラで内部血流を捉えられることもある．単なる血液貯留は低エコーで，内部にカラードプラで捉えられる血流はなく，時に形が一定でない．凝血塊になると，多彩なエコー信号を呈し，やはり内部にカラードプラで捉えられる血流はない．

MRIは，画像診断において超音波検査の補完となる重要な手段であるが，遺残胎盤に特徴的な画像所見があるとまではいえず，あくまで「補完的」と考えたほうがよい．設備面や費用面などから，いつでも行うことができるとは限らないところも難点である．

また，出血がみられてかつ妊娠組織の遺残がないときはほかの原因を考えるが，子宮動静脈奇形や，子宮仮性動脈瘤は，超音波検査で見つけられることがある．その病変は主として子宮筋層内であり，前者はカラードプラでのモザイク像が，後者はBモードでの囊胞の内容が流

動的であることが，特徴所見である．

また，血液検査では，産褥4週くらいまでにはhCGは陰性化するので[1]，数週経った時期にhCGが陽性であれば，胎盤遺残，絨毛性疾患，あるいは新たな妊娠が考えられるが，超音波検査で胎盤遺残が認められるが血液中のhCGが陰性である，ということもある．

対処

分娩後24時間以降の復古不全に対しては，出血や感染がなければ，入院中は慎重に経過観察することも可能である．授乳や搾乳は子宮の収縮を促進する．また，子宮の収縮を促すために，麦角アルカロイドがよく用いられるが，早期には，オキシトシンやプロスタグランジンなどの子宮収縮薬も用いられる．妊娠組織の遺残による出血や感染の場合には，最も有効な方法は原因の除去なので，胎盤鉗子やキュレットを慎重に用いた器械的な除去が選択されるが，遺残した胎盤組織に豊富な血流を認める場合には外科的介入により大出血を招くこともあり，超音波カラードプラなどを用いて，慎重な判断が必要である．出血が相当量続き血流も依然豊富である場合に，外科的介入の前に血流を減らす方法として，メトトレキサートの単回もしくは複数回投与や，血管内治療での子宮動脈塞栓術などがあり，また，器械的な除去を，子宮鏡下手術として止血処置を加えながら行う方法もある．

産褥熱に対しては，抗菌薬の投与が必要となることが多い．腟や消化管の複数の常在菌による感染が多いので，広域の抗菌薬を開始しつつ起因菌を検索する．起因菌によりきちんとde-escalationしていくことは大変重要である．また，産褥熱の鑑別診断として，(会陰切開や帝王切開の)創部感染，尿路感染症，乳腺炎，感染性静脈血栓症，感染性腸炎，麻酔合併症，などが挙げられる．

分娩後に何日間入院するのが適切か，あるいは，産褥健診はどの時期に行うのがよいかについて，十分に検討された研究はないが，日本では，経腟分娩で4～6日間，帝王切開で7～10日間ほど入院し，約1か月後に健診を行っていることが多いように思う．入院期間については，極端な例だと帝王切開翌日の退院でも十分な満足が得られたという報告もあるが，ACOGやWHOの推奨によると，経腟分娩で24～48時間，帝王切開では96時間，バイタルサイン，排尿，食事摂取，悪露の排出を観察して，異常がなく，痛みのコントロールができて，児の世話ができるようであれば退院可能と考えられる．一方で，児は3～5日目までケアされたほうがよいとも推奨されており，双方を考えて退院時期は設定される[1]．

産褥期の，退院から産褥健診までの生活についても，慣習に基づくものが多く，例えば，入浴や性交について，いつから再開するのが出血や感染のリスクを上げないのか，はっきりした調査報告はない．入浴が痛みや疲労回復に効果をもたらすこともあれば，性交についても，痛みがなく気分的に再開する気になったときには，控える理由もなく，いずれも強く禁止するものではない．

おわりに

抗菌薬の進歩と超音波の普及によって子宮復古不全は随分と減ってきたが，決してなくなってはいない．いろいろな状況を念頭に置き，十分なケアに気を配ることで，褥婦が安心して，体の回復に努め，育児を行うことができる．

◆文献

1）Berens P : Overview of the postpartum period: Normal physiology and routine maternal care. UpToDate（2020年12月アクセス）
2）Belfort MA : Overview of postpartum hemorrhage. UpToDate（2020年12月アクセス）
3）Weeks A : Retained placenta after vaginal birth. UpToDate（2020年12月アクセス）

（兵藤　博信）

産褥期　診断と外来対応

避妊指導

POINT
- 避妊法には，手術，IUD，ホルモン製剤，バリヤー法などがある．
- 卵胞ホルモン製剤の使用は，乳汁分泌量を減らすことと血栓症のリスクを増やすことに留意する．

DATA
- 年間約90万件の出産に対し，人工妊娠中絶は約16万件行われている．
- 授乳していない場合，早ければ出産後1か月以内に排卵していることもあり，2～3か月のうちには6割くらいはすでに妊娠しうる状態となっている．

はじめに

　女性にとって家族計画や人生設計は人それぞれ異なってくるものであるが，人工妊娠中絶は，年間約90万件の出産に対し，約16万件行われている．背景はさまざまであろうが，意図しない妊娠の中断は，女性に対して，肉体的にも精神的にも大きな負担を強いていることにもなる．妊娠することは「生理現象」とはいえ，出産を終えたあとに身体を休ませ，また育児に体力を注ぐためには，避妊は重要な課題である．

　「次の妊娠まで間隔をあけたい」とか「出産はこれで最後にしたい」という希望であったり，あるいは妊娠することそのものが身体的リスクとなったりなど，避妊の需要は大きく，これを十分に理解し実行することは，大変に重要なことである．避妊方法には，手術，子宮内器具，ホルモン製剤，バリヤー法などさまざまなものがあり，確実性，煩雑さ，可逆性や授乳への影響など，産婦のニーズに合わせた適切な方法が選ばれる．したがって，産婦人科医や助産師は，理想的には妊娠中から，個々人の人生設計を踏まえて，出産後の避妊計画について十分に指導を行い，産婦の心身をすこやかに保つことにつなげるべきである．

いつから避妊が必要か

　授乳していない場合には，早ければ出産後1か月以内に排卵していることもあり，2～3か月のうちには6割くらいはすでに妊娠しうる状態となっている．出産後，最初に外来を受診する産褥健診までにはすでに性交を再開していることも考えておくべきで，妊娠中から，遅くとも退院までには避妊指導を行う．当然ながら，最初の月経が来る前に排卵していることは十分に考えられ，月経が避妊を始める目安とはならない[1]．

　授乳中は排卵が抑制されるため，広義には「授乳すること」が一種の避妊法といえなくはない．しかしながら，「分娩後6か月以内」「完全母乳栄養」「無月経」の3点をすべて満たしても「妊娠する可能性は低い」としかいえず，2%ほどは妊娠の確率があり，どれか1つでも満たさなければ，妊娠の可能性は十分にあるということである．

表1 各避妊法の特徴

	種類	利点	入手法	欠点	パール指数※ 理想的/一般的	授乳への影響
不妊手術	卵管結紮	普段意識しなくてよい	法に基づいて行う手術 配偶者の同意が必要	不可逆的	0.5/0.5	なし
	精管結紮				0.1/0.15	なし
子宮内器具 (IUD)	単純型	普段意識しなくてよい	医師が医療機関で挿入する	下腹痛・出血など	3.7	なし
	銅付加				0.6/0.8	
	IUS				0.1/0.8	
ホルモン製剤	OC（低用量ピル）		医師が処方（海外では，処方でなく手に入る場合もある）	毎日定時に内服しなければならない	0.3/8	乳汁分泌減少の可能性
	ミニピル				0.5/4	なし
	EC	性交後に内服する		時間制限がある	1/3	
	IUS（上記）			（上記）	（上記）	
	デポー剤	普段気にしなくてよい		日本にはない	0.3/0.3	
	インプラント　など				0.05/0.05	
バリヤー法	コンドーム（男性用）	女性主導である	薬局などで手に入る	男性主導である	2/15	なし
	コンドーム（女性用）				5/21	
	ペッサリー				6/15	
	スポンジ				9/20	
	殺精子剤　など				18/29	

※パール指数(Pearl index)：妊娠数×1,200/その避妊法を用いて性交のあった月数．すなわち100人の女性がその避妊法を用いて1年間に何人妊娠するかを示した数．特に避妊法を用いない場合は85．
〔Hatcher RA, et al(eds): Contraceptive Technology, 17th Revised Edition. Irvington Publishers, New York, 1998 および日本産科婦人科学会（編）：低用量経口避妊薬の使用に関するガイドライン（改訂版）．日産婦会誌 58：894-962, 2006 より作成〕

どのような方法があるか (表1)[2,3]

不妊手術

　手術による方法は，分娩後ただちに行うことができる．卵管圧挫，クリッピング，卵管結紮，卵管切除など細かなバリエーションはあるものの，卵管の疎通性をなくすものである．確実性は十分に高く，不可逆的であるが，稀に再疎通などが起こって妊娠することがある．また不妊手術は，男性側に精管結紮切除術を行うこともでき，同様に，確実性は十分に高く，不可逆的である．

　不妊手術は，母体保護法に基づいて配偶者の同意を得て行わなければならない．また，不妊手術を受けた者がその後婚姻するときには，相手にその事実を伝えることが義務づけられている．このように，不可逆的で確実であるがゆえに，きちんと要件が求められている．ただし，近年のART技術を考えれば，体外受精や精巣内精子採取による妊娠が現実的に可能ではある．

　女性の不妊手術は，卵管結紮を帝王切開時に行うことが代表的であるが，経腟分娩の場合で

も，臍直下の小開腹，腟式，あるいは腹腔鏡で行うこともできる．臍直下の小開腹の場合，子宮復古が進んでくると手技的に困難となりリスクが増すので，分娩当日～2日以内に行われることが多い．帝王切開でも，経腟分娩でも，妊娠中から配偶者とともに同意を得ておいたほうがよい．男性側の精管結紮は，無論いつでも行うことができる．

不妊手術による避妊は，普段，避妊のことを気にかける必要がないこともメリットである．授乳についても，特別な配慮は不要である．

子宮内避妊器具(intrauterine device：IUD)

子宮内腔にプラスチックの小片を常時留置しておくことで，子宮の異物反応として白血球やプロスタグランジンが放出され，精子の移送や受精卵の着床が妨げられる．銅が付加されることで，よりその効果は増強される．黄体ホルモンが付加されたIUDは，後述するホルモン製剤による避妊法を兼ねているが，IUDと区別してIUS(intrauterine contraceptive system)とも称される．IUDが医療器具であるのに対し，IUSは医薬品である．妊娠率は3.7%/年であり，銅付加やIUSでは1%未満である．

分娩直後から使用は可能であるのだが，直後には，子宮復古に伴って位置がずれるとか，子宮穿孔・子宮内感染のリスクとなるなどの懸念があり，実際には早くても1か月後以降に挿入する．1回挿入したら2～5年の避妊が可能であり，普段から避妊のことを意識する必要はないが，定期的に位置や，不正出血，子宮内感染などについてのチェック，そして5年ごとには交換することが望まれる．また，抜去することでいつでも妊娠可能な状態となる[3]．

授乳については，単純な器具ではもちろん，銅付加IUDでも乳汁中への銅の分泌はほとんどみられず，児への影響の心配はない．IUSについては，放出される黄体ホルモンの乳汁への影響が懸念されるかもしれないが，乳汁分泌量を減らすような影響はみられず，また，乳汁へ分泌される量もわずかであり，通常どおり授乳が可能である．

ホルモン製剤による避妊

ホルモン製剤による避妊は，卵胞ホルモンと黄体ホルモンを組み合わせたものと，黄体ホルモン単独のものがある．投与方法は，日本国内においては，日々内服する方法(いわゆる「ピル」；oral contraceptive：OC)が一般的で，卵胞ホルモンと黄体ホルモンを組み合わせたもののみが承認されており，近年では，低用量ピルが主流である．OCは，適正に使用されれば妊娠率は0.3%/年ほどと低いが，飲み忘れなどで妊娠の可能性がやや上がる．卵胞ホルモンの大きな副作用として血栓症のリスクが挙げられ，投与されていない場合の5倍となる．そのほかにも，悪心・嘔気，浮腫・体重増加，不正性器出血などが副作用として挙げられる．

黄体ホルモンのみのものは「ミニピル」と呼ばれるが，日本で避妊薬として承認されているものはなく，ほかの治療に用いられる黄体ホルモン製剤が用いられる．ミニピルは，より時間厳守が必要となるが，黄体ホルモン単独では血栓症リスクは上昇しないので，喫煙者や肥満，心疾患などの女性には適すると考えられる．また，黄体ホルモン単独使用では不正出血が高頻度に起こるというデメリットもある[4]．

性交後に内服する方法(緊急避妊法；emergent contraceptive：EC)として，現在，黄体ホルモン(レボノルゲストレル)単独のものが日本でも承認されている．性交後72時間以内に服用するが，12時間以内であればより効果的である．しかし，それでもOCよりは妊娠率は高い．普段から服用のことに煩わされずに済むのはメリットだが，現在日本では，その都度処方が必要となり，それはそれで煩わしい．適応外使用ではあるが，以前は中用量ピルが代用されていたり，また，一部の低用量ピルを代用することもできる．

そのほか海外には，数か月に一度注射するデポー剤や，上腕の皮下などに埋め込み数年間有効なインプラントがあり，日本では前述の黄体ホルモン付加IUD（IUS）が同様の投与法となっていて，5年間有効である．これらも，普段から服薬のことを気にしなくてよいのがメリットである．いずれも，内服・注射を中止する，あるいは薬剤放出器具を取り除くことによって排卵が復活し，妊娠が可能となる．

授乳への影響については，卵胞ホルモンによって乳汁分泌が抑制されることが一番の問題であるが，出産2週間後の母乳栄養がしっかり確立されたあとでは，明らかな乳汁分泌の減少がみられなかったとの報告もある．黄体ホルモン単独では乳汁分泌はほとんど抑制されない．児への移行はわずかであり，児が受ける影響に明らかなものはない[1,4]．

バリヤー法

男性側に装着するコンドームが最もポピュラーで，そのほかに女性側に装着するコンドームやペッサリー，スポンジ，殺精子剤などがある．医療機関に依存しなくても使用が可能なものも多く，最も手っ取り早い避妊方法であるが，妊娠率はほかの方法と比べれば高く，数％から十数％／年である．手っ取り早いが，その機会ごとに装着が必要となり，煩雑である．授乳に際しては，特段の配慮はいらない．

おわりに

避妊にはさまざまな方法があるが，確実さ，煩雑さ，デメリットなどから，個々の状況に応じた方法を選択する．十分な対処を行うことは出産後の女性の人生を豊かにすることができる．「お産が終わって落ち着いてから……」では遅すぎることもある．授乳に差し支えない避妊法も多いので，妊娠中から指導を行い，分娩時には十分な理解が得られておくようにする．

授乳をしていない場合には，産褥健診までに排卵していることがありうることは退院前に肝に銘じておくべきである．また，授乳中も排卵していることはあるので，授乳への影響を考えた避妊法があることを十分に理解してもらうべきである．

◆文献

1）Sonalkar S, et al：Postpartum contraception：Counseling and methods. UpToDate（2020年12月アクセス）
2）Trussell J：Contraceptive efficacy. Hatcher RA, et al（eds）：Contraceptive Technology, 17th Revised Edition. Irvington Publishers, New York, 1998
3）日本産科婦人科学会（編）：低用量経口避妊薬の使用に関するガイドライン（改訂版）．日産婦会誌 58：894-962, 2006
4）Espey E, et al：Effect of progestin vs. combined oral contraceptive pills on lactation：a double-blind randomized controlled trial. Obstet Gynecol 119：5-13, 2012

（兵藤　博信）

周産期うつとその他の精神疾患

診断と外来対応 / 産褥期

POINT
- 産褥期は精神衛生面においても不安定になりやすく，諸種の精神機能障害を生じやすい．
- 精神障害は大きく，マタニティ・ブルーズ，周産期うつ病，神経症様状態，非定型精神病（産褥精神病）状態およびその他の二次性精神障害に分類される．
- 周産期うつ病のスクリーニング法として，エジンバラ産後うつ病自己評価票（EPDS）や Whooley らの二質問法などが用いられる．ただし，本法はあくまでもスクリーニング検査であり，確定診断は専門医によってなされることを認識しておく．
- 診断・治療に際しては，精神疾患に関する知識・経験が豊富な医師に必要に応じて相談し，行政を含めた継続的支援体制の構築を検討する．

DATA
- 16％ の女性が妊娠中にうつ病を発症し，そのうち 70％ 以上は妊娠初期の発症例だが，これらのうつ病の大半は，分娩までに症状が軽減あるいは消失したとの報告がある．
- マタニティ・ブルーズの出現頻度は 30％ 程度とされ，妊娠合併症を有する群，胎児あるいは新生児異常，長期入院患者あるいは母子隔離群などがリスク因子である．約 5％ が周産期うつ病に移行したとの報告もあり，特に 2 週間以上にわたって症状が残存する場合には注意する．
- 周産期うつ病は，本邦では褥婦の 5～10％ に認められる．

はじめに

　近年では医療全般にわたって身体的疾患のみならず，精神衛生面からのサポートの必要性に対する認識が高まっている．周産期領域においても，特に産褥期は内分泌を中心とする母体の生理機能の激変と，母親になったことによる環境の変化や育児に伴う疲労などの諸要因が相まって，精神衛生面においても不安定になりやすく，諸種の精神機能障害を生じやすいことが知られている．一方で，産褥期の精神障害は，1 か月健診を終えて医療機関とのつながりが途切れた時期に発症することも多いため，妊婦健康診査，分娩のための入院時，さらには産褥期にわたって精神障害発症のリスクを念頭に置き，そのサインを見逃さぬよう注意を払うべきである．このような視点から，本稿では，産褥精神障害の発見と取り扱いのポイントに関して概説する．

　なお，2017 年 4 月から，産婦健康診査事業として産後ケア事業を行う一部自治体において産後健康診査が公費補助されている．本事業の目的の 1 つに，母親の抑うつ不安などの心理状態を把握し，周産期うつ病を含めた産褥精神障害の早期発見と介入を目指すことが挙げられており，褥婦に対する支援ツールの 1 つとして注目されている．産婦健康診査事業については別稿を参照されたい（⇨ 402 頁）．

主な産褥精神障害とその取り扱いについて

　産褥期には,「産褥精神障害」あるいは「産褥精神病」と総称される特有の精神障害が非妊娠時に比して多発することを認識しておくことが肝要である.産褥期の精神障害は大きく分けて,マタニティ・ブルーズ,周産期うつ病,神経症様状態,非定型精神病(産褥精神病)状態およびそのほかの二次性精神障害に分類される.一般的に,妊娠前あるいは妊娠中に精神障害を有する女性は,産褥精神障害のハイリスクとされる.しかしながら,両者の相関は必ずしも高くないことが報告されている.Kitamuraら[1]によれば,16%の女性が妊娠中にうつ病を発症し,そのうち70%以上は妊娠初期の発症例であったという.しかしながら,これらのうつ病の大半は,分娩までに症状が軽減あるいは消失したことから,彼らは妊娠中のうつ病は産褥うつ病と病因ならびに病像が異なるものと結論している.産褥精神障害の発見にあたっては,妊娠中に不安状態やうつ状態を発症した妊婦のみを対象としたチェックでは不十分であり,褥婦全般に対する注意を必要とすることを示している.

　以下に産褥精神障害の主な病型と対応のポイントを示す.

マタニティ・ブルーズ

　産褥3〜10日の間に生じる一過性の情動不安定な状態である.主症状は軽度の抑うつ感,涙もろさ,不安感あるいは集中力低下などで,特に涙もろいことが最も重要な症状である.本症の出現頻度は30%程度とされ[2],妊娠合併症を有する群,胎児あるいは新生児異常,長期入院患者あるいは母子隔離群などがリスク因子である[3,4].症状は通常,2週間ほどの短期間に消失するため,特に治療を要しないことが多い.しかし,本症の約5%が周産期うつ病に移行したとの報告[4]もあり,特に2週間以上にわたって症状が残存する場合には注意する.客観的診断法としてはマタニティ・ブルーズ日本版評価尺度が用いられる(表1)[5,6].本症の管理にあたっては,本症が一過性情緒障害であり,大部分が短期間に消失する旨を伝えたうえで,家族の協力を依頼するとともに,症状の改善にあわせて徐々に育児に参入させながら退院に導くようにする.本症が2週間以上遷延する場合には,産褥精神障害の発症を鑑別する必要があり,念のために退院後も外来観察を行うことが望ましい.

周産期うつ病

　産褥精神障害のなかで最も多い病型であり,本邦では褥婦の5〜10%に認められる[3].北村ら[7]によれば,産後1か月,6か月および12か月における本症の頻度はおのおの,12%,17%および14%であった.本症には抑うつ気分,不安,焦燥,不眠などが認められ,自責(母親としての責務を果たせないことや子どもや夫に対して愛情が涌いてこないことに対する)や育児に対する不安・恐怖などを訴える.重症度は軽いうつ状態から,ほとんど何もできなくなるものまでさまざまである.さらに重症化すると非定型精神病への移行や自殺の危険性などもあること,さらに将来的な育児ネグレクトや虐待との関連も指摘されている[1]ので,十分な注意と監視を要する.リスク因子として過去の精神疾患罹病歴,望まない・望まれない妊娠,疾病保有新生児などが報告されている[1,3,7].本症スクリーニング法としてはエジンバラ産後うつ病自己評価票(EPDS)(表2)[8,9]が利用される.同自己評価票で9点以上(欧米では10〜13点以上)の場合には周産期うつ病の疑いと判断し,必要に応じて精神疾患に豊富な知識・経験のある医師に相談するとともに,医療・行政面を含めた継続的な精神面支援体制を検討することが必要である.また,EPDS以外のスクリーニング方法として,Whooleyらの二質問法も注目されてきている(⇨364頁)[10].本質問法は,うつ病の中核症状である2つの項目を取り出したもので

表1　マタニティ・ブルーズ日本版尺度

> 採点用に0〜3の点数が示されているが，実際の質問票では点数は記載しないこと．

今日のあなたの状態についてあてはまるものに○をつけてください．2つ以上あてはまる場合には，番号の大きなほうに○をつけてください．

- A. 0. 気分はふさいでいない．
  1. 少し気分がふさぐ．
  2. 気分がふさぐ．
  3. 非常に気分がふさぐ．

- B. 0. 泣きたいとは思わない．
  1. 泣きたい気分になるが，実際には泣かない．
  2. 少し泣けてきた．
  3. 半時間以上泣けてしまった．

- C. 0. 不安や心配ごとはない．
  1. ときどき不安になる．
  2. かなり不安で心配になる．
  3. 不安でじっとしていられない．

- D. 0. リラックスしている．
  1. 少し緊張している．
  2. 非常に緊張している．

- E. 0. 落ち着いている．
  1. 少し落ち着きがない．
  2. 非常に落ち着かず，どうしていいのかわからない．

- F. 0. 疲れていない．
  1. 少し元気がない．
  2. 一日中疲れている．

- G. 0. 昨晩は夢を見なかった．
  1. 昨晩は夢を見た．
  2. 昨晩は夢で目覚めた．

- H. 0. 普段と同じように食欲がある．
  1. 普段に比べてやや食欲がない．
  2. 食欲がない．
  3. 一日中まったく食欲がない．

次の質問については，「はい」または「いいえ」で答えてください．
- I. 頭痛がする．　　　　　　　はい　いいえ
- J. イライラする．　　　　　　はい　いいえ
- K. 集中しにくい．　　　　　　はい　いいえ
- L. 物忘れしやすい．　　　　　はい　いいえ
- M. どうしていいのかわからない．はい　いいえ

配点方法：A〜Hの症状に対する得点は各番号の数字に該当し，I〜Mの症状に対する得点は「はい」と答えた場合に1点とする．
産後の1日の合計点が8点以上であった場合，マタニティ・ブルーズありと判定する．
(Stein G：The maternity blues. Brockington IF (eds)：Motherhood and Mental Illness. p119, Academic Press, 1982 および吉田敬子：母子と家族への援助．金剛出版，2000より改変)

ある．近年，国内でも周産期うつ病のスクリーニングとして産後4週目にEPDSと二質問法の比較検討がなされており，感度と陽性的中率に関して両者に有意な差を認めなかったという[11]．これらの質問法はあくまでもスクリーニング検査であり，大うつ病，小うつ病を含めた客観的な確定診断は専門医に委ねる．そのうえで，その後の治療方法，育児方法の立案，保健師などによる育児支援システム構築などについて症例の状況に応じて検討する．表3に『精神疾患を

表2 エジンバラ産後うつ病自己評価票（EPDS）

採点用に（ ）内に点数が示されているが，実際の評価票では（ ）内は空欄とすること．

ご出産おめでとうございます．ご出産からいままでの間どのようにお感じになったかをお知らせください．今日だけでなく，過去7日間にあなたが感じられたことにもっとも近い答えにアンダーラインを引いてください．必ず10項目に答えてください．

例）幸せだと感じた．
- はい，つねにそうだった
- <u>はい，たいていそうだった</u>
- いいえ，あまりたびたびではなかった
- いいえ，まったくそうではなかった

「はい，たいていそうだった」と答えた場合は過去7日間のことをいいます．このような方法で質問にお答えください．

［質問］
1. 笑うことができるし，物事のおもしろい面もわかった．
   - （0）いつもと同様にできた．
   - （1）あまりできなかった．
   - （2）明らかにできなかった．
   - （3）まったくできなかった．
2. 物事を楽しみにして待った．
   - （0）いつもと同様にできた．
   - （1）あまりできなかった．
   - （2）明らかにできなかった．
   - （3）ほとんどできなかった．
3. 物事がうまくいかないとき，自分を不必要に責めた．
   - （3）はい，たいていそうだった．
   - （2）はい，ときどきそうだった．
   - （1）いいえ，あまりたびたびではない．
   - （0）いいえ，そうではなかった．
4. はっきりした理由もないのに不安になったり，心配した．
   - （0）いいえ，そうではなかった．
   - （1）ほとんどそうではなかった．
   - （2）はい，ときどきあった．
   - （3）はい，しょっちゅうあった．
5. はっきりした理由もないのに恐怖におそわれた．
   - （3）はい，しょっちゅうあった．
   - （2）はい，ときどきあった．
   - （1）いいえ，めったになかった．
   - （0）いいえ，まったくなかった．
6. することがたくさんあって大変だった．
   - （3）はい，たいてい対処できなかった．
   - （2）はい，いつものようにはうまく対処しなかった．
   - （1）いいえ，たいていうまく対処した．
   - （0）いいえ，ふだんどおりに対処した．
7. 不幸せなので，眠りにくかった．
   - （3）はい，ほとんどそうだった．
   - （2）はい，ときどきそうだった．
   - （1）いいえ，あまりたびたびではなかった．
   - （0）いいえ，まったくなかった．
8. 悲しくなったり，みじめになった．
   - （3）はい，たいていそうだった．
   - （2）はい，かなりしばしばそうだった．
   - （1）いいえ，あまりたびたびではなかった．
   - （0）いいえ，まったくそうではなかった．
9. 不幸せで，泣けてきた．
   - （3）はい，たいていそうだった．
   - （2）はい，かなりしばしばそうだった．
   - （1）ほんのときどきあった．
   - （0）いいえ，まったくそうではなかった．
10. 自分自身を傷つけるのではないかという考えが浮かんできた．
    - （3）はい，かなりしばしばそうだった．
    - （2）ときどきそうだった．
    - （1）めったになかった．
    - （0）まったくなかった．

〔岡野禎治，他（訳）：産後うつ病ガイドブック．南山堂，2006，Cox JL, et al : Br J Psychiatry 150 : 782-786, 1987 より改変〕

合併した，或いは合併の可能性のある妊産婦の診療ガイド：総論編』のなかで提唱されている「EPDS使用時に産婦人科医が留意すべきポイント」を示す[12]．

神経症様状態

不安や抑うつなどの精神症状が中心で，これに疲労感，頭痛，不眠，動悸などの神経衰弱様症状を合併する．元来神経質な性格であったものに，育児や家族とのトラブルなどの心理的ストレスが重なって発症する状態と考えられている．

表3　EPDS 使用時に産婦人科医が留意すべきポイント

- 区分点付近の点数を示した産婦には，確定診断ではないのでその点数に拘りすぎず精神科医への迅速な紹介を心がける
- 日本版 EPDS の感度は 0.75（うつ病の患者を4人中3人検出できる）が，残りの1人は区分点以下でもうつ病の可能性は否定できない
- 産後うつ病の時点有病率は3か月が最も多く，発症は3か月以内が多いとの報告もあるため，産後4週間目以降もフォローする必要がある
- 反復施行した際に区分点が低下することも報告されており，繰り返し EPDS を用いることには十分に注意すべきとの指摘がある
- 自記式質問票であることから，患者の気持ち（例えば，自分のことを知られたくない）や状態（例えば，質問紙の内容を理解できない）により点数が影響を受ける可能性があることに留意し，点数のみでなく他覚的所見を重視して点数の信憑性を検討する
- 産後の女性のなかには精神的不調があっても，自ら助けを求めない傾向があり，EPDS の点数を低く操作することがある
- 日本版 EPDS の陽性的中率は 0.5 と報告されており，区分点以上でも患者は2人に1人である．精神科医／産婦人科医は，EPDS が高値であるという理由だけで安易に抗うつ薬を処方せず，まずは正確な確定診断に努める

〔日本精神神経学会，日本産科婦人科学会：周産期うつ病に対するエジンバラ産後うつ病自己評価票（EPDS）の使用方法．精神疾患を合併した，或いは合併の可能性のある妊産婦の診療ガイド：総論編．pp18-27，2020 より作成〕

非定型精神病（産褥精神病）

不眠，焦燥，抑うつなどを前駆症状として，急激に幻覚（実在しないものを知覚する）あるいは妄想（訂正不可能な確信）を生じたり，意識変容を伴う錯乱やせん妄をきたす．症状は変化しやすく，不安・困惑を伴う情動不安がみられる．さらに病像が進行すると興奮，昏迷あるいは夢幻様状態に陥ることもある．統合失調症に比較して発症が急激であること，対人接触が良好で人格が保たれていること，妄想や幻覚が浮動的であること，治療に反応しやすいなどの特徴を有するため，統合失調症と区別して非定型精神病と呼ばれる．錯乱を主にした精神症状は数日から2～3か月の間に緩解し，その後はほぼ元の人格に復する．このように，一般的には本症の予後は良好であるが，一部には意識障害がきわめて強い場合や，経過が長期にわたる場合もある．

器質的疾患

下垂体の虚血性壊死に起因するシーハン症候群がよく知られているが，このほかにも産褥期に視床下部-下垂体機能低下をきたす症例は少なくないと考えられている．さらに，橋本病の悪化などが精神症状として顕性化していることもある．上述の周産期うつ病，神経症様状態，非定型精神病に該当する精神症状とともに何らかの身体症状が観察される場合には，器質的疾患の可能性も念頭に置くことが重要である．

これらの産褥精神障害への共通する対応として，産褥期という時期が女性にとって，また，家族にとっても重大な時期であることを認識し，受容的，支持的に対応することが肝要である．妊産褥婦の心理的負担を取り除き，十分な休養が取れるように，家族の協力による環境調整を展開することが重要であることを患者本人および家族に対して十分に説明することが必要である．医療側からみれば，産婦人科医，助産師および保健師の連携のみならず，コンサルテーション・リエゾン精神医学の観点から精神科医にも協力を依頼して，確実な診断を行うとともに，精神面支援を積極的に導入することが必須である．しかしながら，ともすれば患者や家族は精神科あるいは精神障害といった用語に対して，先入観や誤った理解を示す可能性があ

ることも事実である．インフォームド・コンセントにあたっては，こうした点も念頭に置き，場合によっては個々の患者や家族の性格，あるいは家族・親族関係にも留意して説明を行うことが肝要である．

　症状が長引く場合，あるいは明らかに精神症状を示しているときには適宜，精神疾患に豊富な知識・経験のある医師に相談することが重要である．一部の精神障害では育児ネグレクトや虐待につながる可能性も指摘[13]されているので，医療・行政面を巻き込んだ継続的な精神面支援体制や育児支援体制を検討する．

産褥精神障害と授乳

　向精神薬は母乳に移行するが，乳児に移行する量は少ないことがわかっている．短絡的に薬剤の減量や断乳を強く勧めることは，母親の精神障害に悪影響を及ぼす場合がある．また，一部の薬剤を除いて向精神薬による母乳栄養児への著明な副作用はみられず，その後の発達の経過も正常であるとの報告[1,14]も多く，薬物療法と母乳栄養は両立する．したがって，精神障害の治療に用いられる薬剤の大半で断乳する必要はない．しかし，母乳育児が原因で不眠や精神状態の悪化が強く懸念される場合，精神科的薬物治療が長期間あるいは大量投与の必要性を有する場合，あるいは低出生体重児など乳児の肝腎機能が不十分の場合には，精神科医，小児科医とも連携をとりながら個別に断乳の判断を行うことが必要である．

◆ 文献

1) Kitamura T, et al : Psychosocial study of depression in early pregnancy. Br J Psychiatry **168** : 732-738, 1996
2) 中野仁雄：妊産婦の精神面支援とその効果に関する研究．平成6年度厚生省心身障害研究報告書．p7, 1994
3) Kitamura T, et al : Multicentre prospective study of perinatal depression in Japan : incidence and correlates of antenatal and postnatal depression. Arch Womens Ment Health **9** : 121-130, 2006
4) 岡野禎治，他：Maternity Blues と産後うつ病の比較文化的研究．精神医 **33** : 1051-1058, 1991
5) Stein G : The maternity blues. Brockington IF (ed) : Motherhood and Mental Illness. p119, Academic Press, 1982
6) 吉田敬子：母子と家族への援助．金剛出版，2000
7) 北村俊則：妊産褥婦におけるうつ病の出現頻度とその危険要因—周産期の各時期における心理社会的うつ病発症要因—．平成8年度厚生省心身障害研究報告書．p25, 1996
8) 岡野禎治，他(訳)：産後うつ病ガイドブック—EPDSを活用するために．南山堂，2006
9) Cox JL, et al : Detection of postnatal depression. Development of the 10-item Edinburgh Postnatal Depression Scale. Br J Psychiatry **150** : 782-786, 1987
10) Whooley MA, et al : Case-finding instruments for depression. Two questions are as good as many. J Gen Intern Med **12** : 439-445, 1997
11) Shibata Y, et al : Comparison of the Edinburgh Postnatal Depression Scale and the Whooley questions in screening for postpartum depression in Japan. J Matern Fetal Neonatal Med **33** : 2785-2788, 2020
12) 日本精神神経学会，日本産科婦人科学会：周産期うつ病に対するエジンバラ産後うつ病自己評価票（EPDS）の使用方法．精神疾患を合併した，或いは合併の可能性のある妊産婦の診療ガイド：総論編．pp18-27, 2020
13) Kokubu M, et al : Postnatal depression, maternal bonding failure, and negative attitudes towards pregnancy : a longitudinal study of pregnant women in Japan. Arch Womens Ment Health **15** : 211-216, 2012
14) Yoshida K, et al : Fluoxetine in breast-mild and developmental outcome of breast-fed infants. Br J Psychiatry **172** : 175-179, 1998

（佐藤　昌司）

II ハイリスク妊婦の管理

やせ・肥満

> **POINT**
> - やせ妊婦の取り扱い：妊娠前 BMI＜18.5 程度をやせの目安とする．やせ妊婦では切迫早産，早産，貧血および低出生体重児分娩のリスクが高い．妊娠中はバランスのよい栄養素の摂取を促し，適度の体重増加が望ましい．
> - 肥満妊婦の取り扱い：妊娠前 BMI＞25 を肥満の目安とする．肥満妊婦は妊娠高血圧症候群，妊娠糖尿病，帝王切開分娩，巨大児などのリスクを有するが，その後の体重管理についてはエビデンスに乏しく，個人差を考慮したゆるやかな指導を心がける．
> - 妊娠前の管理：胎児の健全な発育には，妊娠前からバランスよく栄養素を摂取し，適度な体重を保つことが重要である．若年世代への啓蒙が望まれる．

はじめに

　妊孕世代のダイエット志向などにより，「やせ妊婦」が増加している．また，これに関連した低出生体重児の増加が問題となっている．この低出生体重児は，いわゆる「生活習慣病胎児起源説」により，その後の糖尿病，メタボリック症候群などの発症のハイリスク群として注目されている．一方で，日常臨床において「肥満妊婦」に接することも稀ではなく，その合併症などに難渋することも少なくない．

　母体は，妊娠による栄養・代謝動態，内分泌動態，循環動態などの劇的な変化に適応して妊娠を維持し，分娩に至る．このような母体の妊娠維持に対する適応機序が何らかの破綻をきたした場合に，妊娠高血圧症候群あるいは胎児発育不全など妊娠に特有の病態が発症すると考えられる．したがって，妊娠が成立した時点での母体の栄養状態は，その後の産科的合併症の発症に少なからず影響を及ぼしていると考えられる．本稿では，妊娠前後の栄養管理ならびに周産期事象に及ぼす影響について概説する．

妊婦の体格評価

　ほとんどの妊婦が，無月経となって初めて産婦人科を訪れるが，その時点ですでに悪阻など何らかの妊娠による影響を受けている可能性が否定できない．また，外来での体重測定では服装の影響も受ける．したがって，原則として自己申告による妊娠前の体重から body mass index〔BMI＝体重(kg)／身長(m)^2〕を算定することで妊婦の体格を評価し，リスク評価あるいは栄養指導の基準とする(表1)[1-4]．

やせ妊婦の基準

　日本肥満学会と WHO の基準から妊娠前 BMI＜18.5 をやせの基準とする[2,3]．

表 1　妊娠中の体重増加の推奨値

体重増加の推奨値(a)	
厚生労働省「健やか親子 21(2006 年)」[2]	BMI＜18.5(やせ)：9〜12 kg BMI 18.5〜25(普通)：7〜12 kg BMI＞25(肥満)：個別対応(5 kg 程度が一応の目安)
日本肥満学会「肥満症診断基準 2011」(2011 年)[3]	BMI＜18.5(やせ)：9〜12 kg BMI 18.5〜25(普通)：7〜12 kg BMI＞25(肥満)：個別対応(5 kg 程度が一応の目安)
米国 Institute of Medicine (IOM) (2009 年)[4]	BMI＜18.5(やせ)：12.7〜18.1 kg BMI 18.5〜25(普通)：11.3〜15.9 kg BMI 25〜30(overweight)　(b)：6.8〜11.3 kg BMI≧30(肥満)：5.0〜9.1 kg

(a)：自己申告による妊娠前の体重をもとに算定した BMI を用いる．
(b)：BMI 25〜30 は米国では overweight であり，BMI 30 以上から肥満となる．
〔日本産科婦人科学会，日本産婦人科医会(編)：CQ010 妊娠前の体格や妊娠中の体重増加量については？　産婦人科診療ガイドライン 産科編 2020．p46，日本産科婦人科学会，2020〕

肥満妊婦の基準

　日本肥満学会の基準により妊娠前 BMI＞25 を肥満の基準とする[2,3]．しかし，米国 Institute of Medicine (IOM) National Academies(2009 年)は BMI≧30 を肥満妊婦としており，クラス I 肥満(BMI 30〜34.9)，クラス II 肥満(BMI 35〜39.9)，クラス III 肥満あるいは極端な肥満(BMI≧40)との細分類もある．BMI 25〜29.9 は overweight と分類されている[4]．わが国と海外では肥満妊婦の定義が異なることにも留意する．

妊婦の体格が周産期事象に及ぼす影響

やせ妊婦

　やせ女性が妊娠した場合，最も著明な影響は低出生体重児が多いことであろう[1]．わが国の研究(97,157 名)では，妊娠前 BMI＜18.5 の場合，標準体重妊婦に比して small for gestational age (SGA)児や，早産のリスクが高かったと報告されている[5]．海外では，やせ女性は低出生体重児分娩や胎児発育不全，切迫早産や早産，貧血のリスクが高いことが指摘されている．

肥満妊婦

　海外での肥満妊婦の研究は，肥満の基準がわが国と異なる点に留意する必要があるが，米国の調査(16,102 名)ではクラス I 肥満群(BMI 30〜34.9)とクラス II 肥満群(BMI 35〜39.9)は BMI＜30 群に比較して妊娠高血圧合併(2.5 倍，3.2 倍)，妊娠高血圧腎症合併(1.6 倍，3.3 倍)，妊娠糖尿病(2.6 倍，4.0 倍)，巨大児(1.7 倍，1.9 倍)のリスクが高く，初産婦の帝王切開率も高かったと報告されている．日本人を対象とした調査でも，妊娠前 BMI 25〜30 および BMI≧30 の妊婦は，標準体重の妊婦に比して，妊娠高血圧合併(2.4 倍，3.7 倍)，妊娠糖尿病(2.9 倍，6.6 倍)，巨大児(2.6 倍，4.6 倍)，帝王切開率のリスク(1.5 倍，2.0 倍)が上昇したと報告されている[5]．妊娠前の体格と妊娠予後に関しては，わが国でのエビデンスレベルが高くなっており，この点については『産婦人科診療ガイドライン 産科編 2020』では推奨レベルが(C)から(B)に変更されている．

ACOG Committee Opinion では，肥満妊婦では妊娠糖尿病，妊娠高血圧症候群，帝王切開分娩などの母体リスクと，死産，巨大児，児の神経管閉鎖障害などの児リスクが高いとしている．とりわけ肥満妊婦に帝王切開分娩を行う場合には，血栓・塞栓症の予防策を講じるよう推奨している．また，巨大児の分娩時には，肩甲難産となる頻度が高く，新生児仮死や分娩麻痺（神経障害）の合併率が高くなる．新生児期には低血糖，低カルシウム血症や呼吸障害の頻度が高くなる．

やせ・肥満妊婦における体重増加の推奨値

妊娠中の体重増加の推奨値は，妊娠前の体格により異なることも含めさまざまな議論があるところである．妊娠中の体重増加量と出生時の児体重には正の相関が認められ，体重増加量が大きいほど児の出生体重が大きい．しかしながら，この相関は妊娠前の肥満度が大きいほど弱くなる．海外からの報告では，妊娠期に体重増加がIOMの推奨体重増加量より少ない場合には，SGA児（1.53倍）や早産（1.70倍）のリスクが高く，推奨体重増加量より多い場合にはlarge for gestational age（LGA）児（1.70倍）や巨大児分娩（1.95倍），帝王切開分娩（1.30倍）のリスクが高まることが報告されている．

わが国では，以前，妊娠中毒症（現在の妊娠高血圧症候群とは診断基準が異なる）予防を目的とした体重増加量の制限などが勧められていた時期もあったが，エビデンスに乏しい．そのため『産婦人科診療ガイドライン 産科編2020』のAnswerでは，具体的な体重増加量は示されておらず，妊娠期に体重増加が著しく少ない場合には，低出生体重児分娩や早産のリスクが高まり，体重増加量が著しく多い場合には，巨大児分娩，帝王切開分娩のリスクが高まるとのみ記載されている．

妊娠中の栄養指導に関して，現時点では厳しい体重管理を行う根拠となるエビデンスは乏しく，個人差を配慮してゆるやかな指導を心がけるのが妥当と思われる．

おわりに

やせ妊婦には，早産および低出生体重児などのリスクが高い傾向にあることを説明し，妊娠中の体重増加と児の出生体重とに正の相関があることを意識させる指導が大切である．

肥満妊婦には，妊娠高血圧症候群，妊娠糖尿病などのリスクが高い傾向にあることを説明するが，その後の厳格な体重増加制限にはエビデンスがないため，個人差を考慮したゆるやかな指導を行う．

児の健全な発育には，妊娠後の栄養摂取のみならず，妊娠前の栄養環境が重要である．また，妊娠前後の栄養管理は，周産期事象のみならず児の将来に種々のかかわりをもつことが明らかとなりつつある．妊孕世代の若年女性が妊娠前からより健全な食生活を営むことが望まれる．

◆ 文献

1) 日本産科婦人科学会，日本産婦人科医会（編）：CQ010 妊娠前の体格や妊娠中の体重増加量については？ 産婦人科診療ガイドライン 産科編2020．pp45-48，日本産科婦人科学会
2) 厚生労働省「健やか親子21」推進検討会：妊産婦のための食生活指針「健やか親子21」推進検討会報告書．2006．http://www.mhlw.go.jp/houdou/2006/02/h0201-3a.html（2021年9月アクセス）
3) 日本肥満学会（編）：肥満症診断基準2011．肥満研究 17（臨時増刊号）：2011

4） Weight Gain During Pregnancy : Reexamining the Guidelines, Report Brief, Institute of Medicine National Academies, 2009
5） Enomoto K, et al : Pregnancy outcomes based on pre-pregnancy body mass index in Japanese woman. PLoS One 11 : e0157081, 2016

（鈴木　一有・伊東　宏晃）

高血圧

POINT
- 妊娠中に使用できる経口降圧薬は，メチルドパ，ヒドララジン，ラベタロール，ニフェジピンの4剤である．
- 妊娠中・分娩時・産褥期に使用できる経静脈的降圧薬として，ヒドララジン，ニカルジピンがある．
- 高血圧合併妊娠は20％程度が妊娠高血圧腎症を示すので，家庭血圧測定を併用し，蛋白尿の出現に注意することが大切である．

DATA
- 高血圧合併妊娠(CH)単独の場合はCHを認めない場合と比較して，調整済みオッズ比で帝切が2.7倍，胎児発育不全が1.7倍，産褥期の過多出血が2.2倍，輸血が1.5倍，有意に増加していたとの報告がある．
- 妊娠中に妊娠高血圧症候群を認めなかった妊婦の6％が，分娩時に収縮期血圧≧160 mmHgの重症高血圧を示した．

はじめに

　妊娠年齢の高齢化，食生活の変化による肥満妊婦の増加により，高血圧合併妊婦に遭遇することは珍しいことではなくなってきた．産科領域では，高血圧の原因を問わず，妊娠前にすでに診断されている高血圧のことをchronic hypertension(CH)と総称しているが，改訂版妊娠高血圧症候群(hypertensive disorders of pregnancy：HDP)の病型分類では，高血圧合併妊娠という和訳が採用された．なお，妊娠20週までに初めて発見された高血圧もCHと呼称される．もちろん二次性高血圧の鑑別診断は重要であるが，妊娠中に初めて高血圧が発見された場合は，その鑑別を行うことは難しい．出産後12週を過ぎても引き続き高血圧を示すようであれば，適宜，二次性高血圧の鑑別を行うのが適切と思われる．

　CHは基本的に内科疾患であり，産褥期以降も適切な治療が必要であるため，適切なタイミングで内科(できれば高血圧専門医師)に紹介し，妊娠中は併診で管理するのが望ましい．

高血圧の診断

　診察室高血圧を認めた場合，すでにCHの診断がついていないときは，自由行動下24時間血圧測定(ambulatory blood pressure monitoring：ABPM)あるいは家庭血圧測定(home blood pressure：HBP)を用いて，まず白衣高血圧(white-coat hypertension：WCH)でないかどうかを診断することが重要である．また，高血圧を認めた場合は1分程度の間隔をあけて複数回測定したり，機会を変えて再度測定したりするなどにより，一過性高血圧(transient hypertension)を除外することができる．日本高血圧学会の高血圧診断基準は「妊娠22から36週まで：妊娠高血圧症候群」の**表3**(⇨188頁)に示した．日本妊娠高血圧学会(Japan Society for the

Study of Hypertension in Pregnancy：JSSHP)の委員会内のコンセンサスとして，妊娠中の高血圧の診断は一般成人における高血圧の診断基準と同じとすることが確認されている[1,2]．

高血圧が妊娠に及ぼす影響

妊娠20週まで

加重型妊娠高血圧腎症(superimposed preeclampsia：SPE)の診断は，旧妊娠高血圧症候群の病型分類では，CH妊婦に妊娠20週以降に新たに発生した蛋白尿が加わった場合と定義されていたように，妊娠20週までは高血圧が妊婦に及ぼす影響は非常に少ない．改訂版HDPの病型分類では，SPEの定義がわずかに変更された．「妊娠22から36週まで：妊娠高血圧症候群」の表2(⇨185頁)を参照されたい．

妊娠20週以降

CH妊婦がSPEを示した場合，その母児予後が不良であることはよく知られている．しかし，CH単独で妊娠中ずっと推移した場合の母児予後についてはよくわかっていない．Vanekら[3]の報告では，CH単独の場合はCHを認めない場合と比較して，調整済みオッズ比で帝切が2.7倍，胎児発育不全(fetal growth restriction：FGR)が1.7倍，産褥期の過多出血が2.2倍，輸血が1.5倍，有意に増加していた．また，CHは早発型妊娠高血圧腎症(early-onset preeclampsia：EO-PE)の危険因子との報告[4]がある．

分娩時

分娩時は子癇の好発時期であり，また，陣痛発来後は血圧が上昇しやすい．もともとCHが存在する場合は，分娩中に血圧が上昇しやすい．したがって，妊婦が分娩のために入院したときには血圧測定と尿中蛋白半定量検査を行う．

産褥期

産褥期は，妊娠中に血圧上昇がマスクされていた本態性高血圧妊婦が，再度血圧上昇を示すようになる．したがって，もともとCHといわれていた妊婦では，産褥後も引き続きHBPを継続するよう指導するのが望ましい．

また，妊娠経過を通じて正常血圧であっても産後になって上昇する産後高血圧(postpartum hypertension)という概念もある．経験的に，妊娠中に正常高値血圧あるいは高値血圧または一過性の高血圧を示していた妊婦に，産褥発症の高血圧が多いという印象があるが，産後高血圧の詳しい機序はわかっていない．

産褥期の高血圧は，産後3か月間は産科で管理してもよいと思われるが，それ以上遷延するようであれば，内科医師(できれば循環器内科医師)にバトンタッチするのがよいと思われる．

妊娠が高血圧に及ぼす影響

妊娠20週まで

CH妊婦の多くで妊娠中期までに血圧レベルが低下すると教科書に記載がある．実際，妊娠前に高血圧と診断されていた妊婦が妊娠20週近くなって初めて産婦人科を受診した場合に，

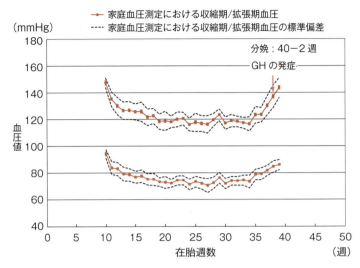

図1 高血圧合併妊婦の妊娠中期の血圧低下(典型例)

まったく血圧が正常値を示しており，本当に妊娠前に高血圧があったのかどうか不思議に思う場合がある．一例(図1)を挙げると，この症例は妊娠初期に家庭血圧でも明らかに高血圧を示しているが，妊娠20週にかけて次第に血圧が低下していき，正常血圧になっているのがよく見て取れる．この例は，妊娠後期に血圧レベルが再上昇して妊娠高血圧と診断されているが，妊娠中はまったく正常血圧を呈し，産褥期に高血圧状態に復帰する例も知られている．

妊娠20週以降

CH妊婦では，22％がその後にSPEを呈したのに対し，WCHと診断された妊婦では8％しかPEを発症しなかった[5]．最近の筆者らの調査では，WCH合併妊婦のPE発生率は14％であり，もう少し高率かもしれない[6]．

SPE

SPEではFGRをしばしば伴う．Reyら[7]は，CHにPEを伴った場合は35％にFGRを合併したが，CH単独の場合は11％であったと報告している．前述した高血圧の妊娠中期までの血圧低下がみられないと，その後のPE合併リスクが増加するのではないか，という仮説があるが，まだ証明はされていない．ABPMによりPEの発症を予知できるかどうかについての研究が行われてきたが，現在のところ，予知できるという結論には至っていない．

分娩時

分娩時高血圧という概念があるが，この分野の研究は非常に遅れている．妊娠中にHDPを認めなかった妊婦の6％が収縮期血圧≧160 mmHgの重症高血圧を示した[8]．実のところ，分娩中の高血圧が子癇(痙攣)の先行症状であるかどうかについてはよくわかっていないが，痙攣を発症する直前に高血圧を示すことが多く，また，分娩中の子癇は全子癇中の約半数を占めている．分娩という大きな負荷により母体の心血管系の潜在リスクが顕在化するためと考えられる．

産褥期

　産褥期に初めて高血圧が診断される場合が稀にある．この場合，産褥期に発症した妊娠高血圧症候群であるか，それとも，妊娠中にマスクされていたもともと存在した高血圧の顕性化であるかを区別するのは難しい．経過をみていくと，妊娠高血圧症候群であれば，3か月以内に高血圧は正常化するが，もともと存在していた高血圧は3か月以上経ても改善はみられない．

　また，産褥期に初めて痙攣を引き起こしたり，HELLP症候群を発症したりといった場合もある．通常，高血圧を伴うことがほとんどで，数日のうちに高血圧も次第に正常化する．産後3か月以上続く高血圧患者で原発性アルドステロン症と診断された例もあり，定期的なフォローが必要である．

妊娠時期ごとの健診での管理方法

妊娠20週まで

　妊娠20週までに発見された高血圧については，①診察室高血圧であることを正しく診断すること，②白衣高血圧をきちんと除外すること，この2点が最も重要である．血圧測定の問題点については，日本妊娠高血圧学会によるマニュアル[2]の第2章「血圧測定法と問題点：内科医の見地から」に詳しく記載されている．一般成人におけるWCHは，診察室血圧値が≧140/90 mmHg，かつ，ABPMあるいはHBPで高血圧でない場合と定義される[9]．妊娠中のWCHも現時点では一般成人と同様の基準で診断する[2]．

　CHに関しては，内科医師が管理する場合も多いと思われる．CHの場合の降圧開始基準については内科医師に一任するのがよいと考えている．妊娠中に外来で使用できる経口降圧薬の種類，用法および注意点を表1に示した．

妊娠20週以降

　CHについては，引き続き，必要に応じて経口降圧薬で管理する．妊娠20週以降は，メチルドパ，ヒドララジン，ラベタロールに加えて，Ca拮抗薬のニフェジピンを使用することができる．また，不整脈などの合併によりβ遮断薬を妊娠前から服用している例があるが，β遮断薬も問題ない．

　SPEが発症した場合は，原則，入院管理とする．入院中の血圧コントロールでは，経口降圧薬の使用で十分な降圧効果が得られない場合に，ヒドララジンあるいはニカルジピンの点滴静注を使用できる．

分娩時

　『産婦人科診療ガイドライン　産科編2020』には，次のような記載がある[8]．「収縮期血圧≧160 mmHgかつ/または拡張期血圧≧110 mmHgの場合は速やかに降圧治療を開始し，特に収縮期血圧≧180 mmHgかつ/または拡張期血圧≧120 mmHgの場合は『高血圧緊急症』と診断してただちに降圧（降圧目標は収縮期血圧140〜159 mmHgかつ/または拡張期血圧90〜109 mmHg）を行う」．推奨レベルはBである．高血圧性脳症〔いわゆる可逆性白質脳症（posterior reversible encephalopathy syndrome：PRES）〕は非妊婦では拡張期血圧130 mmHg以上のようなレベルでないと発症しないが，妊婦では160/110 mmHg程度の比較的低い血圧でも発症しうるため，一過性であっても高い血圧値には十分な注意が必要である．

表1 妊娠中に使用できる経口および経静脈的降圧薬

投与経路	一般名	商品名(例)	製剤	用法・用量	維持量	注意点
経口	メチルドパ	アルドメット	125 mg 250 mg	1日250〜750 mgの経口投与から始め，適当な降圧効果が得られるまで数日以上の間隔をおいて1日250 mgずつ増量する．	250〜2,000 mg/日	効果発現までに24時間必要．
経口	ヒドララジン	アプレゾリン	10 mg 25 mg 50 mg	1日30〜40 mgを3〜4回に分割経口投与し，血圧値をみながら漸次増量する．	30〜200 mg/日	効果発現が不確実で，時間がかかることが多い．
経口	ラベタロール	トランデート	50 mg 100 mg	1日150 mgより開始．効果が不十分な場合には1日450 mgまで漸増する．1日3回に分割，経口投与する．	150〜450 mg/日	
経口	ニフェジピン	アダラートカプセル	5 mg 10 mg	1回10 mgを1日3回経口投与する．	10〜40 mg/日	妊娠20週以降の妊婦にのみ適応あり．ソフトカプセルの口内での破砕や内用液の舌下投与は禁忌．
経口	ニフェジピン	アダラートL	10 mg 20 mg	1回10〜20 mgを1日2回経口投与する．	10〜40 mg/日	
経口	ニフェジピン	アダラートCR	10 mg 20 mg 40 mg	20〜40 mgを1日1回経口投与する．1日10〜20 mgより投与を開始する．	10〜40 mg/日	
経静脈的	ヒドララジン	アプレゾリン	20 mg	1回20 mgを筋肉内または徐々に静脈内注射する．		1/4アンプル(5 mg)をボーラスで，その後20 mg/200 mL生理食塩水を1時間かけて点滴静注．
経静脈的	ニカルジピン	ペルジピン	2 mg 10 mg 25 mg	生理食塩液または5%ブドウ糖注射液で希釈し，ニカルジピン塩酸塩として0.01〜0.02%(1 mL当たり0.1〜0.2 mg)溶液を点滴静注する．この場合1分間に，体重1 kg当たり0.5〜6 μgの点滴速度で投与を開始し，目的値まで血圧を下げ，以後血圧をモニターしながら点滴速度を調節する．		10 mg/100 mL生理食塩水を0.5 μg/kg/分(60 kg妊婦では20 mL/時間)で投与開始する．褥婦の降圧スライディングスケールが提唱されている．

産褥期

　産褥期は，授乳が始まるため，どのような降圧薬であっても大丈夫というわけではない．筆者らは，ニフェジピンの母乳中への移行率が非常に少ないことから，好んでニフェジピンを使用している．産褥2日以降は子癇の発生率がきわめて低くなることから，160/100 mmHg以上の比較的高いレベル以上の血圧を示すときに降圧薬を使用するようにしている．2019年に改訂された日本高血圧学会(The Japanese Society of Hypertension：JSH)のガイドラインでは，メチルドパ，ヒドララジン以外にも，ニフェジピン，アムロジピン，エナラプリルをはじめ多くの降圧薬が授乳に問題ないことを記載している[9]．

◆ 文献

1）日本妊娠高血圧学会（編）：妊娠高血圧症候群の診療指針 2015 Best Practice Guide. メジカルビュー社, 2015
2）日本妊娠高血圧学会（編）：妊娠と高血圧：内科医・産科医のための薬剤療法マニュアル. 金原出版, 2013
3）Vanek M, et al：Chronic hypertension and the risk for adverse pregnancy outcome after superimposed pre-eclampsia. Int J Gynaecol Obstet **86**：7-11, 2004
4）Aksornphusitaphong A, et al：Risk factors of early and late onset pre-eclampsia. J Obstet Gynaecol Res **39**：627-631, 2013
5）Brown MA, et al：The natural history of white coat hypertension during pregnancy. BJOG **112**：601-606, 2005
6）Ohkuchi A, et al：Temporary hypertension and white coat hypertension in the first trimester as risk factors for preeclampsia. Hypertens Res **42**：2002-2012, 2019
7）Rey E, et al：The prognosis of pregnancy in women with chronic hypertension. Am J Obstet Gynecol **171**：410-416, 1994
8）日本産科婦人科学会, 日本産婦人科医会（編）：産婦人科診療ガイドライン 産科編2020. 日本産科婦人科学会, 2020
9）日本高血圧学会高血圧治療ガイドライン作成委員会（編）：高血圧治療ガイドライン2019. 日本高血圧学会, 2019

（大口　昭英）

糖尿病

POINT
- 妊娠許可基準を満たすように厳重な血糖管理をし，計画妊娠させるプレコンセプションケアが重要である．
- 糖尿病腎症や網膜症などの糖尿病合併症は妊娠中や産褥期に悪化しやすく注意が必要である．
- 糖尿病ケトアシドーシスや劇症 1 型糖尿病を発症しやすく，症状が多彩であり，迅速な対応が必要である．
- 糖尿病内科医，眼科医と産科医の情報共有が重要である．

DATA
- 妊娠前の血糖管理不良例での先天異常の発生頻度は，9.5％（HbA1c 7.4～7.8％），14.3％（7.9～8.3％），24.1％（8.4％＜）と HbA1c の悪化に伴い上昇する．
- 血糖自己測定（self-monitoring of blood glucose：SMBG）を行い，早朝空腹時血糖 95 mg/dL 以下，食前血糖値 100 mg/dL 以下，食後 2 時間血糖値 120 mg/dL 以下を目標に治療する．
- 糖尿病ケトアシドーシスは糖尿病合併妊娠の 1～3％に発症，胎児死亡率 9～35％，母体死亡率 4～15％と高率である．

はじめに

　妊娠中は胎盤から産生されるホルモンがインスリン作用に拮抗する方向に働き，インスリン抵抗性が亢進する．このことは胎児へのエネルギー供給の点からは合目的的であるが，耐糖能異常や妊娠高血圧症候群など妊娠中のさまざまな病態にも関与する．妊娠中に取り扱う糖代謝異常（hyperglycemic disorders in pregnancy）には，①妊娠糖尿病（gestational diabetes mellitus：GDM），②妊娠中の明らかな糖尿病（overt diabetes in pregnancy），③糖尿病合併妊娠（pregestational diabetes mellitus）の 3 つがある．糖尿病腎症，糖尿病網膜症などの糖尿病合併症の管理に加えて，妊娠中は劇症 1 型糖尿病や糖尿病ケトアシドーシスを発症しやすい．
　糖尿病合併女性では，妊娠前から妊娠中，産褥期を通じて一貫した管理が必要である．

妊娠前の管理[1]

　プレコンセプションケア（preconception care）とは，適切な時期に適切な知識・情報を女性やカップルに提供し，将来の妊娠のためのヘルスケアを行うことである．このケアは，妊娠計画の有無にかかわらず，すべての妊娠可能年齢の女性，そしてカップルにとって大切であり，自分自身の健康管理を身につけることは，周産期だけでなく将来そして次世代のヘルスケアに寄与し，質の高い人生を送ることが可能となる[2]．CDC は，プレコンセプションケアの有効性が示されている周産期リスク因子として 14 項目を挙げており，糖尿病もその 1 つである[3]．
　妊娠判明時はすでに器官形成期であることから，高血糖曝露による胎児奇形の防止には，妊

表1　妊娠初期HbA1c値と先天異常発生頻度

HbA1c（%, NGSP変換）	<6.1	6.2〜6.8	6.9〜7.3	7.4〜7.8	7.9〜8.3	8.4<
先天異常発生頻度（%）	3.3	5.3	4.2	9.5	14.3	24.1

〔末原節代，他：糖尿病と妊娠 10：104-108，2010より改変〕

表2　妊娠許可基準

血糖
　HbA1c 7%未満（理想は6.5%未満）
網膜症
　合併なしまたは単純網膜症，
　前増殖・増殖網膜症では光凝固後許可
腎症
　1期（腎症前期）または2期（早期腎症）

〔日本糖尿病・妊娠学会（編）：Ⅰ 妊娠前の管理．妊婦の糖代謝異常 診療・管理マニュアル 改訂第2版．p26，メジカルビュー社，2018より改変〕

表3　計画妊娠における薬剤変更

・経口糖尿病薬からインスリンに変更
・降圧薬はアンジオテンシン変換酵素阻害薬（ACEI），アンジオテンシンⅡ受容体拮抗薬（ARB）は中止し，メチルドパ，ラベタロール，ヒドララジン，ニフェジピン（妊娠20週以降）に変更
・脂質代謝改善薬スタチン，フィブラート中止

〔日本糖尿病・妊娠学会（編）：Ⅰ 妊娠前の管理．妊婦の糖代謝異常 診療・管理マニュアル 改訂第2版．p26，メジカルビュー社，2018より改変〕

娠前から血糖管理を十分に行う計画妊娠が必要である．本邦における妊娠初期のHbA1c値別にみた児の先天異常の頻度を表1に示す[4]．妊娠前の血糖管理，および合併症である腎症や網膜症からみた妊娠許可基準を表2に示す[1]．計画妊娠に向けて薬物の変更，中止も必要である（表3）[1]．

妊娠中の管理[5-7]

診療は，『産婦人科診療ガイドライン 産科編2020』に基づいて行う．血糖管理の主な目標は，母体面からみると妊娠中に生じやすい糖尿病腎症，網膜症，ケトアシドーシスなどの糖尿病合併症や妊娠高血圧症候群，児の予後からみると妊娠初期の高血糖による胎児奇形および妊娠中後期の早産，巨大児，難産や低血糖，黄疸や呼吸窮迫症候群など新生児合併症などの発症抑制である．また胎内環境の改善は将来の児のメタボリック症候群発症予防につながる可能性がある．

血糖管理

血糖自己測定（self-monitoring of blood glucose：SMBG）を行い，早朝空腹時血糖95 mg/dL以下，食前血糖値100 mg/dL以下，食後2時間血糖値120 mg/dL以下，HbA1c 6.2%未満，グリコアルブミン（GA）15.8%未満を目標に治療する．

食事療法

糖代謝異常妊婦のエネルギー必要量はいまだ統一されていないが，一般には非肥満妊婦には標準体重×30＋200 kcal，肥満妊婦（BMI 25以上）では標準体重×30 kcalとし，血糖の変動を少なくするため4〜6分割食（主に主食のみ）を指導する．血糖管理が不十分な場合や血糖管理は良好でも過度の食事制限によりケトン体陽性の場合はインスリン療法を併用する．授乳期は，標準体重×30＋450 kcal（非肥満授乳婦），＋200 kcal（肥満授乳婦）としている．低血糖発作に注意し，その対処法を説明する．

運動療法

 食事療法と同様に基本的な治療である．妊娠中の適切な運動量は定かでなく，その効果の評価も一定していないが，血糖値改善に有効とされる．

薬物療法

 妊娠中は厳格な血糖管理が必要であり経口糖尿病薬は胎児への安全性が確立していないため，妊娠を計画した段階でインスリン療法に変更する(表3)．GDMと同様にインスリン基礎量と追加量を補充する強化インスリン療法，特にインスリン頻回注射法が第一選択である．インスリン頻回注射法で血糖管理が困難な1型糖尿病症例などでは，インスリン持続皮下注入法(CSII)の導入を検討する．リアルタイム持続血糖モニター機能が一体化したインスリンポンプを用いるsensor augmented pump(SAP)療法や，より簡便なflash glucose monitoring(FGM)も導入され，大規模RCTはないが，糖尿病合併妊娠での使用が増加しており有用性が報告されている．

 妊娠初期の重症悪阻では，摂食不良や嘔吐による脱水などにより血糖の著しい変動やケトーシスを引き起こしやすく注意が必要である．また分娩進行中や帝王切開時には食事摂取不能となり，場合によってはケトアシドーシスに陥ることがあるため，5%グルコース含有輸液を投与し頻回に血糖測定し，70～120 mg/dLを維持するように速効型インスリンを投与する．分娩後は，胎児・胎盤の娩出によりインスリン必要量は急速に減少するためSMBGの血糖値をみながらインスリン量を調節する．一般に分娩後は直前の1/2～1/3のインスリン量となることが多く，妊娠中のインスリン投与量が少ない場合には投与中止となる．

 経口糖尿病薬として妊娠中に使用される可能性があるのは，第二世代スルホニル尿素薬(SU)のグリベンクラミドとビグアナイド系のメトホルミンである．インスリンが禁忌またはインスリン自己注射が安全，確実に施行されない場合に限り，十分なインフォームド・コンセント後に使用が検討されるべきである．

周産期管理

 糖尿病合併妊婦で入院管理が必要な状況としては「妊娠糖尿病の管理」の表2(⇨230頁)が挙げられる．厳重な血糖管理に加えて，妊娠高血圧症候群，胎児過剰発育，羊水過多，切迫早産などに注意が必要である．定期的な健診時には，血圧，蛋白尿，胎児発育，羊水量，頸管長などの検査を行い，血糖や産科的所見から健診間隔を考慮する．糖尿病網膜症や腎症の発症や悪化の可能性を常に考え管理する．内科医と産科医の担当患者の情報共有が重要である．さらに糖代謝異常合併妊娠管理方法について，日頃から合同カンファレンスでの症例検討や意見交換，意思疎通が大切である．

 胎児発育は，常に胎児発育曲線上でその推移をモニタリングすることが重要である．児頭発育に比して腹囲の発育が大きく，腹囲35 cmを超えるときは巨大児に注意する．超音波検査での推定体重は15%程度の誤差は避けられず，特に推定体重3,800 g以上ではさらに誤差が大きくなる．巨大児検出の感度は12～75%，陽性的中率は17～79%と報告されている[8]．一方，妊娠高血圧症候群を合併した場合は，胎児発育不全(FGR)となる可能性があることにも注意を払う必要がある．

 糖代謝異常合併妊娠では，妊娠32週以降，子宮内胎児死亡(IUFD)の頻度が増加する．IUFDに対する特異的なwell-being異常所見はないが，特に血糖管理の不十分な妊婦ではnon-stress test, pulsed Doppler法による血流計測, biophysical profile scoreなど適宜評価し，異常を認めた場合は早期入院管理を考慮する．

表4 糖尿病ケトアシドーシスの症状・検査所見

症状・所見
全身倦怠感，多飲・多尿，口渇，筋力低下，知覚障害，意識障害，消化器症状(嘔吐，腹痛)，呼吸異常(呼気アセトン臭，クスマウル大呼吸)，胎児機能不全
検査所見
高血糖($>$300 mg/dL)，尿ケトン体陽性，血中ケトン体($>$3,000 μmol/L)，アシドーシス(動脈血 pH$<$7.3)，anion gap 上昇($>$12 mEq/L)

　分娩中は連続的胎児心拍数モニタリングを行う．肩甲難産は耐糖能異常合併妊娠では約6倍巨大児の危険が高く，肩甲難産は同じ児体重でも3〜4倍危険が高い．リスク因子である遷延分娩，陣痛促進，吸引分娩時には注意する．選択的帝王切開の適応は文献的には，胎児推定体重4,500 g以上や肩甲難産／分娩損傷既往などが挙げられている．本邦でのデータはほとんどなく，また大規模なRCTもない．推定体重の精度も非常に低下することに注意が必要である．待機か誘発かでは，積極的管理群(38週で誘発)と待機群(4,200 g以上または42週まで待機)でlarge for gestational age(LGA)児は減るが，帝王切開率，肩甲難産，新生児低血糖や周産期死亡率で差がないことが報告されている．『産婦人科診療ガイドライン 産科編2020』では，胎児well-beingを適宜評価するとともに①頸管熟化を考慮した分娩誘発，②自然陣痛発来待機の選択肢が示されている．

注意すべき合併症の管理[7]

糖尿病腎症

　妊娠中および産後に腎症が悪化し，腎機能低下や高血圧を呈する可能性があるため，内科と連携し，注意深く血圧や蛋白尿，腎機能の変化を評価する．特に第3期以上や腎機能低下例ではリスクが高い．妊娠高血圧症候群や胎児発育不全発症による入院管理や早産，低出生体重児出生となることも含めて，妊娠前から本人および家族に十分情報提供することが大切である．

糖尿病網膜症

　妊娠前の網膜症の状態によって，内科に加えて眼科によるフォローアップ，眼底検査を行う．内科的管理とともに眼科専門医による活動性の評価，把握をする．活動性が高い場合は急激な悪化を認めることがあり，密度の高い眼科的治療が必要である．

糖尿病ケトアシドーシス

　糖尿病ケトアシドーシスは，糖尿病合併妊娠の1〜3％に発症するとされ，胎児死亡率9〜35％，母体死亡率4〜15％と高率である．本来は，1型糖尿病発症時やシックデイでみられることが多いが，代謝や免疫が非妊娠時とは異なる妊娠中は発症しやすく，2型糖尿病や妊娠糖尿病でも合併することがある．リトドリン塩酸塩投与が誘因となることもある．早期診断，治療により急速に改善する．症状および検査所見を表4にまとめた．

劇症1型糖尿病[9]

　頻度は低いが妊娠中に突然ケトアシドーシスを伴って発症し，母児ともに死に至る危険性の

高い疾患である．上気道感染症状に引き続き数日から1週間で口渇，多飲，多尿などの糖尿病症状を呈し，数時間で糖尿病昏睡に陥る．高血糖（300 mg/dL）に比して HbA1c 低値（8.7%以下）である．妊産婦救急疾患の1つと認識すべきである．

◆ 文献

1) 日本糖尿病・妊娠学会(編)：Ⅰ 妊娠前の管理．妊婦の糖代謝異常 診療・管理マニュアル 改訂第2版．pp14-55, メジカルビュー社, 2018
2) 荒田尚子：プレコンセプションケアと産後フォローアップ：妊娠前後の母性内科の役割．医学のあゆみ 256：199-205, 2016
3) Johnson K, et al：Recommendations to improve preconception health and health care-United States. A report of the CDC/ATSDR Preconception Care Work Group and the Select Panel on Preconception Care. MMWR Recomm Rep 55：1-23, 2006
4) 末原節代, 他：当センターにおける糖代謝異常妊婦の頻度と先天異常に関する検討．糖尿病と妊娠 10：104-108, 2010
5) 日本産科婦人科学会, 日本産婦人科医会(編)：CQ005-2 妊娠糖尿病(GDM), 妊娠中の明らかな糖尿病, ならびに糖尿病(DM)合併妊娠の管理・分娩は？ 産婦人科診療ガイドライン 産科編 2020. pp25-28, 日本産科婦人科学会, 2020
6) 増山寿：妊婦の糖尿病．山口徹, 他(総編集)：今日の治療指針 2013. pp647-648, 医学書院, 2013
7) 日本糖尿病・妊娠学会(編)：Ⅱ 妊娠中の管理．妊婦の糖代謝異常 診療・管理マニュアル 改訂第2版．pp56-167, メジカルビュー社, 2018
8) 日本産科婦人科学会, 日本産婦人科医会(編)：CQ310 巨大児(出生体重 4,000g 以上)が疑われる妊婦への対応は？ 産婦人科診療ガイドライン 産科編 2020. pp181-185, 日本産科婦人科学会, 2020
9) 日本産科婦人科学会, 日本産婦人科医会(編)：CQ506 まれではあるが妊産婦死亡を起こし得る合併症は？ 産婦人科診療ガイドライン 産科編 2020. pp290-292, 日本産科婦人科学会, 2020

〔増山　寿〕

腎疾患

POINT
- 慢性腎臓病（CKD）には，慢性腎炎，ネフローゼ症候群，SLE，糖尿病腎症，腎透析患者，腎移植患者などがある．
- CKD合併妊婦ではCKD非合併妊婦に比べて母児の予後が悪く，重症度が上昇するほどリスクも上昇する．

DATA
- CKD合併妊婦ではCKD非合併妊婦に比べて母体予後，胎児予後がおのおの5倍，2倍高かった．
- CKD合併妊婦ではCKD非合併妊婦に比べて帝王切開率，早産，NICU収容率がおのおの3倍，9倍，16倍高く，重症度が上がるほどリスクも上昇した．
- IgA腎症合併妊婦の38%に妊娠高血圧腎症が発症した．
- 膜性腎症では，胎児死亡（23%），早産（43%）が多く，36週以降に生児が得られるのは33%であった．
- 巣状糸球体硬化症では，胎児死亡45%，新生児死亡35%，腎障害進行44%，高血圧合併50%以上と予後不良であった．
- SLEでは，自然流産16%，子宮内胎児発育不全13%，死産4%，新生児死亡3%であった．
- 糖尿病合併妊娠では，妊娠高血圧腎症13%，低出生体重児11%，早産25%であった．
- 血液透析患者205妊娠中，人工中絶21例，自然流産13例，胎児死亡14例，新生児死亡16例，生児141例で，生児率69%，人工中絶を除くと77%であった．
- 腎移植患者では，児の生存率74%，流産率14%，妊娠中の高血圧合併27%，糖尿病合併8%，帝王切開率57%，早産率46%であった．

はじめに

　妊娠可能な年代の女性に合併しうる腎疾患として，IgA腎症，ネフローゼ症候群，SLEなどがある．腎疾患合併時の妊娠許可基準や妊娠中の病状の変化および治療について，われわれ産婦人科医は把握しておく必要がある．また，今後，腎移植や透析患者の妊娠例の増加も推察されることから，知識を得ておく必要がある．本稿では，近年公表された『腎疾患患者の妊娠：診療ガイドライン2017』の内容も踏まえて，腎疾患と妊娠の相互影響について解説する．

慢性腎臓病（CKD）

　慢性腎臓病（CKD）は，「①尿異常，画像診断，血液，病理のいずれかで腎障害があり，特に尿蛋白クレアチニン比＞0.15 g/gCr以上の蛋白尿，② GFR＜60 mL/分/1.73 m^{2}であるもの．①②のいずれかまたは両者が3か月上持続するもの」と定義されている（『エビデンスに基づくCKD診療ガイドライン2018』）[1]．主なものとしては，慢性腎炎，ネフローゼ症候群，全身性エリテマトーデス（SLE），糖尿病腎症，透析療法中，腎移植後などである．

表1 CKD重症度分類

原疾患	蛋白尿区分		A1	A2	A3
糖尿病	尿アルブミン定量(mg/日)		正常	微量アルブミン尿	顕性アルブミン尿
	尿アルブミン/Cr比(mg/gCr)		30未満	30〜299	300以上
高血圧 腎炎 多発性嚢胞腎 移植腎 不明 その他	尿蛋白定量(g/日)		正常	軽度蛋白尿	高度蛋白尿
	尿蛋白/Cr比(g/gCr)		0.15未満	0.15〜0.49	0.5以上
GFR区分 (mL/分/1.73 m²)	G1	正常または高値	≧90		
	G2	正常または軽度低下	60〜89		
	G3a	軽度〜中等度低下	45〜59		
	G3b	中等度〜高度低下	30〜44		
	G4	高度低下	15〜29		
	G5	末期腎不全	<15		

(KDIGO CKD guideline 2012 を日本人用に改変)
(日本腎臓学会:エビデンスに基づくCKD診療ガイドライン2018. p3, 東京医学社, 2018)

CKD重症度分類と妊娠中合併症リスク

腎機能障害については妊娠時においてもCKD重症度分類に基づいてリスク評価を行う.日本腎臓学会『エビデンスに基づくCKD診療ガイドライン2018』で発表されたCKD重症度分類を表1に示す.重症度は,原疾患,GFR,蛋白尿区分を合わせたステージにより評価する.CKDの重症度は,死亡,末期腎不全,心血管死亡発症のリスクを緑のステージを基準に,黄,オレンジ,赤の順にステージが上昇するほどリスクは上昇する(表1).

CKD重症度分類におけるG3, G4, G5は腎機能障害が重症になるほど妊娠合併症のリスクが高く,腎機能低下や透析導入の可能性もあり,十分な説明が必要である.Nevisら[2]の系統的解析によると,CKD合併妊婦ではCKD非合併妊婦に比べて母体予後,胎児予後〔早産,胎児死亡,子宮内胎児発育不全(IUGR)〕がおのおの5倍,2倍高かった.Piccoliら[3]の報告では,CKD合併妊婦ではCKD非合併妊婦に比べて,帝王切開率,早産,NICU収容率がおのおの3倍,9倍,16倍高く,重症度が上がるほどリスクも上昇した.

妊娠中の腎機能と蛋白尿の評価

血清クレアチニン(Cr)値と血清尿素窒素(BUN)値は妊娠中には低下する.より正確な腎機能評価には蓄尿によるクレアチニンクリアランス(CCr)が行われてきたが,蓄尿が困難な場合は推算GFR(eGFR)でも簡易的に評価できる(男性:eGFR = $194 \times Cr^{-1.094} \times 年齢^{-0.287}$,女性:eGFR = 男性のeGFR×0.739).

『産婦人科診療ガイドライン 産科編2020』では,妊婦健診での蛋白尿スクリーニングは試験紙法による尿蛋白半定量で行い,2回以上連続して1+以上を認めた場合と1回でも2+以上を認めた場合を蛋白尿スクリーニング陽性と判断するとした[4].蛋白尿スクリーニング陽性の場合は,尿中蛋白クレアチニン比(P/Cr比)0.3以上,あるいは24時間尿中蛋白量300 mg以

上をもって蛋白尿と診断するとした．国際妊娠高血圧学会（ISSHP）[5]など各国ガイドラインも尿中 P／Cr 比 0.3 以上を病的な蛋白尿としている．CKD においては尿中 P／Cr 比 0.15 以上を軽度蛋白尿，0.5 以上を高度蛋白尿としている．

妊娠中の腎生検

妊娠中に出現した尿異常や腎障害が糸球体腎炎によるものか妊娠高血圧腎症によるものかを鑑別するには腎生検が必要だが，妊娠中の腎生検は母児の危険を考慮して慎重に施行する必要がある．Lindheimer ら[6]は，妊娠中の腎生検の適応を，妊娠 30〜32 週以前，妊娠による腎機能悪化，妊娠高血圧腎症以外の疾患疑い，分娩以外の治療可能性がある場合，としている．

IgA 腎症

IgA 腎症は慢性腎炎の 70〜80％ を占め，確定診断は腎生検による糸球体病変によりなされる．蛋白尿≧1 g／日，sCr≧1.5 mg／dL のものは予後不良と考えられ，妊娠出産に関しては注意が必要である．蛋白尿＝0.5〜1.0 g／day，尿潜血（＋）の非妊娠時 IgA 腎症では，扁桃摘出術が施行されたり，ステロイド治療が行われたり，RAS 抑制薬が使用されることが多い．IgA 腎症合併妊婦の場合，妊娠初期には蛋白尿は若干減少傾向となるが，妊娠中期から後期にかけて蛋白尿が増加し血圧が上昇する症例が多い．本邦の後方視的検討は，IgA 腎症合併妊婦の 38％ に妊娠高血圧腎症が発症したと報告している[7]．ただし，蛋白尿が少なく腎機能が保たれていれば妊娠予後は比較的良好とされている[8]．妊娠出産は IgA 腎症の進行に大きな影響を与えないとする意見と悪化させうるとする意見があるが，IgA 腎症の長期予後に及ぼす影響はほとんど認めないとする報告もある．

IgA 腎症合併妊娠の場合に重要なのは血圧管理である．妊娠中は RAS 抑制薬が禁忌であるため妊娠 20 週以降は徐放性ニフェジピンなどを考慮する．

ネフローゼ症候群

ネフローゼ症候群は「大量蛋白尿（＞3.5 g／日），低蛋白血症（＜6 g／dL），浮腫，高脂血症」を認める症候群である．微小変化型，巣状硬化症，膜性腎症，びまん性メサンギウム増殖性糸球体腎炎，膜性増殖性糸球体腎炎がある．若年女性のネフローゼ症候群のほとんどが微小変化型である．微小変化型では，病態が安定している限り妊娠による影響は少ないとされる．膜性腎症では，胎児死亡（23％），早産（43％）が多く，36 週以降に生児が得られるのは 33％ とされる．巣状糸球体硬化症では，胎児死亡 45％，新生児死亡 35％，腎障害進行 44％，高血圧合併 50％ 以上と予後不良である[9]．

ネフローゼ症候群を呈している患者は妊娠中に蛋白尿増加，腎機能低下，早産，低出生体重児などのリスクが高くなる．ネフローゼ症候群既往のある患者が挙児希望した場合，どれほどの寛解維持期間があれば妊娠出産が安全かについてのレベルの高いエビデンスはない[8]．

全身性エリテマトーデス（SLE），ループス腎炎

SLE は若年女性に好発するため，その経過中に妊娠出産することも少なくない．米国の検討は，SLE 合併妊婦では早産，IUGR，妊娠高血圧症，子癇のリスクが 2〜4 倍に上昇すると報

告している[10]．SLE の妊娠合併症リスクは，疾患活動性，ループス腎炎，抗リン脂質抗体陽性，高血圧合併である[11, 12]．SLE の活動性のある妊婦は活動性のない妊婦に比較して，胎児死亡は 4 倍，低出生体重児は数倍にリスクが上昇する．抗リン脂質抗体は SLE 患者の 30％ 近くで陽性であり，陽性例では流産率が上昇する．妊娠により SLE の活動性が高まるとする報告と影響が比較的少ないとする報告がある．SLE 腎症合併妊娠の 30％ で妊娠高血圧腎症が起こるとの報告もある．

Smyth ら[11]の systematic review によると SLE において，自然流産 16％，IUGR 13％，死産 4％，新生児死亡 3％ であった．妊娠中の SLE の再燃 26％，高血圧 16％，腎炎 16％，妊娠高血圧腎症 8％ と報告されている．抗 SS-A 抗体，抗 SS-B 抗体を有する場合は児の完全房室ブロックや新生児ループスをみることがある．妊娠前 6 か月以上の寛解維持が妊娠合併症のリスクを低下させる可能性があることが示され，72〜90％ で挙児可能であったとの報告もある[12]．

糖尿病腎症

糖尿病患者が挙児を希望する場合には，児の先天異常と母体の糖尿病合併症悪化を予防するため妊娠前の治療管理が必要である．妊娠初期の血糖コントロールが不良な場合，児の先天異常や流産が高率になるため，血糖コントロールの指標が正常化していることが望ましく，『糖尿病治療ガイド 2020-2021』によると HbA1c 7.0％ 未満，眼底所見が正常または単純網膜症に管理され，腎症が 1 期〜2 期であることが望ましいとされている[13]．糖尿病合併妊娠において，妊娠高血圧腎症 13％，低出生体重児 11％，早産 25％ との報告がある．妊娠を継続する場合は，経口血糖降下薬からインスリン療法に切り替える．

腎透析患者

2002〜2010 年の systematic review によると，血液透析患者の 205 妊娠中，人工中絶 21 例，自然流産 13 例，胎児死亡 14 例，新生児死亡 16 例，生児 141 例で，生児率 69％，人工中絶を除くと 77％ であった[8]．近年，透析患者の妊娠出産成功例は増加傾向にあるが，依然として透析患者の妊娠予後は良好とはいえない．明確なエビデンスはないが，透析回数を増加させることで生児を得る出産例が増加してきているとの報告がある．

腎移植患者

Deshpande ら[14]の systematic review によると，腎移植患者 3,570 人で 4,706 回の妊娠を認め，児の生存率 74％，流産率 14％ は米国の一般的なデータよりも良好であったが，妊娠中の高血圧合併 27％，糖尿病合併 8％，帝王切開率 57％，早産率 46％ は逆に悪く，児の生存率は高いが母体予後は必ずしも良好とはいえない．妊娠予後不良因子は，高年齢，腎移植から妊娠までの時間，2 回以上の腎移植，妊娠初期 Cr 1.38 mg/dL 以上などであった．逆に，腎機能が安定している状態であれば移植後 1 年以上経過すれば妊娠は比較的安全といえる[8]．妊娠中は血圧管理を厳重に行い，免疫抑制薬（シクロスポリンやタクロリムスなど）の血中濃度を頻回にモニターする．子宮内でこれら薬剤に曝露されると生後に発達遅延を認めることがある．

◆ 文献

1) 日本腎臓学会(編):エビデンスに基づく CKD 診療ガイドライン 2018. pp1-5,東京医学社,2018
2) Nevis IF, et al:Pregnancy outcomes in women with chronic kidney disease:a systematic review. Clin J Am Soc Nephrol **6**:2587-2598, 2011
3) Piccoli GB, et al:Pregnancy in CKD:whom should we follow and why? Nephrol Dial Transplant **27** (Suppl 3):111-118, 2012
4) 日本産科婦人科学会,日本産婦人科医会(編):CQ309-1 妊婦健診において収縮期血圧≧140 かつ/または拡張期血圧≧90 mmHg や尿蛋白陽性(≧1+)を認めたら? 産婦人科診療ガイドライン 産科編 2020. pp168-171,日本産科婦人科学会,2020
5) Tranquilli AL, et al:The classification, diagnosis and management of the hypertensive disorders of pregnancy:a revised statement from the ISSHP. Pregnancy Hypertens **4**:97-104, 2014
6) Lindheimer MD, et al:Renal biopsy in pregnancy-induced hypertension. J Reprod Med **15**:189-194, 1975
7) 末次靖子, 他:IgA 腎症患者における加重型妊娠高血圧腎症の発症予測因子の検討. 日本腎臓学会誌 **53**:1139-1149, 2011
8) 日本腎臓学会(編):腎疾患患者の妊娠:診療ガイドライン 2017. 診断と治療社,2017
9) 日本妊娠高血圧学会(編):妊娠高血圧症候群の診療指針 2015. pp120-135, メジカルビュー社, 2015
10) Clowse ME, et al:A national study of the complications of lupus in pregnancy. Am J Obstet Gynecol **199**:127, 2008
11) Smyth A, et al:A systematic review and meta-analysis of pregnancy outcomes in patients with systemic lupus erythematosus and lupus nephritis. Clin J Am Soc Nephrol **5**:2060-2068, 2010
12) Cavallasca JA, et al:Maternal and fetal outcomes of 72 pregnancies in Argentine patients with SLE. Clin Rheumatol **27**:41-46, 2008
13) 日本糖尿病学会(編著):糖尿病治療ガイド 2020-2021. 文光堂,2020
14) Deshpande NA, et al:Pregnancy outcomes in kidney transplant recipients:a systematic review and meta-analysis. Am J Transplant **11**:2388-2404, 2011

(大野　泰正)

心疾患

POINT
- 心疾患合併妊娠において，心機能検査は循環に影響を与える妊娠による生理的変化の推移に伴って計画的に行う．
- 妊娠中には全血液量が 1.5 倍に増加し，そのことが最も心機能に影響を与える．
- 妊娠・分娩管理はもちろん大切であるが，妊娠前の評価，カウンセリングはそれ以上に大切である．

DATA
- 心疾患女性の妊娠は不整脈などを含めれば総妊娠数の 2〜3% に達するといわれている．
- 心疾患は妊産婦死亡の主要な原因疾患の 1 つであり，本邦で 2 番目に多い間接妊産婦死亡原因である．
- 血液量の増加は妊娠 4 週よりはじまり，妊娠 32 週にピークを迎え，全体として妊娠前の 40〜50% 増加する．
- 心拍数は妊娠前に比べ約 20% 程度増加する．
- 心拍出量は妊娠 20〜24 週にかけて妊娠前の 30〜50% まで増加する．
- 陣痛（子宮収縮）時，循環血液量は 300〜500 mL 増加し，心拍出量は 15〜25% 増加する．

はじめに

　心疾患に対する治療成績の向上は，生殖年齢に達する女性を増加させた．当然，その結果，妊娠を希望する症例も増加している．心疾患女性の妊娠は不整脈などを含めれば総妊娠数の 2〜3% に達するといわれているが，今後さらに増加すると予想される．しかし，一方で，心疾患は妊産婦死亡の主要な原因疾患の 1 つであり，本邦での間接妊産婦死亡の 2 番目に多い原因である[1]．つまり，心疾患合併妊娠は妊産婦死亡につながりうるハイリスク妊娠といえる．

　心疾患合併妊娠に関する知識と経験は限定的である．妊娠・分娩が可能であるにもかかわらず，避妊を勧められる場合や，逆に妊娠が勧められない状態であるにもかかわらず，妊娠して不幸な転帰をとる場合もみられた．『心疾患患者の妊娠・出産の適応，管理に関するガイドライン』[2]には心疾患合併妊娠に関する基礎的な情報と管理指針が示されており，知識不足による不幸な転帰を防ぐことに大きく貢献している．とはいえ，例えば先天性心疾患合併妊娠，特に複雑心奇形の修復術後では少数例での報告はみられるが，長期予後を含め，いまだ不明の点も少なくない．原疾患や，手術術式，遺残病変，不整脈やチアノーゼの有無など，それぞれに合わせたテーラーメイドな管理を行わなくてはならない場合も少なくなく，すべてにエビデンスが十分にあるわけではない．

　管理上最も大切なのは妊娠・分娩・産褥期の特有な循環にかかわる生理的変化を知ることである[3, 4]．妊娠・分娩時には，時系列に沿って循環動態が変化する．妊婦健診を行う際にはそれぞれの時期にどのような変化がどの程度起きているのかをしっかり把握しておく必要がある．

心疾患が妊娠に及ぼす影響

　チアノーゼ性心疾患などで母体の低酸素状態がある場合，胎児の発育やwell-beingに影響を与える．母体の経皮的動脈血酸素飽和度が80～85%以下では流産となる[1]．フォンタン(Fontan)手術後の妊娠33例の検討では13例で自然流産の転帰をとっており，一般的な流産率を大きく超える[5]．妊娠が継続しても，胎児はFGRを呈する．母体心臓の収縮能の低下，全身の血管抵抗の増加もFGRとの関連が報告されている[6]．

　さらに低酸素状態が進むと胎児機能不全や場合によっては胎児死亡に至る．心疾患が妊娠経過中に増悪する場合には早期の妊娠終了が考慮される．重症例では早産により低出生体重児を娩出せざるを得なくなる．ただし，心疾患合併妊娠の母体予後を予測するZAHARAスコア，CARPREGリスクスコア，modified WHO分類は児の予後の予測には精度を欠くことが報告されている[7]．

妊娠が心疾患に及ぼす影響

　妊娠時には経過に伴って大きく循環動態が変化する．分娩時にはそれに加えて，急激な循環動態の変化がみられる．この変化は妊娠・分娩にとっては妊娠を維持するために必要な変化である．しかし同時に予備能力が乏しい場合には心臓への大きな負荷となり，重篤な不整脈や心不全となりうるものでもある．心疾患を有していない場合には妊娠に有利な変化も心疾患合併妊娠では不利に働く場合があるのである．

　さて，この循環動態の変化で最も心疾患合併妊娠に影響があるのは血液量の変化である．その増加は妊娠4週よりはじまり，妊娠32週にピークを迎える．全体として妊娠前の40～50%増加する[8-10]．心拍数は妊娠前に比べ約20%程度の増加を示し，心拍出量は妊娠20～24週にかけて妊娠前の30～50%まで増加する[11-13]．妊娠前半では主に1回心拍出量が，妊娠後半では主に心拍数が増加することによって，心拍出量は増加する．体血管抵抗は妊娠初期より低下する．妊娠中期には最低値をとり，この時期には中等度以下の逆流性疾患では血液量の増加より体血管抵抗の低下の効果により進行しない場合がある．また，シャント疾患では肺高血圧が進行しないことが観察される．妊娠後期には血管抵抗は増加し，血圧は上昇傾向となり，上記の限りではなくなる．凝固因子は増加，活性化される．深部静脈血栓や肺塞栓の発症，機械弁置換術後例では血栓形成による機能不全が起こりやすくなる．

　分娩時にはさらに劇的な変化が短時間で起こる．まず陣痛(子宮収縮)のため循環血液量は300～500 mL増加し，心拍出量は15～25%増加する[2]．経腟分娩では陣痛開始から分娩までの間，この変化が繰り返される．一方，帝王切開ではこのような変化なく突然に児娩出後，子宮による下大静脈の圧迫が解除され静脈還流が増加する．このような生理的変化を踏まえて心疾患合併妊娠に対する妊娠・分娩管理が行われなくてはならない．

妊娠時期ごとの管理法

　心疾患合併妊娠における心機能評価は，前項で述べた循環に影響を与えるさまざまな変化を考慮した時期に行う．妊娠初期はまだ循環への影響が少ない時期として，妊娠中期(妊娠26～28週)は多くの循環にかかわる変化が最大となる時期として，そして，妊娠後期(妊娠34～36週)はその最大になった影響が一定期間継続している時期としての評価となる．産褥期には心機能が低下する場合もあり，再度の血行動態評価が必要となる．妊娠・分娩による心血管系へ

表1 妊娠各期に行う心機能評価

検査時期	ルーチン検査	必要に応じて行う検査
妊娠前	心エコー,心電図,24時間心電図,BNP	運動耐容能検査,負荷心電図,心臓カテーテル検査など
妊娠初期(妊娠8〜12週)		
妊娠中期(妊娠24〜28週)		心臓MRI検査
妊娠後期(妊娠34〜36週)		心臓MRI検査
産褥期		心臓MRI検査,負荷心電図,心臓カテーテル検査など

の影響は3〜6か月ほど続くため,重症度に応じて半年間は定期的な経過観察を行う.さらに,授乳を含めた育児行為が心負荷となりうるため,ハイリスク例ではそれ以降も血行動態評価を含めた経過観察が必要となる.

ハイリスク患者や,症状のある患者では,さらに頻回のアセスメントを行う.例えば大動脈径が40 mm以上のマルファン症候群の患者では,1〜2週間ごとに大動脈径の測定が望ましい.また,肺高血圧症合併患者では,入院管理とともに頻回の評価が必要である(表1).

分娩後,遠隔期での予後は不明な点が多い.循環器担当医への情報提供と遅滞ない連携が望まれる.

管理と検査

● 心エコー検査

妊娠中の血行動態の評価には心エコー検査が最も有用である.心臓の大きさ,形態,収縮能,拡張能,血行動態など多くの情報を評価できるが,妊娠の経過に伴った生理的変化を考慮に入れた評価が求められる.例えば左室径は拡張末期,収縮末期ともに数mm増加,壁厚も1〜2 mm増加する.また,拡張能はやや低下する[1].評価の際には正常の範囲と捉える幅が非妊娠時とは異なることを認識する.心臓の収縮で拍出される血液量やその効率を評価する指標として1回拍出量(stroke volume:SV),左室駆出分画(ejection fraction:EF),心拍出量(cardiac output:CO),体表面積で体格差を補正した心拍出係数(cardiac index:CI)などが用いられる.これらは心臓のポンプ機能の指標となる.心不全では基本的にポンプ機能は低下する.左室の収縮能が正常な心不全(拡張不全)では僧帽弁血流速度波形で左室急速流入血流速度(E波)と心房収縮期流入血流速度(A波)の比が診断に役立つ.

● 心エコー以外の画像検査

心エコー以外の画像検査では胸部X線撮影,心臓MRIなどが行われる.胸部X線撮影では心陰影の拡大,胸水の貯留,肺うっ血(Kerley's B-line),肺血管陰影の増強などに注意する(図1).複雑心奇形術後症例などでは心臓MRI検査が有効な場合がある.心エコーと心臓MRI検査で心機能評価パラメータは,左心室容積,心拍出量で同等の評価を行うことができる[14].

● 生化学的検査

生化学的検査としては脳性ナトリウム利尿ペプチド(brain natriuretic peptide:BNP)が用いられる.BNPは経過観察に有効で心不全のマーカーとなりうる.また,周産期心筋症の診断にも有用である.

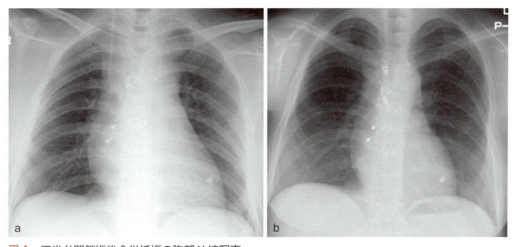

図1 三尖弁閉鎖術後合併妊娠の胸部X線写真
aは帝王切開当日，bは術後7日目で，それぞれCTRは53.4%，46.3%であった．

● 心電図検査

　心電図検査も定期検査では必ず行う．正常妊娠では，心電図上に明らかな変化は認められないが，心臓の位置変化に伴い，心臓の電気軸が左方に偏位する．心疾患合併妊娠では妊娠中，心拍数や循環血漿量の増加に伴い，期外収縮や頻脈性不整脈の頻度は増加する．また，分娩後は妊娠中の交感神経活性が取れ，徐脈傾向となり，徐脈性不整脈が増悪する場合がある．QT延長症候群では，妊娠中よりも産後から半年以内の不整脈イベントが多いことが知られている[15]．

おわりに

　本稿では妊娠中の管理を中心に述べた．しかし，さらに大切なのは妊娠前の評価とカウンセリングである．先述したZAHARAスコアやCARPREGハイリスクスコア，modified WHO妊娠分類などで前もって妊娠のリスク評価を行い，本人，家族と綿密な打ち合わせをすることが望まれる．筆者の施設では運動耐容能検査における運動時間，最大心拍数，最大収縮期血圧，最高酸素摂取量も評価方法として用いている[16]．最大心拍数150未満もしくは最高酸素摂取量22.0 mL/kg/min未満であれば，妊娠中母体心血管イベントリスクが高いと予測される．これらの評価をもとにリスクに応じた周産期管理を行う．

　心疾患合併妊娠は今後増加することが予想される．ガイドラインをもとにしながらテーラーメイドな管理が行われることが多い．中等度以上のリスクがある場合，初期からの専門施設での健診が望ましい．

◆ 文献
1）母体安全への提言2016．妊産婦死亡症例検討評価委員会，日本産婦人科医会．2017
2）日本循環器学会：心疾患患者の妊娠・出産の適応，管理に関するガイドライン（2018年改訂版）．https://

www.j-circ.or.jp/cms/wp-content/uploads/2020/02/JCS2018_akagi_ikeda.pdf（2021 年 3 月アクセス）

3）Child JS, et al：Management of pregnancy and contraception in congenital heart disease. Congenital heart disease in adults(3rd ed)(Perloff JK, Child JS, Aboulhosn J eds), pp194-220, Saunders Elsevier, 2009
4）Hunter S, et al：Adaptation of the cardiovascular system to pregnancy. Heart disease in pregnancy (Oakley C, eds), pp5-18, BMJ Publishing, 1997
5）Canobbio MM, et al：Pregnancy outcomes after the Fontan repair. J Am Coll Cardiol **28**：763-767, 1996
6）Bamfo JE, et al：Maternal cardiac function in fetal growth restriction. BJOG **113**：784-791, 2006
7）Balci A, et al：ZAHARA-II investigators：Prospective validation and assessment of cardiovascular and offspring risk models for pregnant women with congenital heart disease. Heart **100**：1373-1381, 2014
8）Robson SC, et al：Serial study of factors influencing changes in cardiac output during human pregnancy. Am J Physiol **256**：H1060-H1065, 1989
9）Mabie WC, et al：A longitudinal study of cardiac output in normal human pregnancy. Am J Obstet Gynecol **170**：849-856, 1994
10）Poppas A, et al：Serial assessment of the cardiovascular system in normal pregnancy. Circulation **95**：2407-2415, 1997
11）Clark SL, et al：Central hemodynamic assessment of normal term pregnancy. Am J Obstet Gynecol **161**：1439-1442, 1989
12）Clapp JF, et al：Cardiovascular function before, during, and after the first and subsequent pregnancies. Am J Cardiol **80**：1469-1473, 1997
13）Sadaniantz A, et al：Cardiovascular changes in pregnancy evaluated by two-dimensional and Doppler echocardiography. J Am Soc Echocardiogr **5**：253-258, 1992
14）Ducas RA, et al：Cardiovascular magnetic resonance in pregnancy：insights from the cardiac hemodynamic imaging and remodeling in pregnancy(CHIRP) study. J Cardiovasc Magn Reson **16**：1, 2014
15）Seth R, et al：Long QT syndrome and pregnancy. J Am Coll Cardiol **49**：1092-1098, 2007
16）Ohuchi H, et al：Cardiopulmonary variables during exercise predict pregnancy outcome in women with congenital heart disease. Circ J **77**：470-476, 2013

〔吉松　淳〕

甲状腺機能亢進症・低下症

POINT
- 甲状腺機能亢進症・低下症は妊娠年齢期に頻度の高い疾患であり，妊娠継続および胎児への影響，産褥期での異常が起きやすいため，妊娠初期から甲状腺機能異常の可能性を念頭に置いて診察する．
- 甲状腺機能亢進症合併妊娠では，抗甲状腺薬の吟味，甲状腺機能の4週ごとチェックと児への自己抗体移行の影響を念頭に置く．
- 甲状腺機能低下症合併妊娠では，妊娠初期から積極的な甲状腺ホルモンの補充を行う．

DATA
- 甲状腺機能異常は妊娠年齢にある女性に多い疾患であり，その頻度は4%とされる．
- バセドウ病妊婦の1～5%に新生児バセドウ病が認められる．

妊娠初期（12週まで）

甲状腺機能異常について

　妊娠年齢にある女性に多い疾患であり，その頻度は4%とされる．妊婦健診においては初期から甲状腺機能異常の可能性を念頭に置いて視診，触診，問診を行う．

　甲状腺腫大，浮腫，眼球突出，体重減少，手指振戦，強い悪阻，動悸や易疲労の訴え，既往歴，妊娠歴（度重なる流産，胎盤早期剥離など）や家族歴から疑いがあれば積極的に甲状腺機能検査を行うことが望ましい．『産婦人科診療ガイドライン 産科編2020』では甲状腺機能検査をルーチン検査としてはいないが，妊婦健診は若年女性が医療機関にかかるきっかけなので，当該疾患を早期発見しうる機会，その後の妊娠への悪影響を回避しうるという点において，意義深い．

　スクリーニングとしてはFT$_4$，TSHを測定する．検査結果については診断のみならず，治療効果判定を遅滞なく把握し，できれば当日またはなるべく速やかに治療に反映させる．

　妊娠10～14週頃，妊娠甲状腺中毒症においては胎盤ホルモンの甲状腺刺激作用のため甲状腺ホルモンの増加が認められることがあり，甲状腺機能亢進症と間違われることがある．

　診断のための^{131}I摂取率検査や，^{131}I内用療法は妊娠のいずれの時期においても禁忌である．

甲状腺機能亢進症の場合

　あらかじめ診断されている場合には妊娠は計画的に行うよう指導しておく．抗甲状腺薬がチアマゾール（MMI：メルカゾール5 mg/錠）である場合にはプロピルチオウラシル（PTU：チウラジール50 mg/錠，プロパジール50 mg/錠）に変更してコントロールが良好な状態に入っているか，または抗甲状腺薬による薬物治療から外科治療や放射線治療へ変更して治療終了してからの妊娠が望ましい．妊娠初期にMMIを使用していた場合に胎児催奇形の可能性がある

ためである．本邦で後鼻孔閉鎖症，気管食道瘻，食道閉鎖症，臍腸管遺残，臍帯ヘルニア，頭皮欠損などの先天異常が有意に多いと報告された．そこで胎児器官形成期である妊娠4〜7週においてはMMIを避けることが勧められている[1]．

担当である内分泌内科医師より，自己抗体の有無やコントロールの状態，治療歴などの情報を積極的に得るようにする．

甲状腺機能低下症の場合

最近では不妊とかかわりがあるとされ，不妊治療中から発見されて甲状腺薬の補充が開始されることや，甲状腺機能低下がなくとも自己抗体の存在が指摘される場合がある．FT_3，FT_4が正常値でもTSHが高値の場合には潜在性甲状腺機能低下症であるため，TSH低下を目安に甲状腺薬の補充を行う．

妊娠初期は胎児の中枢神経発達のため，より多くの甲状腺ホルモンが必要とされる．妊娠の可能性がある頃から，非妊娠時より甲状腺ホルモン補充を増量（30〜50％）する．

2週間ごとに血液検査を行い，レボチロキシンナトリウム（合成T_4製剤：L-T_4，チラーヂンS）を25μgずつ増減する．急激な補充では虚血性心疾患を誘発するおそれがあるので注意する．TSH低下の目安としては3μIU/mL以下，初期には特に2.5μIU/mL以下が望ましい[2]．

妊娠12週から分娩まで

甲状腺機能のフォローアップ

前述の妊娠初期の項に準じて，妊娠のどの時期においても，妊婦の症状の変化などがあれば甲状腺機能について随時検査を行う．

胎児のチェック

甲状腺機能亢進妊婦においては随時胎児の発育を評価する．母体由来の抗TSH受容体抗体（TRAb）や甲状腺刺激抗体（TSAb）が胎盤を通過して胎児へ移行し，胎児甲状腺機能亢進症を惹起することがあるからである．バセドウ病妊婦の1〜5％に新生児バセドウ病が認められるという．

母体TRAb値を定期的に測定し，胎児頻脈の有無，胎児発育計測を行い，水頭症，発育遅延の有無，胎児甲状腺腫，心不全の有無，などを評価する．

バセドウ病治療後の甲状腺機能低下症で甲状腺機能は亢進していなくとも，母体の甲状腺自己抗体が胎盤を通過して胎児へ移行し，胎児甲状腺機能亢進となることがあるので注意する．

内分泌内科医師・新生児科医師との連携

妊娠前からの内分泌内科担当医師がいる場合は連携を図り，診療情報のやり取りを行う．妊娠中に発見された場合には必要に応じて，内分泌内科医師と併診相談する．また収集しえた情報については新生児科医師とも共有して妊娠中から分娩，産後，児の出生後の母児の診療に役立てるよう努める．

甲状腺機能亢進症の場合

FT_4正常上限から軽度亢進値程度を目安に抗甲状腺薬を投与する．

妊娠初期にPTUに変更していた場合には妊娠5か月頃にMMIへ戻すことは可能である．

PTUを継続する場合は効果の評価，副作用としての薬疹，蕁麻疹，肝障害，抗好中球細胞質抗体（MPO）-ANCA関連血管炎症候群などの出現に注意する．

抗甲状腺薬使用中の血液検査内容には甲状腺機能，自己抗体の推移のほか，血液分画，肝機能検査などを含めて薬剤副作用の検出を行う．副作用の1つである無顆粒球症は出現頻度は0.5％程度であるが，死亡例が報告されている．2週間ごとの血液検査でも検出できないケースがあるため，あらかじめ妊娠婦人には発熱，咽頭痛，感冒症状などが出現した場合には速やかに受診するよう勧めておく．

甲状腺機能の評価は投薬変更時には2週間以内，それ以外でも4週間以内には必ず行い，結果は速やかに診療に還元する．

抗甲状腺薬で副作用が出現し，服薬継続が困難な場合または抗甲状腺薬でコントロールが不可能な場合には甲状腺摘出術の適応であり，妊娠中期に行うことが考慮される．

甲状腺機能亢進の場合には妊娠後半に抗甲状腺薬が減量または中止となることが多い．

甲状腺機能低下症の場合

甲状腺薬補充開始時には約2週間ごとに血液検査を行い，TSH正常下限値を目安に投薬増量を行う．FT_4値が目標値に達しても，TSH値が目標値に達するまでにはさらに日にちがかかるものである．妊娠20週頃までは最低でも月1回甲状腺機能検査を行い，TSH低下状態で抗甲状腺薬投与量を安定させる．その後は20週から36週までの間に少なくとも1回以上TSHレベルを測定してT_4投与量を調節しておく．結果として妊娠初期・中期・後期の各三半期には甲状腺機能を測定しておくことが望ましい．

産褥期

甲状腺機能のフォローアップ

産後に甲状腺機能異常は大きく変化する可能性がある．すでに判明していた場合だけでなく，産後に初めて甲状腺機能異常が顕在化する場合もあるため，産褥婦人の甲状腺機能には十分注意を払う必要がある．

出産後甲状腺機能異常症の病態のさまざまを図1[3]に示した．1か月から1年後くらいまで経過を観察する．

多くは一過性の甲状腺機能の変動ののちにおよそ1年で投薬の必要のない甲状腺機能に戻る（Ⅱ，Ⅲ，Ⅳ）ことが多いが，そうでないケース（Ⅰ，Ⅴ）もある．

甲状腺機能亢進症の場合

産後にTRAbは上昇することが多く，バセドウ病は悪化しやすい．産褥婦人の精神症状も含めて十分な観察を行い，積極的に血液検査をして管理する．

PTUの母乳への移行は血中濃度の1/10程度，MMIでは母乳中濃度は血中濃度とほぼ同じである．最近では，投薬内容がPTU≦450 mg／日，MMI≦20 mg／日までなら授乳は差し支えないとされる[2]．

甲状腺機能低下症の場合

産後は妊娠前の甲状腺ホルモン量に戻してかまわない．服薬中の授乳には差しさわりはない．

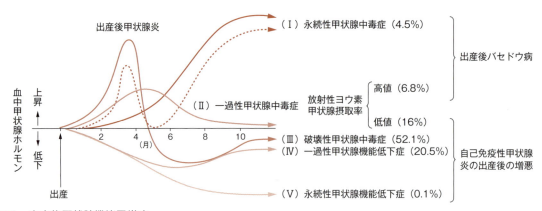

図1 出産後甲状腺機能異常症
(網野信行：甲状腺疾患合併妊娠における疾病管理．甲状腺疾患の疾病管理テキスト 第2版．pp39-43，メディカルレビュー社，2012)

◆ 文献

1) 荒田尚子：Pregnancy Outcomes of Exposure to Methimazole(POEM)Study からわかったこと．日甲状腺会誌 8：7-12, 2017
2) Alexander EK, et al：2017 Guidelines of the American Thyroid Association for the Diagnosis and Management of Thyroid Disease During Pregnancy and the Postpartum. Thyroid 27：315-389, 2017
3) 網野信行：甲状腺疾患合併妊娠における疾病管理．甲状腺疾患の疾病管理テキスト 第2版．pp39-43，メディカルレビュー社，2012

(大柴　葉子)

全身性エリテマトーデス・シェーグレン症候群

POINT
- SLE では早産と妊娠高血圧腎症，FGR のリスクが，シェーグレン症候群では新生児ループスのリスクが増加する．適切なモニタリングを行うことで合併症を早期に発見する．
- 妊娠に伴い原疾患が増悪（再燃）することが多い．妊娠前の高疾患活動性は再燃のリスク因子であるため，内科主治医と連携し，挙児希望時または妊娠初期に原疾患の病勢評価とリスク因子の抽出を行う．
- 現在使用している，または将来使用しうる薬剤の催奇形性や胎児毒性に配慮する．個々の症例に応じて丁寧な情報提供とカウンセリングを行う．

DATA
- 妊娠時に活動性の高いループス腎炎を合併している症例の流産率は，21～36% と高い．
- 新生児ループスによって引き起こされる先天性心ブロック（CHB）の死亡率は 14～34% と高い．
- わが国における抗 SS-A 抗体陽性女性の妊娠は年間約 1 万例とされ，欧米での CHB 発症率（約 1%）を考慮すると，わが国の CHB の年間発症数は約 100 例と推定されている．
- SLE 合併妊娠では妊娠中の原疾患増悪（再燃）が多いとされ，報告によりばらつきがあるが，再燃率はおおむね 50% 程度である．

全身性エリテマトーデスおよびシェーグレン症候群の疾患概念

　全身性エリテマトーデス（SLE）は，妊孕性のある女性に好発し，全身の多彩な臓器病変と自己抗体の産生を特徴とする慢性自己免疫疾患である．SLE の症状は関節炎や皮疹といった臓器障害を伴わない軽微なものから，自己免疫性溶血性貧血や糸球体腎炎（ループス腎炎），中枢神経障害などの生命にかかわる重篤なものまで多岐にわたり，治療により寛解と再燃を繰り返すことが特徴である（表 1）．SLE 患者の約 10% に抗リン脂質抗体症候群（APS）の合併を認めることも特筆すべきことである．
　シェーグレン症候群（SS）は，慢性の唾液腺炎・涙腺炎に伴う唾液および涙液の分泌能低下と，血清中の抗 SS-A/SS-B 抗体の存在を特徴とする自己免疫疾患である．

SLE および SS が妊娠に及ぼす影響

　SLE 合併妊娠では早産および妊娠高血圧腎症（PE），胎児発育不全（FGR）のリスクが，SS では新生児ループス（NLE）のリスクが増加する．
　PROMISSE study（SLE 合併妊娠を対象とした多施設共同前向きコホート研究）[1]では，ループスアンチコアグラント（OR 8.32，95% CI 3.59-19.26），血圧降下薬使用（OR 7.05，95% CI 3.05-16.31），血小板数低下（5 万/μL 低下するごとに：OR 1.33，95% CI 1.09-1.63），母体の原疾患再燃，高疾患活動性，妊娠後期の C3 上昇軽度などが妊娠合併症のリスク因子として報告

表1 SLEの1997年米国リウマチ学会分類改訂基準

臨床的基準
1. 顔面紅斑
2. 円板状皮疹
3. 光線過敏症
4. 口腔内潰瘍(無痛性)
5. 関節炎(骨びらんを伴わないもの)
6. 漿膜炎(胸膜炎, 心膜炎のいずれか)
7. 腎病変(尿蛋白0.5 g/日以上, 細胞性円柱のいずれか)
8. 神経学的病変(痙攣発作, 精神異常のいずれか)
9. 血液学的異常(溶血性貧血, 白血球減少4,000/μL以下, リンパ球減少1,500/μL以下, 血小板減少10万/μL以下のいずれか)
10. 免疫学的異常(抗二本鎖DNA抗体, 抗Sm抗体, 抗リン脂質抗体のいずれか)
11. 抗核抗体陽性

同時期あるいは時期を隔てて11項目中4項目を満たし,考えうるほかの鑑別疾患が除外された場合にSLEと分類できる.
(Tan EM, et al : Arthritis Rheum 25 : 1271-1277, 1982 および Hochberg MC : Arthritis Rheum 40 : 1725, 1997 より作成)

されている.以下に詳細を記す.

妊娠初期

● 流産

SLE患者の自然流産率は一般人口と比較して同程度とされるが,妊娠時に活動性の高いループス腎炎を合併している症例の流産率は,21〜36%と高いことが報告されている.APS合併ではさらにリスクが高い.

妊娠中期および後期

● 妊娠高血圧症候群(HDP)

SLE合併妊娠女性ではPEの発症リスクが高い.リスクファクターとして,妊娠時の活動性ループス腎炎の合併,腎機能低下,高齢(40歳以上),PEの既往または家族歴,高血圧症および糖尿病合併,肥満(BMI>35),中等量〔プレドニゾロン(PSL)換算20 mg/日〕以上のステロイド使用などが知られている.

● 胎児発育不全(FGR)

SLE合併妊娠では,母体の疾患活動性や血圧のコントロールにかかわらずFGRやsmall for gestational age(SGA)が多いことが報告されており,疾患自体が胎児の発育に与える影響が示唆されている.

● 早産

複数の観察研究において,SLE合併妊娠の早産率は非SLE女性と比較して高いことが報告されている.妊娠時に活動性ループス腎炎を合併している症例,腎炎以外のSLEの活動性が高い症例,高血圧症およびAPS合併例,流・死産の既往がある症例で特にリスクが高いとされている.

● 妊娠糖尿病(GDM)

多くのSLE女性は妊娠中もステロイド内服を継続するため,GDMのリスクが高くなる.糖尿病の危険因子を有する症例では特に注意が必要である.

表2 妊娠高血圧腎症とループス腎炎の鑑別

	妊娠高血圧腎症	ループス腎炎
臨床症状（皮膚症状，関節炎など）	なし	あり
高血圧（血圧＞140/90）の出現時期	妊娠20週以降から	妊娠20週未満
尿沈渣異常（尿中赤血球，細胞性円柱など）	なし	あり
血清尿酸値	＞5.5 mg/dL	≦5.5 mg/dL
抗二本鎖DNA抗体価	陰性または抗体価上昇なし	抗体価上昇
血清補体価	正常	25％以上の低下

NLE

NLEは，SS女性の血清中に存在する抗SS-A/SS-B抗体が胎盤を通して胎児へ移行し，児の心筋障害や紅斑，血球減少，肝機能異常などを引き起こす疾患である．心筋障害の代表が先天性心ブロック（CHB）であり，その死亡率は14〜34％と高い．乾燥症状がなくSSの診断基準を満たさない妊婦であっても，抗SS-A抗体が血清中に存在すれば児にNLEを発症させるリスクがあるため注意が必要である．わが国における抗SS-A抗体陽性女性の妊娠は年間約1万例とされ，欧米でのCHB発症率（約1％）を考慮すると，本邦のCHBの年間発症数は約100例と推定されている．

妊娠がSLEの病勢に及ぼす影響

SLE合併妊娠では，妊娠中の原疾患増悪（再燃）が多いとされている．再燃率は報告によりばらつきがあるが，おおむね50％程度である．その原因としては，かねてより妊娠に伴うサイトカインバランス（Th1/Th2）の変化が指摘されてきたが，いまだ不明な点が多い．再燃は妊娠中のどの時期でも起こりえ，産褥期に再燃することも少なくない．再燃症状の多くは皮疹や関節炎といった軽度なものにとどまるが，約15〜30％の症例で，ループス腎炎や血液障害，漿膜炎，中枢神経障害などの重篤な臓器症状を伴った再燃が認められると報告されている．

● 妊娠中のSLE再燃のリスクファクター

Johns Hopkins大学のグループから報告された前向きコホート研究によると，妊娠前の疾患活動性が高い患者では，低疾患活動性を維持していた患者と比較して妊娠中の再燃率が7.25倍も高かった[2]．また，妊娠前の数年間に再燃を繰り返している症例も同様にリスクが高いとされている．

● 妊娠中に発症したループス腎炎とPEとの鑑別

ループス腎炎は母体の腎機能および胎児の発育に重篤な障害を及ぼすため，その早期発見と適切な治療介入が非常に重要である．ループス腎炎の臨床像はPEと類似しており，しばしば鑑別が問題となる．近年，血清中の可溶性fms様チロシンキナーゼ1（sFlt-1）と胎盤増殖因子（PlGF）の比（sFlt-1/PlGF比）がループス腎炎とPEとの鑑別に有用であったとの報告がなされ，注目されている[3]．表2に鑑別のポイントを示す．

妊娠時期ごとの健診での管理方法

挙児希望時・妊娠初期

　これまで述べてきたように，SLE や SS などの膠原病合併妊娠(なかでも SLE 合併妊娠)は，さまざまな妊娠合併症のハイリスク群といえる．しかし，妊娠転帰不良や妊娠中の原疾患再燃をもたらす危険因子はある程度明らかとなっているため，妊娠成立前や妊娠初期に可能な限り準備を行い，計画的な管理を進めることでこれらの合併症を未然に防ぐことが期待できる．

● 合併症がなく妊娠が継続できると考えられる目安を確認する

　SLE 女性が挙児を希望するにあたっては，以下の条件を満たすことが望ましいとされている．

① SLE の低疾患活動性が 6 か月以上安定して維持されていること

② 母体に高度の慢性腎臓病〔eGFR(推定糸球体濾過量)＜30 mL／分／1.73 m^2〕や肺高血圧症，中枢神経障害などの臓器合併症がないこと

　さらに，中等量(20 mg／日)以上の PSL を継続して使用している症例では HDP のリスクが高まることから，PSL の使用量は 20 mg／日を超えないことが望ましい．妊娠時の疾患活動性が高い場合，または重篤な臓器合併症を有する場合の妊娠転帰はきわめて不良となることが予想されるため，十分なインフォームド・コンセントを行ったうえで，治療により病勢が安定するまで妊娠を延期することも選択肢の 1 つとなる．

● 現在の治療内容とその継続の可否を確認する

　挙児希望時に明らかな催奇形性や胎児毒性がある薬剤を使用している場合は，内科主治医と相談のうえで胎児への影響が少ないとされる薬剤へ変更する必要がある．

　いずれにせよ妊娠中・授乳中の薬剤使用については RCT を含めた大規模疫学研究を行うことができず，その安全性について十分なエビデンスを示すことが困難であるため，妊婦と家族への十分な情報提供とカウンセリングが必要となる．筆者の施設(以下当センター)内の妊娠と薬情報センター(http://www.ncchd.go.jp/kusuri/)では，このようなケースに対する相談を受け付けている．症例によっては利用を検討していただきたい．

● 妊娠経過へ影響しうる他の合併症のリスクを抽出する

　SLE および SS 女性では，APS や橋本病などの他の自己免疫疾患や，長い療養生活に伴う慢性疾患(高血圧症や糖尿病，骨粗鬆症など)をしばしば合併している．これらは妊娠転帰の予後不良因子となりうるため，事前にスクリーニングすることが望ましい．表 3 に「関節リウマチ(RA)や炎症性腸疾患(IBD)罹患女性患者の妊娠，出産を考えた治療指針の作成」研究班によって作成された妊娠前チェックリストを示す[4]．

妊娠中期・後期

　原則，内科医と連携しながら外来管理を行うことが望ましい．通常の検査に加えて，2〜4 週間に 1 回の頻度で血液検査(血算，肝機能，腎機能，CRP，抗二本鎖 DNA 抗体，血清補体価など)と尿検査を行い，HDP や SLE 再燃の早期発見に努める．GDM リスクが高いと考えられる妊婦に対しては，当センターでは 50gGCT は省略し 75gOGTT を先に施行することもある．腎障害合併例では適時尿沈渣と尿生化学検査(尿 TP／Cr 比)を，高血圧症合併例では頻回な自己血圧測定を指示している．HDP または FGR の増悪を認めた際は産科入院管理とし，SLE の再燃が疑われる場合は内科医と相談のうえステロイド増量などの対応を行う．

表3 妊娠前チェックリスト

妊娠前チェックリスト(医療者用)		はい	いいえ
1	現在、寛解状態である		
2	現在、以下の薬剤を使用していない		
	・明らかな催奇形性がある、または疑われる薬剤		
	☐ レフルノミド		
	☐ トファシチニブ		
	☐ ミゾリビン		
	☐ シクロホスファミド		
	☐ ミコフェノール酸モフェチル		
	☐ ワルファリン		
	・明らかな催奇形性はないが、胎児毒性がある薬剤		
	☐ アンジオテンシンⅡ受容体拮抗薬、アンジオテンシン変換酵素阻害薬		
	・妊娠中の安全性のデータが非常に乏しい薬剤		
	☐ COX2 選択的阻害薬		
3	過去1か月間に以下の薬剤を使用していない		
	☐ メトトレキサート		
4-1	全身性エリテマトーデス(SLE)の場合(チェックリストはあくまで参考であり、個々の症例に応じ、ケースバイケースで対応が必要である) ※ループス腎炎がある場合はループス腎炎用チェックリストへ		
	重症の肺高血圧(肺動脈収縮期圧> 50 mmHg または有症状)がない		
	NYHA 分類 Ⅲ〜Ⅳ 度の心不全がない		
	抗 SS-A 抗体の有無が確認されている		
	抗リン脂質抗体(ループスアンチコアグラント、抗カルジオリピンβ₂GP1 抗体、抗カルジオリピン IgG/IgM)の有無が確認されている		
4-2	関節リウマチ(RA)、若年性特発性関節炎(JIA)の場合		
	肺、腎、肺に重大合併症がない		

すべて「はい」の場合、妊娠を容認できる。「いいえ」にチェックがあるとき、「いいえ」の項目への対策を講じ、「はい」になったら妊娠を容認できる。または、「いいえ」の項目を「はい」にするのが困難である場合は、主治医および産婦人科医から妊娠時のリスクを十分に説明し本人と相談する。
〔「関節リウマチ(RA)や炎症性腸疾患(IBD)罹患女性患者の妊娠、出産を考えた治療指針の作成」研究班:全身性エリテマトーデス(SLE)、関節リウマチ(RA)、若年性特発性関節炎(JIA)や炎症性腸疾患(IBD)罹患女性患者の妊娠、出産を考えた治療指針. p43, 2018. https://ra-ibd-sle-pregnancy.org/index.html より改変〕

NLE リスク症例に対する管理

● 抗 SS-A 抗体陽性女性の妊娠に対する対応

　NLE は胎児に致死的な心筋障害をもたらしうるため、抗 SS-A 抗体を有する女性の妊娠においては、妊娠前または初期に以下の対応が必要となる.
①過去の児の NLE/CHB 発症歴、抗 SS-A 抗体価の確認
②以下の条件を満たす女性は CHB 発症のハイリスクと考えられ、児心拍が確認されたらできるだけ早い時期に胎児不整脈や心機能を評価できる施設を紹介する.
　A)前児が NLE/CHB を発症している女性

B）抗 SS-A 抗体値が高値である女性

● CHB の予防

　発症予防としてこれまで試みられてきたのは血漿交換とステロイド投与である．抗 SS-A 抗体陽性の女性の児が CHB を発症することは約 1％ と低率であるためすべての抗 SS-A 抗体陽性妊婦に対して予防を目的とした経胎盤的ステロイド投与を行うことは適切ではないとされるが，前児が CHB であった場合の次回妊娠以降のその繰り返し率はおよそ 20％ とされるため，症例によっては予防目的にベタメタゾンまたはヒドロキシクロロキンの投与を行うこともある．

● CHB の治療

　胎児に CHB が出現する時期は妊娠 18〜24 週の間とされ，その前後の<u>妊娠 16〜26 週頃に 1〜2 週間隔で繰り返し胎児超音波検査を行い，病変の早期発見に努めることが重要</u>とされる．慎重な不整脈モニタリングの結果，胎児に I 度以上の心ブロックや心筋炎が疑われる場合はベタメタゾンの母体投与を検討する．当センターではベタメタゾン 4 mg／日から開始している．完全房室ブロックと診断された場合は出生後にペースメーカーが必要となることが多い．いずれにせよ，その予防と治療法に関して確立された手法はなく，個々の症例に応じて十分なカウンセリングを行い，同意を得たうえで専門的に対応可能な施設で慎重な診療を行うことが求められている．

◆ 文献

1）Buyon JP, et al : Predictors of pregnancy outcomes in patients with lupus : a cohort study. Ann Intern Med **163** : 153-163, 2015
2）Clowse ME, et al : The impact of increased lupus activity on obstetric outcomes. Arthritis Rheum **52** : 514-521, 2005
3）de Jesús GR, et al : Soluble Flt-1, placental growth factor, and vascular endothelial growth factor serum levels to differentiate between active lupus nephritis during pregnancy and preeclampsia. Arthritis Care Res（Hoboken）**73** : 717-721, 2021
4）「関節リウマチ（RA）や炎症性腸疾患（IBD）罹患女性患者の妊娠，出産を考えた治療指針の作成」研究班：全身性エリテマトーデス（SLE），関節リウマチ（RA），若年性特発性関節炎（JIA）や炎症性腸疾患（IBD）罹患女性患者の妊娠，出産を考えた治療指針．2018, https://ra-ibd-sle-pregnancy.org/index.html（2021 年 9 月アクセス）

〔金子　佳代子〕

特発性血小板減少性紫斑病

POINT
- ITPの診断は除外診断によるが，妊娠性血小板減少症も同様に除外診断で診断するため，妊娠中に血小板数が5万/μL未満になった症例では，ITP合併妊娠として管理する．
- 妊娠中に血小板が2万/μL未満の症例では，治療を開始する．
- 妊娠36週前後の時点で血小板数が5万/μL未満の場合にはプレドニゾロン10 mg/日を開始し，反応が不良であればIVIGの5日間投与を行ったうえで，血小板が増加するタイミングを見計らっての分娩誘発を行うことが，最も出血のリスクが低い分娩管理法と考えられる．

DATA
- 妊娠中にITPを合併する頻度は1〜2/1,000妊娠とされる．
- 全妊婦の約1割に血小板減少が認められる．その約7割が妊娠性血小板減少症，約2割が妊娠高血圧腎症であり，ITPによる血小板減少は数%である．
- 分娩時には血小板が5万/μL以上（帝王切開や硬膜外麻酔を使用する場合は8万/μL以上）を管理目標とする．

はじめに

特発性血小板減少性紫斑病(idiopathic thrombocytopenic purpura：ITP)は好発時期が女性の生殖年齢と一致した自己免疫性疾患であるゆえに，それを合併した妊娠女性に遭遇する臨床的機会は多い．また，臨床症状が顕在化しない状態で，妊婦健診での採血検査を契機として初めてITPと診断される症例もある．

この稿では，ITP合併妊娠の病態および診断，妊娠時期に応じた管理，分娩時および緊急時の対応についての最近の知見をもとにまとめた．

病態

ITPは血小板に対する自己抗体が後天的に産生され，血小板減少を引き起こした状態である．疫学的には，男女比は1:3〜4で女性に多く，好発年齢は20〜40歳であり，妊娠中に合併する頻度は1〜2/1,000妊娠とされる．慢性型と急性型に分類されるが，急性型は主にウイルス感染後に発症し，小児でみられることが多い．妊娠時に問題となるのは慢性型である場合が多いため，以下は慢性ITPについて述べるが，近年ピロリ菌と慢性ITPとの関連が示唆されている．ピロリ菌がさまざまな血小板糖蛋白抗原と交差反応する抗原に反応して抗血小板抗体を産生してITPの原因となる可能性が指摘されており，日本人に多いとされている．また，抗血小板抗体は胎盤を介して胎児に移行するので，分娩時に胎児の血小板数減少に伴う出血傾向(特に頭蓋内出血)が生じる可能性がある．

表1 妊娠時における血小板減少の原因とその頻度

	妊娠特異的		妊娠非特異的	
血小板減少のみ	妊娠性血小板減少症	70〜80%	ITP	1〜5%
			フォン・ヴィレブランド病	<1%
			先天性血小板減少症	<1%
全身症状を伴うもの	妊娠高血圧腎症	15〜20%	血栓性血小板減少性紫斑病	<1%
	HELLP症候群	<1%	溶血性尿毒症症候群	<1%
	妊娠性急性脂肪肝	<1%	全身性エリテマトーデス	<1%
			骨髄系疾患	<1%
			脾腫	<1%
			ウイルス感染症	<1%

診断

血小板減少をきたす他疾患を除外することで診断するが，妊娠性血小板減少症も同様に除外診断で診断するため，妊娠中に血小板数が5万/μL未満になった症例ではITP合併妊娠として管理する．現在，1990年に改訂された厚生省特定疾患特発性造血障害調査研究班によるITP診断基準が広く使用されているが，抗血小板抗体(PA IgG)は増加を示さないこともあり，本症以外の血小板減少症でも増加をきたすことがあるため，PA IgGの存在は診断の根拠とはならない．

鑑別

血小板減少は全妊婦の約1割に認められるが，その約7割が妊娠性血小板減少症による．妊娠性血小板減少症の病態は不明であるが，血小板数低下は軽微であり，通常は7万/μL以上である．次に多いのが妊娠高血圧腎症であり，約2割がこれに相当する．ITPによる血小板減少は数%である．

薬剤性ITPの原因になるものとして，アセトアミノフェンやセフェム系抗菌薬も挙げられるので，頻度は低いものの薬剤性ITPも念頭に置いておく必要がある(表1)．自己免疫性疾患である全身性エリテマトーデス(SLE)や抗リン脂質抗体症候群の症状の一部として血小板減少が生じている場合もあるので，周産期管理をするうえでこれらの疾患の除外診断も重要となる．

管理

妊娠許可

妊娠中は血小板消費が亢進するので，非寛解のまま妊娠すると半数以上の症例が妊娠中に血小板が低下するとされており，寛解してからの妊娠が望ましい．そのため，妊娠前に診断されたITPでは，血液内科主治医との連携および非寛解期における避妊指導が必要となる．

治療について

妊娠中は血小板が5万/μL以上に保たれている場合は治療の必要性は低い．血小板が2万/

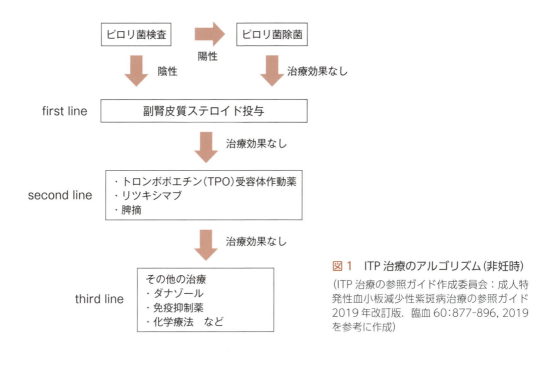

図1 ITP治療のアルゴリズム(非妊時)
(ITP治療の参照ガイド作成委員会：成人特発性血小板減少性紫斑病治療の参照ガイド2019年改訂版．臨血 60：877-896, 2019を参考に作成)

μL未満の症例では治療を開始し，妊娠中は3万/μL以上を保つことを目標とする．また，分娩時には血小板が5万/μL以上(帝王切開や硬膜外麻酔を使用する場合は8万/μL以上)を管理目標とする[1]．

治療方法

一般的なITPの治療アルゴリズムを「成人特発性血小板減少性紫斑病治療の参照ガイド2019年改訂版」[2]を参考にして図1に示した．

● 妊娠初期・中期

ピロリ菌陽性のITP患者に3剤併用での除菌療法を行うことで63％の患者で血小板の増加を認めたという報告があるため，前記の参照ガイドでは，非妊娠時のITP女性に対してはまずピロリ菌の検索，除菌が推奨されている．ただし，妊娠中は薬剤による胎児への影響を考慮する必要があるため，有益性投与と判断した場合でも器官形成期を避けて投与することが望ましい[3]．さらに妊娠女性へのピロリ菌除菌に対して一定のコンセンサスは得られておらず，欧米ではピロリ菌除菌が一般的ではないという状況を踏まえたうえで，妊娠女性へのピロリ菌除菌の必要性を判断する必要がある．

ピロリ菌陰性例や除菌無効例に対する非妊娠時の薬剤選択については，図1に示したとおり，first lineは副腎皮質ステロイドの投与である．second lineとして考慮される脾摘は外科的侵襲，麻酔薬の影響を考慮すると妊娠中には推奨されず，second line, third lineとして示した薬剤は妊娠中の安全性が確立されていない[3]．そうしたことから妊娠中の臨床的な対応としては，副腎皮質ステロイド投与(胎児移行性の少ないプレドニゾロンを選択し，0.5～1 mg/kg内服で開始)をベースに行い，緊急時には免疫グロブリン大量療法(IVIG)(400 mg/kg×5日間)および血小板輸血によって妊娠中の管理をすることになる[4]．これは，非妊娠時の治療プロトコールに外科的処置の際にはIVIGや血小板輸血を考慮するとあり，分娩もそれに準じている．ステロイド，IVIGに反応不良な症例に対しては，近年，トロンボポエチン(TPO)受容体作動薬の投与も行われてきているので，考慮される[5]．

表2　ITP治療に対する反応までの時間

治療	initial response	peak response
IVIG	1〜3日	2〜7日
デキサメタゾン	2〜14日	4〜28日
プレドニゾロン	4〜14日	7〜28日

initial response：血小板増加がみられはじめる時期
peak response：血小板が最大値となる時期
(Neunert C, et al：Blood 117：4190-4207, 2011 より作成)

● 妊娠後期・分娩時

　血小板数が5万/μL以上であれば，自然陣発を待って通常の妊娠と同様に管理する．ただし，妊娠末期に血小板数が著しく低下する症例も報告されているため，血小板数が維持されていて頸管が熟化している状況では分娩誘発を行うことも選択肢となる．

　分娩予定日の1か月以上前の時点で血小板数が5万/μL未満の場合には，プレドニゾロン10 mg/日を開始して血小板数の増加を図る．プレドニゾロンによる反応が不良であれば，IVIGの5日間投与を行ったうえで，血小板が増加するタイミングを見計らっての分娩誘発を行うことが，最も出血のリスクが低い分娩管理法と考えられる．分娩時における血小板数改善のための投薬法について一定のガイドラインやコンセンサスはない．また，表2[4]に示すようにIVIGやプレドニゾロンに対する反応時期，期間には個人差が大きいため，同じ薬剤による過去の治療歴がある場合は，それを参考に分娩に向けた治療開始のタイミングを決定することが妥当である．また，血小板数が5万/μL未満の状態での分娩が回避できない場合には血小板輸血を行うが，効果持続時間が短いことや頻回の血小板輸血は新たな抗血小板抗体の出現を惹起する可能性があることから，緊急避難的な使用であることを理解しておく必要がある．

　分娩様式については，抗血小板抗体の経胎盤的移行に伴う新生児の出血傾向に留意する必要があるが，ITP母体での新生児脳出血の割合は約1%であり，選択的帝王切開が必ずしもその予防にはならないという報告があるため，通常の適応に従って経腟分娩でよいと考えられる．しかし，急速遂娩の際には鉗子分娩や吸引分娩は比較的禁忌とされている．もしどちらかを選択するとなると，血小板減少の影響を受けやすい頭血腫などへの影響を鑑みて，その可能性が少し低い鉗子分娩のほうがよいであろう．

新生児

　出生時に臍帯血を採取して血小板減少数を確認するとともに，出産後数日してから血小板の減少が進行することがあるため，定期的な血小板数の経過観察は必要である．血小板数が5万/μL未満，2万/μL未満となる割合は，おのおの約10%，約5%である．頭蓋内出血は生後1〜3日目に発症することが多いとされているが，胎内発生の報告もある．そのため，出産後には小児科コンサルトのうえ，繰り返し頭蓋内病変の検索を行うべきである．

◆ 文献

1）妊娠合併ITP診療の参照ガイド作成委員会：妊娠合併特発性血小板減少性紫斑病診療の参照ガイド．臨血 55：934-947，2014
2）ITP治療の参照ガイド作成委員会：成人特発性血小板減少性紫斑病治療の参照ガイド2019改訂版．臨血 60：

877-896, 2019
3) Briggs GG, et al(eds): Drugs in pregnancy and lactation. Revised edition. Lippincott, Williams and Wilkins, Philadelphia, 2002
4) Neunert C, et al: The American Society of Hematology 2011 evidence-based practice guideline for immune thrombocytopenia. Blood 117: 4190-4207, 2011
5) Michel M, et al: Use of thrombopoietin receptor agonists for immune thrombocytopenia in pregnancy: results from a multicenter study. Blood 136: 3056-3061, 2020

〔佐山　晴亮・入山　高行〕

気管支喘息

POINT
- 妊娠前の喘息の重症度が高い場合ほど，妊娠中に増悪するリスクが高い．
- 妊娠成立後も投薬を中止しない，させないことが肝要である．
- 本人および周囲の禁煙を強く勧める．

DATA
- 妊婦の気管支喘息の有病率は4〜8%とされ，増加傾向を示している．
- 気管支喘息合併妊婦では，妊娠高血圧症，早産，胎児発育不全のリスクが高いことが知られており，メタ解析による発症率は，それぞれ11%，13%，11%とされる．
- 妊娠前の喘息が軽症であれば，妊娠中に悪化するものが13%，入院管理を要するものが2.3%であるのに対して，重症ではそれぞれ57%，27%に及ぶとされる．
- 胎児低酸素血症を防ぐためには母体のSpO_2を95%以上に保つ，すなわち中等度以上の喘息発作を持続させないようにする必要がある．

気管支喘息が妊娠に及ぼす影響

成人の気管支喘息は，臨床的には繰り返し起こる咳，喘鳴や呼吸困難，生理学的には可逆性の気道狭窄と気道過敏性の亢進により特徴づけられる疾患である[1]．本邦成人における気管支喘息の有症率は6〜10%とされ，10年ごとに1.5倍から2倍に増加している．喘息は妊娠可能年齢女性で増加傾向にあり，産婦人科医が妊娠合併症として遭遇する機会も多い．妊婦の気管支喘息の有病率は4〜8%とされ[2]，やはり増加傾向を示している．

気管支喘息を合併した妊婦では，妊娠高血圧症，早産，胎児発育不全のリスクが高いことが知られており，5報告（n＝29,733）のメタ解析による発症率は，それぞれ11%，13%，11%とされる[2]．さらに，重積発作は胎児の低酸素血症を惹起する危険がある．

妊娠が気管支喘息に及ぼす影響

妊娠中の呼吸器機能に影響を及ぼす因子は，主として増大した子宮による横隔膜の挙上と血中プロゲステロンの増加である．妊娠末期には横隔膜の静止位置は非妊娠時より約4 cm上昇し，胸郭の横径も約2 cm増大する．しかし，横隔膜の機能は障害されることなく，むしろ上下の振幅が増大することが知られている．一方，プロゲステロンは換気量の増大に寄与していると考えられている[3]．

気管支喘息患者が妊娠すると，妊娠を契機に症状が悪化するもの，変わらないもの，軽快するものが，それぞれ1/3程度とされる．妊娠中の増悪は妊娠前の病状によって異なり，軽症例であれば妊娠中に悪化するものが13%，入院管理を要するものが2.3%であるのに対して，重症例ではそれぞれ57%，27%に及ぶとされる．このため，気管支喘息を有する女性に対し

表1　成人気管支喘息未治療者の重症度分類

		軽症間欠型	軽症持続型	中等症持続型	重症持続型
症状の特徴	頻度	週1回未満	週1回以上だが毎日ではない	毎日	毎日
	強度	症状は軽度で短い	月1回以上日常生活や睡眠が妨げられる	週1回以上日常生活や睡眠が妨げられる	日常生活に制限
				しばしば増悪	しばしば増悪
	夜間症状	月に2回未満	月に2回以上	週1回以上	しばしば

〔日本アレルギー学会(編)：成人喘息．アレルギー総合ガイドライン2019．p26，協和企画，2019をもとに著者の責任で作成・改変〕

ては，妊娠初期，できれば妊娠前に重症度(表1)[1]を評価しておくことが転帰を予測するうえで重要であり，妊娠成立までに病態が改善されていることが望ましい．

妊娠時期ごとの健診での管理方法

喘息発作の予防

　主な自覚症状は反復する発作性の呼吸困難・咳で，夜間や早朝，あるいは運動・労作時に出現しやすい．診断に至る過程は非妊娠時と変わることはない．産科医の役割は，投薬を中止しないこと，中止させないことである．分娩後に授乳を避ける必要もない．表2[1]に掲げた喘息の治療薬は，いずれも妊娠中の使用は安全とされているが，薬剤の催奇形性に対する過剰な不安から，妊娠成立とともに抗喘息薬を自己中断するケースが散見される．総合病院で院内の内科に診療歴がある場合はともかく，産科クリニックでは，妊婦が妊娠成立を機に薬剤を自己中断し，初診時に喘息の症状を訴えない場合には見逃されてしまうおそれがある．初診時には喘息の有無についての問診をルーチン化する必要がある[4]．

　喘息と診断された妊婦に対しては，喘息の三次予防，すなわち喘息発作を惹起する危険因子を避ける指導を行う．発作を誘発するようなアレルゲンや呼吸器感染症を避けることは重要であり，アレルゲン対策としては，床や畳，布団の掃除，室内暖房器具の見直し，マスク着用など，後者についてはインフルエンザワクチンの接種が挙げられる．

　危険因子のなかでも，喘息の発病，増悪との量依存的な関連が明らかで，しかも本人と周囲の努力によって回避が可能な因子の代表は喫煙であろう．喫煙は気管支喘息の有無にかかわらず妊婦とその胎児に有害であり，不完全燃焼の結果生じる副流煙のほうが有害物質の含有量が高いうえにアルカリ性で粘膜刺激作用が強いとされる．2010年から環境省が行っている子どもの健康と環境に関する全国調査「エコチル調査」が最近明らかにしたところでは，喫煙している女性の約7割は妊娠を契機に喫煙を止めていたが，同時に配偶者も禁煙したのはわずかに6％にとどまっていた[5]．産婦人科医は本人にもましてパートナーに強く禁煙を勧める必要がある．このことは出産後の女性が喫煙を再開するリスクを大きく減少させ[6]，さらには子どもの喘息の発症率を低下させることにもつながる[7]．

　妊娠中の喘息の発症予防法は非妊娠時と大きく変わるところはなく，ステロイド薬，β_2刺激薬，キサンチン誘導体が用いられる(表2)[1,8,9]．長期管理薬としては軽症間欠型には短時間作動性吸入β_2刺激薬(SABA)頓用，それ以上の重症度では吸入ステロイド薬が第一選択として推奨されており，これのみで良好なコントロールが得られない場合には，長時間作動性吸入

表2 妊娠中に投与可能な気管支喘息治療薬

吸入薬	・吸入ステロイド薬 　ヒトに対する安全性のエビデンスはブデソニド（パルミコート）が最も多い． ・吸入 β_2 刺激薬（吸入ステロイド薬との配合剤を含む） 　短時間作動性吸入 β_2 刺激薬（SABA）〔例：プロカテロール（メプチンエアー），サルブタモール（サルタノール）〕 　長時間作動性吸入 β_2 刺激薬（LABA）のエビデンスはまだ少ないが，安全性は SABA とほぼ同等と考えられている． ・吸入抗コリン薬 　発作治療薬としてのみ安全性が認められている． ・クロモグリク酸ナトリウム（例：インタール，リノジェット）
経口薬	・経口ステロイド薬 　プレドニゾロンは胎盤通過性（10〜12％[9]）が比較的少ない． ・ロイコトリエン受容体拮抗薬 ・テオフィリン徐放製剤 ・経口 β_2 刺激薬 ・抗ヒスタミン薬
注射薬	・ステロイド薬 ・アミノフィリン
その他	・貼付型 β_2 刺激薬：ツロブテロール（例：ホクナリンテープ，ツロブテロールテープ） 　安全と考えられているが，今後のエビデンス集積が必要である．

〔日本アレルギー学会（編）：成人喘息．アレルギー総合ガイドライン 2019．pp110-113，協和企画，2019，および Ohta K, et al：Allergol Int 63：293-333, 2014 をもとに著者の責任で作成・改変〕

表3 成人喘息発作症状・発作強度の分類

発作強度	呼吸困難	動作	SpO$_2$ 値
喘鳴／胸苦しい	急ぐと苦しい 動くと苦しい	ほぼ普通	96％ 以上
軽度（小発作）	苦しいが横になれる	やや困難	
中等度（中発作）	苦しくて横になれない	かなり困難 かろうじて動ける	91〜95％
高度（大発作）	苦しくて動けない	歩行不能 会話困難	90％ 以下
重篤	呼吸減弱 チアノーゼ 呼吸停止	会話不能 体動不能 錯乱，意識障害，失禁	

〔日本アレルギー学会（編）：成人喘息．アレルギー総合ガイドライン 2019．p27，協和企画，2019 をもとに著者の責任で作成・改変〕

β_2 刺激薬（LABA）やテオフィリン徐放製剤，貼付型 β_2 刺激薬が追加される[1]．適切なコントロールがなされていれば，妊娠合併症の危険は最小にとどめることができる．妊娠 37 週以降になると喘息の症状は改善に向かうといわれている[8]．

喘息発作の治療

胎児低酸素血症を防ぐためには母体の SpO$_2$ を 95％ 以上に保つ，すなわち中等度以上の発作（表3）[1]を持続させないようにする必要がある．喘息発作が生じた場合の治療法も非妊娠時

表4　喘息長期管理中の妊婦における喘息増悪時の初期対応

(1) 短時間作動性吸入 β_2 刺激薬（SABA）
　　加圧式定量吸入器（pMDI）でサルブタモール 2～4 パフを 20 分おきに 1 時間まで繰り返す．あるいはネブライザーを用いて吸入する．
(2) 酸素吸入
　　SpO_2 95％ 以上を保つ．
(3) ステロイド薬
　　ベタメタゾン 4～8 mg あるいはデキサメタゾン 6.6～9.9 mg を 6 時間ごとに点滴静注する．
　　アスピリン喘息（NSAIDs 過敏喘息）の可能性がないことが判明している場合は，ヒドロコルチゾン 200～500 mg あるいはメチルプレドニゾロン 40～125 mg を点滴静注してもよい．
※注意点
　・脱水に注意し，治療中は母児の状態をモニターする．
　・0.1％ アドレナリン（ボスミン）の皮下注はアナフィラキシーなどの場合に限られる．
　・SpO_2 95％ 以上を維持できない場合，あるいは 1～2 時間治療を行っても反応が不良の場合は，気管内挿管による人工呼吸管理が可能な専門の施設に紹介する．

〔日本アレルギー学会（編）：成人喘息．アレルギー総合ガイドライン 2019．pp110-113，協和企画，2019 を参考に著者作成〕

と同様で，SABA が第一選択となり，奏効しない場合にはステロイド薬を追加する（表4）[1]．治療への反応が不良の場合には薬物治療と酸素吸入を継続するとともに，専門医への紹介・搬送を検討する．一般に喘息発作がターミネーションの適応となるとは考えられていない．

◆ 文献

1) 日本アレルギー学会（編）：成人喘息．アレルギー総合ガイドライン 2019．pp21-123，協和企画，2019
2) Cunningham FG, et al（eds）: Pulmonary disorders. Williams Obstetrics, 24th ed. McGraw-Hill Education, New York, 2014
3) 松浦俊平：周産期の生理学 4) 呼吸器．杉山陽一，他（編）：産婦人科学書 2．周産期医学．pp62-65，金原出版，1994
4) 日本産科婦人科学会，日本産婦人科医会（編）：CQ002 妊娠初期に得ておくべき情報は？　産婦人科診療ガイドライン 産科編 2020，pp3-5，日本産科婦人科学会，2020
5) 子どもの健康と環境に関する全国調査（エコチル調査）2 周年記念シンポジウム公開データ．国立環境研究所エコチル調査コアセンター，2013
6) 縄田朋弥，他：出産後の女性の喫煙行動とその関連要因．日公衛誌 57：104-112, 2010
7) Burke H, et al: Prenatal and passive smoke exposure and incidence of asthma and wheeze: systematic review and meta-analysis. Pediatrics 129：735-744, 2012
8) Ohta K, et al: Japanese guideline for adult asthma 2014. Allergol Int 63：293-333, 2014
9) Chi CC, et al: Evidence-based（S3）guideline on topical corticosteroids in pregnancy. Br J Dermatol 165：943-952, 2011

（大場　隆）

てんかん

POINT
- てんかんとは，「さまざまな原因により起こる慢性の脳の病気であり，大脳の神経細胞の過剰な活動に由来する反復性の発作（てんかん発作）を主徴とし，これに変化に富んだ臨床および検査の異常を伴うもの」とされている．
- てんかん合併妊娠には次の問題点がある．
  ① 妊娠中の発作が妊娠経過や胎児に影響しないのか？
      全身痙攣発作は胎児の低酸素状態やアシドーシスを招くため，流早産や胎児の脳障害を引き起こすリスクとなる．それ以外の発作は基本的に妊娠経過・出産に影響しない．
  ② 抗てんかん薬の服用により児に影響を及ぼさないのか？
      薬剤により異なるが，原則として薬剤数が少ないほど，服用量が少ないほど，血中濃度が低いほど児への影響が少ない．よって単剤・低用量での投与が望ましい．特に妊娠経過における第1三半期は critical period とされ，薬物曝露の影響が強い．
  ③ 2014年，日本産婦人科医会より，産後の突然死があるので入院中は生体監視モニターを装着するよう提言がなされた．現在では十分な観察が必要とされている．

DATA
- 全妊婦の 0.3～1％ にてんかんを合併する．
- 妊娠前と同じ内容・量の抗てんかん薬を服用していた場合，7～25％ は発作頻度減少，20～33％ は発作頻度増加，50～83％ は不変とされている．

てんかん女性・妊婦に対する対応

てんかん女性のライフサイクルにおける妊娠・分娩

　てんかん罹患者の結婚率は男性54％，女性62％と低く，また結婚時7人中6人は病気を伝えていないので，パートナーに対し疾患について伝えるときは本人の同意が必要である．また，本人がてんかんという病気がよくわからないことによりハイリスクと考え，妊娠中絶を選択してしまうことや，医療者が過剰なリスク説明を行うことにより，児を得ることを諦めてしまうことがある．よって，てんかんの女性に適切に対応することで妊娠・分娩をサポートし，社会的認知を促していくべきと考える．

てんかんの定義と分類

　てんかんとは，WHOの定義では「さまざまな原因により起こる慢性の脳の病気であり，大脳の神経細胞の過剰な活動に由来する反復性の発作（てんかん発作）を主徴とし，これに変化に富んだ臨床および検査の異常を伴うもの」とされており，1回きりの発作はてんかんとはいえない．

原因部位による分類

てんかんを分類する際,脳に基礎疾患を有するものを症候性,基礎疾患が指摘されないものを特発性とする.また一側大脳半球の限局したニューロン群によって生じるものを局在関連性てんかん,発作が両側大脳半球の同期した発作放電により生じるものを全般てんかんとする.

- 症候性局在関連性てんかん(前頭葉てんかん,側頭葉てんかん,後頭葉てんかんなど)

抗てんかん薬により6~7割の症例で発作が消失するが,残りの3~4割の症例では発作は消失しない.あらゆる世代にみられる.発作が消失した場合に断薬できる症例は小児発症では多いが,思春期以降の発症ではかなり少ない.

- 症候性全般てんかん(ウエスト症候群,レノックス-ガストー症候群など)

予後が最も悪い.発作が消失するのは2~3割であり,頻回の発作を繰り返す症例も少なくない.小児の難治てんかんのウエスト症候群やレノックス-ガストー症候群がある.

- 特発性局在関連性てんかん〔中心・側頭部に棘波をもつ良性小児てんかん(BECTS),早発型良性小児後頭葉てんかん(パナイトポーラス症候群)など〕

予後が非常によく,思春期頃には抗てんかん薬を服用しなくても発作は出現しなくなる.発作の程度が軽ければ無投薬という方法もある.発作により日常生活に支障がある場合にはカルバマゼピン(CBZ)の投与が第一選択である.

- 特発性全般てんかん〔小児欠神てんかん・若年ミオクロニーてんかん(覚醒時大発作てんかん)など〕

抗てんかん薬により8割の症例で発作が消失する.残りの症例でも程度は軽いことが多いが,断薬に関しては思春期以降の発症では再発率が高い.

発作型(症状)による分類

てんかんを発作型(症状)に分類すると,以下の2つに分けられる.

- 部分発作

発作が始まるときの症状と脳波所見が,片側の一部の脳の場所に由来する発作.意識がある場合を単純部分発作,意識がない場合を複雑部分発作,全身の痙攣に至るものを二次性全般化発作とする.

- 全般発作

発作の始まりの症状と脳波所見から左右の脳全体から同時に始まるとみなされる発作.原則として,一人の人がもつ発作のパターンは一定している.

てんかんの診断から治療終結までのプロセスであるが,初回発作時に年齢,画像・脳波所見,家族歴より抗てんかん薬治療開始か,経過観察を選択する.経過観察しているものも2回目の発作が出現すれば,薬剤を開始する.抗てんかん薬の調整を行い,難治性の場合は外科治療へ.発作が3~5年抑制できている場合,抗てんかん薬を低減し治療終結となる.

主な発作型に対する薬剤一覧を『てんかん診療ガイドライン2018』より抜粋する(表1)[1)].

表1 主な発作型に対する薬剤一覧

発作類型	発作型	第一選択薬	第二選択薬	新規抗てんかん薬(他剤との併用)
部分発作	部分発作	CBZ	PHT, ZNS	LTG>LEV>TPM>GBP
全般発作	欠神発作	VPA	ESM	LTG
	ミオクロニー発作	VPA	CZP	LEV
	強直間代発作	VPA	PB	LTG, TPM>LEV

〈従来の抗てんかん薬〉
VPA：バルプロ酸ナトリウム(デパケン)
CBZ：カルバマゼピン(テグレトール)
PHT：フェニトイン(ヒダントール)
PB ：フェノバルビタール(フェノバール)
ZNS：ゾニサミド(エクセグラン)
ESM：エトスクシミド(ザロンチン)
CZP：クロナゼパム(リボトリール，ランドセン)

〈新規抗てんかん薬〉
LTG：ラモトリギン(ラミクタール)※2008年発売
LEV：レベチラセタム(イーケプラ)※2010年発売
TPM：トピラマート(トピナ)※2007年発売
GBP：ガバペンチン(ガバペン)※2006年発売

〔日本神経学会(監)：てんかん診療ガイドライン2018．医学書院，2018をもとに作成〕

てんかん合併妊娠の問題点

妊娠によるてんかんへの影響

　全妊婦の0.3〜1%にてんかんを合併する．妊娠前にすでに確定診断されていることが多く，妊娠中に初発することは稀である．妊娠前と同じ内容・量の抗てんかん薬服用にて，7〜25%が発作頻度減少，20〜33%が発作頻度増加，50〜83%が不変とされ，これは母体の生理的変化，ストレスによるものとされる．薬剤の血中濃度測定はこまめに行う．自己判断による自己薬剤中止には十分気をつけ，配偶者にも服薬の必要性を説明しておく．分娩によるストレスより産褥期に発作が出やすい．

　発作頻度が増加する理由としては，
①妊娠による循環血流量の増加・体重増加による抗てんかん薬血中濃度の低下
②妊娠中の肝臓での代謝亢進や腎臓での排出増加による抗てんかん薬血中濃度の低下
③妊娠悪阻による嘔吐
④妊娠中のストレスや不安による心理的影響
⑤妊婦の自己判断による抗てんかん薬の減量や中止

があり，減少する原因としては血漿アルブミン量の減少による遊離型抗てんかん薬の血中濃度増加がある．

　特に，抗てんかん薬の腎排出量は妊娠第1三半期より上昇，妊娠36週まで増加するため，場合により量の増加，分割投与を考慮する．定期的な薬剤血中濃度のモニタリングとカウンセリングが必要である．

てんかんによる胎児への影響
—妊娠中の発作が妊娠経過や胎児に影響しないのか？

①いわゆる全身痙攣発作(GTCs)は胎児の低酸素状態やアシドーシスを招くため，流早産や胎児の脳障害を引き起こすリスクとなる．しかしながら，最近では脳障害の報告は認められていない．

表2 抗てんかん薬服用による大奇形発現率

	VPA	CBZ	LTG	PB	PHT	LEV	OXC	TPM
EURAP	9.7% (98/1,010)	5.6% (79/1,402)	2.9% (37/1,280)	7.4% (16/217)	5.8% (6/103)	1.6% (2/126)	3.3% (6/184)	6.8% (5/73)
NAAPR	9.3% (30/323)	3.0% (31/1,033)	1.9% (31/1,562)	5.5% (11/199)	2.9% (12/416)	2.4% (11/450)	2.2% (4/182)	4.2% (15/359)
UKIre	6.7% (82/1,220)	2.6% (43/1,657)	2.3% (49/2,098)		3.7% (3/82)	0.7% (2/304)		4.3% (3/70)
AUS	13.8% (35/253)	5.5% (19/346)	4.6% (14/307)		2.4% (1/41)	2.4% (2/84)	5.9% (1/17)	2.4% (1/42)
NMBR	6.3% (21/333)	2.9% (20/685)	3.4% (28/833)	7.4% (2/27)		1.7% (2/118)	1.8% (1/57)	4.2% (2/48)
SNBR	4.7% (29/619)	2.7% (38/1,430)	2.9% (32/1,100)		6.7% (8/119)	(0/61)	3.7% (1/27)	7.7% (4/52)

VPA：バルプロ酸ナトリウム，CBZ：カルバマゼピン，LTG：ラモトリギン，PB：フェノバルビタール，PHT：フェニトイン，LEV：レベチラセタム，OXC：オクスカルバゼピン，TPM：トピラマート．
EURAP(European and international registry of antiepileptic drugs in pregnancy)：ヨーロッパおよび国際的調査，NAAPR(North American antiepileptic drugs and pregnancy registry)：北米での調査，UKIre(UK and Irish epilepsy and pregnancy registry)：英国およびアイルランドでの調査，AUS(Australian Register of Antiepileptic Drugs in Pregnancy)：オーストラリアでの調査，NMBR(Medical birth registry of Norway)：ノルウェーでの調査，SMBR(Swedish medical birth register)：スウェーデンでの調査．
〔Tomson T, et al：major congenital malformations in children of women with epilepsy. Seizure 28：46-50, 2015 より改変〕

②それ以外の発作(non-convulsive seizure；欠神発作，部分発作など)は基本的に妊娠経過・出産に影響しない．ただし発作時の転倒による母体の外傷に注意を要する．
③重積状態の頻度自体は少ないが，Teramo らは 29 例中，母体の死亡 9 例，胎児の死亡 14 例と報告している．
④妊娠期間中の治療はバイタルサインを把握し，気道確保・酸素投与，静脈確保を行う．薬剤の第一選択はジアゼパム 10〜20 mg をゆっくり静注，コントロール困難な場合はフェノバルビタール 2〜5 mg/kg を皮下・筋注する．

薬剤による胎児への影響
―抗てんかん薬の服用により児に影響を及ぼさないのか？

ラモトリギン，その後発売されたレベチラセタムの 2 剤は単剤投与の場合，奇形率は低いが，トピラマートは表2 に示すように奇形率は増加する．

抗てんかん薬服用中の授乳

原則的には可能である．バルビツール酸系，ベンゾジアゼピン系，ゾニサミドを大量服用している場合は，生後 1 週間は人工栄養も併用する．肝臓，腎臓機能異常のない新生児では授乳を禁止しない．また出産時，児にビタミン K を 1 mg 投与する．各種抗てんかん薬の乳汁への移行率を表3 に，抗てんかん薬に子宮内曝露した 3 歳児の IQ を図1 に示す．

てんかんと産褥期の管理

表3 を参考に，乳汁への移行性が少なく半減期の短い薬剤の場合，新生児の離脱症状，傾

表3 各抗てんかん薬の母乳移行率および児の抗てんかん薬半減期

AED	AEDの胎盤通過率	AEDの母乳内移行率	児におけるAED半減期（時間）
CBZ	0.69〜0.78	0.36〜0.41	8〜36
CLB	1.7〜7.5	0.13〜0.36	17〜31
CZP	0.59	1.0〜3.0	13〜33
DZP	1.2〜2.0	0.5	31
ESM	0.97	0.86〜1.36	32〜38
GBP	1.74(1.3〜2.1)	0.7〜1.3	14
LEV	1.14(0.56〜2.0)	1.0〜3.09	16〜18
LTG	0.9(0.6〜1.3)	0.61(0.5〜0.77)	24
OXC	0.92〜1.0	0.5〜0.65	17〜22
PB	0.7〜1.0	0.36〜0.46	100〜500
PHT	0.86〜1.0	0.06〜0.19	15〜105
PRM	0.88〜0.99	0.72	7〜60
TPM	0.95(0.85〜1.06)	0.67〜1.1	24
VPA	1.59〜1.71	0.01〜0.1	30〜60
ZNS	0.92	0.41〜0.93	61〜109

AED：抗てんかん薬，CBZ：カルバマゼピン，CLB：クロバザム，CZP：クロナゼパム，DZP：ジアゼパム，ESM：エトスクシミド，GBP：ガバペンチン，LEV：レベチラセタム，LTG：ラモトリギン，OXC：オクスカルバゼピン，PB：フェノバルビタール，PHT：フェニトイン，PRM：プリミドン，TPM：トピラマート，VPA：バルプロ酸ナトリウム，ZNS：ゾニサミド
胎盤通過率＝臍帯血中のAED濃度/母体血中AED濃度
母乳移行率＝母乳中のAED濃度/母体血中AED濃度
〔菊池　隆，他：抗てんかん薬の母乳内移行を介した曝露による児への影響．兼子　直（編著）改訂第3版 てんかん教室．pp215-218，新興医学出版社，2012より改変〕

眠，低緊張，哺乳力低下に注意しながら授乳も可能である．ただし母体の睡眠不足，疲労を避けさせるべきである．

　分娩がストレスとなり，2012年に産後4日目，2013年に産後1日目の褥婦死亡があり，2014年，日本産婦人科医会より，てんかん合併はハイリスク妊娠と考え，入院中は生体監視モニターを装着し，常に注意を払う必要があると提言された．しかし，同時期の他疾患による妊産婦死亡は213例であり，過度に不安を与える必要はない．

児への遺伝は？　抗てんかん薬を内服していても妊娠は可能か？

　てんかん発症の要因として，多くの場合で遺伝子の関与は大きくない．多因子遺伝の形式で頻度は明らかに高くなるが，通常，てんかんの発症率が1〜2％に対し，両親が合併している場合6％になる．また同胞の年齢が15歳未満で発症した場合，20歳までの発症率は3〜5％となる．

　てんかん自体を先天奇形のリスクとして判断すると，2〜3倍のリスクが高いと2004年にWideが報告しているが，バルプロ酸投与および多剤療法を受けた場合のみ奇形のリスクは上昇すると2009年にVeibyらは報告している．妊娠前1年発作が起きなければ妊娠中の発作の

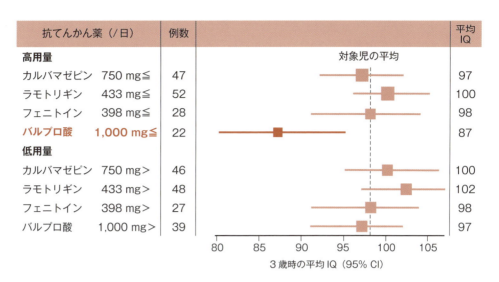

図1 抗てんかん薬に子宮内曝露した3歳児のIQ
対象：米国および英国のてんかんセンター25か所でLTG，CBZ，PHT，VPAのいずれかを単剤で服用した妊婦から生まれた幼児258例（妊婦は252例）．
方法：幼児の知能をBayley scales of infant development（21～34月齢を対象）またはdifferential ability scales（33～45月齢を対象）を用いて評価．母親のIQ，出産時年齢，てんかん症候群，てんかん発作型，発作頻度，抗てんかん薬の投与量などにより補正した児の平均IQを算出．
(Meador KJ, et al：N Engl J Med 360：1597-1605, 2009)

表4 妊娠可能なてんかん女性の妊娠前から産褥期までの管理

1. 妊娠前		
	a）カウンセリング	経口避妊薬に対するAEDの作用，妊娠中の発作，妊娠・出産経過，胎児・新生児に対するAEDの影響，産褥経過，てんかんの子どもへの遺伝性などについて説明する
	b）妊娠前の発作の抑制	必要最低限のAEDの単剤
	c）抗てんかん薬（AED）	トリメタジオン，フェノバルビタールは投与はしない．VPA，CBZも可能であれば，他剤へ変更．VPA投与中止が困難な症例では徐放剤へ変更．PHT or CBZ＋バルビツール酸系，VPA＋CBZは避ける
	d）単剤での投与量	プリミドン，CBZ：400 mg，VPA：1,000 mg，PHT：200 mg／日以下が望ましい
	e）葉酸濃度の測定	低値であれば葉酸を補充する
2. 妊娠中		
	a）定期的な通院	胎児モニタリング，AED・葉酸の測定
	b）AED投与量	服薬が規則的でかつ発作が悪化した場合にAEDを増量
	c）VPA，CBZ服用例	16週で血清AFPの測定，妊娠18週に超音波診断
	d）痙攣発作	切迫流・早産に注意
3. 出産時および産褥期		
	a）出産方法	母・児の状況を検討し，通常の分娩が可能か否か正確に判定（多くは通常の分娩が可能）
	b）AED	分娩前後で服薬が不規則になりがち．痙攣発作の頻発や重積状態に注意
	c）出産時	児にビタミンKを1 mg投与
	d）授乳	原則的に可能（バルビツール系薬，ベンゾジアゼピン系，ゾニサミドを多量服薬している症例では生後1週間は人工栄養も併用する）
	e）産後	AED血中濃度の上昇する症例ではAEDの投与を調整する
	f）育児	母体の睡眠不足を避けるため，育児で家族の協力を求める

〔日本てんかん学会（編）：てんかんをもつ妊娠可能年齢の女性に対する治療ガイドライン2007より作成〕

リスクは50〜70%減少するといわれ，抗てんかん薬の投与を単剤に努めるよう推奨している．2005年，米国神経学会では2〜5年発作がなく，単剤であり，治療により脳波が正常化している場合，妊娠前の抗てんかん薬の中止を検討するように推奨している．

てんかん女性は葉酸を補充するようにアドバイスを受けるべきである．葉酸の妊娠前使用量は諸ガイドラインによって異なっているが，妊娠を考える女性は葉酸0.4 mg／日程度を妊娠前から内服することが推奨されている．一方，てんかん既往のある女性は妊娠を避ける傾向があり意図しない妊娠のケースが多いため，妊孕性がある女性に対しては積極的な葉酸投与が勧められる．

『産婦人科診療ガイドライン 産科編 2020』[2]では，カルバマゼピンやバルプロ酸などの抗てんかん薬は葉酸の拮抗作用があり，神経管閉鎖障害のリスクを上昇させ，葉酸の作用がこれらのリスクを低減する可能性が示唆されている．妊娠前3か月から妊娠まで，1日4〜5 mgの葉酸(1錠5 mgのフォリアミン)摂取を考慮する．しかし抗てんかん薬による神経管閉鎖障害が葉酸摂取で抑えられるかの試験結果も示されておらず，4 mgという用量も再発予防に基づき提案されたもので，抗てんかん薬を服用している女性での有効量のエビデンスはない．

最後に，日本てんかん学会による『てんかんをもつ妊娠可能年齢の女性に対する治療ガイドライン』をもとに，妊娠前から産褥期までのてんかん女性の管理についてまとめた(表4)．てんかん合併の女性には計画的な妊娠が望ましく，精神科との連携によって母児ともに良好な妊娠・分娩管理が可能となる．

◆ 文献

1) 日本神経学会(監)：てんかん診療ガイドライン 2018．医学書院，2018
2) 日本産科婦人科学会，日本産婦人科医会(編)：CQ105 神経管閉鎖障害(二分脊椎，脳瘤，無脳症等)と葉酸の関係について説明を求められたら？ 産婦人科診療ガイドライン 産科編 2020．pp76-78，日本産科婦人科学会，2020

〔大浦　訓章〕

精神疾患（妊娠中）

POINT
- 妊娠中に遭遇しやすい精神障害は不安障害（パニック発作を含む）および妊娠うつ病である．
- 診断および管理にあたっては，これらの疾患の診断基準を把握すること，妊娠中および産褥期の精神機能障害は心因によるものが多いことを念頭に置いたうえで，家族の協力による環境調整，精神科医の協力下に精神面支援を積極的に導入することが必要である．
- 希死念慮や高度のうつ状態が推察される場合には，産科医や助産師のみならず精神科医のコンサルテーションを経たうえで精神科的治療の必要性を判断することが肝要である．
- エジンバラ産後うつ病自己評価票（EPDS）や Whooley らの二質問法を妊娠中のうつ病スクリーニングに用いる報告があるが，妊娠中に関する有用性については，まだ明らかなエビデンスは示されていない．

DATA
- 初産婦 290 例を対象として，妊娠 8 か月から分娩後 3 か月に至る追跡調査を行ったところ，精神診断学的に妊娠中発症の大うつ病，特定不能のうつ病，全般性不安障害および広場恐怖がおのおの 16 例（6％），12 例（4％），8 例（3％）および 2 例（1％）に，産後発症の大うつ病，特定不能のうつ病，全般性不安障害，パニック障害および強迫性障害がおのおの 15 例（5％），14 例（5％），2 例（1％），3 例（1％）および 5 例（2％）に認められたとの報告がある．
- 16％ の女性が妊娠中にうつ病を発症し，そのうち 70％ 以上は妊娠初期の発症例だが，これらのうつ病の大半は，分娩までに症状が軽減あるいは消失したとの報告がある．

はじめに

妊産婦は，内分泌を中心とする母体の生理機能の激変と，母親になったことによる環境の変化や育児に伴う疲労などの諸要因が相まって，精神衛生面においても不安定になりやすく，諸種の精神機能障害を生じやすい．本稿では，妊娠中から出産に至る精神衛生管理のあり方に関して概説する．

妊産婦の精神衛生管理のあり方

妊産婦の精神衛生管理を行ううえでは，大きく 2 つの観点から心理的背景を捉える必要がある．1 つには，患者個人のプライバシー保護の視点，もう 1 つには，患者にとって妊娠・分娩および育児は，自己の身体的・精神的両面に対する負荷であると同時に，家族や経済的環境を巻き込んだ多様な背景を含有した事象であるということを，医療側が認識したうえで対処することである．妊婦および妊婦を取り巻く家族に対する精神的ケアは，一般的に健康診査あるいは家庭訪問の場を用いた個別面接，母親学級などの集団指導，あるいは電話相談によって行われる．それぞれの方法の特徴を生かして個々の妊婦が有する精神的あるいは環境的問題を聴取し，理解しながら助言を与え，必要に応じて精神科的コンサルテーションを考慮する．

個別面接

　精神衛生面への介入にあたっては，会話の内容にプライバシー保護を必要とする事項を含むことも多いため，定期健康診査あるいは家庭訪問の場で個別面接を行い，妊婦個々人の身体的・精神的問題を聴取し，必要であれば助言を与えることが望ましい．本法は，患者個人の生活背景に応じた精神面支援が行える反面，面談者・指導者の技量が反映される方法でもあり，個別化を行わない画一的な指導や，押し付け的な助言に陥り，不十分な指導となってしまわないよう注意すべきである．

集団指導（母親学級）

　個別指導に比べて時間的，人員的に能率的である反面，個々人の実生活に言及した内容構成が困難であるので，机上の説明的内容に終始せずに妊婦側から発言や質問が出るよう，プログラムを工夫する必要がある．しかしながら，核家族化のなかで孤独になりがちな妊産婦にとっては，妊婦同士の交流や，医師による定期健康診査の際に発言しにくい精神的・身体的保健管理の方法を相互討論する場として活用できる．

電話相談

　本法の利点として，患者が家庭にいながら気軽に利用できること，緊急時に実時間的に活用することが可能であること，患者の心理状態や相談内容によっては，医療側と直接相対していないことがかえって患者に安心感をもたせることができることなどが挙げられる．一方で，医師・助産師側としては業務中に随時に応対する必要が生じる状況で，患者からの相談内容を的確に把握，整理して返答する高度な技量が要求されることにもなる．

助産師による妊産褥婦に対する精神科的診断および精神面支援

　中野ら[1]は，支援を要する精神障害ハイリスク妊産褥婦を施設の担当助産師が抽出するためのプログラムを策定する目的で，準無作為的に抽出した初産婦290例を対象として，妊娠8か月から分娩後3か月に至るまで追跡調査を行った．方法は，個人面接とアンケート調査により，構造化面接（精神科的面接）と精神疾患診断とを行った．個人面接の実施者は各施設の助産師（固定の複数名によるチーム）とし，同一の精神医学者による複数回に及ぶ訪問教育・指導によって構造化面接の専門研修を行わせた．精神障害の評価には，HAD (hospital anxiety and depression scale)，スタインのマタニティ・ブルーズ評価尺度およびエジンバラ産後うつ病自己評価票（EPDS）を使用した．併せて非構造化面接（患者の自由発言に基づく助産師の助言およびカウンセリング）も施行した．

　その結果，精神診断学的に妊娠中発症の大うつ病，特定不能のうつ病，全般性不安障害および広場恐怖がおのおの16例（6％），12例（4％），8例（3％）および2例（1％）に，産後発症の大うつ病，特定不能のうつ病，全般性不安障害，パニック障害および強迫性障害がおのおの15例（5％），14例（5％），2例（1％），3例（1％）および5例（2％）に認められた（**表1**）[1]．

　この成績は，精神機能障害の検出頻度の妥当性から，コメディカル・スタッフ（助産師）を直接面接実施者とすることが可能であることを示すとともに，スタッフに対する教育・研修方法のモデルを示したものと位置づけられる．すなわち，教育を受けた助産師が構造化面接および非構造化面接を並行して施行することによって，一般の個別面接に基づく患者の不安軽減の効果に加え，精神科的診断に直結する情報聴取を行えることによる，より精神科的介入支援が可能であることを示したものと考えられる[1]．

表1 助産師による構造化・非構造化面接に基づく精神科的診断結果

発症時期	精神診断名	症例数(%)
妊娠中	大うつ病	16(6)
	特定不能のうつ病	12(4)
	全般性不安障害	8(3)
	広場恐怖	2(1)
	特定の恐怖症	2(1)
	社会恐怖	1(0.3)
	上記のいずれか	35(12)
分娩時	抑うつ状態	8(3)
産後	大うつ病	15(5)
	特定不能のうつ病	14(5)
	強迫性障害	5(2)
	パニック障害	3(1)
	全般性不安障害	2(1)
	特定の恐怖症	2(1)
	躁病	1(0.3)
	社会恐怖	1(0.3)
	上記のいずれか	37(13)
対象例		290

(中野仁雄, 他:妊産褥婦および乳幼児のメンタルヘルスシステム作りに関する研究:多施設共同産後うつ病研究. 平成12年度厚生科学研究報告書, 2001より作成)

妊娠中の主な精神機能障害

不安障害

妊娠・分娩に関して何らかの不安感情を有する妊婦は多く,このような感情が精神科学的に問題となる症候を有する場合を不安障害という(表2)[2]. なかでも,急激に動悸,発汗あるいはめまいなどの身体障害を呈するものはパニック発作と呼ばれる(表3)[2]. 妊娠初期には受胎の喜びと幸福感をもつ人が多い一方で,なかには生活習慣が変化することや,それまでの社会生活で培われてきた価値観の変化,未知の出産や育児に対する漠然とした不安が表出されることになる. 悪阻,頻尿などの妊娠中のマイナートラブルがさらに本症を助長することもある. 他方,妊娠前から不安障害を有する女性はかえって妊娠中に症候が軽減することが多いという報告もある.

妊娠うつ病

妊娠中の精神障害のなかで最も頻度が高い. 食欲低下,不眠,易疲労性,集中困難があり,家事や日常生活に困難を生じる(表4)[2]. Kitamuraら[3]によれば,16%の女性が妊娠中にうつ病を発症し,そのうち70%以上は妊娠初期の発症例であったという. しかしながら,これらのうつ病の大半は,分娩までに症状が軽減あるいは消失したことから,妊娠中のうつ病は産褥うつ病と病因ならびに病像が異なるものと考えられる. さらに彼らは,妊娠うつ病の危険因子を調査した結果,初妊娠,人工妊娠中絶の既往歴,悪阻の既往,月経困難症,本人ならびに家

表2　全般不安症／全般性不安障害の診断基準

A. （仕事や学業などの）多数の出来事または活動についての過剰な不安と心配（予期憂慮）が，起こる日のほうが起こらない日より多い状態が，少なくとも6か月間にわたる．
B. その人は，その心配を抑制することが難しいと感じている．
C. その不安および心配は，以下の6つの症状のうち3つ（またはそれ以上）を伴っている（過去6か月間，少なくとも数個の症状が，起こる日のほうが起こらない日より多い）．
　注：子どもの場合は1項目だけが必要
　(1) 落ち着きのなさ，緊張感，または神経の高ぶり
　(2) 疲労しやすいこと
　(3) 集中困難，または心が空白になること
　(4) 易怒性
　(5) 筋肉の緊張
　(6) 睡眠障害（入眠または睡眠維持の困難，または，落ち着かず熟眠感のない睡眠）
D. その不安，心配，または身体症状が，臨床的に意味のある苦痛，または社会的，職業的，または他の重要な領域における機能の障害を引き起こしている．
E. その障害は，物質（例：乱用薬物，医薬品）または他の医学的疾患（例：甲状腺機能亢進症）の生理学的作用によるものではない．
F. その障害は他の精神疾患ではうまく説明されない〔例：パニック症におけるパニック発作が起こることの不安または心配，社交不安症（社交恐怖）における否定的評価，強迫症における汚染または，他の強迫観念，分離不安症における愛着の対象からの分離，心的外傷後ストレス障害における外傷的出来事を思い出させるもの，神経性やせ症における体重が増加すること，身体症状症における身体的訴え，醜形恐怖症における想像上の外見上の欠点の知覚，病気不安症における深刻な病気をもつこと，または，統合失調症または妄想性障害における妄想的信念の内容，に関する不安または心配〕．

〔日本精神神経学会（日本語版用語監修），髙橋三郎・大野　裕（監訳）：DSM-5 精神疾患の診断・統計マニュアル．pp220-221，医学書院，2014〕

表3　パニック症／パニック障害の診断基準

A. 繰り返される予期しないパニック発作．パニック発作とは，突然，激しい恐怖または強烈な不快感の高まりが数分以内でピークに達し，その時間内に，以下の症状のうち4つ（またはそれ以上）が起こる．
　注：突然の高まりは，平穏状態，または不安状態から起こりうる．
　(1) 動悸，心悸亢進，または心拍数の増加
　(2) 発汗
　(3) 身震いまたは震え
　(4) 息切れ感または息苦しさ
　(5) 窒息感
　(6) 胸痛または胸部の不快感
　(7) 嘔気または腹部の不快感
　(8) めまい感，ふらつく感じ，頭が軽くなる感じ，または気が遠くなる感じ
　(9) 寒気または熱感
　(10) 異常感覚（感覚麻痺またはうずき感）
　(11) 現実感消失（現実ではない感じ）または離人感（自分自身から離脱している）
　(12) 抑制力を失うまたは"どうかなってしまう"ことに対する恐怖
　(13) 死ぬことに対する恐怖
　注：文化特有の症状（例：耳鳴り，首の痛み，頭痛，抑制を失っての叫びまたは号泣）がみられることもある．この症状は，必要な4つの症状の1つと数え上げるべきではない．
B. 発作のうちの少なくとも1つは，以下に述べる1つまたは両者が1か月（またはそれ以上）続いている．
　(1) さらなるパニック発作またはその結果について持続的な懸念または心配（例：抑制力を失う，心臓発作が起こる，"どうかなってしまう"）
　(2) 発作に関連した行動の意味のある不適応的変化（例：運動や不慣れな状況を回避するといった，パニック発作を避けるような行動）
C. その障害は，物質の生理学的作用（例：乱用薬物，医薬品），または他の医学的疾患（例：甲状腺機能亢進症，心肺疾患）によるものでない．
D. その障害は，他の精神疾患によってうまく説明されない（例：パニック発作が生じる状況は，社交不安症の場合のように，恐怖する社交的状況に反応して生じたものではない；限局性恐怖症のように，限定された恐怖対象または状況に反応して生じたものではない；強迫症のように，強迫観念に反応して生じたものではない；心的外傷後ストレス障害のように，外傷的出来事を想起させるものに反応して生じたものではない；または，分離不安症のように，愛着対象からの分離に反応して生じたものではない）．

〔日本精神神経学会（日本語版用語監修），髙橋三郎・大野　裕（監訳）：DSM-5 精神疾患の診断・統計マニュアル．pp206-207，医学書院，2014〕

表4 うつ病(DSM-5)/大うつ病性障害の診断基準

> A. 以下の症状のうち5つ(またはそれ以上)が同じ2週間の間に存在し,病前の機能からの変化を起こしている.これらの症状のうち少なくとも1つは(1)抑うつ気分,または(2)興味または喜びの喪失である.
>   注:明らかに他の医学的疾患に起因する症状は含まない.
>   (1) その人自身の言葉(例:悲しみ,空虚感,または絶望を感じる)か,他者の観察(例:涙を流しているように見える)によって示される.ほとんど1日中,ほとんど毎日の抑うつ気分
>   注:子どもや青年では易怒的な気分もありうる.
>   (2) ほとんど1日中,ほとんど毎日の,すべて,またはほとんどすべての活動における興味または喜びの著しい減退(その人の説明,または他者の観察によって示される)
>   (3) 食事療法をしていないのに,有意の体重減少,または体重増加(例:1か月で体重の5%以上の変化),またはほとんど毎日の食欲の減退または増加
>   注:子どもの場合,期待される体重増加がみられないことも考慮せよ.
>   (4) ほとんど毎日の不眠または過眠
>   (5) ほとんど毎日の精神運動焦燥または制止(他者によって観察可能で,ただ単に落ち着きがないとか,のろくなったという主観的感覚ではないもの)
>   (6) ほとんど毎日の疲労感,または気力の減退
>   (7) ほとんど毎日の無価値観,または過剰であるか不適切な罪責感(妄想的であることもある.単に自分をとがめること,または病気になったことに対する罪悪感ではない)
>   (8) 思考力や集中力の減退,または決断困難がほとんど毎日認められる(その人自身の言明による,または他者によって観察される)
>   (9) 死についての反復思考(死の恐怖だけではない),特別な計画はないが反復的な自殺念慮,または自殺企図,または自殺するためのはっきりとした計画
> B. その症状は,臨床的に意味のある苦痛,または社会的,職業的,または他の重要な領域における機能の障害を引き起こしている.
> C. そのエピソードは物質の生理学的作用,または他の医学的疾患によるものではない.
>   注:基準A~Cにより抑うつエピソードが構成される.
>   注:重大な喪失(例:親しい者との死別,経済的破綻,災害による損失,重篤な医学的疾患・障害)への反応は,基準Aに記載したような強い悲しみ,喪失の反芻,不眠,食欲不振,体重減少を含むことがあり,抑うつエピソードに類似している場合がある.これらの症状は,喪失に際し生じることは理解可能で,適切なものであるかもしれないが,重大な喪失に対する正常な反応に加えて,抑うつエピソードの存在も入念に検討すべきである.その決定には,喪失についてどのように苦痛を表現するかという点に関して,各個人の生活史や文化的規範に基づいて,臨床的な判断を実行することが不可欠である.
> D. 抑うつエピソードは,統合失調感情障害,統合失調症,統合失調症様障害,妄想性障害,または他の特定および特定不能の統合失調症スペクトラム障害および他の精神病性障害群によってはうまく説明されない.
> E. 躁病エピソード,または軽躁病エピソードが存在したことがない.
>   注:躁病様または軽躁病様のエピソードのすべてが物質誘発性のものである場合,または他の医学的疾患の生理学的作用に起因するものである場合は,この除外は適応されない.

〔日本精神神経学会(日本語版用語監修),髙橋三郎・大野 裕(監訳):DSM-5 精神疾患の診断・統計マニュアル.pp160-161,医学書院,2014〕

族の精神科既往歴,15歳以前の養育者の喪失体験,望まない妊娠,望まれない妊娠,夫との親密度が低いことなどが抽出されたことを報告している.

近年では,産後うつ病スクリーニングに用いられてきたEPDSを妊娠中のうつ病スクリーニングに用いる報告が示されている.産後うつ病に対する検討データに比較するとエビデンスはまだ乏しいものの,海外のレビューでは妊娠28~40週を対象として14点/15点が区分点とされ[4],国内では第2三半期を対象として12点/13点を区分点とした場合に感度90.0%,特異度92.1%,陽性的中率54.5%の精度であったという[5].さらに,Whooleyらにより開発された二質問法も注目されている(表5)[6].本法は,うつ病に対するスクリーニングという基本的立場を周産期領域に応用するもので,大うつ病エピソードの2つの中核症状に該当する「抑うつ気分」と「興味や喜びの消失」に関する構造化された質問からなる.2つの質問項目でどちらか1つでも該当した場合,うつ病に対する感度95%,特異度65%であったと報告されており[7],NICEガイドラインでは,その簡便性もあって一次スクリーニングとして使用が推奨されている[8].

表5　二質問法（Whooley's two questions）

I	この1か月間，気分が沈んだり，ゆううつな気持ちになったりすることがよくありましたか？	はい	いいえ
II	この1か月間，どうしても物事に対して興味がわかない，あるいは心から楽しめない感じがよくありましたか？	はい	いいえ

2つの質問への回答のいずれかが「はい」であれば抑うつ状態の可能性が高いと判断されるので，精神科への紹介を含めてフォローを検討する．
(Whooley MA, et al：J Gen Intern Med 12：439-445, 1997)

産後うつ病の約半数は妊娠うつ病であるとの報告[9]もあることから，妊娠中からうつ病を早期に発見することが重要であることは論を俟たないが，質問法の区分点などは文化や医療環境，あるいは妊娠週数によって異なることも予想されるためにエビデンスレベルは十分とはいえず，活用にあたっては注意を要する．

妊娠中の精神障害に対する介入・治療

妊娠中に不安症状が認められた場合，あるいは食欲不振，不眠などの身体的症状を訴える妊婦に対してはまず，身体所見のみならず患者の心理的背景，家族環境などを視野において治療適応を決定することが重要である．希死念慮や高度のうつ状態が推察される場合には，その対応は産科医や助産師のみでは難しいことが多く，助産師による面接あるいは精神科医のコンサルテーションを経て精神科的治療の必要性を判断することが重要である．

『精神疾患を合併した，或いは合併の可能性のある妊産婦の診療ガイド：総論編』[10]では，過去に精神科的な診断・治療を受けたことのない妊産婦に新たな精神症状が出現した場合，あるいは精神症状が再燃した場合，対応する産婦人科医に対して以下の点に留意することを促している．

・精神症状の出現の際には，初期対応の産婦人科医は冷静な対応を心がけ，患者・家族に寄り添うように接する．
・精神科（自施設内もしくは他施設の）との連携を速やかに検討する．
・精神状態の悪化による妊娠や産後の身体的影響を検討する．
・精神科受診への橋渡しを行う．

薬物治療あるいは入院治療が必要と診断される場合には，精神科医との連携のもとで治療を開始する．その際，治療の必要性，方法および胎児に対する治療の影響などについて，夫などの支援者とともに十分に説明することが，ひいては患者の不安軽減につながる．軽度の精神障害の場合には，妊婦健診あるいは母親学級を利用して産婦人科医，助産師あるいは精神科リエゾンによる精神面でのサポートを緊密に行うことが有効である．

◆ 文献

1）中野仁雄，他：妊産褥婦および乳幼児のメンタルヘルスシステム作りに関する研究：多施設共同産後うつ病研究．平成12年度厚生科学研究報告書，2001
2）日本精神神経学会（日本語版用語監修），髙橋三郎・大野　裕（監訳）：DSM-5 精神疾患の診断・統計マニュアル．医学書院，2014
3）Kitamura T, et al：Psychosocial study of depression in early pregnancy. Br J Psychiat **168**：732-738, 1996
4）Gibson J, et al：A systematic review of studies validating the Edinburgh Postnatal Depression Scale in

antepartum and postpartum women. Acta Psychiatr Scand **119** : 350-364, 2009
5) Usuda K, et al : Optimal cut-off score of the Edinburgh Postnatal Depression Scale for major depressive episode during pregnancy in Japan. Psychiatr Clin Neurosci **71** : 836-842, 2017
6) Whooley MA, et al : Case-finding instruments for depression. Two questions are as good as many. J Gen Intern Med **12** : 439-445, 1997
7) Bosanquet K, et al : Diagnostic accuracy of the Whooley questions for the identification of depression : a diagnostic meta-analysis. BMJ Open **5** : e008913, 2015
8) NICE guideline : Antenatal and postnatal mental health ; Clinical management and service guidance(www.nice.org.uk/CG192niceguideline)
9) American Psychiatric Association : Diagnostic and Statistical Manual of Mental Disorders, 5th ed. American Psychiatric Association, Washington DC, 2013
10) 日本精神神経学会, 日本産科婦人科学会(監):精神症状を呈した妊産婦への対応 – 精神科への橋渡し. 精神疾患を合併した, 或いは合併の可能性のある妊産婦の診療ガイド:総論編. pp28-35, 2020

(佐藤　昌司)

III 保健指導・情報提供

食事・嗜好品の指導

POINT
- 妊娠中はバランスの取れた栄養摂取を勧め，妊娠前の体格に応じた栄養指導を行う．
- 偏食の場合には胎児の発育に必要な栄養素が補充できていない，または特定の栄養素を過剰摂取している可能性があり，栄養指導を考慮する．
- 児のアレルギー発症を抑制する目的で，特定の食品の摂取を控える必要はない．

DATA
- 妊娠前から1日当たり 0.4 mg の葉酸の摂取を行うと，児の神経管閉鎖障害発症リスクの低減が期待できる．

はじめに

　妊娠および授乳期間中は，母体の健康維持と児の発育のために，バランスの取れた栄養摂取が重要である．やせ型妊婦では切迫早産や低出生体重児分娩のリスクがあり，肥満型妊婦では妊娠高血圧症候群や妊娠糖尿病などのリスクがあることから，妊娠中は妊娠前の体格に応じた栄養指導を行う．また偏食のある妊婦では，胎児の発育に必要な栄養素が補えていない可能性や，特定の栄養素を過剰摂取している可能性があることに留意する．栄養状態を評価し，必要があれば栄養指導により，母体の栄養状態の改善を行う．
　developmental origins of health and disease(DOHaD)は，胎児期を含めた発達期の栄養状態が，成長後の疾病の発症に影響するとする考え方である．胎児期の栄養不足もしくは過栄養は，エピジェネティックな変化をもたらし，遺伝子の発現調節に影響を与え，代謝経路に不可逆的な変化をもたらす可能性があり，成人期の疾患につながる可能性を秘めている．胎児の発育のためにも，妊娠中の適切な食事指導が大切であり，ダイエットは勧められない．
　タバコ・アルコールなどは母児の健康を害するため，妊娠・授乳期間を通じてやめるように指導する．

妊娠中の食事指導に関して留意すること

①バランスの取れた食事を心がけるように勧める[1]．脂肪分の高い食事は避けて，肉・魚・卵・豆などの蛋白質の豊富な食物を摂取する．菜食主義者では，必要な栄養素を補充できていない場合があることに留意する．具体的な指導においては，後述する「妊産婦のための食事バランスガイド」などを参考とする．
②食の衛生を心がけ，食中毒に注意するように指導する．食中毒を防ぐために，食品を扱う前に十分に手を洗う，魚・肉・卵には十分に火を通す，野菜や果物は十分に水洗いをする，肉を触ったあとは十分に手を洗うことが大切である．
③アルコール摂取はやめさせる．コーヒーは1日1～2杯程度とすることが望ましく，紅茶や

表1 相異なる妊娠中の体重増加の推奨値

	体重増加の推奨値(a)
厚生労働省「健やか親子21(2006年)」[3]	BMI＜18.5(やせ)：9〜12 kg BMI　18.5〜25(普通)：7〜12 kg BMI＞25(肥満)：個別対応(5 kg程度が一応の目安)
日本肥満学会「肥満症診断基準2011」(2011年)[4]	BMI＜18.5(やせ)：9〜12 kg BMI　18.5〜25(標準)：7〜12 kg BMI＞25(肥満)：個別対応(5 kg程度が一応の目安)
米国 Institute of Medicine (IOM) (2009年)[5]	BMI＜18.5(やせ)：12.7〜18.1 kg BMI　18.5〜25(普通)：11.3〜15.9 kg BMI　25〜30(overweight) (b)：6.8〜11.3 kg BMI≧30(肥満)：5.0〜9.1 kg

(a)：自己申告による妊娠前の体重をもとに算定した BMI を用いる.
(b)：BMI 25〜30 は米国では overweight であり, BMI 30 以上から肥満となる.
〔日本産科婦人科学会, 日本産婦人科医会(編)：産婦人科診療ガイドライン 産科編 2020. p46, 日本産科婦人科学会, 2020〕

コーラにもカフェインが含まれる.
④妊娠前から1日当たり0.4 mgの葉酸の摂取を行うと, 児の神経管閉鎖障害発症リスクの低減が期待できる[2].
⑤児のアレルギー発症を抑制する目的で, 特定の食品の摂取を控える必要はない.
⑥非妊娠時と同様に過剰な塩分摂取は控えるべきであるが, 妊娠高血圧症候群の発症予防効果や発症後の高血圧治療として塩分摂取を制限する必要はない.

妊娠前BMIに基づく妊娠予後と妊娠中の体重増加について

妊娠前の身長・体重を聞き出し, 妊娠前BMIを算出する. やせ型の妊婦(BMI＜18.5)では, 切迫早産および早産や, 低出生体重児分娩のリスクがある. 一方, 肥満型の妊婦(BMI≧25)では妊娠高血圧症候群・妊娠糖尿病・巨大児が多く, 帝王切開率が上昇する. 妊娠前BMIに応じた妊娠中の体重増加について, 各学会において表1のように推奨されている[1,3-5].

『産婦人科診療ガイドライン 産科編 2020』によれば, 妊娠中の体重増加量が著しく少ない場合には, 低出生体重児分娩や早産リスクが高まり, 体重増加量が著しく多い場合には巨大児分娩, 帝王切開分娩のリスクが高まる. 妊娠前の体格に応じて指導を行うが, 体重増加量を厳格に指導する根拠は十分でなく, 個人差を配慮してゆるやかな指導を心がける[1].

妊娠中の栄養摂取について

厚生労働省では「妊産婦のための食事バランスガイド」を作成し, ホームページ上で公表している(図1)[6]. 1日における具体的な食事内容については, 主食・副菜・主菜・牛乳/乳製品・果物のなかからバランスよく摂取し, 妊娠中期・妊娠後期ではそれぞれの必要摂取量が増加することに留意する. 具体的な栄養素について以下に記載する.

蛋白質：妊娠中期・後期・授乳期では蛋白質の必要量が増加する. プロテイン飲料などによる蛋白質の補充は妊娠予後を改善しない[7].

炭水化物：炭水化物も必要量が妊娠中は増加する. また適切量の食物繊維と水分を摂取する

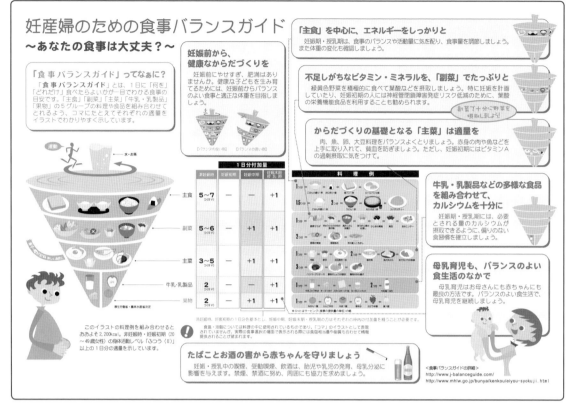

図1　妊産婦のための食事バランスガイド
厚生労働省及び農林水産省が食生活指針を具体的な行動に結びつけるものとして作成・公表した「食事バランスガイド」(2005年)に，食事摂取基準の妊娠期・授乳期の付加量を参考に一部加筆

ことにより，便秘を防ぐことができる．

　脂肪：飽和脂肪酸・不飽和脂肪酸をどのくらいの割合で摂取すればよいのかは，はっきりとしていない．妊娠中は脂肪分の高い食事の摂取は控えるようにする．

　微量栄養素：妊娠期間中の1日量は，鉄：27 mg／日，カルシウム：250 mg／日，葉酸：0.4 mg／日以上(1 mg／日以下)，ヨード：150 μg／日，ビタミンD：200〜600 IUといわれている．これらに加えて，ビタミンA・B・C・E，亜鉛を適切に摂取する必要がある[8]．

　最新のCochrane reviewによれば，ビタミンのサプリメントによって周産期予後が改善したというはっきりとしたデータはない[9-12]．またサプリメントの過剰摂取は有害であるため，使用している場合には1日の上限量を守るように説明する．

　鉄：妊娠期間中に鉄欠乏性貧血を防ぐためには，1日当たり，15〜30 mgの鉄を摂取する必要があると考えられている．鉄欠乏性貧血がある場合には，30〜120 mg／日の鉄剤による補充が勧められる．1回量が増えると吸収される量が減るため，多くの量を投与する場合には分割することが望ましい．

　カルシウム：多くの妊婦ではカルシウムの摂取が足りていない傾向があるため，牛乳・乳製品を積極的に摂取する．早産や低出生体重児予防のためのサプリメントの効果は否定的である[13]．

　ビタミンD：カルシウム同様，食事からの摂取を基本とする．ビタミンDサプリメントは，

妊娠高血圧腎症（PE），早産，低出生体重児を減らしたが，カルシウムとの併用によって早産が増えたという報告がある[11]．

葉酸：神経管閉鎖障害の減少のために，1日 0.4〜0.8 mg の葉酸摂取が必要である．ただし1日 1 mg を超えるべきではない．葉酸の補充を行っていない妊婦に対しては教育が望ましい．前児が神経管閉鎖障害であった場合，医師の管理下で妊娠前から妊娠 11 週末まで1日 4〜5 mg の摂取が勧められ，妊娠 12 週以降は1日 0.4 mg の葉酸サプリメント摂取に変更する[2]．

亜鉛：亜鉛の欠乏は胎児発育不全を引き起こす．亜鉛のサプリメントによる補充には妊娠予後の改善効果は認められなかった．

ヨード：ヨードの不足は，母体・胎児の甲状腺機能低下を招く．ヨードを多く含む，海産物の摂取が勧められる．

長鎖脂肪酸：魚類を摂取することにより，ω-3 脂肪酸である DHA（ドコサヘキサエン酸）および EPA（エイコサペンタエン酸）を補充することが可能である．DHA および EPA は，児の視覚および認知発達に欠かせないため，1日当たり少なくとも 200〜300 mg の DHA・EPA の摂取を行うことが望ましい[14]．マグロ刺身やサバやサンマなどの焼き魚には，1人前当たり 1,000 mg 以上の DHA が含まれている．魚を摂取することができない妊婦でも，ヨーグルト，牛乳，卵によって DHA を補充することが可能である．サプリメントによる補充も可能であるが，サプリメントの摂取には児の認知の発達，視覚の発達，アレルギー予防のいずれにおいても，有意な効果を認めなかった[15]．その他，ω-3 脂肪酸の摂取には早産予防効果も期待されている．

カフェイン：コーヒーには1杯当たり約 60 mg のカフェインが含まれている．過剰摂取により低出生体重児の頻度が増えるという報告があり[16]，American College of Obstetricians and Gynecologists（ACOG）では1日 200 mg 以下の摂取を推奨している[17]．

児のアレルギー発症予防を目的として特定の食品摂取の回避をする必要はない

アトピー性皮膚炎，喘息，アレルギー性鼻炎，食物アレルギーなどのアレルギー性疾患は，遺伝要因と環境要因によって発現する．胎児期や出生後の早い時期において，アレルゲンに感作されやすい期間が存在することが明らかとなり，妊娠中にアレルゲンの摂取を回避するほうがよいかどうかが，議論されてきた[18]．

現在では多くの臨床研究によって，母体が妊娠期間・授乳期を通じて，特定の食物の摂取を控えることは，児のアレルギー発症予防に有効でないと結論づけている[19, 20]．同様に，アレルギー発症を回避する目的で授乳をしないということも推奨するに足る十分なデータがない．これらのことから「児のアレルギー発症を抑制することを目的に，特定の食品の摂取を控える必要がない」ことを説明する．

すでに特定の食物に対してアレルギーをもっていて，その食品の摂取を控えている女性の場合には，まず栄養状態に関する評価を行う．特に牛乳や乳製品を控えている場合や，多数の食品の摂取を控えている場合には栄養状態の評価が必要となる．そのうえで，行った評価に基づき，どのような食物を食生活に加えるべきかを個別に判断する．

妊娠中の喫煙について

喫煙については妊娠初期から禁煙を勧める．妊娠中の喫煙により，出生時の平均体重が小さ

くなること，早産の可能性が高まることが知られている．そのほかに，常位胎盤早期剝離の増加や，乳幼児突然死症候群とも密接な関連があることがわかっており，児が将来さまざまな疾患に罹患しやすくなることが明らかとなってきている．受動喫煙も胎児の発育を障害し，乳幼児突然死症候群などの小児疾患を増加させるため，パートナーの禁煙，受動喫煙を避けるように指導する．また喫煙者には，非燃焼・加熱式タバコ，電子タバコでも健康に悪影響をもたらす可能性があることを伝える[21]．

妊娠中の飲酒について

飲酒についても，母体・胎児へのリスクを説明し，妊娠中・授乳中を通しての禁酒を指導する．妊娠中に飲酒した場合，胎盤にはアルコール代謝能力がほとんどないため，母体血中濃度と同等のアルコール曝露を胎児が受けることになる．アルコールと胎児の形態異常や脳萎縮，胎児発育不全との関連が明らかとなってきている．また近年，これまで考えられてきたよりも多くの胎児性アルコール・スペクトラム障害（FASD：fetal alcohol spectrum disorders）の症例が存在していると考えられ，米国小児科学会は妊娠中の飲酒について警告を発出した．妊娠が判明した時点から飲酒は控えることが勧められる[22,23]．

違法薬物の影響について

妊娠中の違法薬物の使用は，流産・低出生体重児・子宮内胎児死亡・妊娠高血圧症候群・児の神経発達障害などを有意に増加し，母児にとって有害であることは明白である．違法薬物の危険性を認識させるとともに，使用させないための社会的支援も重要である[24]．

◆ 文献

1) 日本産科婦人科学会，日本産婦人科医会（編）：CQ010 妊娠前の体格や妊娠中の体重増加量については？ 産婦人科診療ガイドライン 産科編 2020．pp45-48, 日本産科婦人科学会，2020
2) 日本産科婦人科学会，日本産婦人科医会（編）：CQ105 神経管閉鎖障害（二分脊椎，脳瘤，無脳症等）と葉酸の関係について説明を求められたら？ 産婦人科診療ガイドライン 産科編 2020．pp76-78, 日本産科婦人科学会，2020
3) 厚生労働省「健やか親子21」推進検討会：妊産婦のための食生活指針「健やか親子21」推進検討会報告書．2006．http://www.mhlw.go.jp/houdou/2006/02/h0201-3a.html（2021年9月アクセス）
4) 日本肥満学会（編）：肥満症診断基準2011．肥満研究 17（臨時増刊号）：2011
5) Weight Gain During Pregnancy：Reexamining the Guidelines, Report Brief, Institute of Medicine National Academies, 2009
6) 厚生労働省：妊産婦のための食事バランスガイド．http://www.mhlw.go.jp/houdou/2006/02/dl/h0201-3b02.pdf（2021年3月アクセス）
7) Ota E, et al：Antenatal dietary advice and supplementation to increase energy and protein intake. Cochrane Database Syst Rev：CD000032, 2012
8) Gamer CD：Nutrition in pregnancy. UpToDate（2020年12月アクセス）
9) McCauley ME, et al：Vitamin A supplementation during pregnancy for maternal and newborn outcomes. Cochrane Database Syst Rev：CD008666, 2015
10) Rumbold A, et al：Vitamin C supplementation in pregnancy. Cochrane Database Syst Rev：CD004072, 2015
11) De-Regil LM, et al：Vitamin D supplementation for women during pregnancy. Cochrane Database Syst Rev：CD008873, 2016
12) Rumbold A, et al：Vitamin E supplementation in pregnancy. Cochrane Database Syst Rev：CD004069, 2015

13) Buppasiri P, et al : Calcium supplementation (other than for preventing or treating hypertension) for improving pregnancy and infant outcomes. Cochrane Database Syst Rev : CD007079, 2015
14) Koletzko B, et al : The roles of long-chain polyunsaturated fatty acids in pregnancy, lactation and infancy : review of current knowledge and consensus recommendations. J Perinat Med **36** : 5-14, 2008
15) Newberry SJ, et al : Omega-3 fatty acids and maternal and child health : an updated systematic review. Evid Rep Technol Asses(Full Rep) **224** : 1-826, 2016
16) Chen LW, et al : Maternal caffeine intake during pregnancy is associated with risk of low birth weight : a systematic review and dose-response meta-analysis. BMC Med **12** : 174, 2014
17) ACOG Committee Opinion No. 462 : Moderate caffeine consumption during pregnancy. Obstet Gynecol **116** : 467-468, 2010
18) Zeiger R : Food allergen avoidance in the prevention of food allergy in infants and children. Pediatrics **111** : 1662-1671, 2003
19) Muraro A, et al : EAACI food allergy and anaphylaxis guidelines : Primary prevention of food allergy. Allergy **69** : 590-601, 2014
20) Greer FR, et al : Effects of early nutritional interventions on the development of atopic disease in infants and children : the role of maternal dietary restriction, breastfeeding, timing of introduction of complementary foods, and hydrolyzed formulas. Pediatrics **121** : 183-191, 2008
21) 日本産科婦人科学会, 日本産婦人科医会(編) : CQ108 妊婦の喫煙(受動喫煙を含む)については？ 産婦人科診療ガイドライン 産科編2020. pp102-104, 日本産科婦人科学会, 2020
22) Williams JF, et al : Fetal alcohol spectrum disorders. Pediatrics **136** : e1395-e1406, 2015
23) 日本産科婦人科学会, 日本産婦人科医会(編) : CQ109 妊婦の飲酒については？ 産婦人科診療ガイドライン 産科編2020. pp105-107, 日本産科婦人科学会, 2020
24) Scott K, et al : Illicit substance use in pregnancy : a review. Obstet Med **3** : 94-100, 2010

（瀬山　貴博・永松　健・藤井　知行）

運動の指導

POINT
- 妊娠中の運動は，過剰な体重増加を回避し，母体の健康状態を維持するうえで非常に有用である一方，諸関節の損傷，転倒，腹部打撲などの潜在的リスク保因者であることも念頭に置き，十分な管理下で行われるべきである．
- 中等度の運動プログラムを1日当たり約30分，週5〜7日程度が好ましいが，普段からほとんど運動をしていない非活動的な妊婦では，15分程度の軽い運動を週3回程度から開始することが望ましい．
- 腹部打撲が懸念されるような運動（乗馬，滑降スキー，水上スキーなど）や激しいテニスなどは避けるべきである．
- 高山病の発症を惹起する可能性がある高所でのハイキングやスキー，減圧症により胎児肺循環障害をきたす可能性があるスキューバダイビングなどは，全妊娠期間を通じて行うべきでない．

はじめに

　妊娠中の運動は，過剰な体重増加を回避し，母体の健康状態を維持するうえで非常に有用な一手段であることはいうまでもない．しかし，妊娠子宮の増大や循環血液量の増加，血液性状の変化などに代表される母体の生理学的変化に伴い，その運動強度（intensity of exercise）は当然考慮する必要がある．本稿では主に妊娠期間全般の運動の指導（妊娠初期に限定せず）に関して述べる．

妊娠中の運動のベネフィットとリスク

　冒頭でも述べたが，妊娠中の運動は過度の体重増加を是正し，多くの妊婦が自覚する腰痛や肩こりなどの微症状を緩和し，睡眠障害などを改善する傾向がある．また，定期的な運動を行うことにより規則正しい生活リズムが身につき，妊娠中の種々のストレスから一時的にも解放され，気分転換にもつながる．さらには運動を継続することにより，筋力維持のみならず，代謝亢進・改善が期待でき，血流改善にも寄与することから，妊娠糖尿病や妊娠高血圧症候群の発症リスクを低下させるという報告もある．
　運動の開始時期としては，自然流産が起こりうる時期を過ぎた12〜16週以降が一般的に勧められる．中等度の運動（moderate exercise，運動強度に関しては後述）では，一般的には妊娠への直接的な有害事象はないとされてはいるが，妊婦自身が，諸関節の損傷，転倒，腹部打撲などの潜在的リスク保因者であるため，十分な管理下での慎重な対応が望まれる．特に腹部打撲による常位胎盤早期剝離の発症は，母児の致命的な状況を招来することにもなりかねない．
　合併症のない妊婦において，その胎児は母体の運動負荷に対しては耐容能を有し，さまざまな反応は一時的なことが多い．トレッドミルを用いた母体の運動に伴う胎児心拍数変化を測定

表1　妊娠中の運動前評価

- 年齢
- 全身状態
- これまでの運動歴
- 心疾患や冠動脈疾患のリスク因子の有無
- 呼吸器疾患の既往歴
- 筋骨格系の異常の有無
- ハンディキャップや障害の有無
- 現在の妊娠の状態ならびに既往妊娠歴　など

した報告では，負荷前後で胎児心拍数は10～30 bpmの上昇をみるが，この変化は週数や運動強度には依存せず，児の状態を悪化させうるものではない．一般的には約20分以内に負荷前の状態に帰するといわれている．また，少数ではあるが，エアロビクス，サイクリング，トレッドミルによるウォーキングやジョギングの負荷前後で，胎児血流や胎児呼吸様運動を比較検討した報告があり，これらも心拍数変化同様，児への有害事象は認められていない．

以上のことから，米国，カナダ，英国などの国々から妊娠中の運動に関するガイドラインが提唱されている．多くは非妊娠時に準ずるが，妊娠という特殊な生理学的環境を常に考慮に入れ，決してメディカルチェックを怠ることなく十分な管理体制のもと行われるべきと考える．

運動前の産科的スクリーニング

運動を行う前には，表1に示すような妊婦の健康状態に関する一般的な情報収集は必要不可欠である．また，難治性の妊娠悪阻や切迫流早産，妊娠高血圧症候群，胎児発育不全などは，必ずしも妊娠前の生活習慣や健康レベルには依存せずに発症しうる．このような状況下での運動は，かえって母児に危険な状況を引き起こす可能性があることは想像にかたくない．事実，運動負荷後の胎児臍帯動脈や母体子宮動脈血流を検討した報告では，これらの血流に異常所見を呈した症例と胎児発育不全や妊娠高血圧症候群などの子宮胎盤循環不全に起因する病態との関連性が示唆されている[1-3]．すべての妊婦に対して，表2[4]に示すような妊娠中の運動の絶対的あるいは相対的禁忌事項を常に念頭に置いたうえで管理することが重要であることはいうまでもない．しかし，逆に禁忌のない妊婦には1日当たり30分，ないしそれ以上の中等度の運動をほぼ毎日行うことを勧めている[4]．

また，『産婦人科診療ガイドライン 産科編2020』[5]でも，スポーツの種類にかかわらず，重篤な心疾患，呼吸器疾患，切迫流・早産，子宮頸管無力症，前期破水，持続性の性器出血，前置胎盤，低置胎盤，妊娠高血圧症候群などは，妊娠中の開始・継続は勧めないとしている．

妊娠中の運動の実際（運動強度）

一般的な運動負荷のセッションは，①ウォーミングアップとストレッチ（5～10分），②運動プログラム（30～45分），③運動後のクールダウン（5～10分）で構成されるが，妊娠中であってもほぼこれに準ずる．プログラムの内容としては，ウォーキング，スイミング，サイクリング，エアロビックダンス，ジョギングなどが一般的に取り入れられているが，筋力トレーニングの有効性に関しては限られた報告しかない．また，柔軟体操は，妊娠中には諸関節の弛緩性が増加し過度の関節負荷は損傷の原因にもなるため，負荷中は妊婦の自覚症状に応じて個別化

表2 妊娠中の運動の禁忌事項

絶対的禁忌	相対的禁忌
・重症心疾患 ・拘束性肺障害 ・頸管無力症あるいは頸管縫縮術後 ・切迫早産のリスクがある多胎妊娠 ・持続性の妊娠第2あるいは第3三半期の出血 ・26週以降の前置胎盤 ・切迫早産 ・破水 ・妊娠高血圧腎症 ・高度貧血 　など	・貧血（高度ではない） ・評価されていない母体の不整脈 ・慢性気管支炎 ・コントロール不良の1型糖尿病 ・極端な病的肥満 ・極端な低体重（BMI：12未満） ・非活動的な生活習慣 ・胎児発育不全 ・コントロール不良の高血圧 ・関節などの運動障害 ・コントロール不良の痙攣性疾患 ・コントロール不良の甲状腺機能亢進症 ・ヘビースモーカー 　など

〔ACOG Committee Opinion No.650：Obstet Gynecol 126：e135-142, 2015 (reaffirmed 2017)〕

表3 妊娠中のスポーツ

	項目		備考
好ましい スポーツ	ウォーキング 水泳 ヨガ ラケットスポーツ	エアロビクス 固定自転車 ピラティス	
好ましくない スポーツ	ホッケー バスケットボール サッカー	ボクシング レスリング （ホットヨガ）	接触や外傷の危険が高い
危険な スポーツ	体操競技 スキー（雪・水上） ハンググライダー スキューバダイビング 激しいラケットスポーツ	乗馬 スケート　　　　重量挙げ	転びやすく外傷を受けやすい

〔日本産科婦人科学会，日本産婦人科医会（編）：CQ107 妊娠中の運動（スポーツ）について尋ねられたら？ 産婦人科診療ガイドライン 産科編2020, p100, 日本産科婦人科学会，2020より改変転載〕

して行うことが望まれる．

　運動強度は，前述したように中等度の運動では特に周産期予後に影響を及ぼすような有害事象の発症はないと報告されている．ここでいう中等度とは，おおよそ3〜4 METs（metabolic equivalents）と定義される．METsは運動・活動時に安静状態の何倍の代謝（カロリー消費）をしているかを表す指標であり（1 METsは安静にしている状況），特に妊娠経過に異常を認めない健康的な妊婦では，6〜7 METsまで負荷を増大させても安全に運動を行うことが可能であるとの報告もある（上り坂を約5.4 km/時でウォーキング：約6 METs）．一方，retrospectiveな研究であるため潜在的なバイアスの関与もあるとしたうえで，18週以前にある種の負荷が大きい運動（ジョギング，テニスなど）を週7時間以上行った場合，そうでない妊婦に比べ有意に流産率が上昇〔HR＝3.7（95% CI 2.9-4.7）〕したとの報告もある[6]．

　運動に際しては，中等度のプログラムを1日当たり約30分，週5〜7日程度が好ましいが，

表4 ただちに運動を中止する必要のある自覚症状

- 性器出血
- 周期的な有痛性の子宮収縮
- 羊水流出感
- 運動前の呼吸苦
- めまい
- 頭痛
- 胸痛
- バランスに影響するような筋力低下
- 腓腹筋の疼痛あるいは腫脹
  など

普段からほとんど運動をしていない非活動的な妊婦では，15分程度の軽い運動（ストレッチやヨガ：2.3 METs）を週3回程度から開始し，徐々に強度，時間，回数を増加させていくことが好ましい．

妊娠中の運動において注意すべき点

避けるべき運動としては，腹部打撲が懸念されるような乗馬や滑降スキー，水上スキー，激しいテニスなどが挙げられる．また，高山病の発症を惹起する可能性がある2,500 mを超えるような高所でのハイキングやスキー，減圧症により胎児肺循環障害をきたす可能性のあるスキューバダイビングなどは全妊娠期間を通じて行うべきではない．

前述した『産婦人科診療ガイドライン 産科編 2020』[5]では，妊娠中のスポーツに関して好ましいか否かをわかりやすく表にまとめて記載しているので，参照されたい（表3）．

十分な産科的スクリーニングを行ったうえで妊娠中の運動を開始したとしても，妊娠偶発症がある一定の確率で生じ，それを避けきれないのと同様，不測の事態に陥ることがある．表4に示すような症状が認められた場合には，ただちに運動を中止し医療機関を受診することを勧める．

◆ 文献

1) Chaddha V, et al：Fetal response to maternal exercise in pregnancies with uteroplacental insufficiency. Am J Obstet Gynecol **193**：995-999, 2005
2) Ertan AK, et al：Doppler examinations of fetal and uteroplacental blood flow in AGA and IUGR fetuses before and after maternal physical exercise with the bicycle ergometer. J Perinat Med **32**：260-265, 2004
3) Hackett GA, et al：The effect of exercise on uteroplacental Doppler waveforms in normal and complicated pregnancies. Obstet Gynecol **79**：919-923, 1992
4) ACOG Committee Opinion No.650：Physical activity and exercise during pregnancy and the postpartum period. Obstet Gynecol **126**：e135-142, 2015（reaffirmed 2017）
5) 日本産科婦人科学会，日本産婦人科医会（編）：CQ107 妊娠中の運動（スポーツ）について尋ねられたら？ 産婦人科診療ガイドライン 産科編2020, pp99-101, 日本産科婦人科学会, 2020
6) Madsen M, et al：Leisure time physical exercise during pregnancy and the risk of miscarriage：a study within the Danish National Birth Cohort. BJOG **114**：1419-1426, 2007

（喜多　伸幸・村上　節）

予防接種の指導

POINT
- 生ワクチンは原則，妊娠中の接種は禁忌であり，妊娠前の接種が推奨される．
- 不活化ワクチンについては有益性投与が基本であるが，インフルエンザワクチンについては全妊娠期間を通じて接種が推奨される．
- 授乳婦に生ワクチン・不活化ワクチンを接種しても，母乳の安全性に影響を与えない．

DATA
- ワクチン接種によって産生されるIgG抗体の母体血中濃度は，ワクチン接種の4週間後にピークに達する．
- インフルエンザの流行期に妊婦がワクチン接種を受けた場合，母児のインフルエンザ発症率を有意に減らすことができる．

はじめに

　予防接種（ワクチン接種）は妊娠期間中に母児を特定の感染症から守るために重要である．例えば胎児が子宮内で風疹ウイルスや水痘ウイルスに感染すれば，先天異常が起こる可能性がある．妊婦がインフルエンザに罹患すると重症化しやすく，さらに早産・胎児発育不全・胎児死亡のリスクが増加する[1]．

　日本で接種が可能なワクチンを表1に示す．風疹・麻疹・ムンプス・水痘などの生ワクチンは，妊娠前の接種が原則である．一方，不活化ワクチンについては有益性投与が基本であり，妊娠中の投与が可能である．インフルエンザワクチンについては全妊娠期間を通じて接種が推奨される[2]．

　予防接種によるもう1つのメリットとして，母親から得た抗体による受動免疫によって出生後の児を特定の感染症から守る効果が期待される．

妊娠による免疫系の変化と児の受動免疫

　妊娠によって母体の免疫系には変化が起こる．具体的には，増加したエストロゲンの作用により，Bリンパ球におけるIgGの産生が亢進し[3]，IgG抗体における糖鎖付加反応に変化が起こる．抗原提示細胞においても，骨髄系樹状細胞は妊娠初期に増加するが，妊娠後期には非妊娠時レベルに戻る．形質細胞様樹状細胞は妊娠後期に減少する[4]．このような妊娠による免疫系の変化は，非妊娠時と比較して，予防接種に対する抗体産生に影響を及ぼす可能性がある．

　予防接種のおよそ4週間後に，ワクチンによって産生された母体血中のIgG抗体の血中濃度はピークに達すると考えられている．IgG抗体は胎盤を直接通過することが可能な抗体である．ワクチン接種によって母体で産生されたIgG抗体には胎盤通過性があり，児に伝達され受動免疫として効果を発揮する．胎児血中のIgG抗体濃度は，妊娠初期は母体血中と比較し

表1 日本で接種可能なワクチンの種類（2021年8月現在）

定期接種・臨時接種（対象年齢は政令で規定）	任意接種
生ワクチン 　BCG 　麻疹・風疹混合（MR） 　麻疹（はしか） 　風疹 　水痘 　ロタウイルス：1価，5価	生ワクチン 　流行性耳下腺炎 　黄熱 　帯状疱疹（水痘ワクチンを使用）
不活化ワクチン・トキソイド 　百日咳・ジフテリア・破傷風・不活化ポリオ混合（DPT-IPV） 　百日咳・ジフテリア・破傷風混合（DPT） 　ポリオ（IPV） 　ジフテリア・破傷風混合トキソイド（DT） 　日本脳炎 　肺炎球菌（13価結合型） 　インフルエンザ菌b型（Hib） 　B型肝炎 　ヒトパピローマウイルス（HPV）：2価，4価 　インフルエンザ 　肺炎球菌	不活化ワクチン・トキソイド 　破傷風トキソイド 　成人用ジフテリアトキソイド 　A型肝炎 　狂犬病 　髄膜炎菌：4価 　帯状疱疹 　ヒトパピローマウイルス（HPV）：9価 　（定期接種を対象年齢以外で受ける場合）
メッセンジャーRNAワクチン・ウイルスベクターワクチン 　新型コロナ	

てとても低いが，妊娠28週から32週には母体のおよそ半分の濃度となり，妊娠36週までには母体と同等の血中濃度に達し，正期産の時期には母体の濃度を上回ると考えられている[5]．胎盤を介して伝達されたIgG抗体は，最長で生後6か月まで児を感染から守る働きがある[6]．インフルエンザや百日咳では，生後数か月の間に児に使用可能なワクチンがないため，受動免疫も重要となる．

ワクチンの安全性

　不活化ワクチンは，熱・化学物質などにより病原性を不活化して作製したワクチンである．作製の過程により病原体の複製能力は失われる．不活化ワクチンが，母体と胎児にとって有害であるという報告はなく，妊娠初期であっても投与可能である．感染症のなかには，破傷風のように毒素による感染症があり，このような感染症に対しては，熱・化学物質で不活化した毒素をトキソイドワクチンとして使用する．トキソイドワクチンは不活化ワクチン同様に妊娠中の投与が可能である．

　風疹，麻疹，水痘，ムンプスなどの生ワクチンは胎児に感染を起こさないように弱められており，胎児に感染を起こさない状態で，免疫系を活性化することが可能ではあるが，潜在的には胎児に感染する危険性を有している．胎児への影響が完全に否定できないので，妊娠中の生ワクチンの接種は基本的に禁忌である．ただし『産婦人科診療ガイドライン 産科編2020』にも述べられているが[2]，妊娠中に生ワクチンの接種を受けた母体から出生した新生児における有害事象は報告されておらず，誤って妊婦に生ワクチンが投与された場合，もしくは生ワクチンの接種から4週間以内に妊娠した場合に，妊娠中断は必要ない．

このほか，妊娠期のワクチン接種と児の自閉症の関連については，疫学調査によって関連性が否定されている．また一部のワクチンは防腐剤であるチメロサールを含んでいるが，これが胎児に影響するという証拠はない．

授乳婦に生ワクチン・不活化ワクチンを接種しても，母乳の安全性に影響を与えない．

以下に妊娠前の投与，妊娠中の投与，および妊娠中の投与が状況により推奨されるワクチンについて記載する[7]．

妊娠前の投与が推奨されるワクチン（生ワクチン）

妊娠希望のある女性は，妊娠前に風疹，麻疹，水痘，ムンプスの予防接種を受け，抗体を保有していることが大切である．免疫をもたない妊婦が，妊娠中にこれらの感染症に感染した場合は，重大な影響をもたらす可能性がある．これらは生ワクチンのため妊娠中の接種は禁忌となり，生ワクチン接種後28日間は（水痘は2か月）妊娠を控えることが推奨されている．それぞれのウイルスに妊娠中に感染した場合の危険性に関して，以下に記載する．

風疹ウイルス

風疹ウイルスに母体が妊娠初期に感染した場合，ウイルスが胎児に経胎盤感染しうる．わが国の先天性風疹症候群の発生頻度は10万出生あたり1.8〜7.7であり，他国と比較して大きな違いはない．わが国では2004年，2012〜2013年に風疹が流行しており，風疹排除を目標に，国を挙げての取り組みが行われている．

母体が風疹ウイルスに感染した場合，発熱，頭痛，咳嗽，関節痛，リンパ節腫脹などの症状が起こり，数日してから発疹が出現する．先天性風疹症候群の三大症状は先天性心疾患，難聴，白内障であるが，これらの症状が発生しうるのは妊娠20週までの胎児感染である[8]．臍帯血から風疹 IgM が検出された場合や，新生児の咽頭ぬぐい液，唾液，血液，尿，絨毛，羊水から風疹ウイルス RNA が検出された場合は先天性風疹症候群と診断する[2]．

風疹ワクチンは母乳に分泌されることが確認されているが，臨床的に問題になることはなく，風疹抗体価（HI）が16倍以下の妊婦では産褥期でのワクチン投与が勧められる．

麻疹ウイルス

麻疹ウイルスはパラミクソウイルスに属し，感染すると発疹，下痢，中耳炎，上気道炎症状が起こり，重症の場合には脳炎を発症する．妊娠中に麻疹ウイルスに感染すると，自然流産，早産，低出生体重児の頻度が増加する．

水痘帯状疱疹ウイルス

水痘帯状疱疹ウイルスはヘルペスウイルスに属し，感染した場合に水痘を引き起こす．わが国における母体の抗体保有率は90％程度といわれているが，近年低下傾向にある．水痘罹患歴もなくワクチン接種歴もない場合には，水痘患者との接触を避けるように指導する．水痘患者と濃厚接触があった場合には，早期のガンマグロブリン投与が母体の水痘発症予防，および母子感染の予防に重要である[2]．

妊婦・褥婦が分娩前5日〜産褥2日の間に水痘を発症した場合には，児が重症感染となる可能性があるため次の治療を行う．①母体へのアシクロビル投与，②新生児へのガンマグロブリン静注，③新生児水痘を発症した児へのアシクロビル投与．

先天性水痘症候群は，初感染における頻度は1〜2％以下と稀ではあるが，発症した場合に

は四肢皮膚瘢痕，四肢低形成，眼症状，神経症状などの症状が起こる．一方，妊娠中に帯状疱疹を発症した妊婦から出生した児における先天性水痘症候群の発症報告はない．

ムンプスウイルス

　ムンプスはパラミクソウイルスに属し，インフルエンザ様の症状と両側の耳下腺の腫脹を特徴とし，妊娠中に感染した場合には自然流産率の増加と関連がある．

黄熱ウイルス

　妊婦への安全性は確立していない．黄熱病ワクチンに関しては，接種をした授乳婦の児が急性の神経感染となった例が報告されている．感染流行地への渡航が避けられず，感染の危険性が高い場合にのみ接種を考慮する．

妊娠中の投与が推奨されるワクチン（インフルエンザワクチン）

インフルエンザワクチン

　不活化ワクチンであるインフルエンザワクチンは，妊娠期間中・産褥期・授乳期いずれの期間においても安全に使用することが可能である．『産婦人科診療ガイドライン 産科編2020』では，インフルエンザワクチンについて「母体へのインフルエンザワクチン接種はインフルエンザの重症化予防に最も有効であり，母体および胎児への危険性は妊娠全期間を通じて極めて低いと説明する（推奨度B）」と接種を推奨している[2]．

　米国では毎年20％の妊婦が呼吸器症状を発症し，約10％の妊婦が検査によってインフルエンザ感染が確認されている[9]．重症患者では，流産，死産，新生児死亡，早産，低出生体重児の増加が報告されている．

　米国 Centers for Disease Control and Prevention（CDC）はインフルエンザの流行期に妊娠予定のすべての妊娠女性に，ワクチン接種を受けることを推奨している．ワクチン接種により70％の感染減少が確認されたという報告がある[10]．さらにワクチン接種を受けた妊婦のほうが，児の出生体重が増加し，早産率や胎児死亡率が低かったという報告がある[6,10]．

　ワクチンによる児への受動免疫の効果も期待される．生後6か月未満の乳児に対するインフルエンザワクチン接種は認められていないため，妊婦へのインフルエンザワクチン接種は妊婦と乳児の双方に利益をもたらす可能性がある．複数の臨床試験の結果，母体のインフルエンザワクチン接種により，児の生後6か月までのインフルエンザの発症率，および入院率が減少したことが明らかとなっている[11]．

抗インフルエンザ薬の投与について

　『産婦人科診療ガイドライン 産科編2020』では，「インフルエンザに感染した妊婦・分娩後2週間以内の褥婦への抗インフルエンザウイルス薬投与は重症化を予防するエビデンスがあると説明する．（推奨度B）」「インフルエンザ患者と濃厚接触した妊婦・分娩後2週間以内の褥婦への抗インフルエンザウイルス薬予防投与は有益性があると説明する．（推奨度B）」とし，抗インフルエンザ薬の投与を推奨している[2]．

妊娠中の投与が状況により推奨されるワクチン

肺炎球菌ワクチン

肺炎球菌感染のリスクが高い場合には投与が勧められる．妊娠初期の安全性については情報が少ないが，明らかな副作用報告はない．

髄膜炎菌ワクチン

肺炎球菌ワクチン同様，妊娠中の投与による母体および胎児への有害事象は報告されていない．

Hibワクチン

インフルエンザ菌b型に対するワクチン(Hibワクチン)は，Hib感染のリスクが高い場合(sickle cell disease，白血病，HIV感染，脾臓摘出後など)に投与が勧められる．妊娠によって適応が変更されることはない．

A型肝炎ワクチン

A型肝炎ウイルスは経口感染して，発熱・嘔気・腹痛・黄疸などの症状を引き起こす．流行地域への渡航など，妊娠中の曝露リスクがある場合，ワクチン接種を検討する．

B型肝炎ワクチン

B型肝炎ワクチンの妊娠中の投与に関しては，胎児や新生児への有害性はなく，必要があれば投与が可能である．B型肝炎キャリアの妊婦から出生した児については抗HBs人免疫グロブリン投与およびワクチン接種が行われる．詳細は「乳幼児の予防接種スケジュール」参照(⇒418頁)．

百日咳・ジフテリア・破傷風混合ワクチン(DPTワクチン)

米国ではジフテリアと破傷風はほぼ撲滅された．一方で百日咳の患者数は横ばいから軽度増加で推移している．2012年の百日咳の患者数が増加したことを受けて，CDCは米国においてすべての妊婦にTdapワクチン(DPTワクチンからジフテリアトキソイド抗原量を少なくしたワクチン)の接種を推奨した[12]．このワクチンは日本では未承認であり，わが国では生後3か月以上してから，児に対してDPT3種混合ワクチンの接種が行われている．

新型コロナワクチン(メッセンジャーRNAワクチン)

2020年より新型コロナウイルスの世界的な流行拡大が続いている．妊娠中に新型コロナウイルスに感染すると，特に妊娠後期ではわずかではあるが重症化しやすいと考えられている．海外の報告によると，新型コロナワクチンを接種した妊婦において，流早産率，胎児発育不全，胎児異常，新生児死亡などの確率は，非妊婦と変わらなかった．また発熱や倦怠感などの副反応の頻度も非妊婦と変わらなかった[13]．ワクチンを接種することのメリットがデメリットを上回ると考えられている．ワクチンの接種は妊娠中のいつの時期でも可能であり，また授乳中も新型コロナワクチンを接種することが可能である[14,15]．

ワクチン接種後に発熱のある場合にはアセトアミノフェンの内服は問題ない．ワクチン接種後に感染を起こすブレイクスルー感染も認められており，予定された2回のワクチンの接種が

終了しても感染予防策を継続する必要がある．

◆文献

1) Beigi RH：Prevention and management of influenza in pregnancy. Obstet Gynecol Clin North Am **41**：535-546, 2014
2) 日本産科婦人科学会，日本産科婦人科医会（編）：CQ101, CQ102. 産婦人科診療ガイドライン 産科編 2020. pp52-56, 日本産科婦人科学会，2020
3) Kanda N, et al：Estrogen enhances immunoglobulin production by human PBMCs. J Allergy Clin Immunol **103**：282-288, 1999
4) Marchant A, et al：Maternal immunisation：collaborating with mother nature. Lancet Infect Dis **17**：e197-e208, 2017
5) DeSesso JM, et al：The placenta, transfer of immunoglobulins, and safety assessment of biopharmaceuticals in pregnancy. Crit Rev Toxicol **42**：185-210, 2012
6) Zaman K, et al：Effectiveness of maternal influenza immunization in mothers and infants. N Engl J Med **359**：1555-1564, 2008
7) Sigal Y, et al：Immunizations during pregnancy. UpToDate（2020 年 12 月アクセス）
8) Miller E, et al：Consequences of confirmed maternal rubella at successive stages of pregnancy. Lancet **2**：781-784, 1982
9) Cantu J, et al：Management of influenza in pregnancy. Am J Perinatol **30**：99-103, 2013
10) Haberg SE, et al：Risk of fetal death after pandemic influenza virus infection or vaccination. N Engl J Med **368**：333-340, 2013
11) Poehling KA, et al：Impact of maternal immunization on influenza hospitalizations in infants. Am J Obstet Gynecol **204**（6 Suppl I）：S141-S148, 2011
12) Centers for Disease Control and Prevention：Updated recommendations for use of tetanus toxoid, reduced diphtheria toxoid, and acellular pertussis vaccine（Tdap）in pregnant women：advisory committee on immunization practices（ACIP）, 2012. MMWR Morb Mortal Wkly Rep **62**：131-135, 2013
13) Shimabukuro TT, et al：Preliminary findings of mRNA COVID-19 vaccine safety in pregnant persons. N Engl J Med **384**：2273-2282, 2021
14) 厚生労働省：私は妊娠中・授乳中・妊娠を計画中ですが，ワクチンを接種することができますか．新型コロナワクチン Q&A．https://www.cov19-vaccine.mhlw.go.jp/qa/0027.html（2021 年 9 月アクセス）
15) 日本産科婦人科学会：新型コロナウイルス（メッセンジャー RNA）ワクチンについて．http://www.jsog.or.jp/news/pdf/20210814_COVID19_02.pdf（2021 年 9 月アクセス）

（瀬山　貴博・永松　健・藤井　知行）

妊娠中・授乳中の薬についての指導

POINT
- 全出生に対する奇形の発生率は3〜5%程度であり，薬剤の内服の有無にかかわらず奇形は一定の確率で発生する．
- 過度な不安をあおらぬよう説明し，必要な薬剤については妊娠中であっても内服させる必要がある．

DATA
- 全出生に対する大奇形の発生率は2〜3%であり，小奇形まで含めれば7〜10%にも達する．
- 抗痙攣薬を内服している女性の場合，大奇形の発生率は5%であり約2倍に増加する．
- ワルファリンを内服している妊婦の5%が胎児の軟骨形成不全，両側眼神経萎縮，精神発達遅滞などをきたす．
- 1日40g以上のアルコール(ビール1,000 mL，日本酒2合，ワイン1/2本程度以上)を習慣的に摂取した場合，32%の出生児に異常を生じる．

はじめに

　妊娠中や授乳中の投薬，特に器官形成期の妊婦への投薬については，医師・患者ともに過度な不安を抱えていることが少なくない．投薬による胎児への影響のみを心配して，治療上の有益性が危険性を上回るにもかかわらずむやみに投薬を中止することは，逆に母児を危険にさらす可能性がある．本稿では妊娠中(11週まで)および授乳中の投薬について，催奇形性についての一般論，注意すべき薬剤，リスク・コミュニケーションについて述べる．

催奇形性について

奇形とは

　奇形は遺伝的要因，環境的要因，その他さまざまな要因によって生じる．奇形は，大奇形(major malformation)と小奇形(minor malformation)に大別される．大奇形とは，生存に必須な機能がない(例：無脳症)，修復に外科的処置を要する(例：先天性心疾患，口唇口蓋裂)，重大な機能障害をきたす(例：精神発達遅滞)ものを指し，小奇形とは上記以外の奇形(例：副耳，多指症など)を指す．全出生に対する大奇形の発生率は2〜3%であり，小奇形まで含めれば7〜10%にも達する．薬剤による奇形について論ずる場合は，上記の奇形発生率との比較が必要となる．

催奇形性の原則

　薬剤が機能的・構造的にどのようにして催奇形性をきたすのかを理解するために，奇形学におけるWilsonの6原則(Wilson's six principles of teratology)を紹介する．

①遺伝子型と環境因子との相互作用
　催奇形物質への感受性は，受胎物の遺伝子型およびその遺伝子型と環境因子との相互作用の様式による．
例）異なる遺伝子型をもつマウスにより，催奇形物質による口蓋裂の発生頻度が異なる．

②催奇形物質への曝露のタイミング
　催奇形物質への感受性は，受胎物の発達段階によって異なる．

③催奇形物質の作用機序
　催奇形物質は，それぞれの物質特有の機序で発達段階にある細胞と異常な胚形成を行っている組織に作用する．

④催奇形物質の作用の結果
　催奇形物質の種類によらず，最終的には死，奇形，発育遅延，機能障害をきたす．

⑤催奇形物質の性質
　催奇形物質や悪影響を与えうる環境因子の影響の大きさは，物質や因子の性質による．
例）催奇形物質が経静脈的に投与されたか，経口投与されたのか，その物質がどの程度母体で代謝されたか，胎盤通過性はどの程度かなどによる．

⑥用量依存性
　催奇形の重症度と頻度は，まったく影響のないレベルから致死的となるレベルまで用量依存的に増加する．
例）電離放射線は用量依存性に奇形を発生させる．

　このなかで特に重要なのは②の原則である．すなわち，月経が28日周期の人で最終月経から31〜71日（妊娠4〜11週）までは器官形成期であるため，催奇形物質に対する感受性が高く催奇形性が問題となりうる．31日より前に投与された催奇形物質については all-or-none の法則により，初期流産となるか器官形成に影響せず正常個体を生じるかのいずれかの結果になるため催奇形性は問題とならない．

医薬品の催奇形性の情報収集について

　かつて，FDA（米国食品医薬品局）は医薬品について A，B，C，D，E，X の6つに胎児への影響をリスク分類していた．しかし，同一のカテゴリーに分類される薬であってもそれぞれ催奇形の重症度や頻度が大きく異なったり，ほかの国の分類，例えばオーストラリア医薬品評価委員会の基準では大きく異なるカテゴリーに分類される薬もあり，実臨床においてカテゴリー分類することが誤解を招く部分もあったため，2015年6月に廃止された．

　インターネット上では米国国立衛生研究所（NIH）の LactMed（https://toxnet.nlm.nih.gov/newtoxnet/lactmed.htm）や，MotherToBaby（http://www.mothertobaby.org），REPROTOX（http://reprotox.org），ENTIS（http://www.entis-org.eu）などが催奇形物質に関する情報提供を行っている．日本では，国立成育医療研究センター「妊娠と薬情報センター」（http://www.ncchd.go.jp/kusuri/）で患者自身が相談を申し込むことができる．

注意すべき薬剤

　ここでは妊娠中の投薬について注意すべき代表的な薬剤について述べる．

アンジオテンシンⅡ受容体拮抗薬（ARB），アンジオテンシン変換酵素阻害薬（ACE 阻害薬）

ARB，ACE 阻害薬は，妊娠中期から後期にかけて内服すると胎児の尿細管障害をきたし，羊水過少，関節拘縮，頭蓋顔面先天異常，肺低形成をきたしうる．そのためこれらの薬剤を内服しており，妊娠しようと試みる女性はその他の降圧薬へ切り替えることが勧められている．医薬品医療機器総合機構（PMDA）は 2014 年 9 月 11 日に，妊娠判明以降も ARB または ACE 阻害薬の服用を継続している症例，胎児への影響が疑われる症例の報告がなされているとして注意喚起を出しており，妊娠可能年齢の女性における処方には慎重を期するべきである．

抗痙攣薬（バルプロ酸，カルバマゼピン）

一般的に全出生に対する大奇形の発生率は 2～3% であるが，抗痙攣薬を内服している女性の場合，大奇形の発生率は 5% であり約 2 倍に増加する．また，てんかんなどの痙攣発作を引き起こす疾患をもつ妊婦では FGR や死産，妊娠高血圧腎症のリスクが増加する．その一方で，痙攣発作は母体の中枢神経系へのダメージだけでなく胎児の低酸素血症を引き起こすおそれもあるため，妊娠中の痙攣発作のコントロールは母児双方にとって重要である．つまり，抗痙攣薬の催奇形性は問題になるものの，リスク・ベネフィットを考慮すれば，妊娠中であっても抗痙攣薬の内服は継続すべきである．

バルプロ酸では心房中隔欠損〔odds ratio（OR）2.5〕，口蓋裂（OR 5.2），尿道下裂（OR 4.8），多指症（OR 2.2），頭蓋骨癒合症（OR 6.8）が増加する．そのなかでも特に神経管欠損症の発生が問題となり，腰椎・仙椎部に多い．抗痙攣薬の内服により神経管欠損症の発生率はおよそ 2 倍となるが，バルプロ酸においては特に顕著で 0.1～0.2% から 1～2% へと約 10 倍に増加する．そのほか，心奇形や口唇口蓋裂の発生率（それぞれ 2.95%，3.14% 程度）も増加する．奇形発生率は用量依存性であり，600 mg／日から奇形発生率は上昇し始め，1,000 mg／日を超えるとより顕著となる．カルバマゼピンでも同様に，神経管欠損症，心奇形，尿路奇形などの発生が増加する．

抗痙攣薬を内服している女性は妊娠前に処方医や産婦人科医と相談することが望ましい．多剤併用療法よりも単剤による治療のほうが奇形の発生率は低くなるため，妊娠中の抗痙攣療法は単剤による治療が基本である．そのため，妊娠前に単剤で痙攣のコントロールを行ったうえで妊娠を許可する．また，抗痙攣薬には葉酸代謝拮抗作用があり，葉酸欠乏症は神経管欠損症のリスクとなるため，抗痙攣薬を内服している女性，特にバルプロ酸，カルバマゼピンを内服している場合には妊娠前からの 4 mg／日の葉酸補充が勧められている．抗痙攣薬は活性型ビタミン D への代謝を阻害するおそれがあるため，活性型ビタミン D の補充も勧められている．

ワルファリン

ワルファリンを内服している妊婦の 5% が胎児の軟骨形成不全，両側眼神経萎縮，精神発達遅滞などをきたす．特に 5 mg／日以上の量を内服している場合は奇形をきたす可能性が高くなるため注意が必要である．人工弁置換術後などで抗凝固療法が必要な場合は，分子量が大きく胎盤通過性のないヘパリンに変更するべきである．

ビタミン A およびその誘導体（エトレチナート，イソトレチノイン）

通常量のビタミン A や β カロテンの摂取が奇形を生じさせるとの報告はない．1 日 5,000 IU 程度のビタミン A の経口摂取は催奇形性は認められないが，25,000 IU 以上の摂取では先天奇

形が報告されている．

エトレチナートは乾癬などの治療に用いられるビタミンA誘導体であり，強い催奇形性があるため妊娠中の女性への投与は禁忌である．脂溶性が高く体内に蓄積されるため，内服終了後少なくとも2年間は避妊するよう勧められている．

イソトレチノイン（Accutane）は，本邦未承認薬ではあるが欧米ではニキビの治療に広く用いられている．現在ではインターネットを通じて医薬品を個人輸入でき，また一部の美容皮膚科医が自費診療で処方しているため，注意が必要な薬剤である．妊娠中に内服した妊婦から生まれた新生児の25％に頭蓋顔面，心奇形，中枢神経系，胸腺などの奇形が認められ，さらに25％の新生児に形態学的な奇形は認めないものの精神発達遅滞を認めたと報告されており，妊娠中の女性への投与は禁忌である．イソトレチノインはエトレチナートと違い体内に蓄積されず，内服終了後5日間で血液から検出されなくなるため，内服終了後の避妊を勧める必要はなく内服終了後の催奇形性も報告されていない．トレチノイン外用薬（Retino-A 0.05％ cream）も本邦未承認のニキビ治療薬であるが，催奇形性は報告されていない．

ホルモン剤（経口避妊薬，プロゲスチン，アンドロゲン）

経口避妊薬やプロゲスチンの催奇形性は報告されていないが，続発性無月経をきたしている女性にこれらの薬剤を処方する前には妊娠を除外しておく必要がある．

ダナゾールなどのアンドロゲン製剤の内服により女性性器の男性化が起こる．妊娠9〜12週にダナゾールを内服した妊婦から生まれた女児の57人中23人に陰核肥大と陰唇の癒合が認められたと報告されている．

嗜好品〔アルコール，タバコ（非燃焼・加熱式タバコも含む）〕

妊娠中の飲酒によりアルコールに曝露された新生児に起こりうる病態を総称して胎児性アルコール・スペクトラム障害（fetal alcohol spectrum disorders：FASD）という．胎児性アルコール症候群（fetal alcohol syndrome：FAS）はFASDの重症型であり，1980年にFetal Alcohol Study Group of the Research Society on Alcoholismが提案した診断基準では，以下の3点すべてを満たすものをFASと診断する．

①発育不全（出生前・出生後，いずれかもしくは両方）
②顔面の形態異常（小さい眼裂，人中の低形成もしくは欠損，低く短い鼻，薄い上口唇，耳の位置が低い，平らな顔）
③中枢神経系の異常（小頭症，精神発達遅滞，注意欠如多動性障害，多動など）

すべてを満たすFASは大量飲酒者の出生児の6％に生じ，部分的にあてはまる者はこれよりさらに多い．1日40g以上のアルコール（ビール1,000 mL，日本酒2合，ワイン1/2本程度以上）を習慣的に摂取した場合，32％の出生児に異常を生じる．奇形は用量依存性に増加すると報告されており，全妊娠期間を通じて胎児に悪影響を与え閾値がないと考えられている．FASは治療法がないが，妊娠前に禁酒することにより100％予防することができる．妊娠が発覚する前にアルコールを摂取した場合，その後禁酒することにより胎児への影響を完全に防ぐことができるかは明らかではないが，禁酒の効果が報告されている例もあり，できる限り早く禁酒を勧めるべきである．

タバコは母児双方にとって百害あって一利なしである．喫煙により用量依存性に流産，常位胎盤早期剝離，前置胎盤，前期破水，FGRなどが増加する．妊娠中に禁煙することによりこれらのリスクを減らすことができるため，喫煙している妊婦には可及的速やかに禁煙を勧めるべきである．妊娠中のニコチン置換療法による禁煙は一般的ではないが，タバコに含まれるニコ

表1 催奇形性・胎児毒性を示すその他の代表的医薬品

	一般名または医薬品群名	報告された催奇形性・胎児毒性
妊娠初期	シクロホスファミド(免疫抑制薬)	催奇形性
	チアマゾール(抗甲状腺薬)	催奇形性：MMI奇形症候群
	トリメタジオン(抗てんかん薬)	催奇形性：胎児トリメタジオン症候群
	フェニトイン(抗てんかん薬)	催奇形性：胎児ヒダントイン症候群
	フェノバルビタール(抗痙攣薬)	催奇形性：口唇口蓋裂，ほか
	ミソプロストール(プロスタグランジン製剤，胃潰瘍治療薬)	催奇形性：メビウス症候群，四肢切断 子宮収縮，流産
	メトトレキサート(抗がん剤)	催奇形性：メトトレキサート胎芽病
妊娠中期・後期	アミノグリコシド系抗菌薬	胎児毒性：非可逆的第Ⅷ脳神経障害，先天性聴力障害
	テトラサイクリン系抗菌薬	胎児毒性：歯牙の着色，エナメル質形成不全
	ミソプロストール(プロスタグランジン製剤，胃潰瘍治療薬)	子宮収縮，流早産
妊娠後期	NSAIDs(消炎鎮痛薬，湿布も含む)	胎児毒性：動脈管収縮，新生児遷延性肺高血圧，羊水過少，新生児壊死性腸炎

〔日本産科婦人科学会，日本産科婦人科医会(編)：CQ104-1．産婦人科診療ガイドライン 産科編 2020．pp60-61，日本産科婦人科学会，2020 より作成〕

チン以外の化学物質への曝露を防ぐことができるというメリットが大きい．そのため専門家のもとであれば妊娠中であってもニコチン置換療法を行う場合もある．

昨今，非燃焼・加熱式タバコ(heat-not-burn tobacco products)の使用が広がっている．具体的には iQOS，Ploom TECH，glo などの加熱式タバコが挙げられるが，これらはバッテリーを用いて葉タバコを 350℃程度まで加熱しエアロゾル化されたニコチンを吸引するものであり，従来の燃焼式タバコ同様，ニコチンが含まれていることに変わりはない．葉タバコを加熱するのみで燃焼させないのでタールは発生しないとされているが，それ以外の有害物質は吸入している．実際に，非燃焼・加熱式タバコの主流煙には，燃焼式タバコと同レベルのニコチンやアクロレイン，ホルムアルデヒド，約3倍のアセナフテンなどの有害物質が含まれていると報告されている．

現在のところ非燃焼・加熱式タバコが従来のタバコよりも有害性が少ないというエビデンスはない．また，胎児や妊婦への影響に対する疫学的な結論も出ていない．よって，妊婦に対する禁煙目的の燃焼式タバコから非燃焼・加熱式タバコへの移行も，非燃焼・加熱式タバコ使用の継続も勧められない．燃焼式タバコ同様，禁煙を勧めるべきだと筆者らは考える．

なお，字数の関係で割愛させていただいたが，麻薬や覚醒剤，「危険ドラッグ」などの違法薬物の摂取に関しても催奇形性が報告されており，固く禁ずるよう指導すべきである．

催奇形性・胎児毒性を示す明らかな証拠が報告されているその他の代表的医薬品を**表1**にまとめる．

妊娠中であっても同意を得たうえで使用される薬剤

臨床の現場においては，投薬による胎児への影響はあるものの，治療上の有益性がそれを上

回り，薬剤を使用する必要に迫られる場面が存在する．『産婦人科診療ガイドライン 産科編 2020』でも，「CQ104-2 添付文書上いわゆる禁忌の医薬品のうち，特定の状況下では妊娠中であってもインフォームド・コンセントを得たうえで使用される代表的医薬品は？」という項目がある．この項目では代表的医薬品として，ワルファリン，ニフェジピン，アスピリン，イトラコナゾール，コルヒチン，抗悪性腫瘍薬が挙げられている．

インフォームド・コンセントの際には，催奇形性および胎児毒性，それに加えて医薬品副作用被害救済制度の給付対象とならない可能性も説明する．

医薬品の催奇形性についてのリスク・コミュニケーション

前述のごとく，全出生に対する大奇形の発生率は2〜3％で，小奇形まで含めれば7〜10％である．医薬品の妊娠中投与による胎児への影響の説明に関しては，『産婦人科診療ガイドライン 産科編 2020』でも「胎児への影響は，ヒトの出生時に形態的に確認できる先天異常の頻度（3〜5％）との比較で説明する（推奨レベルB）」よう勧められている．すなわち，薬剤投与との因果関係の有無にかかわらず奇形をもった新生児は一定の確率で出生するため，ベースラインのリスクとの比較で奇形の発生率がどの程度上昇するのかを説明する必要がある．同時に，過度に不安をあおる説明では必要な薬剤を内服しなくなる可能性もあるため，客観的で明確なコミュニケーションが必要である．妊娠に気がつかず薬剤を内服した妊婦から胎児への影響を問われた際にも同様に過度に不安をあおる必要はなく，当然のことながら薬剤服用を理由にした中絶も認められない．

客観的なコミュニケーションのためには数字の提示も必要である．しかし妊婦が必要な薬剤を安心して内服できるか，拒否感をもってしまうかは医療者側の数字の提示の仕方にもかかっている．一般的に，「奇形をもった赤ちゃんが2％の確率で生まれます」と説明するほうが，「98％の確率で健康な赤ちゃんが生まれます」と説明するよりもネガティブな印象をもちやすい．また，オッズ比での提示もネガティブな印象を与えやすい．例えば，「経口ステロイドの内服により口唇口蓋裂の頻度が3倍に増えます」と説明するよりも，「一般的に1,000人に1人の確率で口唇口蓋裂の赤ちゃんが生まれます．経口ステロイドの内服で1,000人に3人と確率は上がりますが99.7％は問題ありません」と説明するほうが，必要な薬剤の内服を受容しやすいのではないだろうか．

授乳中の薬について

授乳中についても，妊娠中と同様に，必要な薬剤については内服させることが大原則である．多くの薬剤が添付文書上では「授乳中の婦人への投与は避けることが望ましいが，やむをえず投与する場合は，授乳を避けさせる」と記載されている．しかし，授乳には，母子の愛情形成，腸内細菌叢の供給・維持，免疫物質の供給，乳幼児突然死症候群のリスク軽減，肺炎による致死率の低下，注意欠如多動性障害のリスク軽減など新生児に対して大きなメリットがある．母親に対しても授乳は，乳がん・卵巣がんのリスク軽減など，メリットが大きい．ほぼすべての薬剤は程度の差はあるものの母乳中へ移行するが，臨床上問題になるような薬剤は，ごくわずかである．

母乳中への薬物移行

母乳中へ移行する量は，薬剤の分子量，脂溶性，蛋白結合率，電離度，分布容積，半減期，

酸解離定数(pKa)によって規定される．一般的に，脳血液関門を通過する物質，親油性の高い物質(乳腺上皮は脂質膜であるため)，分子量200以下の水溶性の物質，弱塩基性の物質は母乳中に移行しやすい．逆に分子量の大きな物質，蛋白結合率の高い物質，イオン化された物質は移行しにくい．一部担体輸送されたり，能動輸送される物質(シメチジン，ラニチジン，アシクロビルなど)もあるが，ほとんどの物質は単純拡散により母乳中に移行する．

母乳中への移行を理解するための指標として，M／P比(milk／plasma ratio)，relative infant dose(RID)を紹介する．

M／P比は母乳中の薬物濃度と血漿中の薬物濃度の比である．M／P比が1未満であれば母乳中に移行しにくく，それ以上であれば移行しやすいということになるが，実際には蛋白結合率や脂溶性などにも影響を受けるためあくまで理論値として参考にする．

RIDは，体重当たりの乳児の母乳からの薬剤の摂取量と母体の薬剤摂取量の比である．

数式としては，

RID＝母乳中の薬物濃度×摂取した母乳の量(mg／kg／日)／母親の薬剤摂取量(mg／kg／日)

と表される．RID 10%未満が安全であるとされており，実際にはほとんどの薬剤がRID 1%以下である．ただし，ラモトリギン，エトスクシミド，フェノバルビタール，プリミドンといった抗てんかん薬はRIDが10%以上であり，授乳中の使用に際しては慎重な検討が必要である．

情報収集について

国立成育医療研究センター「妊娠と薬情報センター」のウェブサイトにも，抗がん剤以外で「授乳中の使用には適さないと考えられる薬」として明確に記載されているのは，アミオダロン(新生児に甲状腺機能低下症をきたす可能性があるため)，甲状腺シンチグラムに使用する放射性ヨウ素，コカインのみである．

インターネット上の情報源としては，妊娠中の薬の情報提供同様，NIHのLactMed(https://toxnet.nlm.nih.gov/newtoxnet/lactmed.htm)や，MotherToBaby(http://www.mothertobaby.org)，REPROTOX(http://reprotox.org)，ENTIS(http://www.entis-org.eu)などが参考になる．

おわりに

一部の薬剤を除いて妊婦・授乳婦への投与で胎児・新生児に悪影響を与える薬剤は非常に少ない．患者に過度な不安をあおらず，リスク・ベネフィットを考慮しながら，時期を選んで必要最低限の薬剤を使用することが望ましい．

◆ 文献
- 日本産科婦人科学会，日本産婦人科医会(編)：産婦人科診療ガイドライン 産科編 2020，日本産科婦人科学会，2020
- Cunningham FG, et al(eds)：Williams obstetrics 24th ed, McGraw-Hill, 2014
- Gabbe SG, et al(eds)：Obstetrics：Normal and Problem Pregnancies 6th ed, Saunders, 2012
- Auer R, et al：Heat-not-burn tobacco cigarettes：smoke by any other name. JAMA Intern Med 177：1050-1052, 2017

(西村　真唯・荻田　和秀)

分娩誘発
—ジノプロストン腟内留置用製剤の使用法

POINT
- ジノプロストン腟内留置用製剤（プロウペス）はプロスタグランジン E_2 製剤で，持続的な薬剤放出により妊娠 37 週以後の子宮頸管熟化不全における熟化を促進する．
- 器械的頸管熟化法と比較し，挿入，抜去が簡便であり妊婦に与える苦痛は少ない．
- 器械的頸管熟化法と比較し，24 時間以内の経腟分娩成功率，帝王切開率には有意差はないが，挿入から分娩までの時間を短縮する．
- 前期破水では待機療法と比較し帝王切開率を減少させる可能性がある．
- 過強陣痛，胎児機能不全に注意が必要であり，使用中は分娩監視装置による連続モニタリングを行う．

DATA
- ジノプロストン腟内留置用製剤は，$-20℃$ 以下での保管となるため，$-20℃$ を担保できる冷凍庫が必要である．
- 少なくとも投与 20〜30 分前から分娩監視装置を用いた連続モニタリングを開始し，投与の適否を確認する．
- ジノプロストン腟内留置用製剤は最長 12 時間腟内に留置する．
- 分娩促進のための子宮収縮薬や器械的方法によるさらなる頸管熟化を行う場合，ジノプロストン腟内留置用製剤を抜去後，少なくとも 1 時間は間隔をあける．

はじめに

　分娩誘発は子宮頸管熟化と陣痛誘発の 2 つのステップに分けられる．子宮頸管熟化法には，器械的方法と化学的方法がある．器械的方法には，ラミナリア桿，ダイラパン，ラミセルなどの吸湿性頸管拡張材と，フジメトロ，オバタメトロ，ネオメトロ，ミニメトロ，COOK 子宮頸管拡張バルーン，エムハヤシメトロ，サービカルバルーン，バルーンブージーがある．化学的方法には，内服薬としてプロスタグランジン E_1 であるゲメプロスト，プロスタグランジン E_2 であるジノプロストン（ゲル剤は国内未承認），腟錠として合成プロスタグランジン E_1 類似物のミソプロストール（子宮頸管熟化法としては国内未承認），静注製剤や腟錠としてプラステロン硫酸エステルナトリウム水和物（レボスパ）がある．

　このたび，新たにジノプロストン腟内留置用製剤（プロウペス腟用剤 10 mg，以下プロウペス）が 2020 年 1 月に承認され，4 月から販売開始となった．本邦における化学的方法の承認は約 20 年ぶりのことである．本稿では，ジノプロストン腟内留置用製剤の使用法と留意点について述べる．

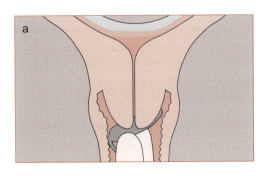
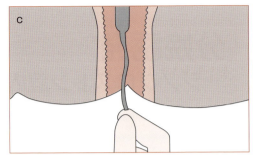
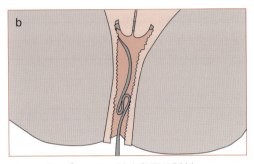
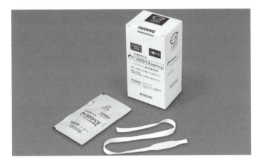

図1 ジノプロストン腟内留置用製剤
a：挿入方法，b：留置後，c：抜去方法．
(フェリング・ファーマ株式会社提供)

国内承認までの経緯

　　ジノプロストン腟内留置用製剤（プロウペス）は1980年代にスコットランドで開発され，1995年3月に米国で承認され，70を超える国で使用されている．ACOG, RCOGなどのガイドラインでは，プロスタグランジンの経腟投与は，すでに標準的な子宮頸管熟化法となっている[1,2]．国内では2015年から臨床試験を開始し，第Ⅰ相(228試験)で薬物動態，安全性，忍容性を確認し，妊娠37週以上41週未満，ビショップスコアが4点以下の妊婦を対象とした多施設共同非盲検第Ⅲ相試験(261試験)で，主要評価項目の子宮頸管熟化成功の割合(95% CI)は57.4%(44.8-69.3)であった．また，妊娠41週以上42週未満，ビショップスコア4点以下の妊娠を対象とした多施設共同二重盲検プラセボ対照第Ⅲ相試験(262試験)で，主要評価項目の子宮頸管熟化成功の割合(95% CI)は47.4%(34.0-61.0)であり，プラセボが14.3%(6.4-26.2)と有意に成功の割合が高かった($P=0.0002$)．このことから，「妊娠37週以後の子宮頸管熟化不全における熟化の促進」を効能効果として承認された[3-5]．

構造と作用機序

　　有効成分のジノプロストン10 mgを含有する親水ポリマーと，これを包含する取り出し用紐で構成され，子宮頸部に貼りつくように留置し，持続的にジノプロストンを放出することで子宮頸管を中心に効果を発揮する．副作用などが発現した場合には容易かつ迅速に腟から取り出すことが可能である（図1）．

　　分娩におけるジノプロストン(PGE_2)の生理的作用として，子宮頸管熟化と子宮収縮作用がある．PGE_2の受容体として4つのサブタイプ，EP1〜EP4が知られている．このうち，EP1とEP3は子宮体部の上部筋層に集中して発現しており，子宮収縮に作用する．EP2は子宮体部の

表1 プロウペス使用にあたっての要件

	施設の要件
必須	・本剤の使用に先立ち，患者に本剤を用いた頸管熟化の必要性および危険性を十分説明し，文書を用いて同意を取得する． ・分娩監視装置を継続的に利用できる状態にある． ・分娩監視装置によるモニタリング中は分娩監視者が継続的に監視/対応できるよう，人員が配置されている． ・新生児蘇生に熟練した人員が配置されている． ・緊急帝王切開が自施設で行える． ・日本産科婦人科学会 産婦人科専門医が在籍している．
推奨	・周産期専門医（母体・胎児）が在籍している．
	医師の要件
必須	・日本産科婦人科学会または日本産婦人科医会に所属している産婦人科医である． ・適正使用ガイドを熟読し，適応患者の選択，本剤抜去のタイミングを理解し，実行できる． ・本剤使用開始までにプロウペス適正使用講習（eラーニング）を修了する（修了している）．
	分娩監視者の要件
必須	・分娩監視装置による胎児心拍陣痛図（CTG）の判読の訓練を受け，CTGから対応が必要な状態か判断し，実行できる（医師へ連絡し指示を受ける等を含む）． ・本剤抜去の適切なタイミングを理解し，実行できる（医師へ連絡し指示を受けるなどを含む）． ・本剤使用開始までにプロウペス適正使用講習（eラーニング）を修了する（修了している）． ・上記要件を満たす助産師がいる．

（プロウペス腟用剤10 mg 適正使用サポートより作成）

下部筋層に存在し，子宮弛緩に作用する．EP4は子宮頸管に発現しており，頸管熟化に作用する．本邦で従来から使用されてきたPGE_2内服薬ではEP1，EP3による子宮収縮作用が主であり，子宮頸管熟化作用は弱い．一方でジノプロストン腟内留置用製剤は，薬剤が頸管周囲に作用することで，子宮収縮よりもEP4による頸管熟化が主な作用として現れる[6,7]．

使用にあたっての要件

まず，使用までの流れとして，①施設の要件，②医師の要件，③分娩監視者の要件を確認する（表1）．施設内でジノプロストン腟内留置用製剤取扱施設責任者を1名選任（医師，助産師などの医療従事者）し，本剤を実際に使用する医療従事者は，プロウペス適正使用講習（https://find.ferring.co.jp/obstetrics/propess/elearning.php）を事前に受講する必要がある．その後，承諾書に署名したのちに使用可能となる．

なお，2020年4月の発売当初は，使用できるのは周産期センター，大学病院などの日本産科婦人科学会専攻医指導施設となっていたが，市販直後調査の結果を踏まえて検討され，現在では専攻医指導施設との要件は削除されている．また，ジノプロストン腟内留置用製剤は－20℃以下での保管となるため，－20℃を担保できる冷凍庫が必要である．使用前には，『プロウペス腟用剤を使用する際に，ご本人に理解していただきたいこと』（https://find.ferring.co.jp/res/front/product/propess/RMP_20200421.pdf）などを活用し，患者にジノプロストン腟内留置用製剤を用いた頸管熟化の必要性および危険性を十分に説明し，文書による同意を得てから使用する．

表2 適応とならない妊婦（禁忌）

- すでに分娩開始している人
- 子宮筋層が切開される手術（帝王切開，筋腫核出術など），子宮破裂の既往
- 胎児機能不全のある人
- 前置胎盤
- 常位胎盤早期剝離
- 児頭骨盤不均衡または胎位異常
- 医学的適応での帝王切開
- 過去にプロウペス腟用剤 10mg に含まれる成分で過敏症
- オキシトシン，ジノプロスト（$PGF_{2\alpha}$），ジノプロストン（PGE_2），吸湿性頸管拡張材，メトロイリンテル，プラステロン硫酸エステルナトリウムを使用している

（プロウペス腟用剤 10 mg 添付文書より作成）

適応，使用方法，留意点

　適応についてはほかの子宮収縮薬と同様であり，『産婦人科診療ガイドライン 産科編 2020』の CQ415-1 の表「陣痛誘発もしくは促進の適応となりうる場合」を[8]，適応とならない妊婦（禁忌）に関しては表 2 を参照されたい．

　具体的な使用方法としては，まず，少なくとも投与 20～30 分前から分娩監視装置を用いた連続モニタリングを開始し，投与の適否を確認する．投与直前に冷蔵庫から取り出し，本剤 1 個を後腟円蓋に腟軸に対してジノプロストン腟内留置用製剤の長軸が垂直方向になるように挿入し，最長 12 時間腟内に留置する．投与開始後に，以下のいずれかに該当する場合には速やかに抜去する必要がある．すなわち，① 30 分間にわたり規則的で明らかな痛みを伴う 3 分間隔の子宮収縮，②新たな破水，③人工破膜を行うとき，④過強陣痛やその徴候の発現，⑤胎児機能不全やその徴候の発現，⑥悪心，嘔吐，低血圧などの全身性の副作用の発現である．三重大学での 46 例の自験例では，12 時間留置した例は約 20% であり，約 60% が①の 3 分間隔の痛みを伴う子宮収縮で抜去されていた（unpublished data）．

　②の新たな破水の場合の抜去については，破水によって分娩が進むことに加えて，ジノプロストンの放出速度が pH 上昇に伴い高まるからであるが，すでに前期破水して頸管熟化が不良である場合には使用することができる．Cochrane Database では，37 週以後の前期破水で，12～24 時間待機するか，ただちに頸管熟化・誘発を行うかでは，後者で母体感染症（RR 0.49, 95% CI 0.33-0.72）および新生児感染症（RR 0.73, 95% CI 0.58-0.92）のリスクは低下するが，帝王切開率と周産期死亡率は低下しなかった[9]．しかし，ジノプロストン腟内留置用製剤を前期破水に使用した場合には帝王切開率は待機群が 17.6% であったのに対し，ジノプロストン腟内留置用製剤群では 9.3% と有意に減少した．また，分娩時間が有意に短縮された[10]．注意すべきことは，すでに前期破水している症例においても未破水と比較して，薬剤放出速度上昇に伴う子宮収縮増加のリスクがあることである．

器械的方法との比較

　Chen らのメタアナリシスでは，96 の RCT（17,387 人の女性）が含まれ，5 つ（フォーリーカテーテル，経腟ミソプロストール，経口ミソプロストール，経腟ジノプロストン，頸管内ジノプロストン）の頸管熟化法が比較された．24 時間以内の分娩誘発成功率について，どの方法においても有意差はなかったが，経腟ミソプロストールに次いで経腟ジノプロストンで高い傾向

にあった．しかし，過強陣痛は，フォーリーカテーテルと比較して経腟ジノプロストンでは多い傾向にあった．帝王切開率については同等であった[11]．

また，Wangらのメタアナリシスでは，6つの研究が含まれ，731例の経腟ジノプロストン群と722例のフォーリーカテーテル群が比較された．前者で，挿入から分娩までの時間は有意に短縮された(中央値5.73時間，95% CI 1.26-10.20)．24時間以内の経腟分娩成功率または帝王切開率に有意差はなかったが，子宮収縮の増加(RR 0.07, 95% CI 0.03-0.19)およびオキシトシン使用量の減少を認めた(RR 1.86, 95% CI 1.25-2.77)[12]．

当院のデータで，ジノプロストン腟内留置用製剤群46例，メトロイリンテル群27例を比較したところ，ジノプロストン腟内留置用製剤群において経腟分娩成功率が有意に高く，特に未経産婦において顕著であった．また，他の研究同様に分娩時間も有意に短縮されたが，特筆すべきことは経産婦に使用した場合，75%で4時間以内に分娩となっていた(unpublished data)．すなわち，ジノプロストン腟内留置用製剤を使用した場合，多くの症例で自然陣痛が発来し，分娩が急激に進行するため，頸管熟化の開始時間についても考慮した分娩誘発計画を立てることが重要である．

また，ジノプロストン腟内留置用製剤は，器械的方法と比較して挿入が簡便であり，妊婦の苦痛を伴わないことは大きな利点であり有用性は高いが，施設，症例，状況に応じて使い分けることが望ましい．

注意すべき副作用

ジノプロストン腟内留置用製剤の副作用としては，①過強陣痛とそれに伴う子宮破裂，頸管裂傷，羊水塞栓，②胎児機能不全が挙げられる．実際，国内臨床試験でも，子宮の頻回収縮や胎児心拍数異常が出現した症例を認めている．このため，ジノプロストン腟内留置用製剤の使用中は，分娩監視装置を用いた連続モニタリングを実施することが必須である．また，過強陣痛のリスクを回避するため，子宮収縮薬やその他の子宮頸管熟化処置との併用は禁忌とされている．分娩促進のための子宮収縮薬や器械的方法によるさらなる頸管熟化を行う場合，ジノプロストン腟内留置用製剤を抜去後，少なくとも1時間は間隔をあけて開始することとされている．

おわりに

2018年，全米maternal-fetal medicine unit network 41施設で行われたARRIVE studyの結果がNEJM誌にて報告された．39週0〜4日の5日間で誘発し，娩出しなければ帝王切開をする陣痛誘発群(n=3,062)と陣痛発来がなければ40週5日〜41週2日の5日間で誘発する経過観察群(n=3,044)において，前者で周産期死亡または重篤な新生児合併症，帝王切開率，妊娠高血圧症候群が有意に低下し，正常な妊婦を39週でelectiveに分娩誘発することの妥当性が示された[13]．このような報告からも，今後本邦においてもジノプロストン腟内留置用製剤を使用する機会は増えていくと考えられる．適切な用法の遵守および副作用の過強陣痛，胎児機能不全に十分留意し，分娩監視装置による連続モニタリングを行うことなど，導入にあたり安全性に十分配慮することが肝要である．

なお，『産婦人科診療ガイドライン 産科編2020』では，CQとは別に巻末に留意点「ジノプロストン腟内留置用製剤(プロウペス腟用剤10 mg)使用における留意点について」が新たに項目追加されたため併せて参照されたい[14]．

◆ 文献

1) ACOG Practice Bulletin No. 107 : Induction of labor. Obstet Gynecol 114(2 Pt 1) : 386-397, 2009
2) National institute for health and care excellence: Induction of labor. RCOG press, 2008
3) フェリング・ファーマ株式会社社内資料：国内第Ⅰ相試験(228試験)：健康成人女性における薬物動態，安全性及び忍容性．
4) フェリング・ファーマ株式会社社内資料：国内第Ⅲ相試験(261試験)：子宮頸管熟化が必要な妊娠末期(妊娠37週以上41週未満)の妊婦を対象としたジノプロストン腟内留置用製剤の子宮頸管熟化促進における有効性及び安全性．
5) Itoh H, et al : Efficacy and safety of controlled-release dinoprostone virginal delivery system (PROPESS) in Japanese pregnant women requiring cervical ripening : Results from a multicenter, randomized, double-blind, placebo-controlled phase Ⅲ study. J Obstet Gynaecol Res 47 : 216-225, 2021
6) 杉村基：頸管熟化．産と婦 86(増刊)：298-304, 2019
7) 大浦訓章，他：子宮収縮薬の種類と特徴．周産期医 40：1339-1345, 2010
8) 日本産科婦人科学会，日本産婦人科医会(編)：CQ415-1 子宮収縮薬(オキシトシン，プロスタグランジンF_{2a}，ならびにプロスタグランジンE_2錠の三者)投与開始前に確認すべきことは？ 産婦人科診療ガイドライン 産科編2020．pp245-249, 日本産科婦人科学会，2020
9) Middleton P, et al : Planned early birth versus expectant management (waiting) for prelabour rupture of membranes at term (37 weeks or more). Cochrane Database Syst Rev : CD005302, 2017
10) Larrañaga-Azcárate C, et al : Dinoprostone vaginal slow-release system (Propess) compared to expectant management in the active treatment of premature rupture of the membranes at term : impact on maternal and fetal outcomes. Acta Obstet Gynecol Scand 87 : 195-200, 2008
11) Chen W, et al : A systematic review and network meta-analysis comparing the use of Foley catheters, misoprostol, and dinoprostone for cervical ripening in the induction of labour. BJOG 123 : 346-354, 2016
12) Wang H, et al : Controlled-release dinoprostone insert versus Foley catheter for labor induction : a meta-analysis. J Matern Fetal Neonatal Med 29 : 2382-2388, 2016
13) Grobman WA, et al : Labor induction versus expectant management in low-risk nulliparous women. N Engl J Med 379 : 513-523, 2018
14) 日本産科婦人科学会，日本産婦人科医会(編)：留意点．産婦人科診療ガイドライン 産科編2020．pp383-384, 日本産科婦人科学会，2020

〔二井　理文・池田　智明〕

無痛分娩

POINT
- 無痛分娩の方法としては硬膜外麻酔を用いる方法が最も一般的である．
- 無痛分娩を行う場合，麻酔合併症だけでなく，分娩進行・管理にも大きく影響することに留意する．
- 安全な無痛分娩実施体制を整えるとともに，無痛分娩の診療体制に関する情報公開を行うことも社会的に求められている．

DATA
- 日本での無痛分娩の頻度は，2017年調査では6.1%と近年増加（2008年は2.6%）しており，今後もさらに増加することが予想される．

はじめに

　陣痛は多くの女性にとって非常に強い痛みをもたらすものである．この非常に強い痛みを何らかの手段で軽減することで，快適で満足度の高い分娩にしたいというのは妊婦の自然な希望といえるであろう．米国産婦人科学会の診療ガイドライン[1]では，陣痛に関して「医療監視下で強い痛みが許容されている状況は他にはない」としており，「医学的禁忌がなければ，妊婦の希望のみで十分な"医学的適応"である」と明記されている．したがって，妊婦が希望すれば何らかの鎮痛手段を提供することが医療従事者側に要求されている．

　欧米では無痛分娩がごく日常的に行われているが，日本ではまだまだ普及率は低い．その理由として「陣痛の痛みに耐える」ことを美徳とする日本人特有の文化的背景も指摘されてきたが，実際には産科医，麻酔科医のマンパワー不足により無痛分娩を実施できる施設が少なかったことが大きく影響していると思われる．マンパワー不足の問題はすぐに解決するものではないが，近年の少子化，出産年齢の高年化といったライフスタイルの変化に伴って，無痛分娩を希望する妊婦は増加しており，それを受けて無痛分娩を実施する施設が増加している．日本での無痛分娩の頻度は2008年時点では2.6%とされていたが，2017年調査では6.1%と，欧米に比べるとまだまだ少ないものの着実に増加しており，今後もさらに増加していくことが予想される．

　一方で，2017年には無痛分娩に関連した医療事故が次々に報道され，厚生労働省研究班からも「急変時に対応できる十分な体制を整えた上で無痛分娩を実施せよ」とする緊急提言がなされるなど，無痛分娩が社会的にも注目を集めることとなった．これを契機に無痛分娩関係学会・団体連絡協議会（The Japanese Association for Labor Analgesia：JALA）が設立され，現在では一般社会への無痛分娩についての情報提供の推進，無痛分娩の安全な提供体制の整備が進められている．日本では，無痛分娩を実施しているのは産科医であることが多く，また，病院よりも診療所のほうが積極的に無痛分娩を行っている傾向があったが，今後は病院での無痛分娩の需要が増加してくることが予想される．安全な無痛分娩の提供のためには麻酔科医のより積

極的な参加が必須であり，各施設で産科医，麻酔科医，助産師が連携して実施体制を構築していくことが大切である．

日本では無痛分娩という用語が定着しているが，本来の意味合いとしては"鎮痛手段を用いながら行う分娩"であり，決して「痛みがない分娩」ではない．ほぼ"無痛"で分娩できることが理想ではあるが，現実的にはある程度の痛みを感じることも多く，誤解を招かないように「和痛分娩」あるいは「麻酔分娩」と呼ぶ施設もある．また，後述するように現在は硬膜外麻酔を中心とした区域麻酔を用いた鎮痛法が主流であるため，"硬膜外麻酔による鎮痛を無痛分娩，それ以外の手段による場合を和痛分娩"といった必ずしも適切ではない呼び方をされている場合もあり注意が必要である．

産痛の神経支配

子宮収縮や子宮頸管開大に伴う子宮由来の内臓痛は第10胸髄神経から第1腰髄神経（T10～L1）を介し，産道の伸展に伴う体性痛は第2仙髄神経から第4仙髄神経（S2～S4）を介するとされている．したがって，無痛分娩に際しては分娩第1期ではT10～L1，分娩第2期にはT10～L1に加えてS2～S4由来の痛みに対する鎮痛手段が必要となる．

無痛分娩の方法

無痛分娩の方法としては，全身性の鎮痛効果を期待して亜酸化窒素（笑気）の吸入や麻薬性鎮痛薬の静注・筋注が行われることもあるが，鎮痛自体の有効性や児への影響などを考慮すると現在では第一選択とは考えられていない．区域麻酔を用いる方法としては，傍頸管ブロックや陰部神経ブロックも産科医が実施できる有効な鎮痛手段ではあるが，広く普及しているとは言いがたい．現時点では，児への影響がほとんどなく，鎮痛効果も高いことから硬膜外麻酔（epidural）を用いた方法が最も一般的である．近年は脊髄くも膜下麻酔（spinal）を併用することも多く，またDPE（dural puncture epidural）と呼ばれる手法も今後は増えてくることが予想されるが，無痛分娩開始初期を除けば，基本的には硬膜外麻酔による管理と考えてよい．

硬膜外麻酔を中心とした無痛分娩（表1）

最初に硬膜外麻酔と脊髄くも膜下麻酔の違いについて，解剖学的にどの部分に麻酔薬を投与するのかを理解しておくことが大切である．脊髄くも膜下麻酔は"くも膜下腔"，つまり硬膜"内"で脊髄を直接取り囲んでいる脳脊髄液中に麻酔薬を投与する麻酔方法であるのに対して，硬膜外麻酔は硬膜の"外"で硬膜と黄色靱帯に挟まれた硬膜外腔と呼ばれるスペースに麻酔薬を投与する麻酔方法である．この薬剤投与を行う解剖学的部位の違いにより，麻酔効果が大きく異なる．脊髄くも膜下麻酔では少量の麻酔薬投与により速やか（数分以内）に強い麻酔効果が得られ，原則として麻酔効果は下位脊髄領域から順に〔仙髄（S）→ 腰髄（L）→ 胸髄（T）→ 頸髄（C）〕発現する．一方，硬膜外麻酔では，カテーテルを留置することがほとんどであるが，穿刺部位を中心に分節性に麻酔効果が出現し，作用発現はゆっくりである．

無痛分娩に際しては，麻酔開始時にまず必要な鎮痛効果（初期鎮痛）を得るための薬剤投与（初回投与）と，その後の分娩の進行に合わせて適切な麻酔域を維持できるように適宜麻酔薬を追加投与（維持投与）する必要がある．硬膜外カテーテルから局所麻酔薬のみを投与して十分な鎮痛効果を得ようとすると下肢に力が入らなくなることが多い．そこで，近年では低濃度局所

表1 硬膜外麻酔を中心とした無痛分娩の方法

	硬膜外麻酔 (epidural)	CSE (combined spinal epidural)	DPE (dural puncture epidural)
初期鎮痛	硬膜外腔投与	くも膜下腔投与	硬膜外腔投与
効果出現	ゆっくり	早い	硬膜外麻酔単独よりやや早い
鎮痛維持	硬膜外腔投与	硬膜外腔投与	硬膜外腔投与
一過性胎児徐脈の頻度	＋	＋＋＋	＋〜＋＋
硬膜外カテーテルの確実性	初期鎮痛で判定	脊髄くも膜下麻酔の効果が消失するまで判定困難	初期鎮痛で判定
手技の煩雑さ	＋	＋＋＋	＋＋
硬膜穿刺後頭痛のリスク	＋	＋＋	＋＋

麻酔薬にオピオイドを添加することで，運動神経遮断を起こさずに鎮痛効果を得ることを目指すのが一般的である．

　硬膜外麻酔単独では初期鎮痛に20〜30分程度の時間を要するため，近年では速やかな鎮痛効果を期待して，脊髄くも膜下硬膜外併用麻酔(combined spinal epidural：CSE)を用いることが増えている．ただし，CSEでは一過性胎児徐脈の頻度が高くなることに注意が必要である．また，初期鎮痛の段階では硬膜外カテーテルから薬剤を投与していないため，脊髄くも膜下麻酔の効果が消失してくるまでは，硬膜外カテーテルから投与した薬剤で実際に鎮痛効果が得られるかどうかの判定が困難である．したがって，CSEでは硬膜外カテーテルの信頼性がやや劣るとの懸念もある．

　そこで，CSEと同様に硬膜穿刺を行うものの，くも膜下腔に薬剤投与は行わず硬膜外カテーテルからのみ麻酔薬投与を行うDPEという手法が最近は注目されている[2]．硬膜穿刺の効果により通常の硬膜外麻酔よりも鎮痛効果出現が早くなることが期待されている．また，CSEとの比較では，脊髄くも膜下麻酔による一過性胎児徐脈のリスクが低くなり，最初から硬膜外カテーテルから薬剤投与を行うためカテーテルの信頼性も高いという利点がある．ただし，硬膜外麻酔単独の場合より手技がやや煩雑となること，また，硬膜穿刺に伴う硬膜穿刺後頭痛(post dural puncture headache：PDPH)のリスクが上昇する可能性もあり，今後どの程度普及するかは不明である．

　いずれの手法であっても，鎮痛維持は硬膜外カテーテルからの麻酔薬投与となる．以前は持続投与が主流であったが，近年は機械を用いた患者管理鎮痛法(patient controlled analgesia：PCA)や間欠ボーラス投与(programmed intermittent bolus：PIB)を組み合わせて使用することが多い．現時点では，どの投与方法が最も優れているかについての結論は出ていない．いずれの方法を用いるにしても，機械のみに頼るのではなく，分娩の進行状況と鎮痛効果について適切なタイミングで評価を行い，安全な無痛分娩管理を行うことが重要である．

無痛分娩の麻酔関連合併症

　硬膜外麻酔，脊髄くも膜下麻酔はいずれも確立した麻酔方法ではあるが，重篤な合併症が起こりうることには注意が必要である．無痛分娩開始後の血圧低下に対しては，輸液負荷と血管

収縮薬での対応が必要となることがある．特に注意が必要な合併症としては，高位脊髄くも膜下麻酔と局所麻酔薬中毒が挙げられる．原因としては，硬膜外腔へ投与したつもりの薬剤がくも膜下腔や血管内へ誤投与となった場合に生じる．投与された麻酔薬の量に対して適切な麻酔効果が得られているかどうかを常に意識することで，これらの合併症を予防することが重要である．もし高位脊髄くも膜下麻酔となった場合は，麻酔効果が消失してくるまで適切な呼吸・循環管理を行えば後遺症が残ることはほぼない．また，適切な管理をしていれば無痛分娩で局所麻酔薬中毒になる可能性は低いが，万が一に備えて病棟に脂肪乳剤を常備しておくなどの対策が望ましい[3]．

分娩経過への影響

麻酔開始後30～60分以内に一過性の胎児徐脈が生じることがある．急激に鎮痛された場合に起こりやすく，特にCSEの場合に頻度が高いとされる．確実な予防法は存在しないが，麻酔開始のタイミングが遅くなりすぎないように注意が必要である．

硬膜外無痛分娩を行うと，陣痛が減弱化することが多い．自然陣痛発来後に麻酔を開始し，痛みが軽減した状態で特に介入することなくそのまま経腟分娩に至る場合もあるが，多くの場合は陣痛促進薬が必要となる．また，無痛分娩では回旋異常や分娩第2期延長を生じやすいとの意見もあり，結果として鉗子・吸引分娩率が上昇するとの報告がほとんどである．このように無痛分娩を行った場合，自然分娩から痛みだけを軽減させるのではなく，分娩進行・管理に大きく影響することを認識する必要がある．

無痛分娩によって陣痛促進薬の使用率，使用量は増加するが，適切に管理を行えば分娩時間が大きく延長することはなく，帝王切開率は上昇しないという見解が多い．ただし，日本では計画無痛分娩としている施設も多く，その場合は，特に初産婦においては分娩誘発のタイミングや管理方法によっては分娩誘発不成功となり，結果的に帝王切開率を上昇させてしまう危険性もある．

無痛分娩の安全な施行体制について[4]

日本の現状では，産科医，麻酔科医とも十分なマンパワーが確保できている施設は少ないと思われる．各施設の産科，麻酔科のマンパワーの実情によっては"平日のみ"，"曜日限定"といった対応をとることもやむをえないと思われ，実際，日本では無痛分娩の場合は原則として計画分娩としている施設が多いと思われる．このような状況下で安全な無痛分娩の実施体制を作るためには，無痛分娩を産科医，麻酔科医，助産師を含めたチーム医療と捉え，各施設の実情に合わせてどのような体制で実施するかを十分に検討し，妊婦に対しても実施体制や管理方針を事前に十分に説明しておくべきである．陣痛が始まってからでは，妊婦は冷静な判断はできないと考えるべきで，事前に合併症も含めて文書による同意説明を十分に実施することが必須である．

麻酔管理や分娩管理については，施設や担当医の"好み"によってある程度の違いがあることは問題ないが，チーム医療という観点からも各施設ごとに無痛分娩管理マニュアルを整備しておくことが望ましい．ただし，麻酔効果や分娩進行状況は妊婦ごとに差があり，"マニュアルに従えば誰が担当しても適切な管理ができる"というわけではない．無痛分娩にかかわる医師は講習会に参加するなどして，定期的に産科麻酔の知識・技術をアップデートしておくことが推奨される．

日本でも今後はさらに無痛分娩希望者が増加していくことが予想される．JALA の活動趣旨に基づき，安全な無痛分娩実施体制を整えるとともに，無痛分娩の診療体制に関する情報公開を行うことも社会的に求められている．

◆文献
1）ACOG Practice Bulletin No.177：Summary：Obstetric Analgesia and Anesthesia. Obstet Gynecol **129**：766-768, 2017
2）Heesen M, et al：Dural puncture epidural versus conventional epidural block for labor analgesia：a systematic review of randomized controlled trials. Int J Obstet Anesth **40**：24-31, 2019
3）日本麻酔科学会：局所麻酔薬中毒への対応プラクティカルガイド. https://anesth.or.jp/files/pdf/practical_localanesthesia.pdf（2021 年 9 月アクセス）
4）日本産科婦人科学会，日本産婦人科医会(編)：CQ421 無痛分娩の安全な実施のために望ましい施設の体制は？　産婦人科診療ガイドライン 産科編 2020. pp275-278, 日本産科婦人科学会, 2020

（坊垣　昌彦）

産後健診制度

POINT
- 産後1年以内の妊産婦死亡の原因第一位は自殺.
- 産前産後サポート,産後ケア事業への国家的関心が高まっている.
- 平成29年4月より開始された「産婦健康診査事業」は産後うつ病妊婦への早めの介入を目的とし,児童虐待も減少させるという目標がある.
- 産褥精神障害のサポートには官民連携を含む,多領域協働チームが必要である.

DATA
- 産後うつ病の罹患率は5〜10%である.
- 褥婦の育児不安が高まるのは産後2週間が多い.

はじめに

「産後うつ病」は現在でこそ一般認知度の高いワードであるが,妊娠・出産に関してのメンタルヘルスを厚生労働省が個別項目として政策に挙げるようになったのは,ここ15年程度の話である.

1980年代より産後うつ病に関するコントロールスタディは散見されるが,本邦で産後うつ病が注目されるきっかけとなったのは,平成13年度厚労科研究班(中野仁雄班)[1]による国内3,370名の褥婦を対象に行った大規模研究ではないだろうか.その報告では,保健施設が行う産後120日以内の母子訪問において,エジンバラ産後うつ病質問票(EPDS)9点以上をカットオフ値とした場合,13.9%の褥婦が該当しており,産後うつ病に罹患していると推測されると示されている.

これを受け,「産後うつ病の発症率(産後1か月でEPDS 9点以上の褥婦の割合)」は「健やか親子21」(第一次:平成13〜26年度,第二次:平成27年度〜令和6年度)において,改善すべき評価項目として挙げられた.平成29年度より産婦健康診査事業が開始されたことに伴い,より多くの褥婦にEPDSが実施されるようになり,データの信憑性は高まったと考えられるが,その結果,該当褥婦の割合は8.4%(対象褥婦33,998人:平成25年度)→9.8%(対象褥婦233,778人:平成29年度)と再度上昇傾向を認めていることが明らかになった.この原因について,平成30年度子ども・子育て支援推進調査研究事業(山梨大学の研究班)[2]では,気分(感情)障害(躁うつ病を含む)の患者数が平成17年以降急激に増加していることや40代の罹患数が最も多いことから,高齢妊婦の増加がEPDSで9点以上の高得点者の増加に影響を与えているのではないかと分析している.

妊産婦メンタルヘルスケア

産後うつ病は児童虐待を減らすうえでも重要な因子となる.厚生労働省から毎年出される

表1 赤ちゃんへの気持ち質問票

	ほとんど いつも強く そう感じる	たまに 強くそう 感じる	たまに 少しそう 感じる	全然そう 感じない
1）赤ちゃんをいとおしいと感じる．	（　　）	（　　）	（　　）	（　　）
2）赤ちゃんのためにしないといけないことがあるのに，おろおろしてどうしていいかわからない時がある．	（　　）	（　　）	（　　）	（　　）
3）赤ちゃんのことが腹立たしくいやになる．	（　　）	（　　）	（　　）	（　　）
4）赤ちゃんに対して何も特別な気持ちがわかない．	（　　）	（　　）	（　　）	（　　）
5）赤ちゃんに対して怒りがこみあげる．	（　　）	（　　）	（　　）	（　　）
6）赤ちゃんの世話を楽しみながらしている．	（　　）	（　　）	（　　）	（　　）
7）こんな子でなかったらなあと思う．	（　　）	（　　）	（　　）	（　　）
8）赤ちゃんを守ってあげたいと感じる．	（　　）	（　　）	（　　）	（　　）
9）この子がいなかったらなあと思う．	（　　）	（　　）	（　　）	（　　）
10）赤ちゃんをとても身近に感じる．	（　　）	（　　）	（　　）	（　　）

ご記入日　　平成　　年　　月　　日
ご出産日　　平成　　年　　月　　日
お名前
赤ちゃんのお名前
ご連絡先　　〒
　　　　　　お電話番号

(吉田ら(2003)による日本語版)

〔吉田敬子，他(監)：妊娠中から始めるメンタルヘルスケア．p11，日本評論社，2017〕

「子ども虐待による死亡事例等の検証結果等について」[3]という報告のなかに，望まない妊娠・出産を理由に，実母が一人で自宅分娩をし，その日のうちに子を殺める事例が児童虐待死の4割程度を占める，という衝撃的な記載がある．これを受け，日本産婦人科医会は「妊娠等について悩まれている方のための相談援助事業」をスタートし，2014年10月にはマニュアル[4]を作成・刊行している．しかし一番の課題は，このような「望まない妊娠・出産」を抱えた妊産婦，育児不安や孤立感を抱える妊産婦が産科診療機関や市町村相談窓口へなかなか足を運ばないことである．そこで分娩後早期に母親のメンタルヘルスや育児に対する状況・気持ちを理解し，母親への包括的なサポートを行うため，上記マニュアルでは自己記入式質問票として「育児支援チェックリスト」「エジンバラ産後うつ病質問票(EPDS)」「赤ちゃんへの気持ち質問票」(表1)の3つを使用することが推奨された．

さらに2015年4月に日本産科婦人科学会，日本産婦人科医会，日本周産期メンタルヘルス学会の3学会で「妊産婦メンタルヘルスに関する合同会議2015」が立ち上げられ，その報告書[5]では精神障害のハイリスク妊婦の抽出(妊娠期)には妊娠初期，中期，末期の3回，包括的質問

〔英国国立医療技術評価機構(NICE)のガイドラインで推奨されるうつ病・全般性不安障害を評価するための2項目質問票〕の使用，産後うつ病の抽出(産褥期)にはWhooleyうつ病スクリーニングやEPDSが推奨された．これらをまとめて，2017年7月に『妊産婦メンタルヘルスケアマニュアル』[6]が日本産婦人科医会より公式に発刊されている．

直近では，『産婦人科診療ガイドライン 産科編2020』のCQ420「産褥精神障害の取り扱いは？」という項目において「診断・治療に際しては，精神疾患に関する知識・経験が豊富な医師に必要に応じて相談するとともに，医療・行政を含めた継続的支援体制の構築を検討する(B)」と記載され，文言自体は2017年版と変更がないものの，その推奨はCからBへ引き上げられた．平成30年度診療報酬改定においても，精神障害を有する妊産婦への医療-行政の連携管理がハイリスク妊産婦連携指導料として加算対象となり，保険診療上でも多職種および官民連携の必要性が認識されている．

妊産婦の自殺

竹田らの報告[7]では2005年〜2014年の10年間に東京23区で妊婦および産後1年未満の妊産婦異常死を検討したところ，63例の自殺例があり，これは産科合併症を含む妊産婦死亡率(妊娠中および妊娠終了後満42日未満の死亡)の2倍以上であったことが明らかになった．産後1年以内の褥婦の命を奪っている最大の原因は出血でも羊水塞栓症でもない，自殺である．

実は平成28年度までは死亡診断書(死体検案書)において，妊娠・産褥期の記載をする項目がなく，「出産後満42日以上1年未満の死亡であって，産科的死亡に依らない場合は妊娠週数を記入する必要はない」とされていた．しかし，ICD10が2003年版から2013年版へ変更され，産後うつなどによる自殺も間接産科的死亡に反映されることとなった．よって平成29年度以降に発刊されている「死亡診断書(死体検案書)記入マニュアル」では，「妊婦又は出産後1年未満の産婦が死亡した場合は，産科的要因によるか否かにかかわらず，妊娠又は分娩の事実(妊娠満週数，産後満日数)を記入する」という記載が追加され，その記載があれば人口動態統計に反映される仕組みとなった．

同様に日本産婦人科医会では2010年より妊産婦死亡報告事業を開始しており，妊娠・分娩中および分娩後1年以内の死亡例を全例報告するよう求めており，おおむねこの2つの統計による数は一致しているのだが，人口動態調査に反映された後発妊産婦死亡数は平成29年度に1名，平成30年度で0名である．一方で平成28〜30年度厚労科研研究班(森崎班)[8]では，平成27〜28年度の人口動態統計出生票と死亡票の連結，ICDコードと死因の記載情報を元に，2年間で102例の自殺死亡例があることを特定した．うち妊娠中と死産後を除いても92例の褥婦の自殺死亡例が残り，やはり産科的原因で死亡が報告されている妊産婦の倍以上の値である．このことは，現状でも産婦人科医が把握しえない褥婦の自殺が多く存在していることを示唆しており，産褥精神障害に対する多職種連携と同様，多職種および行政との連携の重要性を強調したい．

産婦健康診査事業

事業の概要

このような各界の動きのあるなか，厚生労働省雇用均等・児童家庭局が2016年1月に改訂した「妊娠・出産包括支援事業概要」[9]のなかで，①産前産後サポート事業，②産後ケア事業，③妊娠・出産包括支援緊急整備事業，④妊娠・出産包括支援推進事業，の4つが条文化された．

表2 産婦健康診査実施要項（抜粋）

- 事業目的：産後うつの予防や新生児への虐待の予防などを図るために，産後間もない妊婦に対する健康診査にかかる費用を助成することで，妊娠期～子育て期にわたる切れ目ない支援体制を整備する．
- 産婦健康診査のうち，精神状態の把握についてはエジンバラ産後うつ病質問票の点数だけではなく，問診（精神疾患の既往，服薬歴など），診察（表情，言動など）も合わせて総合的に判断すること．ここですくい上げられた産婦に対してはセルフケアに対する助言，子育て世代包括支援センターや市町村相談窓口についての情報提供，精神科についての情報提供などを行う．
- 実施主体は市町村で
  1. 母体の身体的機能の回復，授乳状況及び精神状態の把握を行う．
  2. 結果は病院，診療所，助産所から市町村長へ速やかに報告される体制を整備する．
  3. 支援が必要と認められる妊婦に対し，「妊娠・出産包括事業支援」と「産後ケア事業」を実施すること．
- 対象者：産後2週間，産後1か月など，出産後間もない時期の産婦とする．対象者1人につき2回まで．
  （※明確に実施時期が定められているわけではない）
- 対象となる産婦健康診査内容
  ・問診（生活環境，授乳状況，育児不安，精神疾患の既往歴，服薬歴など）
  ・診察（子宮復古状況，悪露，乳房の状態など）
  ・体重・血圧測定

①～③については任意事業とされているが，産後ケア事業については多くの自治体が平成28年度より活動を始めており[10]，日帰り型やショートステイ型，訪問型など個々にプランを組んで事業を開始している．また平成29年4月1日より「産婦健康診査事業」が開始されるにあたり，厚生労働省から各都道府県・保健所設置市・特別区母子保健主管局へ伝達された実施要項[11]では**表2**のように示されている（抜粋）．

この大指針を受けて，現在，全国において「産婦健康診査事業」が実施されている．このように多くの妊産婦をスクリーニングできる機会を設け，社会的・精神的サポートが必要と診断された妊産婦に対しては，多領域協働チームとして対応していくべきである．それは産婦人科医療施設より情報提供を行う行政機関（母子保健／児童福祉担当課，福祉事務所，児童相談所，保健所など）やサポート事業を行う子育て世代包括支援センター，訪問事業や乳児院などの多岐にわたる．また前述の平成28～30年度厚労科研研究班（森崎班）[8]でも，抽出した褥婦の自殺例について，「35歳以上」「初産」「世帯の職業が無職」の女性において自殺率が高いことを指摘しており，妊娠中から個々のリスクに合わせ，注視していく必要がある．

さらに2016年6月に母子保健法が改正[12]され，市町村の子育て世代包括支援センター設置義務が明記された．令和2年度末までに全国展開を目指すこととされており，子育て支援のワンストップ拠点として位置づけられている．今後これらの連携により，産後うつ病による自殺や児童虐待件数の減少が期待される．

妊産婦の自殺予防

さらに2017年7月の自殺総合対策大綱[13]では「出産後間もない時期の産婦については，産後うつの防止等を図る観点から，産婦健康診査で心身の健康状態や生活環境等の把握を行い，産後の初期段階における支援を強化する」「生後4か月までの乳児のいる全ての家庭を訪問する，乳児家庭全戸訪問事業（こんにちは赤ちゃん事業）において，子育て支援に関する必要な情報提供等を行うとともに，産後うつの予防等も含めた支援が必要な家庭を把握した場合には，適切な支援に結びつける」という文言が追加され，閣議決定された．平成24年度版では高齢者や児童に関して言及していたが，妊産婦に関しては記載がなかった．いよいよ「妊産婦の自殺」というものが単一項目として関心事となってきている，ということだろう．

産婦健康診査の実施時期と回数

　前述の産婦健康診査の要項では「対象者は産後2週間，産後1か月など」という記載となっており，『産婦人科診療ガイドライン 産科編2020』でも同様の時期でのスクリーニングが推奨されている．実際に褥婦の不安や精神障害がどの時期に多く出現するのか，国内の報告を紹介する．

　本邦では子ども医療電話相談事業（#8000）というものが存在する．これは，本来15歳未満の小児において，夜間の病気や怪我について電話相談できる窓口，という位置づけで開設されたものだが，大阪小児科医会などの研究報告[14]では，平成26年度に大阪府に寄せられた電話相談を調査したところ，44件に1件が0歳児についてであった．新生児についての相談は年間500～600件あり，うち生後2週間での相談が40.8％と最も頻度が高いことがわかった．さらに新生児の相談のうち，実際に職員が受診を勧めたのは発熱で25.8％，嘔吐で10.8％と低く，軽度な症状に対しても不安感を強く抱く褥婦が多いことを示している．職員が判断し，症状へのこだわりや親の精神的不安の強い相談を「親の心の相談」と位置づけたところ，新生児で1.9％がこれに当たるものであった．母親の育児不安が強いのは生後1か月以内や退院直後である，との文献報告はあるが，基本は1か月健診での聞き取りによる調査しか行われてこなかったのが現状である．よって当報告からも，産婦健康診査を産後2週間前後に行うという判断は，疫学的妥当性があると考えられる．

産後の自殺予防プログラム「長野モデル」の事例[15]

　2020年7月，国立成育医療研究センターは，妊産婦の自殺防止のための地域母子保健システム「長野モデル」を開発し，産後3～4か月ならびに7～8か月にわたり，非介入群と比較して有意にEPDSの点数が低かったことを発表した．このモデルでは，新生児訪問時（産後1か月）に保健師がEPDSを使って褥婦の心の状態をアセスメントし，そこで項目10（自傷・自殺念慮）に加点があるほか，保健師が自殺念慮の可能性を感じた褥婦に対して心理的危機介入を行い，保健師，精神科医，産科医，助産師，看護師，小児科医，ソーシャルワーカーなどの多職種チームでフォローアップを行うというものである．このように産後1か月にとどまらず，長期間でのフォローアップに取り組んでいる自治体もある．

おわりに

　産婦健康診査で行われる産褥精神障害のスクリーニングの方法や有用性については今後の報告が待たれるところであるが，1か月健診までの間に産後健診を通じて母児の健康状態を評価することは，産褥精神障害の早期発見と自殺予防に有用である可能性がある．

◆ 文献

1) 中野仁雄，他：産後うつ病の実態調査ならびに予防的介入のためのスタッフの教育研修活動．厚生労働科学研究費補助金 総合研究報告書，平成13～14年度
2) 国立大学法人山梨大学：平成30年度子ども・子育て支援推進調査研究事業「健やか親子21（第2次）」中間評価を見据えた調査研究 事業報告書．2019
3) 厚生労働省：子ども虐待による死亡事例等の検証結果等について（第6～13次報告）．平成22年7月～平成29年8月
4) 日本産婦人科医会：妊娠等について悩まれている方のための相談援助事業連携マニュアル．日本産婦人科医会，2014
5) 竹田 省，他：妊産婦メンタルヘルスに関する合同会議2015 報告書．日産婦会誌 68：129-139, 2016

6）日本産婦人科医会：妊産婦メンタルヘルスケアマニュアル．日本産婦人科医会，2017
7）竹田 省，他：妊産婦死亡"ゼロ"への挑戦．日産婦会誌 **68**：1815-1822, 2016
8）大田えりか，他：産褥婦の自殺にかかる状況及び社会的背景に関する研究．平成 28〜30 年度厚生労働科学研究費補助金 行政政策研究分野 政策科学総合研究「周産期関連の医療データベースのリンケージの研究」分担研究
9）厚生労働省雇用均等・児童家庭局長：母子保健医療対策等総合支援事業の実施について．平成 17 年 8 月 23 日雇児発第 0823001 号（平成 28 年 1 月 20 日改訂版）
10）厚生労働省：平成 28 年度産後ケア事業事例集．http://www.mhlw.go.jp/file/06-Seisakujouhou-11900000-Koyoukintoujidoukateikyoku/H28sangokeazireisyu_1.pdf（2021 年 9 月アクセス）
11）厚生労働省雇用均等・児童家庭局母子保健課長：産婦健康診査事業の実施に当たっての留意事項について．平成 29 年 3 月 31 日雇児母発 0331 第 1 号
12）厚生労働省雇用均等・児童家庭局長：子育て世代包括支援センターの設置運営について．平成 29 年 3 月 31 日雇児母発 0331 第 5 号
13）自殺総合対策大綱（平成 24 年 8 月および平成 29 年 7 月閣議決定版）
14）福井聖子，他：大阪府小児救急電話相談（#8000）に寄せられる新生児の相談と育児不安の検討．母性衛生 **58**：185-191, 2017
15）Tachibana Y, et al：An integrated community mental healthcare program to reduce suicidal ideation and improve maternal mental health during the postnatal period: the findings from the Nagano trial. BMC Psychiatry **20**：389, 2020

〔涌井　菜央・荻田　和秀〕

新生児健診(乳児1か月健診含む)

POINT
- 施設での低血糖や黄疸の管理法を決めておくのが望ましい.
- ビタミンK投与法,新生児マススクリーニング,聴覚スクリーニングなど新生児管理法の最近の変化を理解する必要がある.
- 現代は育児が困難であることを理解して,家族に対応する必要がある.

DATA
- 生直後の呼吸数は40〜60回/分程度が正常で,それ以上は多呼吸とされる.
- 先天性難聴は1,000人に1人程度の発生頻度とされ,必ずしも少なくない.
- 生後1か月までの新生児のバイタルサインについて明確な基準はないが,心拍数は80〜160/分,呼吸数は30〜40/分程度が正常と思われる.
- 生後1か月頃の体重増加は,40g台/日程度のことが多く,60g/日を超えることはほとんどない.
- 生後1か月頃の睡眠時間は1日16時間(日中8時間,夜間8時間)とされている.

新生児の健診と管理(産科入院中)

診察

● 出生時の新生児の評価

出生時の状態を評価する方法としてアプガースコアが用いられる.1953年,ニューヨークのVirginia Apgarが提唱した評価法で,5項目について3段階の採点をし,合計点(満点10)をもってアプガースコアとする.一般的には生後1分と5分で判定し,1分値は児の出生時の状態を反映し,5分値は児の予後と相関するとされる.

● 計測・診察法

体重,身長,頭囲,胸囲を計測し,結果を出生体重標準曲線(図1)[1]上にプロットする.Light-for-dates(出生体重が10パーセンタイル未満)の児は低血糖や多血症のリスクがあり,低血糖がないか生後3時間くらいまで採血し確認する.各施設で採血の基準・方法を定めておくのが望ましい.出生したばかりの児は,低体温にならないようにウォーマー下で診察を行う.

● 視診

診察は視診,聴診,触診の順に行う.まず,全身の皮膚色,呼吸数,意識状態,手足の活動性をみる.末梢チアノーゼは正常所見である.蒼白色を呈する場合は血圧低下などの循環不全が示唆され,緊急の対応が必要である.呼吸数は生直後は40〜60回/分程度が正常で,それ以上は多呼吸とされる.肋間,肋骨弓下が吸気時陥凹する陥没呼吸は肺病変を示す所見である.
次に,外表奇形の有無をみる.合指症や鎖肛は見逃されることがあり,注意が必要である.

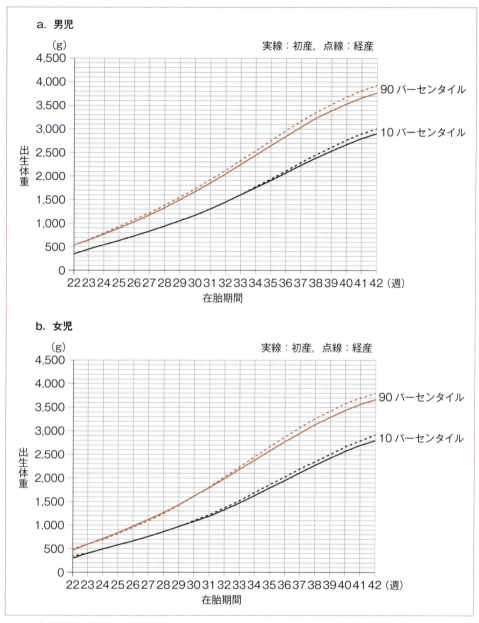

図1 在胎期間別出生体重標準曲線
黒線は10パーセンタイル，色線は90パーセンタイル．
(板橋家頭夫，他：日小児会誌 114：1271-1293, 2010 より改変)

母斑，出血斑，発疹の有無などもみる．顔面においては眼球の異常，口唇・口蓋裂の有無，耳介奇形の有無を確認する．

● 聴診

呼吸音，心音，腸音を確認する．出生直後は湿性ラ音が聴取されても構わない．呻吟は唸るような声で，呼吸窮迫症候群などに特徴的だが，気胸などでも聴取される．心音では，心拍数，不整脈の有無，心音の強弱，心雑音などを確認する．出生時には三尖弁逆流の収縮期雑音を聴取することがあり，生後1日には動脈管開存による血流の雑音，さらに1週間程度からは生理的肺動脈狭窄の雑音が聴取されることがある．新生児期早期は生理的肺高血圧の存在か

ら，先天性心疾患を合併していても心雑音が必ずしも聴取されない．心音の最強点が正中付近にないときは，気胸や横隔膜ヘルニアを考える．

● 触診

頭部で大泉門の膨隆・緊張をみる．また，頭血腫と産瘤を区別する．鎖骨骨折は触診で診断できる．腹部では肝の大きさ，脾臓の触知の有無，腫瘍・腫瘤の触知の有無をみる．陰部では，鼠径ヘルニア，陰嚢水腫，停留睾丸の有無をみる．股関節脱臼については開排制限を確認し，70度以上の開排が必要だが，生直後では判断が困難なこともあり，その場合は1か月健診で確認する．

● 神経学的所見

筋の緊張度，姿勢からフロッピーインファントでないことを確認する．モロー反射は児の後頭部を支え上体を挙上し，急に後頭部の支えをなくし後ろに倒れるようにすると誘発できる．児は両手を広げる第一相と抱きつくように両手を閉じる第二相の動きを示す．ただし，一般の診察で，反射誘発は必ずしも必要ではない．

入院中の新生児への対応

● 黄疸

新生児は生理的にも黄疸を発症する．黄疸の原因分子はヘモグロビンが代謝されたビリルビンで，新生児生理的黄疸の原因は複合的である．新生児の黄疸には時に病的黄疸が含まれ，高ビリルビン血症が高度になるとビリルビン脳症から神経障害をきたすため，十分な管理が必要である．

生後24時間以内の顕性黄疸（総ビリルビン≧5〜7 mg/dL）や総ビリルビン値が1日≧5 mg/dL の上昇を呈する場合，光線療法の適応基準（図2）[2]を超える場合は，速やかに治療を開始する．

新生児黄疸の管理は経皮的ビリルビン測定器で行われるが，図2に示す光線療法の適応基準に近づいている場合は，実際に採血し総ビリルビン値を測定する．施設ごとにこの採血基準を定めておくとよい．適応基準を超えていることが確認されたら光線療法を行うが，早発黄疸や高度の黄疸などの場合は，小児科への搬送を行う必要がある．

また近年，生直後に核黄疸の症状を示さないものの，その後に脳性麻痺，難聴，MRI検査での淡蒼球高信号を示す早産児のビリルビン脳症の報告が増えている．従来の光線療法の適応基準では発症を予防できない可能性が指摘され，新しい光線療法・交換輸血の基準が提案されている[3]．

● 新生児マススクリーニング

本邦では現在，全国的にタンデムマス法が導入され対象疾患が増加し，タンデムマス法を用いないガラクトース血症，副腎皮質過形成，甲状腺機能低下症を除くと24種類の脂肪酸代謝異常，有機酸代謝異常，アミノ酸代謝異常が対象疾患となっている．濾紙に採血し検査機関に送付する．十分な代謝異常物質の蓄積が必要で，授乳量が十分になった日齢4〜6に採血を行う．出生体重が2,000 g未満の場合は，再検査を含めた二度の検査が求められている．

結果の説明については，検査機関から結果が病院に郵送されるので，「保護者用」を家族へ渡して説明する．「要再検」の結果となったときは，採血し再検査を提出する．「要精密検査」になった場合は，至急，専門医療機関を紹介する．

● ビタミンK投与

ビタミンKは胎盤の通過が少ないため，新生児は生理的にビタミンK欠乏の状況にある．そのためビタミンK依存性凝固因子の障害により，新生児早期の消化管出血や乳児期の頭蓋

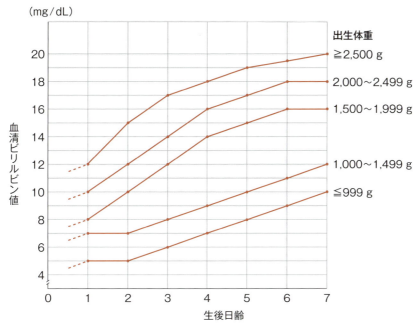

図2 光線療法の適応基準
(井村総一：日本臨牀 43：1741-1748, 1985)

内出血などの出血症状がみられる．その予防のために，新生児では出生当日および退院前の日齢5前後にビタミンK製剤2mgを内服させる．

一方，2005年に行われた全国調査で，出生後3回のビタミンK製剤内服でも出生50万人に1人の頻度でビタミンK欠乏性出血が発生していることから，2011年に日本小児科学会が作成した「新生児・乳児ビタミンK欠乏性出血症に対するビタミンK製剤投与の改訂ガイドライン(修正版)」では，出生後3回のビタミンKの予防投与に加えて，生後3か月まで週1回ビタミンK_2を投与する方法もある，という留意点が付記され，その方法をとる施設も増えてきている．

● 聴覚スクリーニング

先天性難聴は問題となる両側難聴が1,000人に1人程度の発生頻度とされ，必ずしも少なくない．そこで，全国的に新生児聴覚スクリーニングが実施されるようになってきている．検査としては自動聴性脳幹反応(automated ABR：AABR)や耳音響放射(OAE)が用いられる．AABRでrefer(要再検)となった場合は，1週程度後か1か月健診の際に再検査を行う．そこでもreferとなった場合は，専門機関に紹介する．

1か月健診

概要

育児は住宅や社会環境にもかかわるため，現代の育児には，一世代前とは別の知識が必要である．現代は雑誌やインターネットの情報は多いかもしれないが，育児経験のある人が少なく，育児が大変難しい時代といえる．健診で細かな点を指摘し，不安を強めることはしてはならず，できるだけ親の育児を肯定し，励ます指導を行うべきである．

1か月健診には3つのポイントがある．1つ目は見つけるべき疾患を見落とさず適切な紹介

表1　1か月健診で見つかる主な症候・疾患と対応

症候・疾患	対応
多呼吸，努力性呼吸	至急小児科紹介
心雑音	心室中隔欠損，生理的肺動脈狭窄などの場合あり，汎収縮期雑音は小児科紹介
内斜視	明らかであれば眼科紹介
鵞口瘡	重症なら抗真菌薬処方
血管腫	通常，経過観察
湿疹	多くは脂漏性湿疹，石鹸洗顔．炎症あれば軟膏処方
吐乳	噴水状，体重増加不良あれば肥厚性幽門狭窄の可能性あり，小児外科紹介
腹部膨満	緊満し排便がスムーズでない場合は，ヒルシュスプルング病の可能性あり，小児外科紹介
腹部腫瘤	小児科紹介
臍ヘルニア	生後数か月まで増悪するがその後改善する．通常経過観察
鼠径ヘルニア	小児外科紹介
停留睾丸	小児外科紹介
おむつかぶれ	殿部浴指導および軟膏処方
股関節脱臼	明らかであれば整形外科紹介
胆道閉鎖症	灰白色便あれば至急小児外科紹介
頭血腫	骨化し消退までは数か月かかる．放置
口唇口蓋裂	形成外科ないし口腔外科紹介
副耳	希望あれば形成外科紹介
皮膚洞	殿裂に隠れないようなら脳外科など紹介
フロッピーインファント	小児科紹介

先を知らせることで，2つ目はすぐに受診は必要ではなくても経過観察が必要な場合にフォローすることである．3つ目は，育児に何らかの改善すべき点があれば，それを伝えることである．

手順と具体的方法

● 健診全体の流れ

　親子を迎える前に，産科入院中のカルテと母子手帳から，母親の妊娠・分娩歴や合併症の有無と児の出生後の経過を確認する．続いて，看護師に児の体重，身長，頭囲，胸囲の計測を依頼する．

　最初に，母親から種々の情報を得る．まず母乳か人工乳か，授乳間隔，授乳量の確認を行う．次に，何か心配がないか尋ね，質問や不安を踏まえて診察を行う．特に問題となる所見がなければその旨を告げ，質問があれば1つひとつ答える．回答が終わったら本日の体重を告げ，1か月の体重増加を計算し，後述する栄養指導を行う．

● 診察

　生後1か月で見つかる主な症候・疾患と，それらへの対応を表1に示す．

　生後1か月までの新生児のバイタルサインについて明確な基準はないが，心拍数は80〜160/分くらい，呼吸数は30〜40/分程度が正常と思われる．心拍は200を超えるような頻拍でないこと，呼吸は回数よりも努力性でないことの確認が必要である．

　診察では，まず視診を行う．全身を観察し，皮膚色，呼吸数，意識状態，手足の活動性をみる．皮膚色については，黄疸，チアノーゼの有無をみる．出生時にはなかった血管腫がみられることも稀でない．脂漏性湿疹は半数以上の児にみられる．

　次に，呼吸音，心音，腸音を聴取する．啼泣していて聴取できないときは，おしゃぶりを使用するか児自身の指をしゃぶらせるとよい．呼吸音では，左右差と異常呼吸音の有無を確認す

る．心音では，心拍数，不整脈の有無，心音の強弱，心雑音を確認する．正常児でも，生後1週間程度から胸部の左右(中心でなく)で駆出性雑音が，特に背部でよく聴こえる．これは生理的な末梢性肺動脈狭窄の場合がほとんどで，Ⅱ音の亢進がなく全身状態が良好であれば，次回の健診(自治体で行われる4か月健診など)に回してよい．汎収縮期雑音の場合は心室中隔欠損のことが多い．雑音の強弱は重症度と関係なく，むしろⅡ音の亢進を伴う場合は注意が必要である．

腹部の触診では，膨満の程度，肝脾触知の有無，腫瘤触知の有無をみる．新生児期の腹部は膨満しているのが普通である．緊満というほどでなく哺乳力も正常なら，まず正常範囲である．陰部では，鼠径ヘルニア，陰嚢水腫，停留睾丸，陰唇癒合の有無をみる．

次に，児の両手をもち上体を挙上する．左手で頭を支え，ゆっくりと頭を前後に揺すると，新生児は目を開くので，眼球，瞳孔，結膜などを観察する．次に，頭部を触診し，その後，少し首を後屈し口腔内をみる．頭部の触診としては，大泉門の膨隆・緊張や頭血腫の経過を観察する．最後に，腹臥位とし，後頭部・背部・腰部を診察する．全身の診察の間，母斑，出血斑，発疹にも注意する．

● ビタミンK

3回法を採用している施設では忘れずにビタミンK内服を行う．もし，毎週投与法を採用している場合は，母乳栄養のほうが多いと判断される児では，3か月間，この投与を続けるように指導する．

● 育児指導

小児科の代表的教科書『Nelson Textbook of Pediatrics』でも，生後1か月以内の新生児の発育については詳しい記述がない．体重は生後2週までに出生体重に戻ることや，生後1か月の時点で，出生時より，計算上30 g/日の増加となることなどが記されているだけである．

新生児の体重は産院退院前後の生後1週頃が最低値で，退院時の体重からの計算の経験から，その後の発育は40 g台/日程度のことが多く，60 g/日を超えることはほとんどない．また，30 g/日以下の体重増加だと，児が常に泣いていて頻回授乳になっていることが多い．おそらく，退院後は30 g/日以上の体重増加が生理的で，40 g/日くらいの増加が標準的だと思われる．

これらを参考にして，母乳栄養の続け方，ミルクを足す場合の足し方を指導する．体重4 kgの児では700〜800 mL/日(175〜200 mL/kg/日)の授乳が普通で，600 mL(150 mL/kg/日)だと30 g/日程度の体重増加となりぎりぎりという感じになる．1か月健診の母親の心配の中心は栄養であり，その指導が何より重要である．問題のありそうな場合は，よく時間をかけて説明する．

また，『Nelson Textbook of Pediatrics』には，生後1か月は16時間の睡眠で，日中8時間，夜間も8時間，新生児は寝ていると記載されている．

最後に，健診の終了時に，今後，買い物や散歩などの外出に一緒に出られること，ベビーバスでなく家のお風呂に入れることなどを説明する．

◆ 文献

1) 板橋家頭夫, 他：新しい在胎期間別出生時体格標準値の導入について. 日小児会誌 114：1271-1293, 2010
2) 井村総一：光線療法の適応基準と副作用の防止. 日本臨牀 43：1741-1748, 1985
3) 森岡一朗, 他：早産児の黄疸管理—新しい管理方法と治療基準の考案. 日周産期・新生児会誌 53：1-9, 2017

(髙橋　尚人)

乳幼児の予防接種スケジュール

POINT
- 生後2か月から予防接種が始まるため，最新の情報を確認し，退院前または1か月健診で保護者に説明する．
- B型肝炎ウイルス母子感染予防に関しては生後早期にHBIG，B型肝炎ワクチンの接種がある．

はじめに

　予防接種とは，ワクチンを用いて行う感染予防の手段である．近年，国内で接種可能なワクチンの数が増加し，接種スケジュールも大きく変化してきた．特に乳児期の接種スケジュールは過密であり，保護者へ適切な説明を行い，接種を進める必要がある．本稿では，2021年8月現在の国内での予防接種制度について概説する．

国内で接種可能なワクチン

　2021年8月現在，国内で接種可能なワクチンは，生ワクチン9種類，不活化ワクチンおよびトキソイド18種類，新型コロナウイルスに対するmRNAワクチンの合計28種類である（**表1**）．これらのワクチンの接種スケジュールを示す（**図1-1，1-2**）．

表1 国内で接種可能なワクチンの種類

生ワクチン	不活化ワクチン・トキソイド
・BCG ・麻疹・風疹混合(MR) ・麻疹 ・風疹 ・水痘 ・流行性耳下腺炎 ・黄熱 ・ロタウイルス1価 ・ロタウイルス5価	・B型肝炎 ・百日咳・ジフテリア・破傷風・不活化ポリオ混合(DPT-IPV) ・百日咳・ジフテリア・破傷風混合(DPT) ・ジフテリア・破傷風混合トキソイド(DT) ・不活化ポリオ(IPV) ・日本脳炎 ・インフルエンザ ・肺炎球菌13価結合型 ・肺炎球菌23価多糖体 ・インフルエンザ菌b型(Hib) ・ヒトパピローマウイルス(HPV)2価 ・ヒトパピローマウイルス(HPV)4価 ・破傷風トキソイド ・成人用ジフテリアトキソイド ・A型肝炎 ・狂犬病 ・髄膜炎菌4価結合型 ・帯状疱疹
mRNAワクチン	
・新型コロナ	

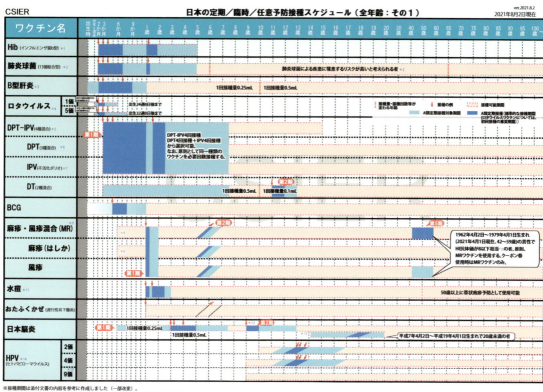

図1-1 日本の予防接種スケジュール（その1）

〔国立感染症研究所感染症疫学センター 予防接種スケジュール（https://www.niid.go.jp/niid/images/vaccine/schedule/2021/JP20210802_02.pdf）より転載〕

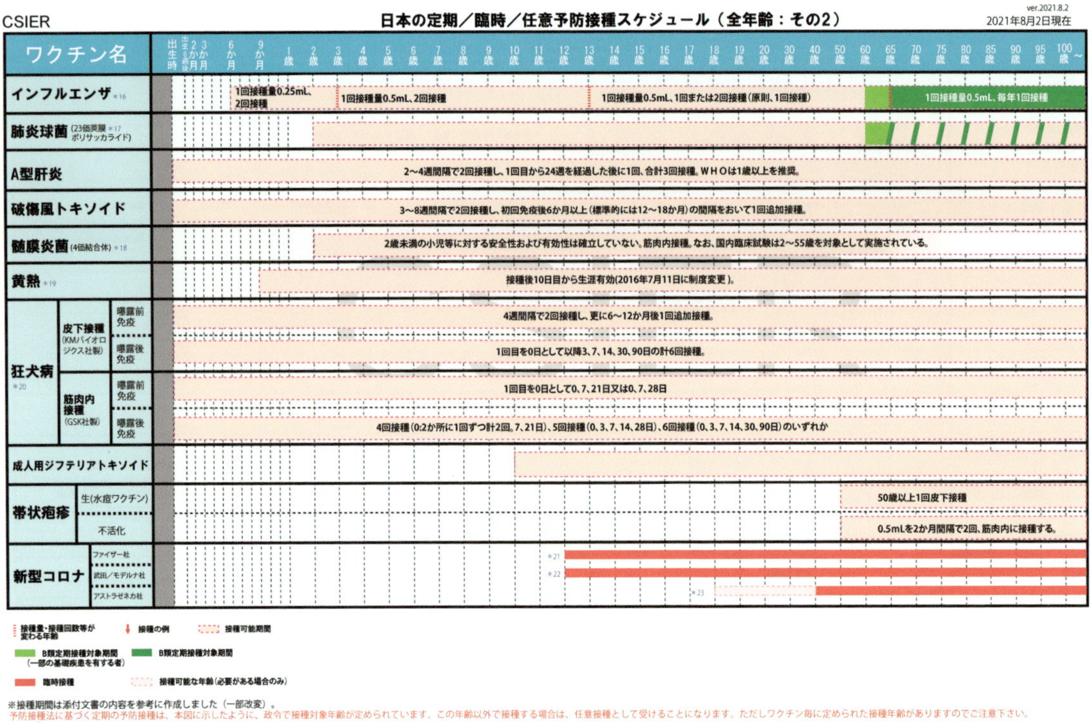

*23 2021年5月21日に製造販売承認（バキスゼブリア筋注：アストラゼネカ社）。8月3日から接種開始。希釈せず、1回0.5mLを合計2回、通常、4～12週間の間隔（8週間以上の間隔をおくことが望ましい。）をおいて、筋肉内に接種する。2021年8月3日の適用開始時点においての接種対象者は以下のとおり。18歳未満の者への接種には使用しないこと。また、必要がある場合を除き、18歳以上40歳未満の者への接種には使用しないこと。必要がある場合とは、以下に該当する場合であること。・対象者が他の新型コロナワクチンではなく特にアストラゼネカ社のコロナウイルス（SARS-CoV-2）ワクチン（遺伝子組換えサルアデノウイルスベクター）の接種を希望する場合（他の新型コロナワクチン含有成分へのアレルギーがある場合等）・他の新型コロナワクチンの流通停止等、緊急の必要がある場合

図 1-2　日本の予防接種スケジュール（その 2）

図中の赤矢印は接種時期の例である．定期接種は，予防接種法により接種対象年齢や回数が定められている予防接種のことで，通常，定期接種は生後 2 か月から開始する．ただし，これはあくまで一例であり，児の基礎疾患の有無や体調に応じ，かかりつけ医と保護者が相談し，個々に接種スケジュールを調整することが重要である．なお，新型コロナワクチンは予防接種法に基づく臨時接種と位置づけられているが，現在は満 12 歳以上が対象とされており，乳幼児への接種は行われていない．

ほかに留意することとして，定期接種のワクチンと任意接種のワクチン（表 2）では，費用助成と健康被害救済制度に差がある．定期接種には公費助成があるが，任意接種は，原則的に保護者の自己負担となる．ただし，疾病の予防のためには，任意接種のワクチンも定期接種のワクチンと同様に重要であり，有効性や安全性に問題はない．自治体によっては任意接種にも公費助成を行っている場合がある．事前に居住地の市町村に確認しておくことが大切である．

また，近年，予防接種の種類，スケジュールは大きく変化しており，今後も変更が予想される．常に最新の情報をもとに保護者に説明する必要がある．最新の予防接種スケジュールは，国立感染症研究所感染症疫学センターのホームページ（https://www.niid.go.jp/niid/ja/vaccine-j/2525-v-schedule.html）などで確認することができる．

表2　定期接種と任意接種

定期接種	任意接種
• BCG • 麻疹・風疹混合(MR) • 麻疹 • 風疹 • 水痘 • B型肝炎 • 百日咳・ジフテリア・破傷風・不活化ポリオ混合(DPT-IPV) • 百日咳・ジフテリア・破傷風混合(DPT) • ジフテリア・破傷風混合トキソイド(DT) • 不活化ポリオ(IPV) • 日本脳炎 • インフルエンザ • 肺炎球菌13価結合型 • 肺炎球菌23価多糖体 • インフルエンザ菌b型(Hib) • ヒトパピローマウイルス(HPV)2価 • ヒトパピローマウイルス(HPV)4価 • ロタウイルス1価 • ロタウイルス5価	• 流行性耳下腺炎 • 黄熱 • 破傷風トキソイド • 成人用ジフテリアトキソイド • A型肝炎 • 狂犬病 • 髄膜炎菌4価結合型 • 帯状疱疹
	臨時接種
	• 新型コロナ

ワクチン接種時の注意点

接種間隔

　これまでは注射生ワクチン接種後に別のワクチンを接種する場合は，中27日以上あける必要があった．つまり，4週間後の同じ曜日に次のワクチンを接種できる．これは，生ワクチンが体内で増殖することによる干渉を避けるためとされていた．また，これまで日本特有の制度として，不活化ワクチン，経口生ワクチン接種後に別のワクチンを接種する場合は，それぞれ中6日，および27日以上あけることとなっていた．しかし，これらのワクチン接種については，接種間隔をあけなければならない医学的根拠はない．予防接種に関する間違いや接種の遅れの原因となっていたこともあり，2020年10月より注射生ワクチン同士の組み合わせを除き，異なるワクチンの接種間隔に関する制限は撤廃された．ただし，生ワクチン，不活化ワクチンのいずれにおいても，同一のワクチンを複数回にわたって接種する場合は，添付文書に記載されている接種間隔の制限を優先する．

　スケジュールが複雑で誤接種のリスクがあるため，ワクチンの接種前には必ず種類，接種間隔，年齢などを確認することが重要である．前述のホームページでは，「予防接種における間違いを防ぐために」というパンフレットが公開されている(https://www.niid.go.jp/niid/images/vaccine/machigai-boushi-2021_03.pdf)．それぞれのワクチンの接種スケジュールについて説明されており，そちらも参照されたい．

同時接種

　複数の種類の予防接種を行う方法として，単独接種と同時接種がある．近年では，前述のような乳児期の過密な接種スケジュールの影響もあり，別々の部位に同時にワクチンを接種する同時接種が増加している．複数のワクチンを同時接種した場合にも，有効性について相互の干

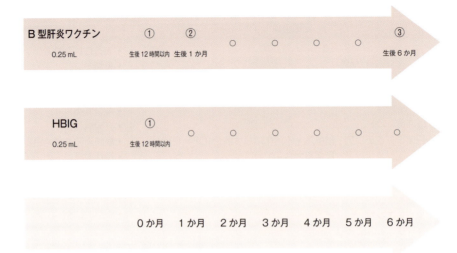

図2　B型肝炎ウイルス母子感染予防スケジュール
〔日本小児科学会：B型肝炎ウイルス母子感染予防のための新しい指針(https://www.jpeds.or.jp/uploads/files/HBV20131218.pdf)より作成〕

渉がないこと，有害事象の頻度が上がることがないこと，接種できるワクチンの本数に制限がないことが知られており，「日本小児科学会の予防接種の同時接種に対する考え方」によると，同時接種は「日本の子どもたちをワクチンで予防できる病気から守るために必要な医療行為」である．同時接種を行う場合に注意すべき点としては，複数のワクチンを同じシリンジに混ぜて接種しないこと，接種部位として上腕外側および大腿前外側があること，それらの部位の同側の近いところに接種する場合は，接種部位の局所反応が出た場合に重ならないように，少なくとも2.5 cm以上あけることなどが挙げられる[1]．

B型肝炎ウイルス感染予防

B型肝炎ワクチンの接種は，母子感染予防と水平感染予防で接種スケジュールが異なる．

母子感染予防

母親がHBs抗原陽性のB型肝炎ウイルスキャリアの場合，母子感染予防の適応となる．その場合のスケジュールを示す(図2)[2]．生後12時間以内を目安に抗HBsヒト免疫グロブリン(HBIG)を筋肉内注射し，同時にB型肝炎ワクチンの皮下注射も行う．もし生後12時間を過ぎて遅くなった場合も，できるだけ早期に行う．HBIGの接種はこの1回のみで，生後1, 6か月にB型肝炎ワクチンを追加で接種する．接種終了後，生後9〜12か月を目安に効果判定を行うこととなる．効果判定には，HBs抗原とHBs抗体を測定する(表3)．母子感染予防のためのHBIG，B型肝炎ワクチンは健康保険適用である．

水平感染予防

水平感染予防に関しては，幼児期にB型肝炎ウイルスの感染が生じている可能性があるため，2016年4月1日以降に生まれた児を対象に，2016年10月から定期接種となった．標準的

表3 B型肝炎ウイルス母子感染予防の効果判定

生後9〜12か月を目安にHBs抗原,HBs抗体を測定	①HBs抗原陰性かつHBs抗体≧10 mIU/mLであれば終了 ②HBs抗原陰性かつHBs抗体＜10 mIU/mLであれば3回追加接種(下の段へ) ③HBs抗原陽性であれば専門機関へ紹介
追加接種終了後1〜2か月を目安にHBs抗原,HBs抗体を測定	①HBs抗原陰性かつHBs抗体≧10 mIU/mLであれば終了 ②HBs抗原陰性かつHBs抗体＜10 mIU/mLであれば,無反応例として専門機関へ紹介 ③HBs抗原陽性であれば専門機関へ紹介

〔日本小児科学会：B型肝炎ウイルス母子感染予防のための新しい指針(https://www.jpeds.or.jp/uploads/files/HBV20131218.pdf)より作成〕

なスケジュールは，生後2,3,7〜8か月の3回接種となっている．

おわりに

　定期接種，任意接種が生後2か月から始まるため，退院前，または1か月健診で予防接種について保護者に説明し，スケジュールを調整することが重要である．B型肝炎ウイルス母子感染予防に関しては生後早期にHBIG，B型肝炎ワクチンの接種があることにも留意が必要である．

◆ 文献

1) 日本小児科学会：日本小児科学会の予防接種の同時接種に対する考え方．http://www.jpeds.or.jp/uploads/files/doji_sessyu20201112.pdf(2021年9月アクセス)
2) 日本小児科学会：B型肝炎ウイルス母子感染予防のための新しい指針．https://www.jpeds.or.jp/uploads/files/HBV20131218.pdf(2021年9月アクセス)

（廣畑　晃司・髙橋　尚人）

索引

欧文

数字・ギリシャ文字

1型糖尿病,劇症　321
13トリソミー　102
18トリソミー　93, 102
21トリソミー　93, 102
50gGCT　137
75gOGTT　137
β遮断薬　315
$β_2$ 刺激薬
——,吸入　350
——,貼付型　350

A

AABR　411
accreta　173
ACE阻害薬　386
AFI　196, 261
AFP　76
AI　30
AIDS　24
amniotic fluid index　196
amniotic fluid pocket　195
amniotic membrane　14
AP　195
APS　337
ARB　386
ARPKD　157
ART　48
automated ABR　411
avidity Index　30

B

B型肝炎　18
B型肝炎ウイルス母子感染予防　418
B群溶連菌検査　144
B群レンサ球菌　**167**, 243
bacterial vaginosis　132

banana sign　154
Beckwith-Wiedemann症候群　54
biophysical profile score　259, 262
biparietal diameter　147
Bishopスコア　246
Blake's pouch cyst　152
BMI　369
BNP　330
BPD　147, 272
BPS　259, 262
brain natriuretic peptide　330
BUN　324
BV　132

C

Ca拮抗薬　315
CA-125　75
CAM　163
cardiotocogram　259, 264
CARPREGリスクスコア　329
CCr　324
cephalopelvic disproportion　270
cervical intraepithelial neoplasia　83
CHB　339
chorioamnionitis　163
CIN　83
CKD　323
combined spinal epidural　399
confined placental mosaicism　203
contraction stress test　251, 259, 264
COVID-19　25, 382
CPD　270
CPM　203
Cr　324
CRL　13
crown-rump length　13
CSE　399
CST　251, 259, 264
CTG　259, 264

cystic hygroma　95

D

Dダイマー検査　224
DD双胎　42
decidual polyp　80
dichorionic diamniotic　42
double decidual sign　12
DPE　399
DVT　222

E

E_3　254, 256
early-onset preeclampsia　313
EC　298
EFW　147, 204
eGFR　324
embryo　12
emergent contraceptive　298
endocervical polyp　80
EO-PE　313
EPDS　301, 403
estimated fetal weight　147

F

FASD　372, 387
femur length　148
fetal alcohol spectrum disorders　372, 387
fetal growth restriction　147, 201
fetal ultrasound cardiogram　12
fetomaternal hemorrhage　118
fetus　12
FGR　**147**, 201
FL　148
funneling　129

G

GA　137, 229, 319
GBS　167
GBSスクリーニング　243

GDM 136, 227, 318, 338
genetic sonography 102
gestational diabetes mellitus
　　　　　　　　136, 227, 318
gestational sac 12
GFR 324
group B *Streptococcus* 167
GS 12
Guthmann 法 272

H
HbA1c 137, 229, 319
HBe 抗原 18
HBs 抗原 18
HBV 18
hCG 10
──, 血清 49
Hot 値 114
HCV 抗体 19
HDP 184, 312
HELLP 症候群 **184**, 315
hemolytic disease of the fetus and newborn 118
HIV 24
hPL 254
HTLV-1 23, 144
human chorionic gonadotropin 10
hypertensive disorders of pregnancy 184, 312

I・J
IAP 167
IBD 340
idiopathic thrombocytopenic purpura 343
IgA 腎症 325
IgG 抗体 20, 30
IgM 抗体 20, 30
increta 173
intrapartum antibiotic prophylaxis 167
intrauterine contraceptive system 298
intrauterine device 298
intrauterine fetal death 215
ITP 343
IUD 298
IUFD 215
IUS 298
IVIG 345

JIA 341

L
large for gestational age 147
latch on 286
late-term pregnancy 275
lemon sign 154
Leopold 手技 208
Leopold 診察法 271
LGA 147
low lying placenta 90

M
marginal placenta previa 90
Martius 法 272
maximum vertical pocket 195
MD 双胎 42
metabolic equivalents 376
METs 376
MM 双胎 43
modified WHO 分類 329
monochorionic diamniotic 42
monochorionic monoamniotic 43
morning sickness 37
mRNA ワクチン 382
mucus plug 163
Muller 法 271
MVP 195

N
NIPT 101
NLE 339
non-invasive prenatal testing 101
non-reactive 260
non-stress test 251, 259, 264
non-reassuring fetal status 264
NRFS 264
NSAIDs 388
NST 251, 259, 264
NT 測定 96
NT 肥厚 96
nuchal translucency 96
Nugent score 133

O
OAE 411
OC 298
oral contraceptive 298
overt diabetes in pregnancy 136

P
partial placenta previa 90
patient controlled analgesia 399
PCA 399
percreta 173
PI 263, 266
PIB 399
PIH 184
placental migration 90
PLI 263
posterior reversible encephalopathy syndrome 187
postpartum hypertension 313
postterm pregnancy 275
preconception care 318
pregestational diabetes mellitus 136
pregnancy-induced hypertension 184
preload index 263
premature rupture of the membranes 211
PRES 187, 315
preterm labor 160
preterm PROM 211
programmed intermittent bolus 399
PROM 211
pulsatility index 263, 266
punch biopsy 79

R
RA 340
reactive 260
resistance index 263, 266
RI 263, 267
RT 234

S
SARS-CoV-2 24
Seitz 法 271
selective IUGR 179
severe acute respiratory syndrome coronavirus 2 24
SLE 325, 337
sludge 129
SPE 313
SS 337
station 247
SU 229, 320

superimposed preeclampsia 313

T
TAPS 179
tender loving care 66
tocolysis 160
TORCH 症候群 203
total placenta previa 90
TP 抗体 22
TRAP sequence 180
TTTS 177
twin anemia polycythemia sequence 179
twin reversed arterial perfusion sequence 180
twin-twin transfusion syndrome 177

V
vanishing twin 46
VAST 259
vibro-acoustic stimulation test 259

W
Wells score system 223
WHO 分類, modified 329
Whooley らの二質問法 363

Y・Z
yolk sac 12
ZAHARA スコア 329

和文

あ
アスピリン・ヘパリン併用療法 67
アセトアミノフェン 344
アプガースコア 408
アミノグリコシド系抗菌薬 388
アミノフィリン 350
アムロジピン 316
アルコール 372, 387
アレルギー発症予防 371
アンジオテンシンⅡ受容体拮抗薬 386
アンジオテンシン変換酵素阻害薬 386
アンドロゲン 387
亜鉛欠乏性貧血 114
赤ちゃんへの気持ち質問票 403

い
イソトレチノイン 386
インスリン療法 138, 229, 320
インフルエンザ 381
位置異常, 胎児の 208
医療事故調査制度 220
異所性妊娠 11, 16, **48**
違法薬物 372
遺伝カウンセリング 102, **107**
育児支援チェックリスト 403
育児指導 413
育児不安 406
一児死亡 46
一児発育遅延 46
一絨毛膜一羊膜双胎 43
一絨毛膜双胎 44
一絨毛膜二羊膜双胎 42, 177
一卵性双胎 43
一過性徐脈 266
飲酒 372

う
ウィルヒョウの3徴 222
ウェルニッケ脳症 37
うつ病, 妊娠 361
運動強度 375
運動の指導 374

え
エコーパターン分類, 卵巣腫瘍 73
エジンバラ産後うつ病自己評価票 301
エストリオール 254, 256
エストロゲン 256
エトレチナート 386
エナラプリル 316
エノキサパリン 225
エルブ–デュシェンヌ麻痺 244
円錐切除後の妊娠管理 128
円錐切除術 79, 232
炎症性腸疾患 340
塩分摂取 369

お
オキシトシン 251, 284
悪露 293
黄疸 410
横位 208
横隔膜ヘルニア, 先天性 94, 154
音響刺激試験 259

か
カフェイン 369
カルジオリピン 21
カルバマゼピン 358, 386
カルボキシマルトース第二鉄 114
下肢静脈血栓症 222
下肢静脈瘤 221, 239
下大静脈 263
下腹痛 193
下部尿路閉塞 156
可逆性白質脳症 187, 315
加重型妊娠高血圧腎症 184, 313
加熱式タバコ 372, 388
過期妊娠 275
外回転術 209
外痔核 240
拡張期血圧 315
完全流産 16
患者管理鎮痛法 399
嵌入胎盤 173
間欠ボーラス投与 399
間葉性異形成胎盤 53
感染症検査の評価 18
関節炎, 若年性特発性 341
関節リウマチ 340
含糖酸化鉄 114

き

気管支喘息　348
奇形，動静脈　293
既往子宮手術　232
機能性囊胞　76
喫煙　371
吸入抗コリン薬　350
吸入ステロイド薬　350
吸入 β_2 刺激薬　350
急性腎不全　184
胸郭断面比　155
胸部 X 線撮影　330
筋腫核出術　234
禁煙　371
緊急避妊法　298

く

クアトロテスト　102
クエン酸第一鉄　114
クラミジア検査　144
クリンダマイシン　134, 290
クレアチニン，血清　324
クレアチニンクリアランス　324
クレキサン　225
クロマイ　134
クロラムフェニコール　134
グリコアルブミン　137, 229, 319
グリベンクラミド　229, 320
軀幹横径　148
軀幹横断面計測　148
軀幹周囲長　148
軀幹前後径　148
軀幹断面積　148
空腹時血糖　136, 227

け

ケトアシドーシス，糖尿病　321
経口避妊薬　387
痙攣発作，全身　354
稽留流産　15, 59
頸管長の評価　125
頸管粘膜ポリープ　80
頸管の成熟度の評価　245
頸管縫縮術　126
　──，予防的　126
頸管無力症　125
頸部囊胞　154
警告出血　174
劇症 1 型糖尿病　321

血圧
　──，拡張期　315
　──，収縮期　315
血液型判定　118
血液型不適合妊娠　118
血液検査
　──，初期　87
　──，中期以降　145
血液量　329
血流計測　253
血小板減少性紫斑病，特発性　343
血清 hCG　49
血清クレアチニン　324
血清尿素窒素　324
血清マーカー　102
血栓性静脈炎　222
血栓性素因合併妊娠の管理　69
血糖コントロール　138
健診回数　3
健診スケジュール　2
検査
　──，産後健診　280
　──，初診時　8
　──，妊娠 12〜21 週　87
　──，妊娠 22〜36 週　144
　──，妊娠 37 週以降　243

こ

コーヒー　368
コルポスコピー所見　83
コントラクションストレステスト
　　　　251, 259, 264
コンバインド検査　102
こむら返り　238
子育て世代包括支援センター　405
枯死卵　16
口唇口蓋裂　154
口唇裂　154
甲状腺機能異常　333
甲状腺機能異常合併妊娠の管理　69
甲状腺機能異常症，出産後　335
甲状腺機能亢進症　333
甲状腺機能低下症　334
広汎性子宮頸部摘出術　234
抗菌薬
　──，アミノグリコシド系　388
　──，テトラサイクリン系　388
抗痙攣薬　386
抗コリン薬，吸入　350
抗てんかん薬　355

抗ヒスタミン薬　350
抗リン脂質抗体症候群　**66**, 337
後期流産　**58**, 123
後頸部浮腫　96
後天性免疫不全症候群　24
後頭蓋窩　152
高血圧　312
　──，産後　313
高血圧合併妊娠　186, 312
高血圧診断，妊娠中の　187
高血圧性脳症　315
高齢妊娠　107
硬膜外麻酔　398
膠原病合併妊娠　340
骨形成不全症　158
骨盤位　208
骨盤位経腟分娩　210

さ

サイトメガロウイルス　29, 33
サイトメガロウイルス感染症，先
　天性　33
細菌性腟症　132
最大羊水深度　195
催奇形性　384
臍帯下垂　208
臍帯静脈　204, 263
臍帯脱出　209
臍帯動脈　205, 253, 263, 266
臍帯付着部位異常　90
臍帯ヘルニア　93, 157
産後うつ病　283, 300
産後ケア　405
産後健康診査　280, 402
産後健診制度　402
産後高血圧　313
産褥 1 か月健診　281
産褥出血　292
産褥精神障害　283, 300

し

シーハン症候群　304
シェーグレン症候群　337
シクロホスファミド　388
ジノプロストン腟内留置用製剤
　　　　391
ジメンヒドリナート　40
子癇　184, 314
子宮鏡下子宮筋腫摘出術　234
子宮筋腫　140

子宮筋腫核出術　234	絨毛膜下血腫　**58**, 123	新生児バセドウ病　334
子宮筋腫合併妊娠　124, 141	絨毛膜羊膜炎　163	新生児マススクリーニング　410
子宮頸管部のポリープ　80	熟化促進　278	新生児ループス　339
子宮頸管無力症　125	出血　174	人工流産　58
子宮形態異常の妊娠管理　68	出血性びらん　79	陣痛誘発　278
子宮頸部細胞診異常　83	出産後甲状腺機能異常症　335	腎移植　326
子宮収縮　193	出生前遺伝学的検査　101	腎盂腎炎　162
子宮収縮抑制薬　160	出生前診断　92	腎疾患　323
子宮手術　232	──の適応　108	腎透析　326
子宮動脈　253	循環血液量　329	
子宮内外同時妊娠　49	初期血液検査　87	**す**
子宮内仮性動脈瘤　281	助産師　360	スクリーニング検査　5
子宮内胎児死亡　179, 215	除菌療法，ヘリコバクター・ピロリ　345	──，胎児　152
子宮内避妊器具　298		ステロイド薬　350
子宮内ポリープ摘出術　234	小腸閉鎖　157	スポーツ　377
子宮内膜症性囊胞　75	小脳横径　152	スルピリド　288
子宮内膜搔爬術　234	小脳通過断面　152	スルホニル尿素薬　229, 320
子宮破裂　235	消炎鎮痛薬　388	水血症　113
子宮復古不全　292	消化管重複症　156	水腎症　156, 157
四肢長管骨　100	消化管閉鎖　156	随時血糖　136, 227
糸球体腎炎　337	焦点癒着胎盤　173	健やか親子21　402
死産　215	漿膜下筋腫　141	
死産証書　218	上部消化管閉鎖　100	**せ**
自然分娩　277	常位胎盤早期剝離　162, **192**	セファレキシン　290
自然流産　58	常染色体劣性多発性囊胞腎　157	セフェム系抗菌薬　344
死胎児症候群　46	静脈血栓塞栓症　40	正常妊娠の推移　12
死亡率　2	食事の指導　368	生殖補助医療　42
嗜好品　368, 387	食事療法　229	生理的黄疸，新生児　410
耳音響放射　411	心エコー検査　330	成熟囊胞性奇形腫　73
自殺，妊産婦　404	心機能評価　329	性器出血　193
自動聴性脳幹反応　411	心筋障害　339	性交　294
児頭骨盤不均衡　270	心四腔断面　154	制吐薬　40
児頭大横径　147, 272	心疾患　328	精神疾患（妊娠中）　359
痔　240	心臓 MRI　330	赤色変性　141
実施基準，妊婦健診の　3	心臓の形態異常　99	脊髄くも膜下硬膜外併用麻酔　399
斜位　208	心電図検査　331	切迫後期流産　123
若年性特発性関節炎　341	心拍出量　329	切迫早期流産　58
手根管症候群　237	心拍数　329	切迫早産　160
授乳回数　286	心拍数基線　266	切迫流産　16, 58
授乳中の投薬　384	心拍数基線細変動　265	先天性横隔膜ヘルニア　94, 154
収縮期血圧　315	神経管閉鎖障害　93, 358, 369	先天性サイトメガロウイルス感染症　33
周産期うつ　300	深部静脈血栓症　142, 222	
周産期うつ病　301	新型コロナウイルス　24	先天性心疾患　155
周産期死亡　215	新型コロナワクチン　382	先天性心ブロック　339
周産期死亡率　2	新生児	先天性水痘症候群　380
十二指腸閉鎖　157	──のバイタルサイン　412	先天性トキソプラズマ症　31
重症貧血　114	──の評価　408	先天性難聴　411
絨毛性ゴナドトロピン　10	新生児 GBS 感染症　170	先天性風疹症候群　20, 380
絨毛染色体検査　98, 102	新生児健診　408	染色体異常児　96
──，胎児　69	新生児生理的黄疸　410	染色体検査　110

染色体転座　68
穿通胎盤　173
全身痙攣発作　354
全身性エリテマトーデス　325, **337**
全前置胎盤　89, 172
全胞状奇胎　53
全癒着胎盤　173
前期破水　211
前置胎盤　89, **172**
喘息発作　349

そ
双胎　42
双胎間輸血症候群　46, 177, **179**
双胎貧血多血症　179
早期陣痛　160
早期流産　58, 60
早産期 PROM　211
早発型妊娠高血圧腎症　313
瘙痒　241
側脳室　152
　── の拡大　99
側脳室通過断面　152

た
ターナー症候群　95
タナトフォリック骨異形成症　158
タバコ　387
　──, 加熱式　372, 388
　──, 電子　372
　──, 非燃焼　372, 388
ダウン症　96
ダクチル　64
ダナゾール　387
ダルテパリンナトリウム　225
ダンディ-ウォーカー奇形　152
多胎妊娠
　── の管理　177
　── の診断　42
多発性囊胞腎, 常染色体劣性　157
多囊胞性腎異形成　156
大量出血　174
体格評価　308
体重増加の推奨値　309, 369
耐糖能異常　136, 318
耐糖能検査　144
待機管理　277
胎芽　12
胎児
　── の位置異常　208

　── の形態評価, 妊娠 12 から 21 週　92
　── の形態評価, 妊娠 22 から 36 週　152
　── の発育評価　147
胎児 well-being 監視　276
胎児 well-being の評価　206, 244, 264
　──, 妊娠 37 週以降の　259
胎児アルコール症候群　203
胎児仮死　264
胎児機能不全　264
胎児胸水　154
胎児共存奇胎　53
胎児計測　147
胎児形態異常　152
胎児血流計測　263
胎児血流モニタリング　266
胎児健常性　264
胎児呼吸循環不全　264
胎児酸血症　266
胎児ジストレス　264
胎児死亡　215
胎児絨毛染色体検査　69
胎児新生児溶血性疾患　118
胎児心拍数陣痛図　264
胎児心拍数陣痛図計測　259
胎児心拍数波形レベル分類　265
胎児推定体重　147, 204
胎児スクリーニング　92
胎児スクリーニング検査　152
胎児性アルコール・スペクトラム障害　372, 387
胎児体重推定式　149
胎児胎盤機能不全　264
胎児超音波検査　6, 92, 152
胎児低酸素症　264
胎児発育不全　147, **201**, 338
胎児母体間輸血　118
胎動減少　193
胎動数カウント　267
胎囊　12
胎盤位置異常　146
胎盤機能の評価　250
胎盤の位置決定　89
胎盤由来酵素　257
大うつ病性障害　363
大腿骨長　148
大脳動脈　205
脱落膜ポリープ　80

単房性囊胞性腫瘍　76
蛋白尿診断, 妊娠中の　187
蛋白尿スクリーニング　324

ち
チアマゾール　333, 388
チウラジール　333
チラーヂン S　334
中大脳動脈　263, 267
超音波検査　6
　──, 切迫流産　62
　──, 胎児　6, 152
　──, 通常　6
　──, 妊娠初期の　12
超音波パルスドプラ法　263
貼付型 β_2 刺激薬　350
聴覚スクリーニング　411

つ
つわり　37
通常超音波検査　6

て
テオフィリン徐放製剤　350
テトラサイクリン系抗菌薬　388
てんかん　352
低置胎盤　89, 172
低用量アスピリン・ヘパリン併用療法　67
低用量ピル　298
帝王切開術　233
鉄欠乏性貧血　114
電子タバコ　372

と
トキソプラズマ　**29**, 31
トキソプラズマ症, 先天性　31
トコリーシス　160
トリソミー 13　102
トリソミー 18　93, 102
トリソミー 21　93, 102
トリメタジオン　388
トレポネーマ抗体　22
トロンボポエチン受容体作動薬　345
透析　326
透明帯　96
頭位　208
頭蓋骨　152
頭殿長　13

糖代謝異常　318
糖尿病　318
糖尿病合併妊娠　136, 227, 318
糖尿病ケトアシドーシス　321
糖尿病腎症　321, 326
糖尿病網膜症　321
糖負荷試験　227
動静脈奇形　293
銅付加IUD　298
特発性血小板減少性紫斑病　343

な

内痔核　240
内膜症性嚢胞　75
軟骨無形成症　158
難聴，先天性　411

に

ニカルジピン　315
ニフェジピン　315
二質問法，Whooleyらの　363
二絨毛膜双胎　43
二絨毛膜二羊膜双胎　42
二分脊椎　154
二卵性双胎　43
入浴　294
乳がん，炎症性　290
乳児1か月健診　408
乳汁嚢胞　290
乳汁分泌不全　284
乳腺炎　289
乳頭異常　289
乳頭炎　291
乳頭塞栓　290
乳房のケア　281
尿素窒素，血清　324
尿蛋白　324
尿中hCG　10
尿中ケトン体　37
妊産婦死亡率　2
妊産婦の自殺　404
妊娠37週以降の胎児well-being
　の評価　259
妊娠うつ病　361
妊娠悪阻　37
妊娠許可基準　319
妊娠高血圧　184
妊娠高血圧症候群　184, 312, 338
妊娠高血圧腎症　184
　——，加重型　**184**, 313

——，早発型　313
妊娠甲状腺中毒症　333
妊娠初期の超音波検査　12
妊娠性血小板減少症　344
妊娠性瘙痒症　241
妊娠線　241
妊娠蛋白尿　184
妊娠中
　——の明らかな糖尿病　136
　——の高血圧診断　187
　——の蛋白尿診断　187
　——の投薬　384
妊娠糖尿病　136, 227, 318, 338
　——の管理　227
妊娠反応　10
妊娠リスクスコア　8
妊婦健康診査（妊婦健診）　2
　——の実施基準　3
妊婦貧血　113

ね

ネフローゼ症候群　325
粘液栓　163

の

ノンストレステスト　251, 259, 264
ノンリアクティブ　260
脳梗塞　187
脳出血　187
脳性ナトリウム利尿ペプチド　330

は

バイタルサイン，新生児の　412
バクタ配合錠　290
バセドウ病　334
バナナサイン　154
バリヤー法　299
バルプロ酸　358, 386
パニック障害　362
破水診断　212
肺水腫　184
梅毒スクリーニング　21
白衣高血圧　186
母親学級　360
反復流産　62

ひ

ヒスロン　64
ヒト胎盤性ラクトゲン　254
ヒドララジン　315

ビグアナイド系　229, 320
ビタミンA　386
ビタミンK　410
ビタミンK欠乏性出血　411
ビリルビン脳症　410
ピペリドレート塩酸塩　64
ピル，低用量　298
ピロリ菌　345
非燃焼タバコ　372, 388
肥満妊婦　309
避妊指導　296
鼻骨　98
貧血
　——，亜鉛欠乏性　114
　——，重症　114
　——，鉄欠乏性　114
　——，妊婦　113
　——，葉酸欠乏性　114

ふ

フェインジェクト　114
フェジン　114
フェニトイン　388
フェノバルビタール　388
フェロ・グラデュメット　114
フェロミア　114
フォリアミン　93
フラグミン　225
フラジール　134
プレコンセプションケア　318
プレドニゾロン　346
プロウペス　391
プロゲスチン　387
プロゲホルモン　64
プロパジール　333
プロピルチオウラシル　333
プロベラ　64
プロラクチン　284
不安障害　361
不育症　66
不規則抗体検査　119
不全流産　11, 16
不妊手術　297
付属器腫瘤　71
部分前置胎盤　89, 172
部分胞状奇胎　53
部分癒着胎盤　173
風疹抗体　20
腹囲　204
腹腔内癒着　235

腹壁破裂　157
分娩，自然　277
分娩時予防的抗菌薬投与　167
分娩誘発　277, 391
分娩予定日の推定　12

へ
ヘパリン　225
ヘパリン在宅自己注射療法　68
ヘマトクリット値　114
ヘモグロビン A1c　137, 229, 319
ヘモグロビン濃度　113
ヘリコバクター・ピロリ　345
ベックウィズ-ヴィーデマン症候群　53
辺縁前置胎盤　89, 172
便秘　239

ほ
ホーマンズ徴候　223
ポッター症候群　158
保健指導　6
母子感染　29
母子感染予防　418
母体血清マーカー検査　110
胞状奇胎　11, 16, **53**
膀胱　94

ま
マグネシウム，硫酸　161
マタニティ・ブルーズ　283, 301
マタニティ・ブルーズ日本版評価尺度　301
麻酔関連合併症　399
麻酔分娩　398
膜性診断　44
慢性腎臓病　323

み
ミソプロストール　388
未熟児娩出　213
脈絡膜嚢胞　99

む
無心体双胎　46, 180

無痛分娩　397
無頭蓋児　93

め・も
メチルドパ　315
メッセンジャーRNA ワクチン　382
メトクロプラミド　40, 288
メトトレキサート　50, 388
メトホルミン　229, 320
メドロキシプロゲステロン酢酸エステル　64
メトロニダゾール　134
メルカゾール　333
免疫グロブリン大量療法　345
問診，初診時　8

や・ゆ
やせ妊婦　309
輸血　118
癒着胎盤　173, 234
誘発，分娩　277

よ
予定日超過　244
予防接種　378
予防接種スケジュール，乳幼児　414
予防的頸管縫縮術　126
羊水　195
羊水インデックス　196
羊水過少　**195**, 199, 205
羊水過多　**195**, 197
羊水検査　111
羊水深度　261
羊水染色体検査　98, 102
羊水内感染　163
羊水ポケット　195, 261
羊水量　205
羊水量測定　261
羊膜　14
羊膜索症候群　94
腰痛　240
葉酸　93, 356, 369

葉酸欠乏性貧血　114

ら
ラベタロール　315
卵黄嚢　12
卵管切開術　50
卵管切除術　50
卵管破裂　49
卵管流産　49
卵巣腫瘍　71
卵巣腫瘤　73
卵巣嚢腫　71
卵膜剝離　278

り
リアクティブ　260
リウマチ，関節　340
リスク・コミュニケーション　389
リスクスコア，妊娠　8
リステリア感染症　165
リネゾリド　291
流産　58
硫酸鉄　114
硫酸マグネシウム　161

る
ループス腎炎　325, 337
ルテイン嚢胞　76

れ
レオポルド手技　208
レボチロキシンナトリウム　334
レボノルゲストレル　298
レモンサイン　154
レンサ球菌，B群　167

ろ
ローエンベルグ徴候　223
ロイコトリエン受容体拮抗薬　350

わ
ワクチン接種　378
ワルファリン　386
和痛分娩　398